A CRIAÇÃO DA CONSCIÊNCIA FEMINISTA

Gerda Lerner

A CRIAÇÃO DA CONSCIÊNCIA FEMINISTA

A Luta de 1.200 Anos das Mulheres para Libertar suas Mentes do Pensamento Patriarcal

Tradução
Luiza Sellera

Editora Cultrix
SÃO PAULO

Título do original: *The Creation of Feminist Consciousness*.

Copyright © 1993 por Gerda Lerner.

The Creation of Feminist Consciousness foi publicado originalmente em inglês em 1993. Esta edição foi publicada mediante acordo com a Oxford University Press. A Editora Cultrix é responsável por esta tradução. A Oxford University Press não se responsabilizará por quaisquer erros, omissões ou inexatidões ou ambiguidades nesta tradução ou por quaisquer perdas causadas pela confiança na mesma.

Copyright da edição brasileira © 2022 Editora Pensamento-Cultrix Ltda.

1ª edição 2022

Todos os direitos reservados. Nenhuma parte desta obra pode ser reproduzida ou usada de qualquer forma ou por qualquer meio, eletrônico ou mecânico, inclusive fotocópias, gravações ou sistema de armazenamento em banco de dados, sem permissão por escrito, exceto nos casos de trechos curtos citados em resenhas críticas ou artigos de revistas.

A Editora Cultrix não se responsabiliza por eventuais mudanças ocorridas nos endereços convencionais ou eletrônicos citados neste livro.

Capa – Imagem – Wikicommons (WGA8563.jpg). "*Judith decapitando Holofernes*, óleo sobre tela de Artemisia Gentileschi, (1593-1656) pintora barroca de origem italiana. A obra se encontra hoje no Museu de Capodimonte, em Nápoles, Itália".

Editor: Adilson Silva Ramachandra
Gerente editorial: Roseli de S. Ferraz
Preparação de originais: Alessandra Miranda de Sá
Gerente de produção editorial: Indiara Faria Kayo
Editoração eletrônica: Join Bureau
Revisão: Vivian Miwa Matsushita

Dados Internacionais de Catalogação na Publicação (CIP)
(Câmara Brasileira do Livro, SP, Brasil)

Lerner, Gerda, 1920-2013
    A criação da consciência feminista: a luta de 1.200 anos das mulheres para libertar suas mentes do pensamento patriacal / Gerda Lerner; tradução Luiza Sellera. – São Paulo: Editora Cultrix, 2022.

    Título original: The creation of feminist consciousness
    ISBN 978-65-5736-156-6

    1. Civilização – Ocidental – História 2. Mulheres – História 3. Mulheres intelectuais – História 4. Teoria feminista – História I. Título.

22-105942
                                  CDD-305.42

Índices para catálogo sistemático:
1. Teoria feminista: Sociologia 305.42
Maria Alice Ferreira – Bibliotecária – CRB-8/7964

Direitos de tradução para a língua portuguesa adquiridos com exclusividade pela EDITORA PENSAMENTO-CULTRIX LTDA., que se reserva a propriedade literária desta tradução.
Rua Dr. Mário Vicente, 368 — 04270-000 — São Paulo, SP — Fone: (11) 2066-9000
http://www.editoracultrix.com.br
E-mail: atendimento@editoracultrix.com.br
Foi feito o depósito legal.

Aos meus netos,
para quem o impossível parecerá trivial:

SOPHIA e JOSHUA
REED e CLAY

SUMÁRIO

Prefácio e Agradecimentos 9

Prefácio à edição brasileira 15

UM   Introdução 23

DOIS   A Desvantagem Educacional das Mulheres 43

TRÊS   Autolegitimação 71

QUATRO   O Caminho das Místicas – 1 93

CINCO   O Caminho das Místicas – 2 119

SEIS   Legitimação por Meio da Maternidade 151

SETE   Mil Anos de Crítica Bíblica Feminista 177

OITO   Legitimação Por Meio da Criatividade 211

NOVE	Direito de Aprender, Direito de Ensinar, Direito de Definir.....	241
DEZ	Grupos Femininos, Redes Femininas, Espaços Sociais............	275
ONZE	A Busca pela História das Mulheres	305
DOZE	Conclusão..	335

Notas.. 347

Bibliografia.. 405

Índice remissivo.. 459

PREFÁCIO E AGRADECIMENTOS

Esta obra em dois volumes levou muitos anos para ser concluída. Começou em 1977, com a minha hipótese de que a natureza da relação das mulheres com a história explica a longa duração de sua subordinação e o lento despertar da consciência feminista. O escopo deste livro estava razoavelmente claro na minha mente quando comecei o trabalho, mas logo descobri que precisava saber mais sobre a origem e as causas da subordinação das mulheres, que precedia a criação da história escrita, antes de poder lidar de forma adequada com a relação das mulheres com aquela história. Assim, o Volume 1 de *A Criação do Patriarcado* acabou sendo escrito como uma espécie de grande mudança de rumo. Não me arrependo, porque essa mudança foi de fato essencial para aprimorar meu entendimento a respeito da interação entre o acesso a recursos (classe), o controle dos homens sobre a sexualidade e o corpo das mulheres, e as ideias sobre gênero que surgiram dessas realidades materiais. Mas o que aprendi de mais importante foi o significado da relação com o Divino para as mulheres e o enorme impacto que o rompimento dessa relação causou na história delas. Somente após explorar o processo de "destronamento das deusas" nas várias culturas do Antigo Oriente Próximo é que pude perceber a dimensão e a urgência da busca de mulheres judias e cristãs por conexão com o Divino, manifestada em mais de mil anos de crítica feminista da Bíblia e revisionismo religioso. Ainda não tinha a compreensão de que a religião era a principal arena na qual as mulheres lutaram por centenas de anos pela consciência feminista. Eu a obtive trabalhando no Volume 1; escutei as vozes de mulheres esquecidas e aceitei o que me disseram.

O Volume 2 demandou mais sete anos de trabalho. Teria levado muito mais se eu não tivesse recebido o apoio contínuo da Universidade de Wisconsin-Madison, nomeando-me professora sênior da Fundação de Pesquisa de ex-alunos de Wisconsin de 1984 a 1991. Essa generosa nomeação me deixou livre das obrigações do ensino durante um semestre por ano, o que me permitiu continuar pesquisando e escrevendo sem interrupções. Na minha idade, esse tipo de apoio e confiança tem mais significado do que na juventude. Sou profundamente grata por isso e espero que os resultados façam jus à confiança dos colegas em meu trabalho.

Uma residência acadêmica no Bellagio Study and Conference Center [Centro de Estudos e Conferências Bellagio] da Fundação Rockefeller, na Itália, em outubro e novembro de 1991, me ajudou a concluir o livro e sua bibliografia em um belo ambiente e em estimulante companhia. Agradeço à Fundação Rockefeller pelo grande apoio.

Apresentei um trabalho, "The Emergence of Feminist Consciousness: The Idea of Motherhood" ["O Surgimento da Consciência Feminista: A Ideia de Maternidade"], baseado no que agora é o Capítulo Seis, no Oitavo Congresso de Berkshire sobre a História das Mulheres, de 8 a 10 de junho de 1990, no Douglass College. Os comentários e as críticas dos palestrantes, as professoras Eleanor McLaughlin (Mount Holyoke College), Clarissa Atkinson (Harvard Divinity School) e Sara Ruddick (New School for Social Research) me ajudaram muito a repensar esse capítulo.

Muitos outros capítulos deste livro serviram como base para palestras nas seguintes instituições: Colorado College, em janeiro de 1989; Universidade do Sul da Flórida, em novembro de 1989; Walter E. Edge Lecture Series na Universidade de Princeton, em abril de 1990; Universidade de Wisconsin-Madison, em setembro de 1991; Universidade de Pittsburgh, em março de 1991; Lewis and Clark College, em abril de 1991; Universidade de Victoria, em Wellington, Nova Zelândia; Erasmus Universität, em Roterdã, Holanda, 1991; Edgewood College, Madison, Wisconsin, 1992. Em cada ocasião, as discussões intensas e minuciosas após cada palestra me ajudaram a aprimorar minha argumentação e corrigir pontos fracos.

Em minha busca por fontes, fui muito auxiliada pela generosidade de diversas acadêmicas que compartilharam comigo os próprios trabalhos e conhecimento: as professoras Ursula Liebertz-Grün (Universität zu Köln); Kari Elizabeth Børressen (professora pesquisadora, Oslo, Noruega) e Suzanne Desan (Universidade de Wisconsin-Madison). Chava Weissler (Universidade de Princeton) compartilhou comigo suas obras publicadas e não publicadas, além de ter me apresentado a várias fontes sobre mulheres judias. Maryanne Horowitz (Occidental College) compartilhou seu extenso conhecimento de fontes a respeito do Renascimento e discutiu acaloradamente sobre minhas interpretações, prestando-me grande auxílio.

Em uma obra desta extensão, as críticas de especialistas em variados campos são indispensáveis. Tirei grande proveito da generosidade de diversos acadêmicos dispostos a ler e criticar partes do manuscrito que tinham relação com a especialidade deles. Meus profundos agradecimentos a: Clarissa Atkinson; Constance Berman; Maryanne Horowitz; Ruth Perry (Instituto de Tecnologia de Massachusetts); Hilda Smith (Universidade de Cincinnati); Nancy Isenberg (Commonwealth Center, Williamsburg); Virginia Brodine e meus colegas da Universidade de Wisconsin: Judy Leavitt (História da Medicina); Linda Gordon (História); Carl Keastle (História da Educação). O compartilhamento de conhecimento e recursos para pesquisa tornou minha tarefa "impossível" menos intimidadora.

Um rascunho avançado do livro inteiro foi lido por Paul Boyer (Universidade de Wisconsin-Madison), Kathleen Brown (Universidade de Princeton), Steven Feierman (Universidade da Flórida, Gainesville), Linda Kerber (Universidade de Iowa), Ann Lane (Universidade da Virgínia), Lawrence Levine (Universidade da Califórnia em Berkeley) e Elizabeth Minnich. A crítica cuidadosa e detalhada que recebi desses acadêmicos e amigos me permitiu reescrever meu trabalho e encontrar seu formato final. Isso também me encorajou e amparou imensamente durante os períodos mais difíceis.

Este é o terceiro livro que publico com Sheldon Meyer, e a cada ano aumenta meu apreço por seu estilo, gosto e perceptividade. Não consigo pensar em outro editor que toleraria um atraso de quinze anos para concluir um manuscrito sem sequer me repreender e que, pelo contrário, me encorajaria e apoiaria uma grande mudança de rumo como a minha. A compreensão que ele tem sobre meu pensamento e meu trabalho foi uma constante fonte de surpresa e encanto para mim. A ele, minhas mais calorosas estima e gratidão.

Leona Capeless fez um trabalho incrível neste volume, assim como no primeiro. Seu conhecimento e habilidades, acentuados pela paciência que parece ser infinita, tornam o trabalho técnico de produzir um livro bastante suportável, e até interessante. Agradeço a ela com sinceridade.

Uma sucessão de assistentes de projetos desbravaram as fontes sobre a História das Mulheres, facilitando e melhorando o meu trabalho de muitas maneiras. Meus mais cordiais agradecimentos a Elizabeth Williams, Kathryn Tomasek, Samantha Langbaum e Jennifer Frost pelo esforço e apoio. Anita Olson, apesar de suas muitas outras responsabilidades, sempre encontrou tempo para melhorar a digitação deste manuscrito e de sua difícil bibliografia. Seu interesse por esta obra desde o início foi além da ajuda técnica especializada que ofereceu; com frequência ela foi minha primeira leitora e crítica empática. Agradeço verdadeiramente pela ajuda.

Meus agradecimentos pelo conhecimento e pela ajuda atenciosa dos arquivistas e bibliotecários da Wisconsin State Historical Society e da Wisconsin University Memorial Libraries, ambas em Madison, Wisconsin; à biblioteca da Universidade da California, em Berkeley; à biblioteca Schlesinger, Radcliffe College, Cambridge, Massachusetts; à British Library e a Fawcett Library, em Londres, Inglaterra. Meus agradecimentos especiais à irmã Angela Carlevaris, arquivista da Abadia de Santa Hildegarda, em Eibingen, distrito de Rüdesheim am Rhein, localizada em uma região do vale do rio Reno, na Alemanha, que me permitiu ver o manuscrito de Hildegarda de Bingen (Hildegard von Bingen) na abadia e compartilhou seu extenso conhecimento de fontes e interpretações.

Esta obra foi elaborada em anos de vida solitária; e provavelmente não poderia ter sido feita de outra forma. Foi o trabalho mais difícil que já realizei, porque ficaram mais nítidas do que nunca para mim a dimensão das dificuldades das mulheres, suas perdas e decepções; a terrível tragédia de talentos e energia despendidos ao longo dos séculos e milênios. Mas, no fim, também senti e vivenciei a força da resistência, persistência, transcendência, o fio luminoso de uma busca comum por história, a insistência das mulheres de que temos uma história e, com ela, plena humanidade.

O trabalho e os feitos contínuos da comunidade da História das Mulheres me ofereceram o que tragicamente faltou às mulheres cujas vida e luta descrevi – uma rede de apoio feminina. As diversas maneiras pelas quais abordamos nossa enorme tarefa com crescente consciência das diferenças entre nós criou uma base sólida para a iniciativa comum. Não tentamos mais falar em uma só voz, e sim apreciar e ouvir vozes diferentes. Não precisamos mais concordar sobre uma teoria ou um conjunto de explicações, e o conflito, mesmo entre nós, não parece tão ameaçador como antes. Melhor, esse é um fruto natural da amplitude do nosso movimento por transformação cultural.

Pessoalmente, o amor da minha família – Stephanie e Todd, Dan e Paula, e seus filhos – me nutriu e sustentou. Meus amigos íntimos me ofertaram seu amor e amizade nos bons e maus momentos. E sempre, ao longo dessas últimas décadas, apesar da distância geográfica entre nós, minha querida amiga Eve Merriam caminhou ao meu lado, conhecendo, ouvindo e compartilhando. Agora ela se foi, mas sua poesia, seu pensamento e seu amor continuam vivos. Este livro é dela e para ela.

Madison, Wisconsin
Agosto de 1992 **G.L.**

NOTA SOBRE ESTILO

Em geral, sou adepta da prática de citar todas as fontes primárias dos textos mais antigos disponíveis no idioma de origem. Em casos de fontes que eu não possa ler em razão da minha falta de conhecimento do idioma, tentei citar a primeira versão em inglês disponível. Tentei usar o mesmo princípio em relação a nomes de autores, escrevendo-os no idioma do autor (por isso, Vilemina para a líder do movimento conhecido em inglês como *guglielmites*).* Quando precisei desviar dessa prática, indiquei a reedição da qual tirei minha fonte a fim de fazer com que o leitor encontre com facilidade a fonte e saiba que não vi o manuscrito original.

---

* Em relação a nomes, optei por usar a tradução consagrada, quando aplicável. (N. da T.)

Os termos de referência pelos quais afro-americanos falam de si próprios mudaram no decurso da história. Sempre havia, em geral, uma série de diferenças entre eles sobre como preferiam ser chamados. Adotei a prática de usar a designação escolhida pelo autor ou pelo grupo em questão durante um período histórico específico (portanto, *Negro Women's Club Movement* [Movimento das Mulheres Pretas] em vez de *Black Liberation* [Libertação Negra]). De acordo com o mesmo princípio, me refiro ao *Woman's Rights Movement* [Movimento pelos Direitos da Mulher] do século XIX e ao *Women's Rights Movement* [Movimento pelos Direitos das Mulheres] do século XX. Afro-americanos lutaram por mais de cem anos para que o termo usado para designá-los iniciasse com letra maiúscula em inglês, como acontece com as designações para outros grupos étnicos ou raciais (Italianos, Espanhóis, Pretos). Então, sempre que o substantivo "negro" for usado como substituto para "afro-americano" ou "preto", indica integrantes de um grupo racial, devendo ser escrito com a inicial maiúscula [em inglês], algo que até o *New York Times* enfim reconheceu. Existe uma grande confusão em relação ao modo como escrevemos "negro". As duas formas podem ser justificadas – "mulheres Negras e mulheres Italianas" –, ambas designando adesão a um grupo, ou "mulheres negras e brancas", aqui indicando a cor da pele, por isso a letra minúscula. Costumo iniciar o substantivo com maiúscula e o adjetivo com minúscula, mas entendo que seja um termo em transição.*

Como este livro é organizado por tema, foi impossível evitar o aparecimento dos mesmos autores em diversos capítulos. Por isso Cristina de Pisano é discutida em capítulos diferentes em relação aos seus escritos sobre maternidade, educação e História das Mulheres. Costumo fazer uma descrição biográfica do autor quando o menciono pela primeira vez. Os leitores podem usar o Índice para encontrar outros momentos em que cada autor é discutido.

A Bibliografia foi organizada pensando nas necessidades de professores. Aqueles que quiserem acessar com rapidez as fontes sobre uma das mulheres que aparecem no livro as encontrarão relacionadas com as fontes pertinentes no título cronológico apropriado. Um índice que inclui as "autoras mencionadas" os ajudará a localizar fontes e referências sobre cada uma.

---

* Em português, adotamos o uso de letras minúsculas para nacionalidades, etnias, grupos raciais etc.; por isso a explicação da autora não se aplica à tradução. Segui os padrões do idioma português. (N. da T.)

PREFÁCIO À EDIÇÃO BRASILEIRA

Em 2019, a Cultrix publicou a primeira tradução brasileira de um livro fundamental que havia sido lançado 33 anos antes, em 1986: *A Criação do Patriarcado*. Tive a honra de ser convidada para escrever o prefácio e dediquei algumas linhas à biografia de sua autora, Gerda Lerner. Essa austríaca, que foi presa pelos nazistas e mudou-se para os Estados Unidos, voltou a estudar apenas depois de dois maridos e de o filho caçula ter completado 16 anos. E o que mais chamou sua atenção foi a ausência das mulheres na História. Ainda como aluna de graduação, apresentou o que foi considerada a primeira disciplina sobre História das Mulheres em uma universidade. Faleceu em 2013, aos 92 anos, após uma vida legitimando a história das mulheres e mostrando por que ela é tão importante.

Em *A Criação do Patriarcado*, Lerner explicou como o patriarcado surgiu para institucionalizar os direitos dos homens de controlar e se apropriar dos serviços sexuais e reprodutivos das mulheres. O sistema de dominação patriarcal, que, segundo ela calcula, foi firmemente estabelecido no século VI a.C., não apenas mudou toda a ordem social, mas também o modo de pensarmos. As principais ideias sobre gênero no patriarcado (que existem até hoje) envolvem a ideia de que homens e mulheres são totalmente diferentes (a ponto de termos *best-sellers* com títulos como *Homens São de Marte, Mulheres São de*

Vênus – ou seja, somos de outra espécie!), sendo que os homens são naturalmente superiores; que homens são racionais, feitos para liderar, enquanto mulheres foram criadas para cuidar; que homens devem controlar as mulheres no âmbito sexual; que homens fazem a mediação do relacionamento com Deus. De um jeito ou de outro, desde bebês crescemos ouvindo, vendo e incorporando essas suposições.

Essas ideias patriarcais sobre gênero são vendidas como naturais. Isso é imprescindível. Se forem apresentadas como são – meras construções sociais sem o menor cabimento –, podem ser refutadas com mais facilidade. Mas, uma vez que são ofertadas como naturais, vem no pacote o conformismo de que é assim que as coisas são, sempre foram e sempre serão. Sabem como é, não podemos mudar a natureza. É o que ouço sempre enquanto sento em uma cadeira giratória acolchoada e digito num computador dentro do meu escritório com ventilador e à prova de chuva.

Em 1977, Lerner levantou a hipótese de que a falta de uma História de, para e sobre mulheres estaria ligada a uma longa submissão e a um lento despertar da consciência feminista. Ela decidiu escrever *A Criação do Patriarcado* quase como um desvio de rota para entender melhor a origem e as causas da subordinação feminina. Esse foi o Volume 1 de uma obra única, que ela chamou de *Women and History*. O Volume 2, que enfim chega ao Brasil em uma excelente tradução de Luiza Sellera, requereu sete anos de trabalho da autora e resultou em *A Criação da Consciência Feminista*, livro fascinante que tenho certeza de que vai interessar a todas e todos, e não só a estudantes de História.

Neste ousado projeto, Lerner apresenta como se criou a consciência feminista na Europa Ocidental e nos Estados Unidos entre 700 d.C. e 1870. Por que Lerner parou por aí? Porque no fim do século XIX já havia consciência feminista suficiente para o surgimento de organizações em prol dos direitos das mulheres (tanto que o termo *feminista* surgiu nessa época). Em outras palavras, as vozes dos movimentos feministas não estão presentes no livro, porque Lerner se interessa mais pela *criação* dessa consciência neste estudo. Ela crê que, provavelmente, desde que existe o patriarcado, houve mulheres que resistiram a ele, mas ela se baseou em registros escritos. É evidente que as mulheres do século XIX não acordaram um dia cansadas do patriarcado e simplesmente decidiram lutar por seus direitos. O que as levou a esse ponto de ruptura? Se já é difícil para nós responder como surgiu nossa consciência feminista individual, imaginem analisar 1.200 anos de História para buscar essa resposta coletiva.

Sem dúvida, é um trabalho que requer fôlego, pesquisa de altíssimo nível e erudição. Lerner define consciência feminista como "a percepção das mulheres de que pertencem a um grupo subordinado; de que elas sofreram injustiças como grupo; de que a condição de subordinação delas não é natural, mas determinada pela sociedade; de que elas devem se juntar a outras mulheres para reparar essas injustiças; e, por fim, de que podem e devem oferecer uma visão alternativa de organização social na qual as mulheres, assim como os homens, desfrutarão de autonomia e autodeterminação" (p. 35).

As mulheres acreditaram – algumas ainda acreditam, infelizmente – nos pensamentos patriarcais que regem o mundo. Antes de lutar por seus direitos, e ao longo do tempo, elas precisavam acreditar que eram humanas. Afinal, como lutar por direitos humanos se a pessoa nem se considera humana? Para Lerner, é essa dificuldade que fez as mulheres criarem e recriarem o mesmo sistema que as oprimia. Ela exemplifica brilhantemente que, desde Aristóteles, havia a concessão de que nem todos concordassem sobre a escravidão. Mas a inferioridade das mulheres não estava aberta a discussão. Era um fato consumado. Lerner indica que, mais de dois mil anos depois, no momento de os homens redigirem a Constituição dos Estados Unidos, houve um acalorado debate sobre a humanidade dos escravos e como eles deveriam ser contabilizados para fins de distribuição eleitoral. No entanto, no tocante às mulheres, embora fossem contadas entre o número total de pessoas livres, não houve qualquer menção ao seu direito a voto ou ao direito de disputar cargos públicos.

Durante milhares de anos, mulheres talentosas gastaram seu tempo apenas para provar que podiam pensar. Como não havia uma história registrada delas e sobre elas, precisavam se reinventar a todo instante. Para Lerner, a desvantagem educacional foi o fator determinante para a consciência feminista tardar tanto a chegar: "As mulheres, por mais tempo do que qualquer outro grupo estruturado na sociedade, viveram em uma condição de ignorância ensinada, alienadas da própria experiência coletiva por meio da negação da existência da História das Mulheres" (p. 31). Isso não marcou as mulheres apenas individualmente, mas também coletivamente. Antes de expor seu talento, a polímata e erudita Hildegarda de Bingen (1098-1179) precisou convencer a si mesma de que era capaz de raciocínio abstrato, vencendo uma das suposições patriarcais mais básicas. Depois, foi necessário convencer os outros. Quantas mulheres não saíram da primeira etapa?

O Capítulo 1 de *A Criação da Consciência Feminista* é uma valiosa introdução ao que será discutido no livro. O Capítulo 2 aborda a desvantagem educacional que as mulheres sofreram ao longo dos séculos, e como esse desperdício afetou o que pensavam sobre si próprias. Lerner menciona o caso de Lucinda Foote, uma garota de 16 anos que tinha todas as qualificações para estudar na Universidade de Yale em 1792, exceto uma: seu sexo. Era só isso que importava para que tivesse sua admissão negada. Até 1700 havia menos de trezentas mulheres instruídas na Europa Ocidental conhecidas por historiadores.

O Capítulo 3 é dedicado à autolegitimação, ou seja, a como as mulheres se autolegitimizaram a falar em público e a ser uma autoridade (na maior parte dos casos, a autoridade vinha de sua comunicação direta com Deus). Se, para os homens, a autoridade era presumida, para as mulheres ela era negada. Portanto, o simples fato de se dizer autolegitimizada já fazia da mulher uma aberração.

Os Capítulos 4 e 5 tratam de um tema que a princípio, pela minha falta de religiosidade, me interessaria pouco: o misticismo. Mas eu estava enganada. Nunca tinha pensado no misticismo como uma forma alternativa de pensamento para mulheres, e em como, por intermédio dele, elas conseguiam ser ouvidas ao acreditarem que se comunicavam com Deus. Já que mulheres não eram capazes de pensamento racional, dizia o patriarcado, o pensamento místico lhes conferia autoridade para poder se expressar e levar uma vida fora dos padrões. Não importa se somos ou não religiosas ou a qual religião pertencemos: para Lerner, a religião foi a principal arena na qual as mulheres lutaram por centenas de anos pela consciência feminista. E ela dá inúmeros exemplos disso neste livro.

No Capítulo 5, há um enfoque maior nas místicas de seitas heréticas e na Reforma Protestante. Existe uma ampla discussão entre feministas sobre se a Reforma foi benéfica ou não às mulheres. Ao mesmo tempo que ela difundiu a educação feminina, levou a uma ortodoxia patriarcal maior e à redução dos conventos, que – isso nunca me passou pela cabeça – podem ser vistos como um espaço privilegiado para as mulheres, longe dos homens.

Uma coisa é certa: a religião foi fundamental tanto para passar os valores patriarcais sobre a inferioridade feminina quanto como arena para que essas ideias fossem contestadas. Durante mil anos, ensina Lerner, as mulheres tiveram que ressignificar o conceito de religião para mudar seu papel. Não foi o cristianismo que inventou que as mulheres eram inferiores e deviam ter uma posição submissa. Porém, no ano 300, quando a Igreja passou a se consolidar como instituição hierárquica (com um clero masculino), ela moldou as suposições de gênero não apenas na Igreja, mas na sociedade em geral.

O Capítulo 6 trata do conceito da maternidade e traz o que me parece uma questão instigante: por que as mulheres se identificaram com a maternidade (como base da coletividade feminina) muito antes de se identificarem com a irmandade?

O Capítulo 7 é sobre mil anos de crítica bíblica feminista, dedicado a mostrar como a falta da História das Mulheres resultou em desperdício de talentos, pois as mulheres não só desconheciam o que suas antecessoras tinham criado, pensado e descoberto, como também acreditavam que os homens haviam realizado tudo. Isso fez com que parássemos no tempo, já que cada pensadora ignorava o que pensadoras anteriores tinham elaborado. Cada mulher que criticava a Bíblia começava do próprio ponto de partida, sem saber que muitas já haviam feito o mesmo. Essa ausência de memória coletiva foi bastante prejudicial e postergou a criação da consciência feminista em séculos.

O Capítulo 8 fala do talento criativo, de escritoras que formaram mundos alternativos e, assim, ajudaram a desenvolver a consciência feminista. Antes que uma mulher fosse ouvida, ela tinha que provar que era a autora do seu trabalho (que não era um parente quem escrevia por ela), precisava ter o próprio pensamento, e precisava embasar esse pensamento em um conhecimento que não fosse patriarcal. Depois disso, era "só" criar ou encontrar o próprio público.

No Capítulo 9, vemos a luta das mulheres por uma educação igualitária, pelo direito de aprender, de ensinar e de definir seus próprios caminhos. A primeira mulher conhecida a ganhar a vida com sua escrita foi Cristina de Pisano (1365-1430), não à toa uma pioneira na defesa da educação das mulheres. Sem educação, dificilmente haveria consciência feminista. O Capítulo 10 discute as condições em que essa consciência surgiu historicamente, e se há padrões nela.

O Capítulo 11 explora a luta pela História das Mulheres, o que inspirou redes de apoio. A ausência da História das Mulheres fez com que, segundo a metáfora de Lerner, cada mulher fosse um Robinson Crusoé em uma ilha deserta reinventando a civilização. Pena que não teríamos como realmente começar do zero, já que a herança patriarcal sempre estaria presente.

O Capítulo 12 oferece uma conclusão do que é a consciência feminista: compreender que mulheres fazem parte de um grupo subordinado, reconhecer que essa subordinação não é natural, desenvolver um sentido de irmandade, definir as estratégias para mudar isso e pensar em uma visão alternativa de futuro.

Em várias partes do livro, Lerner indica que os principais textos bíblicos usados para definir o papel das mulheres no mundo e justificar sua submissão eram, e ainda são, *O Livro do Gênesis* (Deus criou o homem à sua imagem, Eva veio da costela de Adão), o episódio da Queda (a expulsão do paraíso, causada por Eva) e São Paulo (segundo o qual a mulher deve permanecer em silêncio). Em qualquer área, os homens "provavam" que as mulheres não podiam pensar, lecionar e falar em público com base na autoridade bíblica. Logo, antes de poder exigir igualdade, as mulheres precisavam reinterpretar a Bíblia.

Durante toda a Idade Média, foram aceitas duas "verdades" indiscutíveis: que as mulheres foram criadas de forma inferior e para servir a um papel diferente do dos homens, e que, por sua natureza e fraqueza, tinham propensão maior para o pecado e a tentação sexual (e, portanto, deveriam ser vigiadas e controladas pelos homens). Nos versos de um poeta irlandês medieval, Eva dizia: "não haveria inferno, não haveria luto, não haveria terror, não fosse por mim". É uma culpa e tanto a ser superada. Como uma mulher podia se libertar carregando essa cruz de responsabilidade por tudo de mau que havia no mundo? Lendo isso, me veio à mente a imagem de um protesto nos Estados Unidos no fim dos anos 1960, em que um cartaz dizia *"Eva was framed"* (Eva foi incriminada). O espantoso foi me dar conta, ao ler o incrível livro de Lerner, de que mil anos de crítica bíblica feminista já manifestavam esse senso de injustiça.

Ao longo da história, as mulheres foram tão cidadãs de segunda classe, ou melhor, não cidadãs, vistas como uma espécie tão diferente e inferior, vistas quase como uma subespécie, que antes de tudo elas precisavam ser autorizadas (por Deus, pela maternidade) a falar e escrever. Lerner dá vários exemplos de como era comum para uma mulher que ousava transgredir seu gênero pedir desculpas, afirmando não ser digna, admitindo que seu sexo era inferior e insignificante.

Isso me fez pensar que, embora hoje já tenhamos conquistado um reconhecimento inédito na história, não é nada raro termos palestras e congressos inteiros só com palestrantes homens. E, muitas vezes, quando as mulheres começam suas palestras, elas se desculpam por alguma coisa (por não ter se preparado direito, por aquela não ser exatamente a sua área, por não saberem por quanto tempo vão falar). Os homens costumam iniciar com uma anedota. Não precisam pedir desculpas.

Não vou esquecer tão cedo de um debate do qual participei há uns anos em uma universidade particular das mais conceituadas. Na hora da apresentação, dois professores homens, pratas da casa, foram apresentados com o nome completo, titulação, um minicurrículo, todas as honras. Quando chegou a minha vez de ser apresentada, disseram apenas: "Lola, blogueira". Protestei. Eu também era professora universitária e doutora, assim como meus colegas de debate. Ficou um clima ruim, e eles passaram o restante do evento me ignorando. Tenho a impressão de que isso não acontece com homens.

Ao mesmo tempo, é curioso como o patriarcado permitiu que uma frase como "Por trás de um grande homem existe uma grande mulher" fosse inserida no pensamento coletivo. Porém, mais que um elogio às mulheres, essa ideia parece reforçar o papel da mulher como cuidadora. Não há dúvida de que "grandes homens" não precisaram se preocupar com o serviço doméstico ou a criação dos filhos, e podiam pensar e produzir sem interrupções mundanas. Como diz Lerner: "Se houvesse um homem por trás de cada mulher brilhante, o número de mulheres notáveis na história teria sido igual ao de homens notáveis" (p. 32).

A boa notícia é que a visão de que mulheres foram e são importantes é um caminho sem volta. Hoje a presunção patriarcal de que metade da humanidade é suficiente para representar o todo é tão aceita como a ideia de que a Terra é plana. Ou seja, ainda há um ou outro lunático que acredita nisso, mas eles não são levados muito a sério.

Adorei o fato de Lerner classificar como pré-história tudo o que veio antes da consciência feminista. Porque é isso. Estamos em outra fase agora. O livro de Lerner merece grande admiração por parte das mulheres, principalmente por aquelas que viveram bem antes de nós e tiveram de superar tantos obstáculos para começarem a vislumbrar um outro destino em que seriam as donas da própria sorte.

É evidente que ainda há muitos outros obstáculos para se superar. Se tudo estivesse resolvido, o feminismo nem teria mais razão de existir, e ativistas como eu poderiam descansar em paz. Mas a desigualdade persiste, e não será transposta durante a nossa vida, nem durante a vida de nossas bisnetas. Felizmente, a consciência feminista também é forte, e cada vez mais vemos jovens, meninas até, crescendo com outra cabeça, com a ideia de que não vão se render a ninguém. Não é uma consciência contra os homens. É a consciência de que somos humanas e temos uma História em comum. Já sabemos bem que precisamos nos dar importância.

Boa leitura,

Lola Aronovich, verão de 2022

UM

INTRODUÇÃO

No Volume 1, eu descrevi a criação do patriarcado, que ocorreu antes da formação da civilização ocidental. Os conceitos patriarcais estão, portanto, estabelecidos em todos os construtos sociais daquela civilização, e de tal maneira, que permanecem em grande medida invisíveis. Delineando o desenvolvimento histórico pelo qual o patriarcado emergiu como forma dominante da ordem social, mostrei como ele institucionalizou aos poucos os direitos dos homens de controlar e se apropriar dos serviços sexuais e reprodutivos das mulheres. A partir desse modo de dominância, foram criadas outras formas de dominância, tais como a escravidão. Uma vez estabelecido como um sistema funcional de relações hierárquicas complexas, o patriarcado transformou as relações sexuais, sociais e econômicas e dominou todos os sistemas de ideias. No decorrer do estabelecimento do patriarcado, e sempre reforçado como resultado dele, os principais sistemas de ideias que explicam e regulam a civilização ocidental incorporaram um grupo de suposições não declaradas sobre gênero, o que afetou demais o desenvolvimento da história e do pensamento humano.

Mostrei como as metáforas de gênero construíram o macho como norma e a fêmea como desviante; o macho como inteiro e poderoso; a fêmea como inacabada, mutilada fisicamente e emocionalmente dependente.

Em resumo, as principais suposições sobre gênero na sociedade patriarcal são estas:

- Homens e mulheres são criaturas diferentes em essência, não apenas em seus aparatos biológicos, mas em suas necessidades, capacidades e funções. Homens e mulheres também são diferentes na forma como foram criados e na função social designada a eles por Deus.
- Homens são "naturalmente" superiores, mais fortes e mais racionais, por isso foram criados para dominar. Como resultado, homens são cidadãos políticos e representam e são responsáveis pelo sistema. Mulheres são "naturalmente" mais fracas, têm capacidade intelectual e racional inferior, são instáveis em termos emocionais e, portanto, incapazes de participação política. Elas ficam de fora do sistema.
- Homens, por terem a mente racional, explicam e regulam o mundo. Mulheres, por terem a função de cuidar, sustentam a vida cotidiana e a continuidade da espécie. Embora ambas sejam funções essenciais, a dos homens é superior à das mulheres. Outra maneira de dizer isso é que homens se ocupam de atividades "transcendentes", enquanto mulheres – como pessoas de classe baixa de ambos os sexos – se ocupam de atividades imanentes.
- Homens têm o direito inerente de controlar a sexualidade e as funções reprodutivas das mulheres, enquanto estas não têm o mesmo direito sobre os homens.
- Homens são os mediadores entre humanos e Deus. Mulheres aproximam-se de Deus pela mediação dos homens.

Essas suposições incomprovadas e incomprováveis não são, é claro, leis da natureza nem da sociedade, embora sejam assim consideradas e até incorporadas à lei humana. Elas funcionam em diferentes níveis, de maneiras diversas e com diferentes intensidades durante vários períodos da história. Mudanças na forma como essas suposições patriarcais são usadas descrevem, na verdade, mudanças no *status* e na posição de mulheres em um determinado período em uma determinada sociedade. O desenvolvimento de conceitos de gênero deve, portanto, ser estudado por qualquer historiador que deseje extrair informações sobre mulheres em qualquer sociedade.

No Volume 1, concluí que mulheres tinham uma relação diferente da relação dos homens com a História e o processo histórico. É bom fazer uma distinção entre história – eventos do passado – e História registrada – eventos do passado conforme interpretados por sucessivas gerações de historiadores. A última é um produto cultural pelo qual eventos do passado são selecionados, ordenados e interpretados. Neste segundo volume, tento definir a natureza da diferença entre esses dois conceitos de modo mais preciso, além de mostrar como a construção da História registrada afetou as mulheres.

Os estados arcaicos do Antigo Oriente Próximo que desenvolveram as elites eclesiástica, real e militar o fizeram em um contexto de fomentar a dominância masculina sobre as mulheres e um sistema estruturado de escravidão. Não é por acaso que o período, o tempo livre e a educação necessários para o desenvolvimento da filosofia, da religião e da ciência foram disponibilizados para uma elite de padres, soberanos e burocratas, cujas necessidades domésticas eram satisfeitas pelo trabalho não remunerado de mulheres e escravos. No segundo milênio a.C., essa elite ocasionalmente incluiu sacerdotisas, rainhas e soberanas, mas, quando o patriarcado se estabeleceu com firmeza, aproximadamente no século VI a.C., apenas homens compunham essa elite (uma eventual rainha substituta na falta de um herdeiro homem apenas confirma essa regra). Em outras palavras, é a sociedade escravocrata patriarcal que vai originar os sistemas de ideias que explicam e regulam o mundo por milênios depois. Os conceitos semelhantes – os sistemas filosófico e científico do pensamento – explicam e regulam o mundo de forma a conferir e confirmar o poder daqueles que os apoiam e negar poder àqueles que os contestam. Assim como a distribuição de recursos dá poder aos soberanos, reter informações e negar acesso aos construtos explicativos dão poder a quem constrói o sistema.

Desde o estabelecimento do patriarcado até o presente, homens de grupos que não fazem parte da elite se esforçam, com crescente sucesso, por uma parte desse poder de definir e nomear. A história do mundo ocidental pode ser vista como o desdobramento desse esforço com base em classe e a história do processo pelo qual mais e mais homens de fora da elite ganharam acesso a recursos econômicos e mentais. Mas durante todo esse período, até a metade do século

XX, as mulheres foram excluídas parcial ou completamente desse processo e não puderam ter acesso a ele.

As mulheres não foram excluídas do processo de fazer conceitos apenas pela privação educacional; além disso, os conceitos que explicam o mundo são androcêntricos, parciais e distorcidos. As mulheres foram excluídas e marginalizadas em todos os sistemas filosóficos, portanto, precisaram lutar não apenas contra a exclusão, mas contra um conteúdo que as define como sub-humanas e desviantes.[1] Defendo que essa dupla privação formou a psique feminina ao longo dos séculos de modo a tornar as mulheres coniventes com a criação e recriação, por gerações, do sistema que as oprimia.

No Volume 1, mostrei como o gênero se tornou a metáfora dominante pela qual Aristóteles defendia e justificava o sistema de escravidão. Quando Aristóteles escreveu *Política*, a questão da retidão moral da escravidão ainda era problemática. Era por certo questionável, considerando o próprio sistema de ética e moral que Aristóteles estava construindo. Por que um homem deveria dominar o outro? Por que um homem deveria ser senhor, e o outro, escravo? Aristóteles argumentou que alguns homens nascem para dominar, outros para serem dominados. Ele ilustrou esse princípio com uma analogia entre alma e corpo – a alma é superior ao corpo; portanto, deve dominá-lo. De modo semelhante, a razão é superior à emoção; assim, deve dominá-la. E "o homem é por natureza superior, e a mulher é inferior; e um domina e a outra é dominada; esse princípio necessariamente se estende à toda a humanidade".[2] A analogia se estende também à dominação masculina sobre animais.

> E de fato o uso feito de escravos e animais domesticados não é muito diferente; pois ambos, com seus corpos, servem às necessidades da vida. [...] Fica claro, então, que alguns homens são livres por natureza, e outros são escravos; e que para os últimos, a escravidão é tanto oportuna quanto correta.[3]

O mais notável dessa explicação é o que se considera necessário justificar e o que se aceita como fato. Aristóteles admitiu que há justificativa para a diferença de opiniões em relação à retidão de escravizar povos capturados no caso de uma guerra injusta. Mas não há diferença de opiniões sobre a inferioridade das mulheres. A subordinação das mulheres é aceita como fato, comparada a uma condição natural, então o filósofo usa a relação marital como uma metáfora explicativa para justificar a escravidão. Pelas tentativas de justificar a retidão moral da escravidão, Aristóteles, de fato, havia reconhecido a verdade básica da humanidade do escravo. Ao negar e ignorar a necessidade de explicar a subordinação das mulheres, bem como pelo tipo de explicação biológica que Aristóteles ofereceu em outra parte, ele havia firmado as mulheres em um *status* de menos que humano. A mulher é, em suas palavras, "por assim dizer, um macho mutilado".[4]

Mais notável do que a construção misógina de Aristóteles é o fato de que suas suposições permaneceram praticamente incontestadas e sendo repetidas por quase dois mil anos. Elas foram reforçadas pelas restrições sobre mulheres do Antigo Testamento e a exclusão de mulheres da comunhão da aliança, pelos ensinamentos misóginos dos padres da Igreja e pela ênfase contínua na Era Cristã em encarregar Eva – e, com ela, todas as mulheres – de culpa moral pela Queda da humanidade.

MAIS DE DOIS MIL anos depois de Aristóteles, os pais fundadores da república debatiam a Constituição dos Estados Unidos. Mais uma vez, um grupo de líderes revolucionários, que se definiam como republicanos e se dedicavam à criação de um sistema político democrático, deparou-se com a contradição da existência de escravidão em sua república. A discussão de como lidar com a escravidão foi calorosamente contestada e muito polêmica. Acabou em uma concessão pragmática que perpetuou um grande problema social na Nova República.

A Declaração da Independência, que diz "Consideramos essas verdades evidentes por si mesmas, que todos os homens são criados iguais e dotados pelo Criador de certos direitos inalienáveis, que entre eles estão a vida, a liberdade e a busca da felicidade", inferia que, por direito inato, todos os seres humanos foram dotados com os mesmos direitos. Como esses princípios poderiam ser sustentados apesar da existência da escravidão nos estados do Sul? O problema veio à tona nos debates constitucionais sobre leis que regulavam o comércio de escravos, atribuindo responsabilidade pelo retorno de escravos fugitivos e distribuindo direitos de voto. A última questão provou ser a mais difícil: os estados do Norte defendendo que escravos deveriam ser considerados propriedade, não entrando na contagem da distribuição de direitos de voto. Os estados do Sul queriam que os escravos fossem contados como se fossem cidadãos, com os proprietários controlando seus votos. O que estava em questão, mais do que o princípio abstrato de como considerar o preto, era o poder regional relativo no Congresso. Como a população do Sul que incluía escravos era mais numerosa do que a população dos estados livres, os sulistas teriam predominância na Câmara dos Representantes. A ironia do debate era que os pró-escravidão argumentavam pela humanidade dos escravos, enquanto os contrários à escravidão argumentavam pelo *status* de propriedade. As definições, nesse caso, foram determinadas não por considerações racionais, lógicas ou morais, mas por interesse político e econômico.

A concessão que acabou sendo incorporada à Constituição foi expressa na linguagem mais abstrata possível. "Representantes e impostos diretos" deveriam ser distribuídos com a adição ao número de cidadãos de cada estado, "entre eles, aqueles presos a cláusulas de anos de serviço, exceto por índios não tributados, três quintos de todas as outras pessoas". Em outras palavras, um escravo deveria ser contado como três quintos de um homem para fins de distribuição eleitoral. Implícito tanto na linguagem quanto no debate estava o reconhecimento de que o preto, embora uma posse, era de fato um ser humano. A inquietação dos fundadores com a questão da escravidão foi manifestada no banimento do comércio externo de escravos em 1808, que a maioria dos homens acreditou que condenaria a escravidão a definhar por conta própria. Também foi expressa nos termos do Acordo do Noroeste de 1787, que explicitamente declarava que os territórios então definidos como Noroeste permaneceriam livres. Essa foi a base para o argumento constitucional das campanhas antiescravidão do período anterior à Guerra Civil, de que o poder para manter a escravidão fora dos territórios dependia do Congresso. Então a Constituição, em sua contradição não resolvida sobre a questão da escravidão não apenas foi o prenúncio da Guerra Civil, mas colocou em movimento as ideias e expectativas que fomentariam a luta pela consequente emancipação dos escravos, bem como seu reconhecimento como cidadãos completos.

Com as mulheres foi diferente. Não houve polêmica ou debate sobre o direito de votar como um homem. A Constituição dos Estados Unidos incorporou a suposição patriarcal, compartilhada por toda a sociedade, de que mulheres não eram integrantes do sistema político. Os fundadores sentiram a necessidade de definir o *status* de criados contratados, pessoas "presas a cláusulas de anos de serviço" e de índios em relação aos direitos de voto, mas não sentiram a necessidade de sequer mencionar, muito menos explicar ou justificar, que, embora as mulheres fossem contadas entre "o número total de pessoas livres" em cada estado para fins de representação, elas não tinham o direito de votar ou de ser eleitas a cargos públicos (Constituição dos Estados Unidos, artigo I, 3). A questão do *status* civil e político das mulheres nunca foi discutida, assim como não foi discutida na filosofia de Aristóteles.

Ainda assim, inúmeras mulheres haviam se envolvido em ações políticas na Revolução Americana e começado a se definir de forma diferente de como suas mães e avós se definiam em relação ao sistema político. Ao menos elas haviam encontrado meios de exercer influência sobre eventos políticos por meio de arrecadação de fundos, boicote ao chá e ações contra comerciantes extorsivos. Mulheres legalistas fizeram reivindicações políticas quando defenderam seus direitos à propriedade de modo independente dos direitos de seus maridos ou quando protestaram contra várias atrocidades do período de guerra. Várias mulheres influentes de famílias da elite levantaram em particular a questão dos direitos das mulheres como cidadãs. Requerentes de vários tipos forçaram a discussão pública dessa questão. De maneira espontânea, sem um fórum público reconhecido e encorajadas pela retórica revolucionária e pela linguagem da democracia, as mulheres começaram a reinterpretar o próprio *status*. Assim como os escravos, elas interpretaram literalmente o preâmbulo da Declaração da Independência. Mas, ao contrário dos escravos, elas sequer eram consideradas problemáticas no debate.[5]

A conhecida troca de cartas pessoais entre John Adams e sua esposa Abigail exemplifica nitidamente os limites da consciência sobre esse assunto. Tínhamos aqui um casal amoroso e parelho, com interesse e envolvimento político incomum por parte da esposa, que encontraria expressão ativa durante o último mandato do marido como presidente, quando ela se encarregou de algumas correspondências dele.[6] Em 1776, Abigail Adams, em uma carta, insistiu para que o marido "se lembrasse das senhoras" em seu trabalho no código de leis para a Nova República, lembrando-o de que as esposas precisavam de proteção contra as tendências "naturalmente tirânicas" de seus maridos. A linguagem de Abigail era apropriada ao *status* subordinado das mulheres no casamento e na sociedade – ela pediu a homens a proteção cavalheiresca dos excessos de outros homens. A resposta de John foi: "E quanto ao seu extraordinário código de leis, não posso deixar de rir. [...]" Ele manifestou perplexidade porque, como crianças e criados desobedientes, índios indóceis e pretos insolentes, "outra tribo mais numerosa e poderosa que todo o resto estava descontente". Repreendendo a esposa por ser "atrevida", ele banalizou seu argumento alegando que os homens eram, na prática, "os sujeitos. Temos apenas o nome dos senhores".[7] Um problema externo à definição e ao discurso não podia ser levado a sério. Ainda assim, por um instante, John Adams se permitiu pensar com seriedade sobre o assunto – o código de leis dela, se decretado, causaria a desordem social: "Tenha certeza de que sabemos que não devemos revogar nossos sistemas masculinos".[8]

Vemos aqui, em sua extrema manifestação, o impacto sobre a História do poder que os homens têm de definir. Tendo estabelecido o patriarcado como a fundação da família e do Estado, esse poder parecia imutável e se tornou a própria definição de ordem social. Desafiá-lo era tão ridículo quanto profundamente ameaçador.

Na época em que Aristóteles definiu a retidão da escravidão, a questão da humanidade dos escravos era contestável, mas ainda não era política. Já em 1787, os fundadores da Nova República tiveram que reconhecer a humanidade dos escravos e lidar com a sua negação como uma questão política polêmica. A afirmação de que os escravos seriam humanos por completo, ainda que para fins de distribuição de poder político (entre os senhores) fossem contados como apenas três quintos de um humano e não fossem considerados cidadãos, era uma contradição tão profunda em uma nação cristã fundada em princípios democráticos, que tornou inevitável o fim da escravidão em menos de um século. Mas, para as mulheres, nada havia mudado em termos de debate desde o tempo de Aristóteles. Em relação à definição de humanidade, elas ainda eram definidas como incompletas e marginais, um tipo de subespécie. Em relação ao sistema político, sequer eram reconhecidas o suficiente para que fossem mimadas com um suborno de "quase representação". A questão definida como um problema social pode participar do debate político e iniciar um embate. A questão excluída permanece silenciada, à parte do sistema político.

Essa consequência derradeira do poder que os homens têm de definir – o poder de definir o que é uma questão política e o que não é – afetou muito a luta das mulheres pela emancipação. Em essência, forçou mulheres que pensavam a perder muito tempo e energia em argumentos defensivos; canalizou o pensamento em campos limitados; atrasou a tomada de consciência das mulheres como entidade coletiva e, literalmente, abortou e distorceu os talentos intelectuais das mulheres por milhares de anos.

Na literatura, a questão das mulheres na história é tratada enfatizando as várias discriminações e a falta de poder legal a que elas eram submetidas. O foco de atenção volta-se para a desigualdade econômica, jurídica e estrutural entre homens e mulheres, sendo a privação educacional vista sobretudo como mais uma maneira de discriminação econômica, no sentido de que restringia o acesso das mulheres a recursos e ao próprio sustento. Neste estudo, eu foco na desvantagem educacional das mulheres como principal fator determinante da consciência individual e coletiva das mulheres e, em decorrência, principal fator determinante do comportamento político delas.

A desvantagem educacional sistemática das mulheres afetou sua autopercepção, a capacidade de conceituar a própria situação e a habilidade de imaginar soluções sociais para melhorá-la. Isso não apenas as afetou individualmente, mas, muito mais importante, alterou a relação delas com o pensamento e a história. As mulheres, por mais tempo do que qualquer outro grupo estruturado na sociedade, viveram em uma condição de ignorância ensinada, alienadas da própria experiência coletiva por meio da negação da existência da História das Mulheres. Mais fundamental ainda, foram forçadas durante milênios a provar a si mesmas e aos outros sua qualidade de plena humanidade e sua capacidade de pensamento abstrato. Isso distorceu o desenvolvimento intelectual das mulheres como grupo, uma vez que o maior esforço intelectual que faziam era para neutralizar as suposições patriarcais disseminadas de que eram inferiores e incompletas como seres humanos. É esse fato básico sobre a condição das mulheres que explica por que a maior iniciativa intelectual delas por mais de mil anos foi reconceituar a religião de forma a permitir o papel igualitário e central das mulheres no drama cristão da Queda e Redenção. A luta das mulheres pela emancipação ocorreu na arena da religião muito antes que pudessem conceber soluções políticas para sua situação.

A questão seguinte pela qual as mulheres lutaram na busca por igualdade foi o acesso à educação. Aqui, mais uma vez, as mulheres foram forçadas por centenas de anos não apenas a defender seu direito à educação igualitária, mas primeiro a provar que tinham capacidade de ser escolarizadas. Isso consumiu as energias das mulheres mais talentosas, atrasando seu desenvolvimento intelectual. Além disso, até o fim do século XIX na Europa e nos Estados Unidos, para que fossem escolarizadas, as mulheres precisavam abandonar a vida sexual e reprodutiva – elas precisavam escolher entre a vida de esposa e mãe de um lado e receber educação de outro. Jamais algum grupo de homens na história precisou fazer essa escolha ou pagar tal preço pelo crescimento intelectual.

Por muitos séculos, os talentos das mulheres foram direcionados não para o autodesenvolvimento, mas para se compreenderem por meio do desenvolvimento de um homem. As mulheres, condicionadas durante milênios a aceitar a definição patriarcal do seu papel, serviram e cuidaram dos homens sexual e emocionalmente de modo a propiciar a homens de talento um desenvolvimento mais completo e um grau de especialização mais profundo do que mulheres jamais tiveram. A divisão sexual do trabalho, que tornou as mulheres as maiores responsáveis pelos serviços domésticos e cuidados com os filhos, livrou homens dos detalhes incômodos das atividades de sobrevivência diárias, enquanto sobrecarregava as mulheres de maneira desproporcional. Elas tinham menos tempo livre e, acima de tudo, menos tempo sem interrupções para refletir, pensar e escrever. O apoio psicológico oriundo da intimidade e do amor era muito mais disponível a homens talentosos do que a mulheres talentosas. Se houvesse um homem por trás de cada mulher brilhante, o número de mulheres notáveis na história teria sido igual ao de homens notáveis.

Por outro lado, pode-se argumentar que, ao longo dos milênios de subordinação, o tipo de conhecimento adquirido pelas mulheres foi mais correto e adequado do que foi o dos homens. Não era um conhecimento baseado em propostas teóricas e obras compiladas em livros, mas um conhecimento prático derivado de interação social essencial com suas famílias, seus filhos, seus vizinhos. Esse conhecimento foi a própria recompensa, conscientizando as mulheres de seu papel essencial em manter a vida, a família e a comunidade. Como homens de castas, classes e raças subordinadas, as mulheres sempre souberam como o mundo funciona e como as pessoas lidam com ele e umas com as outras.

É conhecimento de sobrevivência para os oprimidos, que precisam navegar por um mundo onde são excluídos das estruturas de poder e devem saber como manipular aqueles que estão no poder para ganhar o máximo de proteção para si e seus filhos. As condições sob as quais viviam forçaram as mulheres a desenvolver habilidades interpessoais e sensíveis, assim como outros grupos oprimidos. As habilidades e o conhecimento das mulheres não foram disponibilizados para a sociedade como um todo por causa da hegemonia patriarcal; em vez disso, foram manifestados no que agora chamamos de cultura das mulheres. Mostrarei neste livro como as mulheres transformaram os conceitos e suposições do pensamento masculino, subvertendo com sutileza esse pensamento para incorporar o conhecimento e o ponto de vista das mulheres. Essa tensão entre a hegemonia patriarcal e a redefinição das mulheres é uma característica do processo histórico que negligenciamos descrever e observar até agora.

As mulheres também foram privadas do "estímulo cultural", o diálogo essencial e encontro com pessoas de igual instrução e posição. Excluídas das instituições de ensino superior durante séculos e tratadas com condescendência ou menosprezo, mulheres instruídas precisaram criar as próprias redes sociais de contatos para que seus pensamentos, ideias e trabalho tivessem público e repercussão. E, por fim, o fato de que às mulheres foi negado o conhecimento sobre a existência da História das Mulheres afetou seu desenvolvimento intelectual como grupo negativamente e de forma decisiva. As mulheres que não sabiam que outras como elas haviam feito contribuições intelectuais ao conhecimento e ao pensamento criativo foram oprimidas pela noção da própria inferioridade ou, ao contrário, pelo risco da audácia de ser diferente. Sem conhecimento sobre o próprio passado, nenhum grupo de mulheres podia comparar as próprias ideias com as de suas iguais, aquelas que vinham de condições semelhantes e vidas parecidas. Toda mulher que pensava precisava discutir com o "grande homem" em sua cabeça, em vez de ser fortalecida e encorajada por suas ancestrais. Para mulheres que pensavam, a ausência da História das Mulheres talvez tenha sido o maior obstáculo de todos para o crescimento intelectual.

ESTE LIVRO TENTA investigar a criação da consciência feminista na Europa Ocidental e nos Estados Unidos, aproximadamente do século VII d.C. a 1870.

Embora possamos supor que, uma vez que existia o patriarcado, deve ter havido mulheres que pensavam em oposição a ele, não podemos verificar essa suposição pelas fontes primárias até a Era Cristã. Embora tenhamos algumas fontes primárias da Antiguidade Clássica, como os escritos de Safo e sua escola, elas representam vozes isoladas que, durante séculos, não tiveram repercussão ou efeito. Para fins deste estudo, embasei minha pesquisa no registro escrito ainda existente do pensamento das mulheres, e isso começa em essência, na civilização ocidental, no século VII.

Em relação à data-limite da minha periodização, estou interessada nos estágios de desenvolvimento *anteriores* ao momento histórico em que uma quantidade significativa de mulheres adquiriu consciência feminista na Europa e nos Estados Unidos, um momento marcado pelo surgimento de movimentos organizados pelos direitos das mulheres, aproximadamente no terceiro quarto do século XIX. Incluí na minha pesquisa evidências escritas do pensamento das mulheres do início do período medieval até os anos 1870 e desconsiderei todos os escritos de mulheres do movimento feminista organizado, com exceção de escritos sobre religião e História das Mulheres – que parecem exigir uma periodização diferente. Reconhecidamente, não é uma periodização muito clara, além de entrar em conflito com a historiografia sobre o assunto, bastante preocupada em registrar as origens imediatas, de curto alcance, do movimento de mulheres e da História desse movimento.

Existe a compreensão de que a periodização habitual da história tradicional não é adequada à História das Mulheres e deve ser usada com muita cautela. Como as mulheres, durante muito tempo de sua história, não eram ativas nem visíveis na arena pública da guerra e da política, a maioria delas foi afetada de um modo diferente dos homens pelas mudanças históricas dispostas como placas de sinalização na narrativa histórica tradicional. A ênfase historiográfica no movimento organizado de mulheres reflete o interesse tradicional em atividade política organizada na esfera pública. É um assunto útil e importante para pesquisa e interpretação históricas, mas tende a obscurecer outros aspectos da História das Mulheres: a continuidade e a tradição da resistência de longo alcance das mulheres ao patriarcado e os fatores que causaram mudanças na consciência das mulheres sobre a própria situação. São esses dois temas que me interessam e determinaram a organização deste livro.

Este livro não é uma História intelectual das mulheres, tampouco uma síntese abrangente do pensamento das mulheres. Este último é bastante necessário, e minha esperança é de que esta obra inspire outras a se dedicarem a isso. Meu foco é em determinados temas básicos no desenvolvimento da consciência das mulheres de sua própria situação na sociedade. Inevitavelmente, a apuração desses temas levará a determinados *insights* teóricos, sobretudo as diferenças entre homens e mulheres em suas relações com o processo histórico e a criação de conceitos. Tenho convicção de que, uma vez que essas diferenças sejam definidas e reconhecidas, poderemos enfim construir uma nova História registrada com base em uma síntese da História tradicional (dos homens) e da História das Mulheres.

Foi sob a hegemonia patriarcal de pensamento, valores, instituições e recursos que as mulheres precisaram se empenhar para formar a própria consciência feminista. Eu defino consciência feminista como a percepção das mulheres de que pertencem a um grupo subordinado; de que elas sofreram injustiças como grupo; de que a condição de subordinação delas não é natural, mas determinada pela sociedade; de que elas devem se juntar a outras mulheres para reparar essas injustiças; e, por fim, de que podem e devem oferecer uma visão alternativa de organização social na qual as mulheres, assim como os homens, desfrutarão de autonomia e autodeterminação.[9] Historiadores tradicionalmente situaram o desenvolvimento da consciência feminista no século XIX, coincidindo com e manifestado pelo desenvolvimento de um movimento político de direitos das mulheres. Mas historiadoras da História das Mulheres começaram a investigar um desenvolvimento de pensamento feminista muito anterior. Algumas o situaram nas obras de escritoras inglesas do século XVII, como Mary Astell, Bathsua Makin, Aphra Behn; outras afirmaram que sua origem está na obra da autora francesa Cristina de Pisano.[10] Ao definir a expressão "consciência feminista" da maneira como fiz, posso incluir os primeiros estágios da resistência feminina às ideias patriarcais e mostrar que esse tipo de pensamento feminista de oposição se desenvolveu durante um período muito mais longo.

O desenvolvimento da consciência feminista das mulheres ocorreu em diferentes estágios e ao longo de centenas de anos. Por muito tempo, esse desenvolvimento ocorreu como *insights* isolados de mulheres, individualmente, sem reverberar em sua época e se perdendo para futuras gerações. Eu pretendo traçar os diferentes estágios do desenvolvimento da consciência de grupo das mulheres e discutir as circunstâncias sob as quais esses estágios ocorreram.

Como é inevitável, essa combinação de abordagens temática e cronológica criará problemas para o leitor. Às vezes, não poderei lidar com o desenvolvimento histórico de uma ideia, um movimento social ou intelectual de maneira tão completa quanto gostaria, uma vez que não estou exatamente escrevendo uma história, mas buscando determinar padrões históricos. O assunto será abordado ao longo de uma vasta extensão de tempo e espaço: quase 1.200 anos de história (do ano 700 d.C. a 1870) na Inglaterra, na França, nos domínios da Alemanha e da Itália, e em um período mais limitado, nos Estados Unidos da América. Inevitavelmente, a seleção de países estudados é feita com base em nosso próprio estudo e conhecimento dos idiomas. Então, no início, devo admitir que este livro é centrado em culturas europeias ocidentais, não porque eu ache proveitoso – consideraria mais eficaz uma abordagem comparativa de cruzamento de culturas –, mas porque não poderia tê-lo escrito de outra maneira. Por outro lado, tanto neste quanto no volume anterior, estudei as origens do patriarcado e seu desenvolvimento na civilização *ocidental*, assim, os países e períodos estudados são muito apropriados.

Acredito que o que Mary Beard chamou de "longa história" seja muito importante para entender a História das Mulheres. Apenas observando um longo período e comparando diferentes histórias e culturas é que podemos começar a ver padrões importantes de desenvolvimento e diferenças essenciais na forma como eventos históricos afetam mulheres e homens. Hoje é evidente que as inovações políticas, econômicas e tecnológicas que afetaram os homens de modo decisivo causaram um impacto bem diferente nas mulheres. Assim, apenas estudando a "longa história" da desvantagem educacional das mulheres é que se pode ver seu impacto em longo alcance sobre a capacidade delas de desenvolver alternativas econômicas para o sustento por meio do casamento e entender por que a emancipação das mulheres foi tão protelada em termos históricos em comparação com os movimentos de emancipação de outros grupos desamparados.

Em uma pesquisa temática desse tipo é difícil encontrar o equilíbrio entre grupos de indivíduos estudados e indivíduos destacados como "notáveis" ou "típicos". Em cada capítulo, tentei destacar e me aprofundar mais na vida e obra de pelo menos uma mulher, enquanto outras foram incluídas com apenas um breve resumo da biografia. Como a produção intelectual das mulheres foi muito influenciada por restrições da vida de todas as mulheres, deve-se considerar a vida e obra de uma mulher de forma inter-relacionada. Para elas, a decisão de seguir o caminho do intelecto costumava significar desistir da vida sexual ou materna. Por outro lado, determinados *insights* e avanços intelectuais só puderam ser atingidos por mulheres em fases da vida em que podiam ser econômica e emocionalmente independentes dos homens. No período moderno, para algumas mulheres, foi usada a escolha de um estilo de vida liberado para desconsiderar seu trabalho intelectual. O pensamento e a vida estão inextricavelmente conectados para as mulheres; a essência deste livro tenta expressar essa conexão.

Hoje, quando historiadores e acadêmicos literários encontram-se bastante cientes das diferenças dentro de grandes grupos – ou seja, os fatores raça, etnia, classe, religião –, qualquer tentativa de fazer generalizações é suspeita e repleta de armadilhas. Ainda assim, a fim de entender as diferenças entre homens e mulheres *como grupos*, tais generalizações precisam ser feitas. É verdade que o grupo de mulheres que estudo neste livro é em essência branco, de classe alta, abastado ou privilegiado no âmbito econômico, mas essa é exatamente a problemática da história intelectual das mulheres: para elas, muito mais do que para os homens, educação era um privilégio de classe. Incluí ao longo do livro tudo o que pude encontrar sobre a vida e obra de mulheres menos privilegiadas, de classe média ou baixa, mulheres de grupos oprimidos, como afro-americanas e judias.

Existe uma forte conexão aqui com a questão das "mulheres geniais" e de "mulheres notáveis", ou "eminentes" e "estimáveis" As últimas categorias são suspeitas há muito tempo na História das Mulheres, porque a tendência da seleção de acordo com os moldes patriarcais considerava "eminentes" e "estimáveis" apenas as mulheres que faziam o que os homens faziam e o que eles reconheciam como importante. Tentei evitar essa óbvia armadilha ao selecionar mulheres para discutir, focando apenas no que elas escreveram e pensaram sobre si mesmas e outras mulheres. Mas ao lidar com a produção intelectual de mulheres, essas questões se tornaram um tanto mais complexas do que ao lidar com história social. A privação educacional sistemática de longo alcance das mulheres garantiu, durante séculos, que apenas as da nobreza recebessem educação e participassem de qualquer tipo de tradição de aprendizado. Além disso, mesmo após a invenção da impressão, o acesso a ela (e, com isso, o acesso à posteridade ou à História registrada) era em essência um privilégio de classe. As fontes disponíveis para descobrir o que as mulheres pensaram e discutiram são as fontes que sobreviveram. Elas estão sujeitas à tendência de seleção definida acima até meados do século XVII. Compreendo que, para cada mulher cujos diários, cartas, tratados ou visões sobreviveram, houve muitas outras igualmente talentosas cujos registros se perderam ou foram destruídos. A opressão traz consigo a hegemonia do pensamento e das ideias do dominante; por isso a opressão das mulheres ocupou tanto suas ideias, e a criação foi perdida para sempre. A historiadora que quiser recuperar as vozes silenciadas e os indícios apagados do registro histórico precisam aceitar graves limitações.

Por que, então, sequer usar a expressão "mulheres geniais" e por que destacar algumas delas para atenção especial? Assim o fiz porque a luta pela emancipação das mulheres, do ponto de vista histórico, sempre começou com uma defesa da igualdade intelectual das mulheres. Mesmo tardiamente, no desenvolvimento da História das Mulheres, mulheres e homens contemporâneos ainda duvidam de que alguns dos feitos intelectuais mais extraordinários da civilização ocidental foram tanto de mulheres quanto de homens. Por que nenhuma mulher construiu um sistema? Por que não existiu uma Kant, uma Marx, uma Freud? Por que não existiram grandes inovadoras intelectuais? Acredito que tais mulheres tenham existido e não as respeitamos o suficiente na narrativa do passado. Também acredito, e vou mostrar, que mulheres de grande talento foram impedidas de concretizar por completo esses talentos em razão das restrições impostas pelo patriarcado. Por último, admito e demonstro neste livro que os termos dessas restrições recaíam sobre *todas* as mulheres em algum grau, não importando outros fatores determinantes em sua vida, e que esse fato é o que precisava ser identificado e nomeado no desenvolvimento da consciência feminista. As condições sob as quais as mulheres se concebiam livres do patriarcado foram condições impostas a elas pelo patriarcado. Em resumo, uma mulher que tivesse algum talento tinha menos chance de desenvolvê-lo do que seu irmão.

Escolher, dentre as inúmeras mulheres cuja vida e obra estudei, quais incluir neste estudo constituiu um enorme problema. Como meu tema aborda o surgimento da consciência *feminista*, excluí todas aquelas cuja obra não dizia respeito à emancipação das mulheres. Por outro lado, incluí muitas que não teriam se definido como feministas em sua época, mesmo considerando o fato de que o próprio termo só surgiu no fim do século XIX. Elas teriam negado a preocupação com os problemas das mulheres, e muitas delas se opunham de maneira explícita aos movimentos voltados aos direitos das mulheres. Incluí algumas delas, tais como místicas ou as primeiras proponentes da educação feminina, porque, intencionalmente ou não, o trabalho e o pensamento delas contribuíram para o desenvolvimento da consciência feminista.

A LONGA HISTÓRIA da desvantagem educacional das mulheres, vista como um problema estrutural e institucional, está sintetizada no Capítulo 2. A desvantagem das mulheres em ganhar acesso à educação e em participar de estabelecimentos educacionais é uma característica constante do poder patriarcal em todo Estado há mais de dois mil anos. Mostro o impacto que a privação educacional teve sobre a autopercepção das mulheres. O desperdício de talento feminino e seu custo para as mulheres do âmbito individual serão ilustrados por três exemplos concretos.

No Capítulo 3, discuto o esforço das mulheres para se permitirem falar e escrever e defender sua autoria. O capítulo se concentra na vida e obra de uma mulher genial, Hildegarda de Bingen que se sentiu autorizada por inspiração divina a falar publicamente. Trata de seus esforços para estabelecer um novo papel para as mulheres na vida pública e conceituar uma função maior para mulheres na teologia cristã.

Os Capítulos 4 e 5 tratam do misticismo como forma alternativa de pensamento para mulheres. Esses capítulos detalham a longa luta das mulheres para estabelecer completa e igual humanidade ao insistir que conseguiam se comunicar com Deus. Não apenas Deus falava com essas mulheres místicas, mas elas faziam com que seus contemporâneos acreditassem que essas experiências extáticas eram reais. A disciplina e prática mística permitiu que as mulheres prosseguissem a outro nível de redefinição – em suas visões, sonhos e escritos, elas defendiam o componente feminino do Divino. O Capítulo 4 oferece uma breve história do misticismo e discute mulheres místicas do século XI até o século XVI.

O Capítulo 5 discute místicas da Reforma Protestante e mulheres em seitas heréticas. Ele se concentra em mulheres que reconceituaram a teologia cristã de modo a dar às mulheres um papel mais central na Redenção.

O Capítulo 6 discute o conceito da maternidade, tanto como a ideia que permite às mulheres escreverem quanto como conceito unificador para a solidariedade das mulheres. O culto à Virgem Maria; as vozes solitárias de mulheres falando como mães; o impacto da Reforma em elevar o *status* da maternidade e permitir que mulheres justificassem o pensamento religioso e secular por meio de sua função como mães – esses são os temas discutidos aqui. Por fim, o conceito de maternidade como a base da coletividade de mulheres, que é muito anterior ao conceito de irmandade, é estudado e analisado.

No Capítulo 7, mostro o desperdício de talento e *insights* em razão do fato de as mulheres serem privadas de conhecimento sobre o próprio passado e a respeito das ações de outras mulheres. Homens desenvolveram ideias e sistemas explicativos absorvendo o conhecimento passado, criticando-o e o substituindo. Mulheres, ignorantes sobre a própria história, não sabiam o que as mulheres anteriores a elas haviam pensado e ensinado. Então, geração após geração, elas se empenharam para compreender coisas que outras já haviam compreendido antes delas. Eu ilustro isso pesquisando a crítica de mulheres à Bíblia ao longo de um período de mil anos e mostro a repetição infinita do esforço, a constante reinvenção da roda.

O Capítulo 8 discute como as mulheres se permitiram pensar e falar por meio do talento criativo. Essas foram as inovadoras que tão somente ignoraram o pensamento patriarcal e criaram mundos alternativos. As obras de escritoras, de Marie de France a Emily Dickinson, são analisadas para demonstrar como elas contribuíram para o desenvolvimento da consciência feminista.

O Capítulo 9 trata da longa luta das mulheres por educação igualitária. Os argumentos das mulheres pelo direito de aprender e sua aproximação teórica do conhecimento, do Renascimento ao longo do século XIX, são pesquisados nesse capítulo. O desenvolvimento do argumento pela educação e sua evolução para um argumento feminista por direitos iguais é investigado e interpretado.

Em sua luta para que pudessem pensar por si mesmas, as mulheres primeiro tiveram que se definir como centrais, não como "Outro". Elas o fizeram, assim como outros grupos oprimidos, orientando-se a outras como elas – nesse caso, outras mulheres. Mas elas enfrentaram obstáculos bem maiores do que outros grupos nesse processo de fugir da opressão por meio do pensamento. No Capítulo 10, discuto as condições das quais a consciência feminista surge historicamente e exploro se existem padrões nesse surgimento. Investigo o aparecimento de agrupamentos de mulheres e redes femininas de contato para explorar o impacto destes sobre a consciência de grupo delas. Os problemas particulares de mulheres pensadoras em espaços sociais nos quais elas são consideradas iguais, mas permanecem sob a hegemonia masculina, é discutido no caso das mulheres do movimento do Romantismo alemão.

A luta pela História das Mulheres é o assunto do Capítulo 11. Como a História dos homens, que começa com as listas de reis, a História das Mulheres retrata a criação de listas, começando no Renascimento. Outros aspectos são biografias, autobiografias e os registros de comunidades, movimentos e organizações. Isso é acompanhado de trabalho histórico real. O esforço para encontrar mulheres exemplares, heroínas e líderes inspiradoras sempre incluiu respeito pelas conquistas práticas no mundo, não apenas pelo conhecimento abstrato. O capítulo termina com uma discussão sobre o movimento feminino do século XIX e seus esforços para criar e preservar a história, abordando brevemente a importância histórica do movimento de História das Mulheres do século XX.

No Capítulo 12, sintetizo os princípios teóricos que distinguem as relações dos homens com o processo histórico da relação das mulheres e discuto a importância dos meus achados.

DOIS

A DESVANTAGEM EDUCACIONAL DAS MULHERES

Nos anos 1850, Sarah Grimké (1792-1873), então com 62 anos de idade, deixou a casa da irmã e do cunhado, Angelina e Thedore Weld, e tentou seguir a própria carreira. Ela se correspondeu com advogados e médicos que conhecia e explorou a possibilidade de obter educação profissional. Trabalhou em bibliotecas públicas, esperando compilar leis referentes a mulheres nos diferentes estados a fim de expor a imparcialidade delas. Todas as suas pesquisas resultaram em desencorajamento. O estudo do direito ainda estava fechado para mulheres; o estudo da medicina era impensável para uma mulher da idade dela. Sarah Grimké, que dezessete anos antes havia sido a primeira americana a produzir um argumento coerente pela emancipação das mulheres, sentia-se profundamente desencorajada. "Nunca me permitiram expandir os poderes da minha mente", reclamou em uma carta a uma amiga.[1]

Sarah Grimké resumiu seu senso de privação pessoal e tentou falar de modo geral sobre isso em um projeto por educação igualitária esboçado em um fragmento de ensaio que nunca foi publicado:

> Para mim, aprender era uma paixão. [...] Se eu tivesse recebido a educação que almejava e sido criada para a profissão do direito, eu poderia ter me tornado uma integrante útil da sociedade. E em vez de minha propriedade e

eu termos me tornado cuidadas, eu poderia ter sido uma protetora dos desamparados. [...]

Muitas mulheres tremem [...] diante do terrível eclipse desses poderes intelectuais que pareciam proféticos de benefício e felicidade no início da vida. [...] É porque sentimos que temos poderes que são esmagados e responsabilidades que não nos permitem exercer [...] nossos direitos como seres morais e intelectuais que são absolutamente ignorados e atropelados [...] por sentirmos isso de forma tão ardente é que agora exigimos uma educação igual à dos homens.[2]

Nesse clamor patético e inútil, Grimké deu voz ao sofrimento e à privação de milhões de mulheres a quem foi negada a educação, além de identificar a privação como um problema crucial da condição das mulheres como grupo. A relevância dessa privação em determinar o desenvolvimento da emancipação das mulheres é entendida de maneira inadequada mesmo hoje em dia.

Conforme pesquisamos a história da educação das mulheres na Europa e depois nos Estados Unidos, podemos fazer duas generalizações: a desvantagem educacional das mulheres em relação a seus irmãos é quase universal, e a educação é sem dúvida um privilégio de classe para as poucas mulheres que conseguem obtê-la.

Do ponto de vista histórico, a educação serviu a um propósito utilitário ao treinar pessoas em habilidades específicas necessárias em uma determinada sociedade. Essa educação foi, durante milênios, familiar, na forma de aprendizado. Embora os recursos e as oportunidades na educação familiar fossem distribuídos de acordo com a divisão sexual do trabalho e projetados para colocar meninos e meninas em seus papéis definidos pelo gênero, as meninas, não raro, conseguiam adquirir habilidades e conhecimento iguais aos de seus irmãos. Habilidades de economia doméstica, embora designadas de acordo com as ideias da divisão de gêneros, equipou as mulheres com o conhecimento necessário para a sobrevivência caso ficassem solteiras ou viúvas. Na Idade Média, por exemplo, viúvas costumavam continuar o trabalho de artesãos e recebiam *status* e privilégios de associação. O desenvolvimento da brassagem. A fabricação de seda e tecidos, o bordado e outros negócios femininos reconhecidos como ofício ilustram esse ponto. A educação familiar era informal, utilitária e individualizada; não alfabetizava e era oferecida no idioma nativo. Mães educavam filhas e criadas; pais educavam filhos e criados. Também deve ser lembrado que, em termos estatísticos, o número de pessoas em qualquer população com educação a ponto de serem alfabetizadas permaneceu muito pequeno até o século XVII. Na Idade Média e durante o Renascimento, a grande maioria de pessoas era analfabeta e não tinha educação formal. Mesmo depois, quando a educação se tornou institucionalizada e meninos recebiam educação fora de casa, a educação inicial de crianças de ambos os sexos ainda era fornecida pela mãe. Então, a desvantagem educacional das meninas não ficou óbvia para a maioria das populações da Europa até o século XVI, e, para as colônias norte-americanas, ao longo do século XVIII. Ainda assim, era uma realidade, como pode ser observado quando analisamos oportunidades educacionais para o restrito segmento da população que tinha tais oportunidades, ou seja, a nobreza e a classe média urbana mais abastada. Com o estabelecimento de universidades, durante os séculos XIII e XIV, a educação para essas classes se tornou institucionalizada. As universidades preparavam rapazes para o ministério e para o serviço público; e a fim de frequentar a universidade, eles precisavam dominar o latim. Quando filhos homens começaram a ser preparados para a educação universitária em academias e escolas preparatórias, a desvantagem educacional das mulheres ficou evidente, e a disparidade na educação entre meninos e meninas aumentou e se institucionalizou com firmeza.

Em geral, a educação se torna institucionalizada quando as elites – militares, religiosas ou políticas – precisam garantir sua posição no poder treinando um grupo para servir a seus interesses e perpetuá-los. Sempre que isso aconteceu, do âmbito histórico, mulheres foram discriminadas e excluídas desde o início de cada sistema. O exemplo mais antigo é terem sido privadas de aprender as recém-descobertas práticas de escrita e leitura na Suméria e na Babilônia do segundo milênio antes de Cristo, fato discutido no Volume 1. Com poucas exceções notáveis, como a educação de meninas em Esparta, na Antiguidade Clássica, e o sistema educacional monástico na Europa, que será discutido de forma mais completa adiante, as meninas foram prejudicadas em toda sociedade conhecida do mundo ocidental em relação à educação, ao conteúdo que era ensinado e às habilidades dos professores. Isso seguia a lógica dos propósitos da educação: como mulheres eram excluídas das elites militares, religiosas e políticas, considerava-se que elas tinham pouca necessidade de aprendizagem formal. Por outro lado, as filhas das elites, como princesas e mulheres da nobreza que poderiam precisar substituir filhos e maridos, eram educadas e instruídas com cuidado, como os irmãos. Durante a Idade Média, elas aprendiam o mesmo conteúdo e costumavam compartilhar tutores com os irmãos. Educação era um privilégio de classe para ambos os sexos e servia aos interesses da família e do Estado. Não surpreende, portanto, constatar que quase todas as mulheres instruídas conhecidas da Antiguidade até o século XVI d.C. faziam parte da nobreza.[3]

No início da Idade Média, a aprendizagem formal podia ser obtida apenas por meio de tutores ou em instituições religiosas. Durante muitos séculos, só existiam mulheres instruídas em conventos, com exceção de algumas mulheres da nobreza em determinadas cortes. A disseminação de conventos, portanto, é um indicador aproximado da disseminação de erudição entre mulheres.

Durante os primeiros e vários séculos da Era Cristã, quando santos e missionários espalharam o Cristianismo para as tribos pagãs da Europa, a participação de mulheres era bem-vinda, e seu papel ativo era incentivado. Elas se juntaram a missionários na conversão e pregação, e ajudaram a converter integrantes da própria família fazendo cerimônias religiosas em casa. Nos três primeiros séculos da Era Cristã, viúvas e mulheres solteiras, conhecidas como canonisas, viviam em comunidades comandadas por diaconisas e se devotavam a uma vida de oração comum e preparação de outras mulheres para o batismo cristão. Diaconisas e canonisas também cuidavam dos doentes e ajudavam os pobres. Essa tradição se estendeu e formalizou no início da Idade Média com a disseminação da vida monástica.

No século VII, mais mulheres do que nunca entraram na vida monástica. Na França/Bélgica e Grã-Bretanha, isso pode ser observado pelo aumento drástico no número de abadias para mulheres. Enquanto um século antes cerca de 10% de todas as abadias haviam sido estabelecidas para mulheres, durante o século VII, mais de 30% eram habitadas por elas.[4] Esse aumento da atividade religiosa feminina coincidiu com o processo de conversão de francos e anglo-saxões ao Cristianismo. A Igreja encorajava as mulheres a assumirem o papel de conversoras dentro da própria família. Famílias nobres, por sua vez, obtinham ganhos não apenas religiosos, mas econômicos, fundando abadias como parte de suas propriedades. Tais claustros se tornavam abrigo para filhas solteiras ou viúvas, e com frequência voltavam para a família do doador após a morte da abadessa fundadora.

O mesmo período também viu florescer mosteiros duplos na Grã-Bretanha e no continente europeu. Muitos deles eram organizados de modo que as freiras pudessem se beneficiar da proteção, do trabalho físico e da orientação espiritual de religiosos homens. Como a maioria dos mosteiros duplos era administrada por abadessas, ou de forma conjunta por um abade e uma abadessa, eles fomentaram a liderança feminina. Laon, um dos maiores mosteiros duplos francos, abrigava trezentas freiras sob a supervisão de Santa Salaberga. Santa Gertrudes de Nivelles dividia o comando do convento com Santo Amândio, mas mantinha a autoridade suprema. Sob a orientação de Santa Gertrudes, Nivelles se tornou um centro educacional. Ela própria colecionava livros e incentivava as freiras a aprender e ler poesia. A rainha Batilda fundou a abadia de Chelles nas ruínas de um convento abandonado por volta do ano 658 e o transformou em uma instituição famosa na qual as freiras escreveram a vida de diversas mulheres santas. A reputação de fomentar a aprendizagem atraiu tantos homens, que, ao fim do século, Chelles era um mosteiro duplo.[5] Na Grã-Bretanha, Hilda (falecida em 680), sobrinha-neta do rei Eduíno da Nortúmbria, entrou para a vida religiosa quando estava na casa dos 30 anos. Foi chamada por Edano de Lindisfarne para ajudá-lo a converter os nortumbrianos. Ela fundou diversos conventos, mas é mais conhecida por ter se tornado a abadessa de Whitby, um mosteiro duplo famoso pela erudição. Enquanto abadessa, ela sediou o Sínodo de Whitby em 664. Ela é notável entre inúmeras freiras eruditas que trabalharam e viveram em mosteiros duplos.

Um século depois, Lioba, uma freira inglesa em Thanet, foi ensinada pela abadessa Eadburga a decorar leis divinas como poesia. Depois, ela mesma compôs poesia religiosa e se tornou uma classicista habilidosa. Ela acompanhou São Bonifácio à Alemanha em 748, a pedido dele, e o ajudou a cristianizá-la estabelecendo conventos. Tornou-se abadessa de Bischofsheim e lá serviu durante 28 anos, combinando trabalho manual com o estudo do latim e da literatura patrística.[6]

Mesmo após o declínio dos mosteiros duplos, a tradição de abadessas poderosas continuou. No século XI, a abadessa de Maubeuge tinha autoridade não apenas sobre seus mosteiros, mas sobre a cidade e o território deles. As abadessas de Ratisbona eram princesas do Sacro Império Romano-Germânico e mandavam representantes a assembleias nacionais. As abadessas de Herford e Quedlimburgo forneciam contingentes militares para o exército do imperador e eram representadas em assembleias do império.[7]

No início da Idade Média, quando a guerra era endêmica, e os filhos da nobreza recebiam treinamento sobretudo marcial, suas irmãs podiam, como grupo, ter mais aprendizagem formal do que eles. Clotilde, filha do rei da Borgonha, que viveu no século V e converteu o marido Clóvis, rei dos francos, ao Cristianismo, pode tê-lo feito por influência de seu ensino superior. No sexto século, Radegunda, uma princesa da Turíngia (aproximadamente 530-587), foi capturada ainda criança por Clotário, filho mais novo de Clóvis, e levada à corte francesa, onde foi criada para se tornar rainha de Clotário. Educada em um convento francês, ela lia e escrevia em latim com facilidade e compôs uma elegia na qual comparou a queda da Turíngia, quando seu pai e seus parentes foram mortos pelos invasores, à queda de Troia. Como as mulheres troianas, ela também foi retirada de sua casa pelos conquistadores para se tornar propriedade sexual de seu captor. Sua vida de casada era basicamente infeliz, uma vez que Clotário, como outros reis francos, praticava poligamia e tinha cinco esposas. Ele era brutal com ela, ressentido de sua devoção e do fato de ela não ter tido filhos com ele. Quando Clotário assassinou o irmão dela, Radegunda fugiu sob a proteção do bispo Medardo e se tornou freira. Mais tarde, fundou um claustro em Poitiers, local onde viveu com duzentas freiras e que se tornou um centro educacional com uma poeta residente.

Durante toda a Idade Média, mulheres da realeza e nobreza fundaram e doaram conventos, nos quais filhas de nobres e algumas filhas de pobres, às vezes meninos e meninas juntos, recebiam educação em religião, latim, leitura, escrita, aritmética simples e cantos. Todas as meninas recebiam treinamento doméstico e eram instruídas em bordado, fiação e tecelagem. Alguns conventos se especializaram na produção de bordado fino, outros em transcrever e elucidar manuscritos. Algumas freiras tinham treinamento nessas habilidades bastante especializadas, outras eram peritas em medicina e cirurgia.[8]

Nos séculos X e XI, diversas abadias canônicas famosas foram fundadas na Saxônia, entre as quais a de Gandersheim e de Quedlimburgo. Lá, desenvolveu-se uma tradição de erudição feminina que traria realizações notáveis. A abadessa Gerberga II de Gandersheim, ela mesma filha de Henrique, duque da Baviera, foi professora da freira Rosvita, uma das primeiras figuras literárias femininas notáveis na Europa. Séculos depois, as casas religiosas treinavam não apenas seu noviciado, mas também as filhas da nobreza e da burguesia ascendente. Um exemplo da maneira como um convento podia fomentar a aprendizagem e a erudição foi a Abadia do Paracleto, fundada no século XII por Abelardo e deixada sob a orientação de Heloisa, ela mesma uma das mulheres mais instruídas da época. Abelardo incentivou as freiras do Paracleto a estudar não apenas a Bíblia, mas também aprender o latim, grego e hebraico a fim de entender e educar outras pessoas no texto bíblico. No estatuto, ele estipulou que deveria haver leitura e ensino no convento durante todo o período diurno.[9]

É discutível se o privilégio baseado em gênero da educação formal prejudicou com seriedade as mulheres, pelo menos até o surgimento das universidades. A maioria da população era, em algum nível, analfabeta e dependia de educação informal familiar. Para homens, assim como para mulheres, a educação era um privilégio de classe. Mas havia uma diferença importante – a Igreja educava meninos pobres para o ministério, enquanto, durante séculos, o acesso de meninas a conventos dependeu das condições da família para oferecer um dote.

Até o século XII, o latim foi ensinado na maioria dos conventos, o que significava que as freiras sabiam ler não apenas a Bíblia e os escritos dos santos padres da Igreja, mas também verso em latim e literatura secular. De forma simultânea à ascensão das universidades e à aceitação do latim como língua do clero educado na universidade, o uso e o ensino do latim decaiu drasticamente nos conventos. Um motivo para o declínio pode ter sido o grande aumento de expressão e atividades religiosas de mulheres, começando no século XI, que incentivou a tradução da Bíblia e de literatura religiosa para o vernáculo. Muitas das mulheres místicas dos séculos XI a XIV escreviam no vernáculo (ver Capítulo 4). Não importa se foram negativas ou positivas para as mulheres as causas desse declínio educacional; o efeito foi um aumento na disparidade de oportunidades educacionais entre homens e mulheres.

No nível mais baixo do acesso educacional, a urbanização trouxe o desenvolvimento de escolas leigas, onde lecionavam padres paroquiais e estudiosos leigos e onde meninos das classes mais pobres aprendiam o básico – ler, escrever e calcular o suficiente para que tivessem qualificação para empregos urbanos. Existem também alguns casos conhecidos de escolas leigas para meninas comandadas por diretoras na Alta Idade Média.[10]

No século XV, a fundação de escolas de gramática urbanas para os pobres na França, abriu algumas oportunidades educacionais para meninas e também para meninos. Mas nessas escolas, como em instituições semelhantes para os pobres na Grã-Bretanha e nos Estados Unidos até boa parte do século XIX, as meninas aprendiam apenas o básico de assinatura, leitura, números e religião. Alguns meninos talentosos, mesmo das classes mais baixas, podiam ter acesso ao ensino superior por meio de bolsas; para meninas, o ensino acabava no nível primário.[11]

Em geral, a institucionalização do ensino superior nas universidades levou a crescentes divisões de classes para homens, nas quais o acesso à educação se tornou um meio de estruturar diferenças de classe permanentes. Essas diferenças também acentuaram as divisões de gênero e as tornaram mais rígidas.

Nesse cenário lúgubre de discriminação educacional de mulheres, que se estende por mais de um milênio, aparecem diversas ilhas de espaço privilegiado para mulheres. Delas, saem grupos de mulheres instruídas, de conhecimentos excepcionais apenas por causa da ignorância abissal que é o parâmetro de comparação. Esses espaços privilegiados eram os mosteiros duplos dos séculos VII e VIII; os conventos antes discutidos como centros educacionais nos séculos VIII a XIII; os centros urbanos da Holanda e Renânia, onde o movimento das beguinas floresceu no século XII; as cortes de algumas cidades da Itália e França renascentistas; e centros da Reforma Protestante. É nesses espaços privilegiados que aparece o pequeno número de mulheres instruídas. Embora tratemos delas individualmente em capítulos posteriores, pode ser bom, aqui, analisar o que elas tinham em comum e que padrões parecem emergir de suas vidas.

Podemos generalizar que, até o fim do século XVII, as chances de uma mulher conseguir receber qualquer tipo de educação eram maiores se ela fosse de uma família abastada ou importante; filha de uma família sem filhos homens; e se o seu pai fosse culto em relação à questão da educabilidade de mulheres. Tais combinações eram raras, mas existiam. As princesas escolarizadas da corte carolíngia costumavam ser célebres. Carlos Magno, ele mesmo um analfabeto patrono da educação, educou todas as suas filhas por meio de tutores, entre os quais o grande acadêmico Alcuíno. Este também educou a irmã do imperador, Gisela, que era instruída o suficiente para ler as obras de Beda e criticar as interpretações de Alcuíno sobre o Evangelho de São João. Mais velha, ela se recolheu à abadia de Chelles. Judite, segunda esposa do sucessor de Carlos Magno – Luís, o Piedoso –, era uma patrona da educação. Muitos escritores dedicaram suas obras a ela, e ela encarregou Floro de Lyon de escrever uma história sobre o mundo para ela.[12]

Muitas mulheres instruídas foram educadas por seus pais, tais como Cristina de Pisano no século XIV, as acadêmicas renascentistas Laura Cereta, Caterina Caldiera, Alessandra Scala, Olimpia Morata, e as filhas de *sir* Tomás Moro. As poucas judias que conhecemos pela erudição foram educadas por seus pais e, às vezes, pelos maridos. As três filhas do famoso estudioso de hebraico Rashi, que viveu na França de 1040 a 1105, eram versadas em hebraico e escreviam interpretações sobre direito talmúdico para substituir o pai quando ele estava doente. Miriam Luria foi uma estudiosa rabínica da Itália no século XIII, assim como Paula Dei Mansi, que traduziu e editou uma coleção de tratados sobre a Bíblia. Nada se sabe de suas origens. Rebecca Tiktiner escreveu e publicou um livro de ensinamentos morais, seleções do Talmude e poesia dirigida a mulheres. Eva Bacharach foi uma especialista em escritos e interpretação bíblicos. Ambas viveram em Praga no século XVI e eram filhas de rabinos instruídos.[13] A tradição de "filhas instruídas de homens instruídos", para usar a expressão bem colocada de Virginia Woolf, continuou ao longo dos séculos, até chegar às filhas de Bronson Alcott e em Margaret Fuller, na América do século XIX.

Outras mulheres foram educadas por tutores particulares que compartilhavam com os irmãos, assim como Isotta e Ginevra Nogarola, Cassandra Fedele, Hipólita Sforza. Embora inúmeras das grandes famílias dominantes do Renascimento italiano tenham produzido um número significativo de mulheres instruídas, apenas uma, Cecilia Gonzaga, se juntou a seus irmãos na escola pioneira La Giocosa, fundada por seu pai, o marquês de Mântua, e dirigida pelo famoso acadêmico de humanas Vittorino da Feltre. Não surpreende que entre as mulheres instruídas célebres estivessem diversas rainhas em exercício, tais como Leonor da Aquitânia (século XII), Margarida de Angolema e Elizabeth I da Inglaterra. Essas mulheres foram treinadas desde a infância para substituir homens reinantes, caso fosse necessário; portanto, foram treinadas para desempenhar tais papéis como homens.

A fama e notoriedade das "mulheres instruídas" da Idade Média e do início do Renascimento comprovam sua raridade – salvo poucas exceções, elas eram notadas mais pelo simples fato de existirem do que por suas conquistas.[14] Até o século XVII, mulheres instruídas eram algo muito raro. Podemos identificar talvez trinta freiras instruídas no período até 1400 – e algumas das mais talentosas, como Hildegarda de Bingen e Mechthild de Magdeburg, não sabiam escrever em latim. No período de 1350 a 1530, considerado por historiadores uma época em que mulheres instruídas constituíam um grande número, uma das principais estudiosas do assunto, Margaret King, identificou não mais do que 35 dessas mulheres na Itália. O medievalista Roland Bainton, em sua obra em três volumes sobre mulheres da Reforma na Europa, adiciona não mais do que dez nomes de mulheres instruídas àqueles mencionados por Margaret King. Pode-se dizer com certeza que, até 1700, havia menos de trezentas mulheres instruídas na Europa Ocidental conhecidas por historiadores.[15]

Vimos que, durante a Idade Média, apenas mulheres abastadas o suficiente para que pudessem pagar o dote necessário para entrar em um convento ou aquelas que faziam parte das famílias dominantes tinham acesso à educação. Margaret King descobriu que todas as mulheres instruídas da Renascença Italiana vinham de famílias abastadas. Com a urbanização, a partir do século XIII, encontramos pequenas quantidades de mulheres de famílias de classe média entre as instruídas. Até o fim do século XVI, a generalização de que a educação é um privilégio de classe para mulheres permanece incontestada. Uma lei promulgada pelo rei Henrique VIII da Inglaterra ilustra isso de forma dramática. A lei "proibia todas as mulheres, exceto as nobres e de boa estirpe, bem como artesãos, fazendeiros e serventes [...] de ler a Bíblia em inglês, em público ou para terceiros".[16] Embora o objetivo da legislação fosse, é bem provável, desencorajar a disseminação de sectarismo radical, o fato de que todas as mulheres, exceto as nobres, fossem classificadas junto a homens de classes baixas mostra como a classe é definida de maneira diferente para mulheres e homens.

Outra generalização que pode ser feita sobre essas mulheres instruídas é a de que eram quase todas solteiras, com frequência enclausuradas ou isoladas da sociedade, ou viúvas. Existe um padrão geral de precocidade intelectual, que foi encorajada na juventude, mas desencorajada com veemência na vida adulta. Muitas dessas mulheres foram forçadas cedo ao casamento pela família, e, de modo inevitável, a vida intelectual delas foi interrompida pelo casamento. Outras resistiram a essa pressão entrando em conventos. Pouquíssimas conseguiram retomar os estudos depois de criar uma família ou após a viuvez. Foram forçadas a escolher entre a vida de mulher ou a vida intelectual. Não era um papel aceitável levar uma vida "normal" de mulher e também pensar. Podemos ver o preço dessas escolhas tão limitadas para as mulheres considerando diversos exemplos concretos. O preço para a sociedade em geral, pela perda de talento e trabalho intelectual de metade da população, não pode ser estimado. Mas nós podemos muito bem ponderar o fato de que foi apenas nas primeiras décadas do século XX que, nos Estados Unidos e em várias outras nações industrializadas, as mulheres puderam combinar uma vida sexual e reprodutiva com a vida do intelecto. Até hoje, essas escolhas não existem para a maior parte das mulheres no mundo subdesenvolvido.

Uma espécie de preço por sua audácia de pensar e escrever foi cobrado de uma certa Gaudairenca, esposa do trovador Raimon de Miraval. De acordo com a anedota sobre ele, "Miraval [...] disse à mulher que não queria uma esposa que escrevesse poesia; um trovador na casa era o suficiente; ela deveria se preparar para voltar para a casa de seu pai, porque ele não a considerava mais sua esposa". O que aconteceu com o poeta ofendido, não sabemos. O que sabemos é que nenhum dos poemas dela sobreviveu.[17]

Isotta Nogarola (1418-1466) exemplifica um tipo diferente de solução para a mulher que pensa e enfrenta a desaprovação e o desencorajamento masculinos de seus esforços intelectuais. Conhecida como a mulher mais culta do século, ela e sua irmã Ginevra haviam recebido excelente educação de uma tutora humanista. Aos 18 anos, começou a se corresponder com humanistas homens no círculo de Guarino de Verona, que fora tutor de sua professora. Ela esperava entrar no círculo deles por meio dessa correspondência intelectual e foi encorajada quando suas cartas foram mostradas a Guarino, que as elogiou para um amigo. Mas ele não respondeu às cartas que ela endereçou a ele, o que a fez ser ridicularizada pelas amigas por ter ousado abordar um homem tão importante e esperar uma resposta. Isotta escreveu a Guarino mais uma vez e disse:

Já existem tantas mulheres no mundo! Por que, então, [...] eu nasci mulher, para ser desprezada por homens em palavras e ações. Faço-me essa pergunta em solidão. [...] Pois me escarnecem pela cidade, as mulheres zombam de mim [...].[18]

Essa carta enfim atraiu uma resposta encorajadora de Guarino. Mas outros homens com quem ela se correspondia disseram que ela deveria "se tornar um homem" se quisesse continuar escrevendo. E, em 1438, em Verona, um autor anônimo acusou Isotta de incesto com o irmão e associou essa acusação com um ataque a todas as mulheres instruídas: "Uma mulher eloquente nunca é casta; e o comportamento de muitas mulheres instruídas também confirma essa realidade".[19] Esses ataques desencorajaram tanto Nogarola, que ela ficou três anos sem escrever. Então ela tomou uma decisão incomum: não se casaria nem se tornaria freira, mas viveria sua vida reclusa na própria casa que dividia com a mãe e se dedicaria aos estudos religiosos. Esse papel para uma mulher intelectual era aprovado pela sociedade porque perpetuava a tradição de mulheres eruditas religiosas. Nogarola viveu assim durante vinte e cinco anos, produzindo um tratado teológico importante no breve interlúdio no qual se envolveu em uma amizade intelectual platônica com o humanista Ludovico Foscarini. Quando, aos 35 anos, inesperadamente foi pedida em casamento por outro homem, ela solicitou conselhos a Foscarini. Ele insistiu para que ela mantivesse o voto de castidade que havia imposto a si mesma pelo bem de seu desenvolvimento intelectual. Ela aceitou o conselho, mas a partir desse momento ficou doente repetidas vezes. O preço pago por Isotta Nogarola por ser uma pensadora e manter sua respeitabilidade foi o isolamento de outros intelectuais e uma vida de castidade – um preço que nenhum homem intelectual jamais foi forçado a pagar e que não deve ser confundido com a livre escolha de uma vida religiosa feita por outros homens e mulheres.

A aceitação do papel de gênero culturalmente aprovado para uma pensadora por Isotta Nogarola foi compartilhada por suas contemporâneas Cecilia Gonzaga e Maddalena Scrovegni. Embora essa decisão tenha sido recebida com exaltação a essas mulheres da parte de homens intelectuais, ela resultou em pouca ou nenhuma produtividade intelectual. Essas mulheres instruídas e as outras que escolheram o casamento nunca repetiram os feitos intelectuais de seus anos juvenis ou cumpriram sua promessa intelectual. Simplesmente não existia papel social aceitável durante o Renascimento para uma mulher pensadora que não renunciasse à sexualidade.[20] As histórias de vida delas falam de ambições frustradas, talentos abortados e longos silêncios desesperadores.

A REFORMA PROTESTANTE resultou na disseminação de escolas em geral, e em particular para melhorar as oportunidades educacionais oferecidas às meninas. Isso foi bastante óbvio nos estados alemães, onde reformistas protestantes como Filipe Melâncton, Martin Bucer, Andreas Musculus e Johann Agricola defenderam a criação de escolas de ensino fundamental e ensino médio para meninos e meninas. Durante o século XVII, a frequência escolar se tornou obrigatória para crianças de ambos os sexos na Turíngia, Vurtemberga e muitos outros territórios alemães. Ainda assim, após um século de crescimento espetacular, a desvantagem educacional de meninas foi institucionalizada com firmeza. Por exemplo, nas 102 cidades de Brandemburgo, embora o número de escolas para meninos tenha dobrado e o número de escolas para meninas tenha aumentado em dez vezes de 1539 a 1600, havia apenas 100 escolas para meninos ao fim do período, e apenas 45 escolas para meninas.[21] Muitos dos humanistas protestantes escreveram a favor de expandir escolas para meninas, mas seus planos não foram levados adiante integralmente. E mesmo esses reformistas avançados defendiam um currículo muito simplificado para meninas em comparação com o dos meninos, com grande ênfase no ensino religioso.

Na França, escolas paroquiais, que eram anexas às catedrais e ofereciam apenas as habilidades mais rudimentares, proporcionaram a educação de meninos e meninas do século XVI em diante. Para meninas, as ordens monásticas continuaram a oferecer instrução mais completa. A partir do século XVII, as novas ordens de ensino, como as Ursulinas e as Filles de la Croix, ofereceram oportunidades educacionais expandidas para meninas de classes alta e média, mas a ênfase era na educação moral e religiosa e no recrutamento de futuras freiras. Para mulheres aristocráticas, a educação em casa, feita por tutores e com o uso de bibliotecas particulares, compensou algumas das desvantagens da doutrinação de gênero. Durante vários séculos, as mulheres com grau mais elevado de educação vinham desses cenários, com frequência muito encorajadas pelos seus pais.[22]

Na Inglaterra, a fundação de escolas de gramática no século XVI tornou a educação primária disponível para a maioria dos meninos, enquanto a educação de meninas continuava completamente particular, pelas mãos de mães ou tutoras. A dissolução de ordens monásticas e suas escolas durante a Reforma afetou seriamente as oportunidades educacionais das mulheres inglesas. Durante quase um século, não havia tradição de ensino para elas, e meninas de classe alta eram educadas apenas o suficiente para serem competitivas no mercado matrimonial – ou seja, para adquirir "habilidades" como bordado, música e canto. Jonathan Swift lamentou que "nem uma filha de cavalheiro em mil sabe ler ou entender a própria língua ou julgar os livros mais fáceis que foram escritos nesse idioma. [...] Elas sequer são ensinadas a soletrar na infância, tampouco podem conseguir isso em toda a sua vida".[23] Entretanto, como veremos abaixo, os índices ingleses de alfabetização eram altos em comparação com o resto da Europa, mas a educação mais avançada não era prontamente disponível. Nos séculos XVIII e XIX, escolas dominicais e missionárias aumentaram os índices de alfabetização entre as crianças de classes baixas, mas aqui, também, as meninas sofriam grande desvantagem. Levaria mais de cem anos de esforço individual e organizado da parte de mulheres para melhorar seu acesso à educação superior (ver Capítulo 9).

Porém, ao longo dos séculos, surgiram mulheres de talento extraordinário que, apesar de todos os obstáculos, adquiriram educação e produziram um trabalho intelectual de ótima qualidade. Inevitavelmente, seus talentos foram sufocados e seus esforços foram frustrados, assim como aconteceu com as mulheres instruídas do Renascimento. Isso se exemplifica pela vida de irmã Juana Ines de la Cruz, do México (1651-1695), notável não apenas por sua genialidade e sua história de vida, mas por ser uma das poucas mulheres intelectuais de seu tempo que não nasceu na classe alta.

Ela nasceu em um vilarejo mexicano, uma de seis filhos ilegítimos de mãe analfabeta. Enviada para a casa do avô na cidade, demonstrou cedo um amor incomum pelo aprendizado. Aos 3 anos, enganou a professora da irmã mais velha para que a ensinasse a ler, o que aprendeu em pouco tempo. Depois passou a ler os livros da biblioteca do avô e, aos 6 anos, já havia aprendido a escrever também. Suplicou para que a mãe lhe permitisse se vestir como menino para poder frequentar a universidade na Cidade do México e estudar ciências, mas o pedido foi negado. Entretanto, ela foi enviada à Cidade do México aos 8 anos, e lá fez vinte aulas de latim, depois das quais estudou a língua por conta própria. Seus talentos chamaram a atenção da esposa do vice--rei, que a levou para a corte e a tornou dama de companhia, e depois poeta oficial da corte. Ela era apresentada à corte e aos visitantes como um incrível prodígio e chamada para compor uma série infindável de poemas ocasionais para vários eventos públicos. Além dos poemas que escreveu para a corte, também é autora de comédias e uma peça religiosa. Em um de seus poemas mais longos, criticou os homens com vigor pela postura desdenhosa deles em relação às mulheres. As exigências da vida na corte interferiam tanto em sua capacidade de seguir seus estudos, que ela decidiu se tornar freira. Ela explica seus motivos para essa decisão:

> [...] considerando a opinião totalmente negativa que eu tinha em relação ao matrimônio, foi a posição menos inadequada e mais decente que eu pude escolher a fim de conseguir minha salvação. [...] Conquistei todos os tipos de estupidez do meu temperamento, que incluíam o desejo de viver sozinha e não ter ocupações obrigatórias para desfrutar de liberdade total para estudar sem obrigações públicas que interromperiam o silêncio sereno dos meus livros [...].[24]

Por diversas vezes na história, encontramos mulheres pensadoras internalizando autonegação, a ponto de essa mulher talentosa se referir a seu desejo de ser acadêmica como uma "estupidez do meu temperamento". Ela fez seus votos finais em 1669 e, protegida por sua influência na corte, suas superiores religiosas permitiram que ela enchesse seu aposento no convento de livros, recebesse muitas visitas e tivesse uma vida literária ativa. Mas mesmo durante esses anos de proteção relativa, irmã Juana era sempre admoestada e censurada por seu confessor, padre Antonio Nuñez. Ao que parecia, ele a censurava em público por escrever poesia e socializar com pessoas de autoridade e poder. Em uma carta ao padre Nuñez descoberta há pouco tempo, irmã Juana, na época segura sob a proteção do vice-rei e sua esposa, se defendeu de forma enérgica, assim como seu direito de escrever poesia, uma vez que o Céu lhe havia concedido o talento de escrever, e o direito à educação. Ela afirmou que sempre mantivera seus estudos privados, nunca buscou aclamação pública e não a desejava. Mas continuou, vigorosamente:

> [...] quem proibiu mulheres de estudar de forma particular e individual? Elas não têm alma racional, assim como os homens? Bem, então, por que uma mulher não pode desfrutar do privilégio da iluminação como eles? [...] Que revelação divina, que regra da Igreja, que julgamento razoável formulou lei tão severa para nós, mulheres? [...] Eu tenho essa inclinação [de estudar], e se isso é ruim, não fui eu que me formei assim – eu nasci com isso e com isso morrerei.[25]

Aparentemente, apesar dessa troca de cartas acaloradas, o padre Nuñez continuou sendo seu confessor, e irmã Juana continuou seus estudos e atividades literárias até 1686, quando, após a morte da marquesa e a partida de diversos de seus protetores, sua influência na corte acabou. Alguns anos depois, irmã Juana se envolveu em uma disputa literária/teológica ambígua que condenou seu destino e sua escrita.

Em 1690, irmã Juana escreveu um ensaio crítico de um sermão feito quarenta anos antes por um célebre padre jesuíta que era muito admirado na Espanha e no México, em especial pelo arcebispo Francisco Aguiar y Seijas. Seu ensaio chamou a atenção do bispo de Puebla, Fernandes de Santa Cruz. Ele publicou o ensaio por conta própria sem o seu conhecimento e enviou a ela uma cópia, com uma carta na qual a criticava, mas assinou como "Irmã Philotea". Aparentemente, o bispo considerou inapropriado que ela estivesse escrevendo sobre questões teológicas e insistiu para que, a partir de então, abandonasse todas as leituras, menos as religiosas. "É uma pena que uma mente tão formidável se incline tanto ao conhecimento mundano e não deseje conhecer o que acontece no céu. Mas já que ela desce tão baixo, que não desça ainda mais e considere o que acontece no inferno."[26] A irmã Juana parecia saber a identidade do autor, mas endereçou sua resposta à "Irmã Philotea" e manteve a presunção de que estava escrevendo a uma freira. Sua "Resposta" é uma brilhante defesa do direito das mulheres à educação. Ela reconta sua história de vida para mostrar que seu amor por aprender não poderia ser reprimido ou frustrado e cita uma longa lista de mulheres eruditas da Bíblia que a inspiraram.

Ela termina com um forte argumento a favor de mulheres mais velhas ensinarem mulheres mais novas e do direito das mulheres ao crescimento intelectual. Não existe registro da resposta do bispo, e o ensaio da irmã Juana só foi publicado após a sua morte.

As circunstâncias dessa correspondência intrigam historiadores e parecem um tanto ambíguas. O bispo aproveitou a ocasião para censurar irmã Juana? Octavio Paz especula que o incidente todo ocorreu em razão da rivalidade entre o arcebispo e o bispo, em meio à qual irmã Juana era apenas um fantoche. Essa explicação é plausível, mas é certo que irmã Juana ficou no meio da briga entre os dois clérigos e, como suas primeiras cartas privadas mostram, as ideias que ela expôs já vinham sendo desenvolvidas havia muito tempo. Ela pode ter aproveitado a oportunidade para apresentá-las de uma maneira mais pública.[27] Após a irmã Juana escrever sua "Resposta", que pode ter circulado de forma privada, a pressão sobre ela aumentou. Seu confessor, padre Nuñez, recusou sua confissão e a acusou de não ter humildade. Pouco depois, o arcebispo ordenou que ela vendesse seus livros para arrecadar dinheiro para os pobres. A irmã Juana, humilhada, solitária e sem apoio, obedeceu, e em 1693 já tinha se desfeito de todos os seus livros, exceto três textos religiosos. Ela, então, fez uma confissão pública abjeta, implorou pelo perdão das freiras de sua ordem e, em 1694, assinou com o próprio sangue uma nova dedicação aos seus votos religiosos e renunciou a todas as outras aspirações. Possivelmente buscando a morte, cuidou de outras freiras doentes durante uma epidemia e morreu em 1695.[28]

O ÚLTIMO EXEMPLO da frustração e negligência forçada de talento extraordinário ocorre em um século mais adiante, quando mulheres eruditas não eram mais tão raras. A história da negação de oportunidade a mulheres de talento não segue a cronologia habitual do progresso educacional, mas parece exemplificar o princípio de que, não importando os avanços que as mulheres façam em direção à educação, as melhores delas serão prejudicadas e, no final, impedidas antes que possam conquistar o que o talento e o esforço deveriam permitir que conquistassem.

Elizabeth Elstob (1683-1756) recebeu o encorajamento materno em sua busca por educação, mas após a morte da mãe, quando Elizabeth tinha 8 anos, seu guardião, que condenava mulheres instruídas, negou a educação que ela desejava. Ele recusou até seu pedido de estudar francês, dizendo que um idioma era o suficiente para uma mulher, mas ela conseguiu mesmo assim aprender a ler em francês.[29]

Adquiriu instrução compartilhando os livros do irmão, William, graduado em Oxford, que encorajou seu desenvolvimento intelectual. Ela viveu por treze anos com ele, primeiro em Oxford, onde ele lecionava, e depois em Londres, onde ele comandava duas paróquias. Foi ele que lhe permitiu ter uma vida acadêmica séria. Ela era fluente em oito idiomas, entre eles, gótico, franconiano antigo e teutônico antigo, e ficou conhecida como uma das mais notáveis acadêmicas saxônicas de seu tempo. Trabalhou com o irmão na tradução que ele fez da versão saxônica do rei Alfredo da história de Orósio. Em 1708, publicou uma tradução de *Essay on Glory* [Ensaio sobre a Glória], de Madeleine de Scudéry, e, em 1709, publicou uma tradução de *An Anglo-Saxon Homily on the Birthday of St. Gregory* [Homilia sobre o Nascimento de São Gregório], de Elfrico.[30] De modo previsível, Elstob sentiu-se compelida a se desculpar por seu feito no Prefácio:

> Eu sei o que dirão: "O que uma mulher tem a ver com educação?" [...] Qual é o problema de mulheres buscarem educação? Por que elas não podem ser valorizadas por adquirirem para si os mais nobres adornos? Que mal isso pode fazer a elas? Em que isso prejudica outros? Mas existem duas coisas geralmente opostas contra a educação de mulheres. Que isso as torna impertinentes, fazendo-as negligenciarem os assuntos domésticos. Onde isso acontece é um problema. [...] Eu não observo isso ser usado como objeção contra distrações de mulheres, que elas as tiram dos assuntos domésticos. [...] [Então ela lamenta o fato de que não apenas homens, mas algumas mulheres se opunham à erudição de mulheres.] Admitem que uma mulher pode aprender; não existe outro tipo de aprendizado para empregar seu tempo? O que é isso, saxônicos? O que ela tem a ver com essas coisas bárbaras e antiquadas? Tão inúteis, tão completamente inconvenientes?[31]

Elizabeth Elstob, fazendo essas perguntas irrespondíveis, reconheceu a ousadia de seu feito – ao contrário de outras mulheres instruídas, que apenas exibiam seu conhecimento adquirido, ou daquelas que falavam com base em sua imaginação criativa, ela afirmou o direito de uma mulher ao ensino acadêmico. Inevitavelmente, precisou se defender da acusação de que sua obra não era dela, mas do irmão, porém isso logo foi respondido por ele, ao mostrar que havia sido ela a ajudá-lo com seu trabalho, e não o contrário.

Ela continuou, com aclamação geral, a compilar a primeira gramática anglo-saxônica, *The Rudiments of Grammar* [Os Rudimentos da Gramática], em inglês moderno, com a intenção de tornar essa obra disponível a pessoas, sobretudo mulheres, que não sabiam latim. Publicada por assinatura em 1715, se tornou a obra padrão sobre o assunto. A lista de 250 assinantes incluía os mais notáveis acadêmicos anglo-saxônicos da época, que eram seus benfeitores; metade dos assinantes eram mulheres.[32] Pouco depois da publicação, seu irmão morreu, e ela ficou sem apoio e sem os meios indispensáveis de acesso à vida acadêmica. Ela esperava publicar diversos volumes de homilias saxônicas, mas faltou dinheiro e apoio acadêmico. Privada do sustento em sua profissão de escolha, Elizabeth Elstob desapareceu do círculo de amigos por vinte anos. Sarah Chapone, esposa de um clérigo que tinha interesses literários e era amiga de diversos escritores, encontrou-a quase na pobreza em Worcestershire, vivendo de lecionar em uma pequena escola. A senhora Chapone a apresentou para certo George Ballard, um alfaiate que era colecionador amador de "antiguidades" e tinha interesse em aprender anglo-saxão, e que depois, por sugestão de Elstob, publicou um livro sobre "Senhoras Instruídas". A amizade dela com Ballard a fez reviver intelectualmente e levou a alguns anos de colaboração frutífera entre eles em seu projeto.[33]

A senhora Chapone, determinada a ajudar Elstob a conseguir um emprego mais adequado, fez circular uma carta em seu nome entre mulheres da pequena nobreza, e como resultado Elstob recebeu uma proposta de trabalho em uma escola de caridade local. Sua carta de aceitação foi considerada tão marcante, que foi mostrada à rainha Carolina, e esta ficou tão tocada por ela, que decidiu pagar 100 libras por ano a Elstob, mas os pagamentos nunca foram feitos. Mais uma vez, por intervenção de amigas mulheres, Elstob chegou ao conhecimento da duquesa de Portland. Essa dama decidiu, após hesitar um pouco, oferecer a ela um emprego de professora particular dos seus filhos, a 30 libras por ano. A hesitação ocorreu devido à preocupação do marido em achar que Elstob não tinha a qualificação adequada por não falar francês. Mas a duquesa superou essas objeções e definiu o trabalho da nova professora particular assim: "[...] ela exige e espera que a sra. Elstob [...] instrua seus filhos pelos princípios da religião e da virtude, ensine-os a falar, ler e entender bem inglês e a cultivar a mente tanto quanto puderem, além de fazer companhia a eles".[34] Depois de vinte anos de pobreza miserável, período durante o qual ela não pôde buscar trabalho acadêmico, Elizabeth Elstob, então com 54 anos, uma das mais célebres acadêmicas do campo das línguas e literatura anglo-saxônicas, tanto pela formação quanto pelos seus feitos, aceitou essa proposta com gratidão. Passou os últimos dezessete anos de sua vida fazendo as atividades de rotina de educadora em uma residência aristocrática.

A raridade das mulheres instruídas e a dificuldade que enfrentavam na vida são formas de medir o custo da desvantagem educacional das mulheres. Outro modo é olhar para a expansão da alfabetização do ponto de vista das diferenças entre gêneros. Embora todo estudo sobre alfabetização e analfabetismo ofereça grandes dificuldades metodológicas, todas as evidências disponíveis, de todas as partes do mundo, apontam para o mesmo padrão: com raras exceções em determinadas elites, mulheres de todas as partes foram alfabetizadas mais tarde e em números menores do que os homens.

O primeiro exemplo histórico de alfabetização disseminada ocorreu na Alexandria Ptolomaica. Lá, 60% dos homens e 40% das mulheres de classe média escreviam em grego, e muito mais escreviam apenas em egípcio. Na Grécia do século IV havia alta alfabetização de forma semelhante. Em partes da Índia nos séculos IV e V d.C. e até a Idade Média, metade dos homens e cinco sextos de todas as mulheres eram analfabetos.[35]

Na Idade Média, o termo *litteratus* significava uma pessoa com conhecimento em literatura (latim) e ficou vinculado a *clericus*, o clero. Fazia contraste com *illitteratus*, que ficou vinculado a *laicus*, a laicidade.[36] Nós discutimos antes como distinção parecida em relação ao conhecimento de latim tendeu a separar os sexos e acabou aumentando as dificuldades educacionais das mulheres. O aumento da alfabetização no vernáculo foi relacionado ao domínio da classe mercante, com a alfabetização disseminada entre mercadores florentinos no século XI e mercadores da Liga Hanseática no século XIII. Em 1400, artesãos ingleses e alemães já eram alfabetizados.[37] Embora não existam números exatos disponíveis, podemos deduzir que as esposas desses grupos adquiriram a alfabetização rudimentar necessária para ajudar os maridos nos negócios e no comércio, mas durante todo esse tempo, a maioria das mulheres permaneceu analfabeta.

A invenção da imprensa por Johannes Gutenberg em 1440, apesar de ter sido o avanço tecnológico mais importante para tornar possível a disseminação da alfabetização, não teve efeito imediato. O principal avanço da alfabetização na Europa começa com a Reforma Protestante. É o período mais antigo em que historiadores podem datar estudos detalhados sobre alfabetização com base em assinaturas de documentos. Todos mostram a mesma tendência. A alfabetização masculina em todo lugar é mais alta do que a feminina, mas varia de acordo com classe e região e está ligada ao comércio e à ocupação.[38] Assim, um estudo de registros de corte da diocese de Norwich, Inglaterra, de 1530 a 1730, mostra a alfabetização de homens variando de zero (clero) a 85% (trabalhadores), enquanto a alfabetização de mulheres em geral é de 89%.[39] Um estudo sobre analfabetismo na Escócia de 1630 a 1760 mostra taxas de analfabetismo masculino de 28%, em comparação com 80% de analfabetismo feminino. Neste caso, como em todos os outros, a alfabetização parece estar conectada com a disponibilidade de instrução escolar e é sem dúvida relacionada a classes, mas idade e localidade também parecem fazer diferença, com mulheres mais velhas e de áreas urbanas com maior probabilidade de serem alfabetizadas do que mulheres mais jovens e de áreas rurais.[40]

A dificuldade metodológica em avaliar os estudos sobre alfabetização com base na capacidade de assinar é que existe um viés embutido para pessoas de classe média e alta. A leitura era ensinada primeiro (entre as idades de 2 e 6 anos), geralmente em casa, e a escrita vinha depois (a partir dos 6 anos), em geral na escola. Mesmo onde havia ensino disponível, os pobres não tinham condições de enviar seus filhos para a escola, uma vez que precisavam que eles trabalhassem em casa ou, mais tarde, nas fábricas. Então, pessoas que podiam assinar o nome tendiam a ter uma situação melhor do que aqueles desconsiderados em uma pesquisa baseada em assinaturas. Alguns estudos tentaram contornar essa dificuldade. Um estudo de biógrafos espirituais ingleses do século XVII mostrou que muito mais pessoas de classe baixa sabiam ler do que escrever. Esse estudo também ofereceu alguns *insights* interessantes sobre como mulheres semialfabetizadas puderam fomentar – e fomentaram –

a disseminação da alfabetização. Uma pesquisa de uma pequena cidade mercantil em Staffordshire, 1693-1698, mostrou um homem e cinco mulheres professores, bem como um professor de escrita que visitava o lugar duas vezes por ano durante seis semanas. Quatro das cinco mulheres professoras eram esposas de trabalhadores e artesãos. Um dos autobiógrafos fala de sua mãe, esposa de um tecelão, que, apesar de saber ler, mas não escrever, educou os filhos com a Bíblia e outros livros, além de ter ajudado a alfabetizar crianças pobres comprando livros para elas, enviando-as para a escola e pagando professores.[41]

Em um estudo baseado nas histórias de revivalistas da Reforma Escocesa, a maioria das 36 mulheres estudadas eram empregadas (32 de 36). Todos os homens e as mulheres revivalistas sabiam ler, mas quase dois terços dos homens e apenas um décimo das mulheres sabiam escrever. Duas mulheres eram leitoras autodidatas por acompanhar os capítulos da Bíblia na igreja. Uma empregada aprendeu a ler aos 18 anos, quando ela estipulou em seu contrato de trabalho que deveria ter aulas de leitura todos os dias.[42]

Do ponto de vista de uma análise de gênero, o que mais importa é se existe uma diferença constante entre as taxas de alfabetização de homens e mulheres. Uma análise feita com base em registros de casamento na França durante o século XVIII mostra um aumento na alfabetização de homens entre 1690 e 1790, de 29% para 47%. Para mulheres, durante o mesmo período, as taxas de alfabetização são de 14% a 27% (números arredondados).[43]

No século XIX, houve grandes avanços na educação pública, e com isso a alfabetização se disseminou. Os registros de casamento mantidos pela Igreja Anglicana a partir de 1754 permitem resumir a capacidade de assinar de 90% da população que já foi casada. Esses números mostram o seguinte:

Taxa de alfabetização na Inglaterra
(com base em uma amostra de 274 paróquias)

1750	Homens 36%	Mulheres 64%
1850	Homens 35%	Mulheres 50%

Taxa de analfabetismo
(com base em todas as paróquias)

1850	Homens 30%		Mulheres 45%
1911	Homens 1%	1913	Mulheres 1%[44]

É notável que, apesar de a alfabetização feminina ter crescido muito no século XIX, apenas em 1911-1913 as taxas de alfabetização entre homens e mulheres se igualassem.[45]

Pode ser interessante observar um país subdesenvolvido que, no século XX, instituiu uma campanha sem precedentes contra o analfabetismo. A Rússia czarista, em 1897, tinha uma taxa de analfabetismo de 22%. Após a Revolução Bolchevique, a campanha contra o analfabetismo virou a principal prioridade do governo. Eis aqui os resultados:

Taxa de analfabetismo da União Soviética[46]

1926	Homens de 24-25 anos	4,3%
	Mulheres de 19 anos	11,8%

Uma pesquisa mundial realizada pela Organização das Nações Unidas para a Educação, a Ciência e a Cultura (Unesco) mostrou que, salvo pouquíssimas exceções, o analfabetismo feminino excede o masculino em todos os países do mundo. As exceções são sobretudo de países que relatam uma taxa de alfabetização muito alta, e mesmo nesses países, a igualdade de alfabetização entre os sexos existe apenas entre os jovens, com taxas de alfabetização para a população maior de 35 anos demonstrando diferenças acentuadas em razão do sexo.[47]

AGORA VAMOS considerar a disseminação da alfabetização nos Estados Unidos.[48] O estudo mais conhecido sobre alfabetização no período colonial é o de Kenneth Lockridge, baseado em 3 mil assinaturas em testamentos. Ele mostrou um grande aumento na alfabetização feminina. Em 1660, 60% dos homens que fizeram testamento sabiam assinar; até 1790, quase 90% assinavam. Entre mulheres, as taxas eram bem mais baixas: 31% delas sabia assinar em 1660; 46% em 1790. Por inúmeros motivos metodológicos o estudo de Lockridge pode ter subestimado a capacidade de assinar das mulheres.[49] Em um estudo recente de 907 mulheres de Connecticut que assinaram ou foram testemunhas instrumentárias de documentos, ordenadas de acordo com o nascimento, Linda Auwers descobriu que 21% das mulheres nascidas nos anos 1660 e 94% daquelas nascidas nos anos 1740 sabiam assinar.[50] Ainda assim, a capacidade de assinar das mulheres (e, com isso, a alfabetização delas) estava defasada em relação à dos homens.[51]

Nas colônias da Nova Inglaterra, crianças de ambos os sexos aprendiam os rudimentos da soletração e da leitura com suas mães ou vizinhas que mantinham "escolas de damas" em casa, financiadas por meio de pequenas taxas pagas por aluno. O forte impulso religioso e econômico para promover a educação em movimento nas colônias é exemplificado pela Lei de Massachusetts de 1642, que autorizava homens selecionados a verificar a capacidade de todas as crianças "em ler e entender os princípios da religião e das leis capitais deste país". Crianças que não fossem devidamente instruídas podiam ser retiradas de seus pais para serem ensinadas por terceiros. Leis semelhantes foram aprovadas nas outras colônias. A Lei de Massachusetts também especificava que meninos deveriam aprender a ler e escrever, enquanto meninas deveriam aprender apenas a ler. Foi só em 1771 que a legislação estipulou que crianças ensinadas sob as Poor Laws ou Lei dos Pobres deveriam aprender: "meninos a ler, escrever e calcular; meninas a ler e escrever."[52]

A habilidade de escrever era considerada difícil de ensinar, por isso o ensino era feito por homens. Como era vista como uma preparação para empregos, por mais de cem anos a escrita foi ensinada sobretudo para meninos em escolas mantidas pelas cidades, com professores escolhidos pelos diretores. De 1690 em diante, algumas meninas ganharam acesso a essas escolas, mas elas permaneceram fechadas para a maioria das meninas até a metade do século XVIII, quando, em 1760, Dedham, em Massachusetts, se tornou a primeira cidade a oferecer cursos de verão regulares para elas. Em Medford, Massachusetts, em 1766, meninas eram permitidas na escola apenas no período da tarde, quando os meninos já haviam saído. New London, em Connecticut, permitia meninas na escola durante o verão, e apenas das cinco às sete horas da manhã. Conforme esses cursos de verão para meninas ficaram mais disponíveis, professoras foram contratadas para oferecer instrução em leitura, escrita e cálculo.[53]

Em um padrão familiar do passado europeu, um pequeno grupo de meninos da elite era preparado em escolas e academias de latim para o ingresso na faculdade. Após a Revolução Americana, as oportunidades educacionais melhoraram para crianças de ambos os sexos, mas os objetivos aos quais a educação era direcionada estavam mais afastados do que nunca. Meninos eram educados para utilidade social e liderança política como cidadãos de uma república; meninas eram educadas para utilidade social como esposas e mães. E, embora o conceito da crescente importância das mulheres como "mães da república" servisse como incentivo para a disseminação da educação de mulheres, esta permaneceu limitada em extensão e qualidade, e sempre inferior à educação oferecida aos homens.[54]

Entre 1790 e os anos 1840, academias femininas se proliferaram no nordeste dos Estados Unidos, nos assentamentos dos morávios na Pensilvânia, na Geórgia, na fronteira do Tennessee e em Ohio. Igual importância teve o aumento do número de academias masculinas que aceitavam alunas mulheres, em meio período ou período integral. A maioria das academias femininas oferecia um currículo que enfatizava "conquistas" e reforçava a doutrinação das meninas para um papel de gênero na vida definido com rigor. As academias para mulheres preparavam meninas para que agissem de forma mais inteligente, mais eficaz e mais graciosa na "esfera da mulher", mas também aumentavam as aspirações educacionais de muitas de suas graduadas.[55]

A ruptura decisiva com essa tradição ocorreu em 1818, quando Emma Willard traçou um plano para melhorar a educação de mulheres a ser apresentado para consideração do Poder Legislativo do estado de Nova York. Com esse ato ousado e a subsequente fundação do Troy Female Seminary [Seminário Feminino de Troy, hoje Emma Willard School], ela deu início a uma movimentação de mulheres para igualar o acesso de mulheres à educação que duraria um século.[56]

Emma Willard, Mary Lyon, Catharine Beecher e as diversas outras mulheres pioneiras que estabeleceram instituições de ensino superior para mulheres com currículos de conteúdo igual ao oferecido aos homens não planejavam desafiar as esferas definidas por gênero separadas para homens e mulheres. Elas queriam apenas melhorar a "esfera da mulher" e ampliar suas oportunidades econômicas e educacionais treinando um grande número de professoras para abastecer as recém-estabelecidas escolas públicas da nação. Nisso elas foram admiravelmente bem-sucedidas, e as literalmente milhares de escolas fundadas e abastecidas por suas alunas nos anos 1840-1870 são testemunho dessa façanha. Uma consequência inesperada disso foi que a existência de tantas graduadas com melhor qualificação educacional causou nas mulheres uma demanda em constante crescimento por acesso a faculdades e universidades. O fato de que as fundadoras das escolas não tinham a intenção de obter esses resultados é irrelevante. O importante é o padrão que eles revelam, pelos quais a educação de mulheres centrada em comunidades femininas se torna a força propulsora para uma futura transformação na sociedade.[57]

A disparidade de alfabetização entre homens e mulheres diminuiu em um padrão influenciado por região, classe e raça. Em 1840, quando escolas públicas ofereciam a mesma carga horária de ensino para meninos e meninas, quase todas as mulheres brancas da região nordeste sabiam ler e escrever.[58] Esse grau de alfabetização não foi atingido por mulheres brancas do sul até o fim do século XIX. Mulheres de áreas rurais, imigrantes e afro-americanas passaram mais tempo analfabetas do que mulheres brancas e de classe média nascidas no país.[59] Mas seja qual for o grupo particular de pessoas que se estude, e em que localidade específica, a disparidade de alfabetização entre homens e mulheres do mesmo grupo não acaba até que a alfabetização quase universal seja alcançada.

Observação semelhante pode ser feita quando estudamos graus de feitos educacionais em vários grupos e classes da população. Por exemplo, até 1837, as mulheres não podiam se matricular em nenhuma faculdade ou universidade. Em 1870, elas já constituíam 21% do total de estudantes universitários matriculados; em 1880, mulheres constituíam 32% do corpo discente universitário, e em 1910, quase 40%. Embora o aumento do número de mulheres com educação universitária seja notável, é mais significativo que apenas em 1920, quando representavam 47% dos estudantes universitários, as mulheres tenham atingido acesso à educação superior igual ao dos homens. Mas, já no fim da década de 1930, enquanto o número de mulheres universitárias subia ligeiramente, o número de mulheres com pós-graduação caía de modo drástico. O ponto mais baixo do século XX veio em 1960, quando as mulheres constituíam 35% de todos os estudantes com bacharelado ou primeiro grau profissional, e apenas 10% de todos os doutorados.[60]

Foi apenas a partir da década de 1920 que o acesso educacional igualitário para mulheres foi atingido em todos os níveis até a graduação, mas vestígios da privação educacional anterior continuaram a aparecer no desempenho mais baixo de mulheres em exames universitários e no recebimento de bolsas. Mais importante, não importando a variação do grupo particular considerado (etnia, idade, região, religião), o que invariavelmente continuou sendo verdade foi o fato de o acesso de mulheres à educação permanecer mais baixo do que o de homens de seu grupo. A única exceção a essa regra foi o caso de mulheres afro-americanas, que, entre 1870 e 1970, superaram os resultados educacionais de homens afro-americanos. Isso ocorreu por causa da imprevisibilidade da discriminação por raça, que pouco incentivava os homens a obter educação superior, uma vez que, mesmo diplomados, ficavam limitados ao trabalho servil. Por outro lado, mulheres negras instruídas tiveram a chance de escapar do trabalho doméstico e servil. Assim, as famílias tinham um incentivo para fomentar a educação de suas filhas em detrimento da educação dos filhos. Nesse aspecto, as famílias afro-americanas são uma exceção ao padrão norte-americano quase universal pelo qual as famílias privavam as filhas da educação em detrimento dos filhos.

Portanto, embora afro-americanos tenham conquistado o acesso à educação muito mais tarde do que brancos, o censo de 1960 mostra que médicas negras representavam quase 10% de todos os médicos negros, enquanto médicas brancas constituíam 6% de todos os médicos brancos. Advogadas negras constituíam 9% de todos os advogados negros, enquanto advogadas brancas representavam apenas 3% de todos os advogados brancos. Padrões semelhantes aparecem nos dados do censo de professores. Ironicamente, um dos poucos ganhos do movimento pelos direitos civis no século XX que permaneceu inalterado é o fato de que a vantagem educacional de homens negros em relação a mulheres negras agora segue padrões machistas semelhantes aos de homens brancos em relação a mulheres brancas.[61]

O padrão da luta das mulheres por igualdade de acesso à educação na América é igual ao que ocorreu na Europa: cada nível de educação institucionalizada tinha que ser conquistado separada e consecutivamente. A resistência por parte de determinados homens e de estabelecimentos controlados por homens era firme e implacável. A cada nível da instituição educacional, as mulheres tinham que primeiro lutar pelo direito de aprender, depois pelo direito de ensinar e, por fim, pelo direito de influenciar o conteúdo de aprendizagem. O último ainda precisa ser conquistado em um alcance significativo.

POR QUE NÃO EXISTIRAM grandes pensadoras e construtoras de sistemas? Onde estão as Newton, as Kant, as Einstein? A metáfora brilhante de Virginia Woolf sobre a irmã de Shakespeare que, ainda que tivesse sido tão talentosa quanto o irmão, não teria conquistado o mesmo que ele por causa dos limites das definições de gênero, tem precedentes históricos reais. Essas mulheres existiram. Mulheres de extraordinário talento, mulheres geniais, com capacidade e determinação de se sobressair, criar e definir. Isotta Nogarola, acusada de incesto com o irmão para explicar suas conquistas literárias; irmã Juana de la Cruz, que vendeu sua biblioteca preciosa a mando do arcebispo para demonstrar humildade; Elisabeth Elstob, que trabalhou como professora particular dos filhos do duque de Portland. E Lucinda Foote, a garota de 16 anos, do contrário desconhecida, cuja entrada na Universidade Yale foi negada em 1792 com a explicação de que ela era qualificada em todos os aspectos, "exceto pelo sexo". Lucinda Foote pode ter sido apenas razoavelmente talentosa ou genial. Jamais saberemos, porque ela era do sexo feminino, e isso era tudo o que importava.

TRÊS

AUTOLEGITIMAÇÃO

MUITO MAIS PREJUDICIAL do que a educação inferior oferecida às mulheres foi o sistema explicativo misógino que dominou a doutrina da Igreja e moldou as ideias de gênero na sociedade em geral. As crenças na inferioridade das mulheres dada por Deus e em sua posição subordinada na sociedade antecederam o Cristianismo, mas foram bastante elaboradas nos séculos depois do ano 300, quando a Igreja começou a se consolidar como instituição fortemente hierárquica dependente de um clero masculino. Mesmo nesse período, a tradição das discípulas de Cristo e dos apóstolos ainda era forte e a presença de mulheres santas e anacoretas era sutil o suficiente para neutralizar as ideias misóginas. O empenho da Igreja e do Estado durante o período carolíngio para controlar a poligamia, acabar com o concubinato do clero e restringir ou proibir o divórcio reacenderam e reforçaram as ideias misóginas. As reformas não só elevaram a família monogâmica à unidade econômica básica da sociedade, como ajudaram a fortalecer a formação de classes entre os homens de posse. O efeito dessas inovações foi tornar as mulheres solteiras vulneráveis economicamente, tornar menos provável a possibilidade de ascensão social por meio do casamento e tornar precária a sorte das ex-concubinas do clero. Não é por acaso que os ataques ideológicos às mulheres aumentaram muito e que a primeira acusação de feitiçaria contra uma mulher tenha ocorrido nesse período.[1]

As ideias misóginas, *a priori*, eram apenas um instrumento do Estado e do interesse clerical de curto alcance, porém, logo essas ideias adquiriram vida própria. O conceito de que as mulheres nascem inferiores, têm mente e intelecto mais fracos, estão mais sujeitas a emoções e tentações sexuais do que os homens e que precisam ser governadas por homens teve um efeito devastador na mente das mulheres. Mesmo as extraordinárias, com um grau de inteligência que ocorre uma ou duas vezes por século, tiveram que lutar contra essa noção que as privava de autenticidade e autoridade. Cada mulher pensadora teve que gastar uma quantidade excessiva de tempo e energia, desculpando-se pelo simples fato de estar pensando.

A crítica feminista recente traçou e registrou o custo dessa deficiência para as mulheres pensadoras, em particular àquelas que viveram depois do século XVII. A criação do eu autêntico que define sua própria criatividade é um fenômeno histórico que só foi possível para as mulheres muito mais tarde na história do que foi para os homens. O livro *Confissões*, de Santo Agostinho, escrito no século V d.C., em geral é considerado a primeira autobiografia pela qual esse eu autêntico foi construído. Porém, esse eu era masculino; sua própria definição excluía a mulher de se identificar com ele. É discutível quando a primeira autobiografia feita por uma mulher conseguiu construir um eu autêntico de modo semelhante. As obras de mulheres místicas, começando com Hildegarda de Bingen, por certo merecem consideração – para além da descrição de uma jornada espiritual, como obras de autobiografia –, mas acerca da forma como carecem precisamente de autoridade e assertividade pelas quais a *persona* se torna um exemplo de vida que leva à salvação. As mulheres místicas submergiram o eu para se tornarem abertas a revelações extáticas. Viam-se como instrumentos insignificantes por meio dos quais o poder de Deus se manifestava, "a pequena trombeta de Deus", como Hildegarda se referia a si mesma. A busca por um eu autêntico teve que assumir formas diferentes para mulheres e homens, uma vez que, para os homens, a autoridade era presumida, enquanto para as mulheres era totalmente negada. Assim, cada mulher que afirmava autoridade era autodenominada aberração e tinha que lidar com esse fato em sua escrita antes que o público pudesse se abrir para sua linguagem e pensamento.[2]

Mulheres escritoras, trabalhando antes do reconhecimento de que podem ser capazes de participar como pensadoras autônomas no discurso público –

um reconhecimento que podemos pontuar historicamente no século XVII – tiveram que remover três obstáculos antes que suas vozes pudessem ser ouvidas: 1) a garantia de que elas eram as autoras de seus próprios trabalhos; 2) ter o direito a seu pensamento próprio; 3) o fato de que seu pensamento pode ser embasado em uma experiência e um conhecimento diferentes do que o de seus mentores e antecessores patriarcais. Uma vez removidos esses obstáculos, as escritoras ainda encaravam a dificuldade de encontrar e criar públicos apropriados para seus trabalhos. Caso se dirigissem aos homens, precisavam desarmar e desconstruir o quadro de referência patriarcal que desvalorizava e banalizava seu trabalho. Elas também precisavam minimizar a separação e a singularidade de sua experiência feminina e, muitas vezes, acabavam distorcendo, disfarçando ou banalizando sua própria experiência. Se o seu público fosse composto de mulheres, elas precisavam encontrar símbolos e uma linguagem codificada para permitir que suas leitoras seguissem o processo pelo qual elas próprias tiveram que passar para poder pensar. Tiveram que evocar e legitimar fontes de conhecimento e experiência que as mulheres em geral negavam a si mesmas para sobreviver no mundo patriarcal. De alguma maneira, tinham que atravessar a metáfora de gênero e alcançar o sentimento e o conhecimento reais, elevar o processo à ordem das demandas do pensamento abstrato de universalidade e evocar em outras mulheres a coragem e a ousadia de seguir o próprio processo, e continuar a partir daí. Essa era uma tarefa muito diferente daquela enfrentada pelos homens pensadores, cuja autoridade era inquestionável, cujo direito à própria experiência era dado sem esforço e que poderiam desenvolver seu pensamento discursando com os grandes pensadores que os antecederam. Às mulheres foram negadas todas essas precondições necessárias para desenvolver o pensamento abstrato.

Cada mulher que afirmava o direito à própria voz foi forçada a provar a autenticidade de sua escrita, e que não era a escrita de um mentor do sexo masculino. Embora a autenticidade das obras da freira do século X, Rosvita de Gandersheim, não tenha sido questionada por historiadores e críticos, seus dons foram descartados como sendo mera imitação do dramaturgo romano Terêncio. Isso até bem pouco tempo atrás, na excelente e respeitosa avaliação de seu trabalho por Peter Dronke, em que todo o escopo e a amplitude de seu pensamento foram apresentados. Em seu primeiro "Prefácio" para uma série de lendas, a própria Rosvita expressou dúvidas sobre si mesma e os obstáculos que esperava encontrar caso seu talento fosse revelado.

> [...] Não me atrevi a expor meu impulso e intenção a nenhum dos sábios ao pedir conselhos, para não ser proibida de escrever devido a minha farsa. Assim, em completo sigilo, por assim dizer furtivamente, ora labutando sozinha em minha composição, ora destruindo um trabalho malfeito, tentei da melhor maneira elaborar um texto mesmo que fosse de menor utilidade, com base em passagens de escritos que reuni para guardar na eira de nossa fundação Gandersheim.[3]

A freira Rosvita, ao esconder sua escrita e suas fontes na eira da abadia de Gandersheim, um célebre centro de aprendizagem e cultura, evoca a dolorosa memória de Harriet Beecher Stowe, do século XIX, ocultando seus escritos em sua cesta de costura para que ninguém de sua família e de seu círculo de amigos desaprovasse suas atividades impróprias como escritora. O manuscrito em que ela estava trabalhando era *A Cabana do Pai Tomás*. Durante um período de quase novecentos anos, a reivindicação das mulheres ao direito de pensar e escrever permaneceu controversa e contestada.

Rosvita, em um "Prefácio" posterior a suas peças, dá-nos alguma indicação de efeitos quase letais da autodepreciação e autocensura das mulheres quando escreve: "Até então, dificilmente ousei mostrar a farsa de minha pequena composição, mesmo para algumas pessoas e, se o fizesse, apenas a amigos íntimos. Assim, a tarefa de compor algo mais dessa natureza quase cessou".[4] Rosvita continua com confiança renovada, afirmando que seu dom de escrever vem de Deus e, parafraseando as palavras do apóstolo Paulo – "Mas, pela graça de Deus, sou o que sou" (I Coríntios 15:10) –, dizendo: "[...] Sinto alegria no fundo do meu coração porque Deus, por cuja graça eu sou o que sou, é louvado em mim; no entanto, tenho medo de parecer maior do que sou".[5] Aqui, bem no início da história do pensamento das mulheres, o dilema básico da autoridade das mulheres é nítida e dolorosamente delineado – seu dom é inspirado, mas ela teme suas consequências, porque a definição social de seu papel de gênero exclui a possibilidade de tal dom.

A freira Hildegarda de Bingen (1098-1179), que surgiu duzentos anos depois e figurou como pensadora única e inspirada em uma comunidade de mulheres, estava muito mais confiante em seus dons inspirados por Deus do que Rosvita. No entanto, a autenticidade de seus escritos médicos foi contestada por pelo menos um historiador.[6] A autenticidade de várias entre as cartas da abadessa Heloísa do século XII escritas a seu então amante Abelardo foi questionada por alguns estudiosos.[7] Da mesma forma, alguns dos escritos do notável grupo de *trobairitz* provençais, que emergiram no mesmo século, foram por muito tempo atribuídos a trovadores do sexo masculino, supostamente escritos com uma voz feminina.[8] Maria de França, uma das grandes escritoras seculares da Idade Média, que também viveu no século XII, encarou as críticas habituais à sua autoria. Ela respondeu a elas no "Epílogo" de sua obra *Fábulas*:

> E pode acontecer que muitos sacristãos
> Reivindiquem como seu o que é meu trabalho.
> Mas tais pronunciamentos eu não quero!
> É loucura ser esquecida.[9]

A primeira mulher conhecida a ganhar a vida por sua escrita, Cristina de Pisano (1365-1430), enfrentou as questões usuais de autenticidade e respondeu a elas de maneira enérgica. Em sua alegoria, *Christine's Vision* [Visão de Cristina], ela lança a "Opinião de Dama" dizendo:

> Alguns dizem que sacristãos ou padres escreveram seus trabalhos para você, pois eles não poderiam vir da inteligência feminina. Mas aqueles que dizem tais coisas são ignorantes, pois não estão cientes dos escritos de outras mulheres mais sábias do que você, mesmo profetas que foram mencionadas em tempos passados [...] então, eu a instigo a continuar seu trabalho, que é válido, e a não ter medo de mim.[10]

Encontraremos as mesmas defesas contra a acusação de plágio por mulheres em todos os séculos. A humanista renascentista Laura Cereta (1469-1499) foi acusada por homens escritores de apresentar a obra de seu pai como sua, porque nenhuma mulher poderia ter escrito cartas tão eruditas. Cereta retrucou que ficou satisfeita por se ver comparada ao pai, a quem admirava, e mostrou sua erudição e habilidade para escrever em sua resposta como prova de sua autoria.[11]

Muitas autoras britânicas, do século XVII ao XIX, procuraram evitar tais acusações fazendo com que autoridades masculinas endossassem suas obras. Tais endossos, embora confirmem a autoria da mulher, poderiam ser bem humilhantes e insultuosos. Um dos piores casos é o de *sir* Egerton Brydges, membro do Parlamento, cujo "Prefácio" para a obra autobiográfica de Margaret Cavendish, duquesa de Newcastle, diz-nos que esta:

> [...] carecia de julgamento culto; que seu conhecimento era mais multifacetado do que exato; e que sua capacidade para imaginação e sentimento eram mais ativos do que para o raciocínio. [...] Sua Graça queria um pouco de tudo. [...] Ela derrama tudo com uma mão indistinta e mistura o sério, o coloquial e até o vulgar de uma maneira que não pode ser defendida.[12]

Aparentemente sem se intimidar com esse julgamento crítico, a duquesa insiste em que ela escreva esse livro de memórias "para meu próprio bem [...]".[13]

No século XVIII, essa grande raridade, a esposa de um comerciante irlandês que escrevia versos que eram publicados, assegurava a seus leitores que ela "encontrava lazer sem negligenciar os negócios do marido para escrever várias pequenas peças". Ela também sofreu a indignidade da introdução de um eminente patrocinador. O grande Jonathan Swift, recomendando-a a um patrono, escreveu:

> Ela parece ter um gênio político verdadeiro, mais culto do que poderia se esperar, ou devido a seu sexo, ou devido à cena em que ela atua, como esposa de um cidadão. [...] A poesia tem sido sua diversão favorita apenas; para a qual ela tem uma qualificação [...] que ela está pronta para receber conselhos e submeter-se a ter seus versos corrigidos por aqueles que costumam ter permissão para ser os melhores juízes.[14]

A lista de patrocinadores tão paternalistas e profundamente ofensivos, laçando seus braços protetores sobre os ombros frágeis de suas vítimas, não é tão surpreendente quanto a forte persistência das mulheres que absorveram tais insultos, os usaram em seu proveito e persistiram em seu empenho para se expressarem.

Muito mais grave em seu impacto sobre o pensamento feminino foi a internalização de sua inferioridade por parte das mulheres, o que as tornou inseguras ou na defensiva quanto ao seu direito de pensar. Todas as escritoras medievais, mesmo as mais poderosas, como as místicas, achavam necessário anunciar sua indignidade ao leitor. Hildegarda de Bingen, uma das mulheres mais eruditas de seu século, referia-se a si mesma como "*ignota*", uma mulher ignorante. Mechthild de Magdeburg assegurou ao leitor sua simplicidade e ignorância acadêmica de modo parecido. Juliana de Norwich, a poderosa mística inglesa, usava quase a mesma língua, chamando-se de "*unlettyrde*", o que provavelmente significava que não tinha educação em latim, a língua dos homens eruditos.[15] Enquanto homens e mulheres místicos pautavam-se no argumento da própria ignorância, o "*topos* da humildade", como os críticos literários designam tal ato, para aumentar o poder e o efeito de sua inspiração miraculosa, isso não acontecia com relação às desculpas quase inevitáveis com que escritoras prefaciavam seus trabalhos. Esses são resquícios patéticos do que devem ter sido lutas agonizantes que cada mulher teve que enfrentar dentro de sua própria alma e mente.

Alguns exemplos de tais desculpas vão ressaltar o padrão geral. Hugeburc, abadessa de Heidenheim, freira anglo-saxã que se estabelecera na Alemanha em 762, escreveu a vida de dois irmãos, o bispo de Eichstatt e o abade de Heidenheim. No "Prólogo", ela fala de si mesma da seguinte forma:

> Eu sou desprezível. [...] Eu, que sou uma criatura insignificante em comparação com meus companheiros cristãos [...] especialmente corruptível pela frágil tolice feminina de meu sexo, não apoiada por nenhuma prerrogativa de sabedoria ou exaltada pela energia de grande força, mas com vontade, como uma pequena criatura ignorante abatendo alguns pensamentos da sagacidade do coração, dos muitos frondosos, árvores frutíferas carregadas com uma variedade de flores, me agrada colher, montar e expor algumas [...] para você guardar na memória.[16]

Sua afirmação de que suas palavras são retiradas do coração torna-se o protótipo de uma justificativa típica das mulheres para o pensamento – as mulheres pensam com o coração, não com o cérebro, e isso, de alguma forma, torna seu pensamento mais aceitável. Ela afirma que não escreve propriamente, mas "colhe e monta", um tipo menor de atividade mental semelhante a arranjos de flores ou acolchoados, sem nenhuma pretensão de originalidade. Muitas outras pensadoras, em suas desculpas públicas pela ousadia com que confrontaram a doutrina patriarcal de sua incapacidade, banalizaram de modo semelhante o que faziam. Pretendiam apenas traduzir ideias, reorganizá-las, tudo menos pensar por si próprias.

E, ainda assim, as mulheres pensaram, escreveram e atuaram no mundo. Mesmo aquelas que pediram desculpas e, ao que parecia, aceitaram o *topos* da humildade transmitiram uma postura diferente no restante de sua escrita, como se se sentissem livres, uma vez satisfeitas as formalidades de admitir sua inferioridade, para comprovar sua força, talento e individualidade.

A VIDA DE Hildegarda de Bingen exemplifica o avanço de um gênio feminino que conseguia criar um papel inteiramente novo para ela mesma e para outras mulheres sem violar ostensivamente os limites patriarcais dentro dos quais ela exercia seu papel.

Essa notável freira do século XII seguiu a tradição de fortes líderes religiosas na construção de instituições e na liderança de duas comunidades religiosas. Mais importante, ela deixou uma vasta obra original, escritos que foram influentes em sua vida e durante séculos após sua morte. Ela foi pioneira em combinar espiritualidade, autoridade moral e ativismo público para criar o que se tornaria um novo papel público para as mulheres. Essa conquista notável só foi possível porque Deus se dirigiu a Hildegarda, e ela não apenas acreditava e sabia disso, mas fazia com que todos ao redor acreditassem e soubessem disso também.

Nascida em 1098, ela era a caçula de dez filhos de uma família nobre de Bermersheim, na Renânia. Tendendo desde cedo à religiosidade, foi enviada aos 8 anos para viver no mosteiro beneditino de Disibodenberg. Lá ficou sob a tutela da anacoreta Jutta von Sponheim, que supervisionou sua educação de acordo com a doutrina beneditina. Adquiriu conhecimentos de escrita e leitura, liturgia e canto, que, mais tarde, se expressam em suas composições musicais.[17] Em 1136, após a morte de Jutta, ela a sucedeu como líder da comunidade.

Hildegarda fundamentou sua autoridade inteiramente por suas visões, que começaram quando ela tinha 5 anos e que ela manteve em segredo até a idade adulta. Ela as revelou somente por comando expresso da voz interior e depois que uma doença grave a convenceu de que esse comando era, de fato, a vontade de Deus.[18] Aqui, ela descreve a fonte de sua autoridade e a maneira como respondeu a ela:

> No ano de nosso Senhor 1141, quando eu tinha 42 e sete meses de idade, os céus se abriram e uma luz ígnea, lançando grandes raios de faíscas, permeou meu cérebro por completo e acendeu meu coração e peito como uma chama que não queima, mas emite calor da mesma forma que o sol aquece um objeto que toca com seus raios. E, de repente, o significado das Escrituras, do Saltério, do Evangelium e dos outros livros católicos do Antigo e do Novo Testamento foi revelado para mim [...] Eu tinha experimentado o poder e o mistério das visões ocultas e maravilhosas desde a infância, isto é, dos cinco anos até o presente, mas não tinha revelado isso a ninguém, exceto a alguns que compartilhavam meu estilo de vida. Eu o escondi e fiquei em silêncio até o momento em que Deus achou por bem manifestá-lo por meio de sua graça.[19]

A descrição de Hildegarda da experiência da revelação repentina é bastante semelhante à de outras místicas. Essa experiência envolvia todos os sentidos – em outras visões, ela descreveu em detalhes o sabor doce na língua e o cheiro de doçura –; o dom visionário se manifestava física e espiritualmente, e era abrangente. Não há como analisar o que aconteceu ou explicar de maneira racional. "E, de repente, eu sabia. [...]" Foi a partir desse conhecimento que Hildegarda recebeu sua autoconfiança, sua autenticação. Todos os místicos e visionários fundamentaram sua experiência e a explicaram com a mesma simplicidade e crença. O que é notável em Hildegarda é o uso que ela fez de suas visões e as respostas que elas evocaram.

O silêncio sobre suas visões é, mais uma vez, bastante típico das histórias de vida da maioria dos grandes místicos. A humildade, a insegurança e o medo da censura ou do ridículo impediram a mística de revelar seu conhecimento e percepções especiais.[20] Hildegarda aparentemente revelou que as manifestou para algumas das freiras ("que compartilham meu modo de vida"). Foi apenas com o incentivo delas e sob o comando de sua visão que ela falou com seu conselheiro espiritual sobre isso. Acreditaram nela prontamente, o que não é comum em histórias de místicos. A confirmação final de seus dons inspirados no Sínodo de Trier deu-lhe uma autoridade incomum para qualquer místico, quanto mais uma mulher.

As manifestações sobre sua ignorância ("já que não sou instruída") foram em geral desconsideradas por historiadores modernos, pois a evidência interna de sua vasta produção literária sugere que ela deve ter sido bem educada em literatura patrística, exegese bíblica, filosofia, astrologia, ciências naturais e música. Ela conhecia bem a Bíblia em latim e afirmou ter ouvido a voz divina falando em latim. Seus livros de medicina estão tão intimamente fundamentados nas teorias de Galeno que é inconcebível que ela não tivesse conhecimento de sua obra.[21] Sua referência convencional a si mesma como uma mulher sem instrução, sem dúvida, foi projetada para fortalecer sua reivindicação de revelação divina, assim como faz a descrição detalhada que ela dá em uma carta escrita mais tardiamente ao monge Guiberto de Gembloux, que se tornou seu secretário:

> Tudo o que vejo ou aprendo nesta visão, guardo como uma memória por um longo período, de modo que, quando eu vejo ou ouço, eu me lembro, e ao mesmo tempo eu vejo, ouço e sei, como se em um instante eu aprendesse o que sei. Mas o que eu não vejo não sei, visto que não sou instruída e aprendi apenas a ler cartas com toda a simplicidade. O que escrevo na visão, vejo e ouço, e não anoto nenhuma palavra além das que ouço. Eu as trago em palavras latinas não polidas, assim como as ouço na visão, pois nessa visão não sou ensinada a escrever como os filósofos escrevem.[22]

De novo, há a confirmação da revelação existencial avassaladora ("Eu vejo, ouço e sei, como se em um instante"). Hildegarda faz uma distinção sutil entre saber e compreender quando escreve "[...] como se em um instante eu aprendesse o que sei". Suas visões aparecem como imagens físicas que ela descreve em grande detalhe e com intensa força poética. Porém, a interpretação de tais imagens é outro tipo de "conhecimento", é o conhecimento que se aprende, por uma graça adicional. Hildegarda sempre reivindicou esse tipo de conhecimento, afirmando a interpretação de suas visões com forte convicção. É provável que tenha sido esse aspecto de sua crença a lhe permitir criar seu papel público singular.

O livro de suas visões, *Scivias*, foi recomendado por Bernardo de Claraval ao Sínodo de Trier. Hildegarda foi analisada por uma comissão nomeada pelo papa Eugênio III, após a qual ele reconheceu a autenticidade de suas visões. Isso fez de Hildegarda uma figura pública, cujo conselho era procurado por nobres e humildes, e cuja influência alcançou toda a Europa.

Em 1148, ela teve uma visão que pedia para que fundasse um novo convento, mas isso foi negado pelo abade Kuno von Disibodenberg. Como acontecia repetidas vezes ao encontrar obstáculos, ela contraiu uma grave enfermidade, o que enfim convenceu o abade a atender seu pedido. Em 1150, ela se mudou para o novo local com dezoito freiras, todas nobres, construindo o convento Rupertsberg perto de Bingen, no Reno. Ela conseguiu manter seu convento totalmente livre do controle do abade Kuno e reconhecia apenas o arcebispo de Mainz como seu superior. Mais de uma década depois, o sacro imperador romano Frederico Barbarossa não apenas aceitou sua repreensão por suas políticas, mas concedeu a seu convento proteção especial durante o período de guerra. Hildegarda, mais tarde, construiu um segundo convento em Eibingen e supervisionou ambas as instituições pelo resto de sua vida.

Assim que iniciou sua carreira pública, ela rompeu todos os precedentes viajando por toda a Renânia, pregando em grandes cidades, visitando mosteiros, aconselhando clérigos e leigos, e distribuindo os textos de seus sermões.[23] Escreveu seu segundo livro, *Liber Vitae meritorum* [Livro dos Méritos da Vida], em cinco anos. Seu último livro de visões, *Liber Divinorum Operum* [Livro das Obras Divinas], foi concluído em 1173, quando ela tinha 75 anos. Ela deixou uma grande lista de obras, entre elas, dois grandes trabalhos em medicina e ciências naturais, *Physica ou Liber Simplicis Medicinae* [Física ou Livro de Medicina Simples] e *Causae et Curae ou Liber Cornpositae Medicinae* [Livro de Medicina Avançada ou Aplicada].[24] Também deixou uma peça, *Ordo Vitutum*, dois livros sobre uma linguagem secreta que inventou, um livro de exegese dos Salmos e duas biografias, em homenagem a São Ruperto e São Disibode. Suas cartas recolhidas revelam uma correspondência surpreendentemente ampla com notáveis líderes políticos e religiosos de sua época, como Henrique II da Inglaterra, Leonor da Aquitânia, Bernardo de Claraval, os papas Eugênio III, Anastácio IV, Adriano IV e Alexandre III, os imperadores Conrado III e Frederico Barbarossa e os arcebispos de Mainz, de Trier e de Salzburgo.[25] Ela também se correspondia com abades e abadessas, freiras e leigos. Dava conselhos, respondia a questões teológicas e morais, desafiava decisões políticas e recomendava ações, sempre falando na voz inspirada da "pequena trombeta de Deus". Seu tom na correspondência é autoritário e firme, sem demonstrar nada da deferência, timidez e humildade habituais para uma mulher de sua posição. Ela se dirigiu a papas e imperadores como iguais e, ao que parecia, foi assim tratada por eles em resposta. Nos séculos posteriores, veio uma série de místicas e santas notáveis, como Santa Catarina de Sena e Santa Teresa de Ávila, que, da mesma forma, combinaram a vida contemplativa de visionárias místicas com carreiras políticas e públicas, mas Hildegarda foi a primeira a criar tal papel para si mesma. Sem dúvida, foi um modelo para as outras.

O fato de que estava totalmente ciente de seus poderes e disposta a usá-los pode ser visto na longa e amarga batalha que travou para evitar que sua amiga íntima e discípula Richardis von Stade deixasse seu convento. Essa jovem nobre, que havia sido, por anos, sua amanuense, decidira aceitar a nomeação como abadessa de outro convento. Incapaz de dissuadi-la, Hildegarda protestou com veemência para a família da jovem, aos arcebispos de Mainz e Bremen e até mesmo para o imperador. Sua linguagem revelava a habitual ousadia e contundência, quando chegou a acusar seu superior, o arcebispo de Mainz, de simonia. "O espírito de Deus, cheio de zelo, diz: pastores, lamentem e chorem neste momento, pois vocês não sabem o que fazem quando esbanjam ofícios, cuja fonte é Deus, para ganho financeiro. [...]"[26] Ainda assim, nesse caso, todos os apelos foram em vão – ela falhou em impor sua vontade a Richardis. É o único incidente conhecido em sua vida em que ela foi derrotada. Isso era verdade, apesar do fato de ela nunca evitar controvérsias.

O último incidente ocorreu quando ela tinha 80 anos e se envolveu em uma difícil luta moral e política. Ela concedeu um enterro cristão, dentro das paredes de seu claustro de Rupertsberg, a um nobre e doador que já havia sido excomungado. Hildegarda acreditava que, antes de sua morte, ele havia feito as pazes com a Igreja e, portanto, recusou a ordem emitida pela diocese de Mainz, na ausência do arcebispo Christian, para que seu corpo fosse exumado e retirado. Por essa ofensa, ela e suas freiras sofreram interdição e lhes foi negado o benefício da missa e do sacramento. Uma vez que a interdição também significava que, em caso de morte, seriam-lhes negados os últimos ritos da Igreja, isso deve ter sido uma ameaça terrível para a abadessa idosa. Ainda assim, ela se manteve firme. Caracteristicamente, baseou seu desafio em sua luz interior, que considerou ter maior autoridade do que o comando que lhe foi dado. "Vi em minha alma que, se seguíssemos seu comando e expuséssemos o cadáver, tal expulsão ameaçaria nossa casa com grande perigo, como uma vasta escuridão [...]. Portanto, não ousamos expô-lo."[27] Seu pensamento era de que o morto havia sido consagrado por sepultamento em solo sagrado e, portanto, um insulto ao seu cadáver seria um insulto aos sacramentos. Essa profunda convicção da correção teológica de seu argumento permitiu que Hildegarda desafiasse a proibição. Por fim, o arcebispo decidiu, por motivos técnicos e desconsiderando seu argumento teológico, cancelar a proibição e, assim, justificá-la, apenas seis meses antes de sua morte.

O alcance e a profundidade de seu trabalho, que englobava medicina, ciências naturais, cosmologia, teologia, ética, revelações místicas e poesia, foram comparados aos do grande filósofo Avicena.[28] Seus escritos não foram apenas influentes e amplamente divulgados durante sua vida; ela ainda ficou conhecida no século XIII, e seus manuscritos foram publicados na Renascença (1533 e 1544). Sua influência remonta aos séculos XVI e XVII.[29] Ela foi a primeira mulher pensadora e escritora a ocupar uma posição tão influente durante sua vida e por vários séculos após sua morte. Como tal, ela merece consideração especial, sobretudo porque seu trabalho e suas vida revelam algumas das principais tensões, conflitos e força que caracterizam a vida e as obras de pensadoras femininas posteriores.

Hildegarda superou o maior obstáculo que todas as mulheres pensadoras enfrentaram e ainda enfrentam – o fardo opressor de provar seu direito e sua capacidade de pensar em oposição aos papéis de gênero tradicionais que deveriam cumprir. Como vimos, ela superou esses obstáculos retirando-se do papel de esposa e mãe, escolhendo a vida de uma religiosa e, em seguida, fundamentando sua autoridade em revelações místicas e em um relacionamento direto com Deus. Pode-se perceber que essa adaptação não foi fácil nem livre de conflitos por meio de seu histórico de problemas de saúde ao longo da vida e as doenças quase fatais que precederam vários momentos decisivos. Tal doença ocorreu quando, aos 42 anos, ela foi instruída por sua voz interior a escrever suas revelações. Ela resistiu a esse comando e adoeceu, e só depois de se convencer da gravidade de sua doença é que fez a conexão entre sua resistência à voz interior e o colapso do corpo. Ela devia fazer o que a voz interior mandava ou poderia morrer – então, ela faz o que se manda. O mesmo padrão se repetiu quando lhe foi revelado que deveria fundar o próprio convento e se mudar de Disibodenberg. A única maneira de superar a forte resistência de seu superior masculino a esse comando era ficar mais uma vez gravemente doente. Eis aqui como ela descreveu o que lhe aconteceu:

> Mas meu abade, e os monges e a população daquela província [...] estavam determinados a se opor a nós. Além do mais, disseram que eu estava iludida por alguma fantasia vã. Quando ouvi isso, meu coração foi esmagado e meu corpo e minhas veias secaram. Então, deitada na cama por muitos dias, ouvi uma voz poderosa me proibindo de proferir ou escrever, naquele lugar, qualquer coisa que fosse sobre minha visão.

Uma nobre, então, intercedeu em seu nome com o arcebispo, assim, Hildegarda teve permissão para se mudar com suas freiras. No entanto, elas enfrentaram a pobreza extrema e muitas tribulações no novo local, e Hildegarda ficou confusa sobre o significado dessas provações.

> Então, em visão verdadeira, vi que essas tribulações haviam chegado a mim de acordo com o exemplo de Moisés, pois, quando ele conduziu os filhos de Israel do Egito pelo Mar Vermelho para o deserto, eles, murmurando contra Deus, causaram grande aflição a Moisés também. [...] Então, Deus me deixou ser oprimida, em alguma medida, pelas pessoas comuns, pelos meus parentes, e por algumas das mulheres que permaneceram comigo quando lhes faltavam coisas essenciais. [...][30]

A comparação metafórica de si mesma com Moisés é reveladora; isso mostra que ela se sentiu chamada para a liderança espiritual, que se considerava uma profetisa e que não hesitou em assumir tal papel. No entanto, as tensões e os conflitos gerados por essas suposições cobraram seu preço. Ao longo de sua vida, ela se queixou de que suas visões a deixavam em estado de exaustão física; ela sofria constantemente de enxaqueca e sempre considerou seu corpo fraco e frágil. Mesmo assim, levou uma vida de atividades constantes, viagens extenuantes e aparições públicas, um trabalho mental fatigante que durou até a velhice. Esse conflito oculto, com seus custos incalculáveis, é característico de muitas pensadoras ao longo dos séculos.

Hildegarda teve o privilégio de se libertar dos papéis tradicionais de gênero vivendo como parte de uma comunidade de mulheres, desfrutando do que Sara Evans listou como uma precondição para a consciência feminista, "espaço livre".[31] Esse era o espaço livre possível dentro da vida no convento e na ausência das responsabilidades domésticas e reprodutivas das mulheres; mas deve ser entendido que esse "espaço relativamente livre" era um espaço em uma instituição patriarcal, a Igreja Católica, na qual todos os cargos mais elevados e posições de poder eram ocupados pelo clero masculino. Embora seja evidente que, no caso de Hildegarda, esse espaço livre demandava mais autonomia do que muitas religiosas costumavam desfrutar, como pode ser visto em sua batalha para libertar seu convento recém-fundado em Bingen do controle restritivo do abade Kuno; em sua campanha bem-sucedida para ter apenas um superior masculino – o arcebispo de Mainz –; e ao garantir a proteção do imperador Frederico Barbarossa para seu convento. Isso desponta mais uma vez na resistência que ofereceu, e que todas as suas freiras apoiaram, diante da possibilidade de sofrer o interdito contra o que considerava uma decisão arbitrária e uma interpretação errônea de sua superiora.

Como outras freiras que a antecederam e a sucederam, Hildegarda reconheceu e creditou a forte influência de uma professora, no caso dela, a anacoreta Juta. Também transmitiu um modelo de orientação e liderança semelhante a suas discípulas, como visto em sua relação com Richardis. Outra indicação de sua afirmação de autoridade independente pode ser vista nas inovações que ela introduziu em sua ordem, que iam do prático ao espiritual – a canalização interna em Bingen; o uso de anéis, véus brancos e tiaras por suas freiras em dias festivos para celebrar a Virgem Maria. Ela explicou e defendeu essas inovações em bases teológicas, de modo que podemos deduzir que foram deliberadas.[32]

O pai de Hildegarda pode ter participado da primeira Cruzada quando ela ainda era criança. Ela falou aos homens que retornaram da Segunda Cruzada e mais tarde endossou com veemência a perseguição aos cátaros, a quem considerava, de acordo com a doutrina da Igreja prevalecente, uma seita herege. Como seu mentor e apoiador, Bernardo de Claraval, que defendeu os judeus contra a perseguição brutal que sofreram na esteira das primeiras cruzadas, Hildegarda era amiga dos judeus e manteve o diálogo com eles. Ao que parecia, eles foram ao convento para protestar[33]

A visão de Hildegarda do cosmos, da natureza e da humanidade é poderosa em sua integração holística de todos os aspectos da Criação. As belas ilustrações do Códice de Rupertsberg, criado sob sua supervisão pessoal e pelas freiras em seu claustro, refletem a harmonia e a grandeza de sua visão. As figuras concêntricas mantêm o mar, a terra, o céu, as estrelas e o paraíso em equilíbrio. Os símbolos são com frequência femininos e masculinos, e os adoradores são equilibrados de maneira igualitária entre os dois sexos. Onde quer que o clero seja mostrado, ele é representado por religiosos e religiosas.[34] Percebe-se em Hildegarda uma alma à vontade tanto diante do físico quanto do metafísico, tanto diante da vida quanto do espírito.

Os escritos religiosos de Hildegarda refletem, em geral, a tradição cristã predominante de sua época. Porém, a expansão dos temas da reprodução e da sexualidade tratados por ela é bastante extraordinária para sua época, assim como sua preocupação em definir as relações sexuais, suas consequências para a reprodução e seu esquema de classificar homens e mulheres de inclinações diferentes. Ela parece aceitar a definição tradicional dos papéis de gênero ensinada pelos padres da Igreja, ou seja, afirma repetidas vezes que as mulheres são mais fracas, com estrutura física e psíquica diferente das dos homens e, portanto, destinadas a serem subordinadas a eles. O homem se transformou do barro em carne e, portanto, é mais forte; a mulher foi feita da carne e é, portanto, mais fraca.[35] Visto que era mais fraca e mais mansa do que o homem, era natural que a mulher caísse primeiro em tentação e isso, Hildegarda pensa, era uma coisa boa. Pois, se Adão tivesse caído primeiro, seu pecado teria sido mais forte e a salvação não seria possível.[36]

A explicação de Hildegarda para a concepção também se baseia nas diferenças qualitativas entre a contribuição do homem e da mulher para o processo.

Ela explica que a concepção ocorre quando as espumas de um homem e de uma mulher se encontram na relação sexual. Como a "espuma" da mulher é mais fraca do que a do homem, ela atua sobretudo como receptora de sua espuma, que alternadamente aquece, esfria e seca em seu útero. Hildegarda, então, explica as diferenças na descendência como relacionadas a uma combinação da força da semente e da atitude dos pais. A força da criança parece, segundo sua explicação, depender da força da semente do homem, mas o caráter da criança depende do amor do homem e da mulher um pelo outro. Embora as ideias sobre a concepção de Hildegarda sejam pré-aristotélicas e reflitam alguns conceitos galênicos, a ligeira distorção que ela dá à sua explicação ao apresentar a questão do amor e da mutualidade muda o papel e a importância dos sexos na concepção de maneira bastante dramática. Apenas se o homem e a mulher se amarem e a semente do homem for forte, um menino forte nascerá. Se um dos parceiros carece de amor, o filho será uma menina ou um menino amargurado.[37] Essa explicação eleva o papel da mulher no processo de concepção de meramente passiva para aquela cujos sentimentos e atitudes têm uma influência decisiva no resultado. Do mesmo modo, enquanto Hildegarda reflete os valores patriarcais em sua aceitação da superioridade do homem, sua recontagem da história da Criação dá uma interpretação inteiramente nova às palavras do Gênesis. Suas palavras são poéticas e poderosas:

> Quando Deus criou Adão, Adão vivenciou um grande amor na tranquilidade que Deus enviou a ele. E Deus deu forma ao amor do homem e, então, a mulher é o amor do homem. Porque, quando Adão viu Eva pela primeira vez, ele estava repleto de sabedoria, pois reconheceu nela a mãe de seus filhos. Mas, quando Eva viu Adão, ela o fitou como se visse o céu [...] e, assim, há um único amor, e é assim que deveria ser o amor entre homem e mulher, nada diferente disso. [...] O amor do homem acende sua paixão como o fogo de montanhas flamejantes, que mal podem ser contidas, mas o amor da mulher é como a chama em uma fogueira. [...] Seu amor pelo homem é como o calor equilibrado do brilho do sol que produz frutos. [...] Dessa maneira, a mulher pode levar seus frutos de maneira mais agradável até o fim.[38]

A iluminação dessa visão é ainda mais surpreendente e radical em seu afastamento da explicação tradicional do que seu texto. Combina elementos da história da Criação com os da história da Queda. Em uma imagem dominada pelos quatro elementos, pelo céu, pelas estrelas e por anjos, Adão está deitado de lado, acima de uma imagem com as duas árvores do paraíso. A seu lado, Eva nasce, na forma de uma concha contendo estrelas, que Hildegarda descreve como as "pérolas preciosas da humanidade". O lado esquerdo da imagem é dominado por uma figura negra que se parece com uma árvore e um lago de fogo, e de um dos galhos brota a cabeça de uma cobra, lançando línguas de fogo sobre a concha (Eva). Essa figura representa Lúcifer caído (ou o diabo), que assume a forma de uma serpente para tentar Eva.[39] A ausência de uma figura humana de Eva é única na iconografia da história da Criação. O equilíbrio entre as estrelas no céu acima da cena, que, de acordo com Hildegarda, representam os anjos, e as estrelas dentro da concha, que representam os futuros seres humanos que nascerão de Eva, enfatiza seu papel redentor em vez de causadora da Queda.

De maneira semelhante, Hildegarda, ao recontar a história da Queda, retira a culpa de Eva e de todas as mulheres. Em vez disso, a Queda torna-se quase preordenada pela fraqueza corporal construída em Eva pelo Criador. Veremos essa versão da Queda recontada por muitas mulheres nos séculos seguintes.

Embora Hildegarda seja bastante tradicional em seu uso da designação masculina para Deus – Pai, Rei, Redentor – em sua narrativa de grandes eventos históricos, ela usa símbolos femininos para Deus em sua descrição de eventos cósmicos atemporais. O predomínio de figuras femininas, tanto em suas visões quanto nas representações pictóricas, é surpreendente. As três principais figuras que aparecem repetidamente são Sabedoria (Sofia), a figura de *Scientia Dei* (Conhecimento de Deus) – que incorpora a bondade e o terror – e *Sapientia*, representando a sabedoria divina na Igreja e no cosmos. *Sapientia* se mantém em uma plataforma sustentada por sete pilares, que é a forma tradicional de representar a iconografia da casa da sabedoria. Ela é terrível e gentil com a humanidade, revelando-se por completo apenas para Deus. Em várias ocasiões, as referências a ela são como Rainha Consorte, Noiva de Deus. Os atributos contraditórios dessas figuras femininas, bondade e maravilha, e a linguagem fortemente erótica com que Hildegarda fala delas, sublinham a continuidade de seu simbolismo com as antigas deusas pré-cristãs. Isso é bastante notável na representação de Sofia, usando uma coroa estilizada semelhante à representação iconográfica da helenística Sofia e da deusa-mãe do Antigo Oriente Próximo.

Essa continuidade do antigo simbolismo pagão e sua transformação na tradição cristã na forma de "teologia sapiencial" tem sido observada com frequência. A fusão da figura de Sofia (Sabedoria) do Antigo Testamento – representando o aspecto feminino de Deus – com Maria – noiva de Deus e Mãe de Cristo – é característica da teologia sapiencial e ocorrerá com frequência nos escritos de místicos posteriores.[40]

A figura de Sofia aparece em três visões sucessivas (*Scivias*, II, 3-5). Na primeira delas, Hildegarda a interpreta como "a noiva de meu filho [a Igreja] que sempre lhe dá novos filhos por meio do renascimento do Espírito e da água."[41] Essa visão é abundante em imagens femininas e de nascimento. O ventre da mulher representa o amor materno, "a rede" da Igreja para apanhar os pecadores e redimi-los. O seio da virgem representa o coração dos fiéis. A figura feminina espalha a sua glória

> como um manto e diz que ela deve conceber e dar à luz. Isso significa o crescimento da Igreja no sacramento da Trindade. [...] A Igreja é a Mãe virgem de todos os cristãos. Ela concebe e dá à luz seus filhos pela força secreta do Espírito Santo e os oferece a Deus, para que eles sejam chamados de filhos de Deus.[42]

Hildegarda descreve a mulher de outra de suas visões com as palavras que ouviu uma "voz do céu" falar: "Esta é a flor da Sião celestial. Ela será Mãe e ainda a flor de uma rosa e um lírio dos vales. Ó, floresça, você será prometida ao Rei mais poderoso e, quando você se fortalecer, quando sua hora chegar, você será a Mãe do filho mais ilustre".[43] Em sua longa explicação dos detalhes dessa visão, Hildegarda descreve o estado da Igreja, representada por três grupos que ela define como os apóstolos e seus seguidores, o clero; "o ramo mais nobre da Jerusalém celestial" – as virgens e os virgens mártires e, em terceiro lugar, leigos, reis, nobres e pobres. É característico do pensamento de Hildegarda que as virgens, isto é, as religiosas, ocupem uma posição igual ao clero na celebração e manutenção da força da Mãe Igreja.

Hildegarda, ao desenvolver sua teologia, vinculou a ideia da predestinação de Cristo eminentemente ao feminino. Assim como ela ligou Maria a Sofia em suas qualidades maternais, ela imaginou uma Caritas feminina que, como *Sapientia*, é uma *persona* misteriosa com elementos tanto de Cristo quanto da Virgem Maria. "Em sua mão direita, ela segurava o sol e a lua e os abraçava ternamente", e ela falou com "a forma que apareceu em seu peito [...] Eu te dei à luz pelo ventre diante da estrela da manhã."[44] Essa ideia de predestinação era comum na época de Hildegarda, e até apareceu em um manual favorito das freiras. Ela sugeria que Deus criou o mundo para redimi-lo. Assim, os atributos virginais/maternais das três figuras maternas na visão de Hildegarda – Caritas, Maria e a Igreja – cumprem o propósito de Deus de trazer Cristo ao mundo para redimi-lo.[45]

A repetida visão de Hildegarda da Igreja como Mãe e suas descrições do aspecto criativo e vivificante da Igreja, que ela compara ao "verde" (*viriditas*), seu símbolo holístico para a vitalidade da terra, natureza, vida humana e espiritualidade, todas elas expressam a insistência na unidade dos princípios masculino e feminino no universo, na terra e no céu. Sua teologia rompe bruscamente com as categorias dicotomizadas dos escolásticos e as hierarquias patriarcais implícitas em seu pensamento. As visões de Hildegarda fundem elementos masculinos e femininos, o físico e o espiritual, o racional-prático e os aspectos místicos da existência. Não é por acaso que as iluminações de suas visões são repletas de círculos, curvas e ondas, em estruturas *semelhantes a mandalas*, que evitam qualquer conceito de hierarquia em favor da totalidade, arredondamento e integração.[46]

É impossível fazer justiça à riqueza de suas visões, à complexidade de seu pensamento e à originalidade de muitos de seus escritos aqui. Ela foi influenciada pelos ensinamentos beneditinos e pelas teorias médicas de Galeno, que definiam os "humores" como os princípios fundamentais que governam a natureza e os humanos, e a "fleuma" como a principal causa de doenças. Ela incorporou princípios da medicina popular e tradição popular em seu trabalho médico e cosmologia, como a crença no valor curativo dos minerais e pedras preciosas. Visto que as traduções latinas dos escritos científicos de Aristóteles não estavam disponíveis na Europa Ocidental, ela não foi influenciada pelas explicações aristotélicas dos fenômenos naturais e biológicos. Hildegarda foi, portanto, bastante original em seus escritos médicos e, em particular, em sua cosmologia poética.[47] Suas descrições cuidadosas e com frequência bastante precisas das relações sexuais, bem como a insistência em que a atividade sexual era benéfica para os seres humanos, além de sua função de procriação, revelam uma compreensão incomum da natureza humana e uma interpretação bastante liberal das possibilidades humanas, sobretudo considerando-se que Hildegarda viveu desde os 8 anos em clausura. Mais ainda, as descrições de características femininas e masculinas bastante independentes umas das outras e a valorização do papel da mulher em vários pontos de sua escrita indicam que, apesar da aceitação das definições de gênero tradicionais, ela integrou algumas de suas experiências de vida em sua escrita. As mulheres, apesar da insistência com relação à fragilidade e à inferioridade, surgem como pessoas ativas e fortes em seus escritos.

Hildegarda, a primeira de uma longa linhagem de mulheres místicas e espiritualistas, baseou sua autoridade e direito de falar e pensar diretamente em Deus. Deus falou com Hildegarda – disso ela estava convencida e foi capaz de convencer seus contemporâneos. A partir desse ponto, ela forjou sua enorme energia, vitalidade e liderança.

Em três das iluminações que aparecem em seu último trabalho, *De Operatione Dei* [A Operação de Deus], Hildegarda retratou-se nas visões. As visões são abstratas e interpretativas, representando "A Roda Cósmica", "Sobre a Natureza Humana" e "Cultivando a Árvore Cósmica". Cada uma dessas iluminações mostra uma mandala com muitos círculos, representando vários aspectos do universo, com uma figura humana em seu centro. No canto esquerdo de cada uma dessas imagens, há a figura de uma freira sentada, que escreve em duas tábuas em forma de painéis de mosaico. Seu rosto está voltado para cima e tocado por algum tipo de brilho. Essa autorrepresentação autoconsciente pode muito bem ser a primeira do tipo para uma mulher.[48] A repetição dessa representação e sua presença nas iluminações que tratam dos temas filosóficos de maior alcance mostram que Hildegarda já havia transcendido a postura convencional de abnegação e humildade. Não era mais apenas a "pequena trombeta de Deus"; ela desejava ser vista no ato de escrever suas visões, no ato de autoridade. Ao desejar ser lembrada pelos próprios méritos, tornou-se a primeira mulher inspirada pela revelação mística a reivindicar seu lugar na história.

QUATRO

O CAMINHO DAS MÍSTICAS – 1

Se tradição, religião e prática diária imprimiram nas mulheres um profundo sentimento de inferioridade mental, o qual considerariam tanto natural quanto uma dádiva de Deus, devemos nos perguntar como algumas delas conseguiram superar esse sentimento e se dar autoridade e fundamento para pensar e falar, até mesmo para escrever. Discutimos antes alguns dos obstáculos enfrentados por elas e os sacrifícios que tiveram que fazer para exercer o papel de pessoas pensantes. Vamos, agora, analisar alguns dos rumos e movimentos que fomentaram a emancipação espiritual e mental das mulheres.

Os pensadores da Antiguidade Clássica e os padres da Igreja elevaram a racionalidade do homem, sua capacidade de raciocinar por meio da lógica, sem a subjetividade das emoções, a um dom divino que marcava o caminho da salvação. Por conta da capacidade do homem para a razão e por seu livre-arbítrio, sua habilidade de escolher o bem por meio dos ensinamentos e práticas da Igreja o levaria do pecado à redenção. A interpretação bíblica era baseada em argumentos racionais, filosóficos e teológicos, na progressão escolástica de uma interpretação a outra, e em símbolos complexos, cuja compreensão exigia sua interpretação por meio de uma elite clerical instruída. Muito do conteúdo misógino da escola patrística foi planejado para convencer homens e mulheres de que essa racionalidade era uma habilidade natural reservada aos homens, enquanto as mulheres, precisamente por não terem essa capacidade, eram predestinadas à ignorância instruída e à dependência intelectual.

Havia, no entanto, uma tradição antiga precedente ao Cristianismo que se desenvolveu dentro dele desde o início, o que permitiu outro modo de cognição e esclarecimento. O misticismo, em suas variadas formas, afirmava que o conhecimento transcendente não vinha como produto do pensamento racional, mas como resultado de um modo de vida, de inspiração individual e percepção reveladora abrupta. Os místicos viam os seres humanos, o mundo e o universo com certo grau de parentesco, abertos à compreensão por percepção intuitiva e imediata. Seus praticantes viam Deus como imanente em toda a criação, acessível por meio do amor incondicional e da dedicação concentrada, manifestada na oração sincera e na devoção religiosa.[1] "Como se, em um instante, eu aprendesse o que sei", escreveu Hildegarda de Bingen. A principal mística holandesa do século XIII, Hadewijch de Antuérpia, escreveu: "[...] O Amor mostra que ele desdenha a razão e tudo o que está dentro, acima e abaixo da razão, pois o que pertence à razão se opõe ao que beneficia a verdadeira natureza do Amor. A razão nada pode tirar do Amor, nem pode dar nada ao Amor, pois a verdadeira natureza do Amor é sempre uma crescente inundação sem pensamento ou esquecimento".[2] Após descrever com grande fisicalidade o desejo de sua alma pela união com seu "amado" (Deus), a mística do século XIII Mechthild de Magdeburg descreveu sua experiência de forma poética:

> A grande língua da divindade
> disse a mim várias palavras fortes,
> que percebi com os ouvidos miseráveis de
> minha insignificância,
> e o brilho penetrante da luz
> revelou-se
> aos olhos de minha alma.
> Nela, eu vi a ordem impronunciável
> e reconheci o esplendor
> indescritível
> e o mistério incompreensível
> e a doçura ímpar com seu dom de

distinção,

e a alta saciedade

e a maior ordem no reconhecimento

e o deleite com moderação

em direção às próprias (e limitadas) forças

e a alegria de fundir sem misturar

e a vida viva da eternidade,

como é agora e sempre será.[3]

Muitas místicas experimentaram arrebatamentos extáticos por períodos prolongados, algumas delas durante a maior parte da vida. Outras apenas raramente tiveram experiências tão intensas. Juliana de Norwich, segundo se supõe, vivenciou todas as suas revelações em um período de 24 horas de intensa atividade visionária. As místicas baseavam-se na tradição bíblica de profecia e revelação e, especialmente, nas imagens do Cântico dos Cânticos que, desde a interpretação alegórica de Bernardo de Claraval, representava a união mística de Deus e da alma. Outras fontes de misticismo foram as obras de Platão e a espiritualidade cristã oriental do século IV ao VI, em particular a obra de um monge sírio conhecido como Pseudo-Dionísio, o Areopagita, que forneceu muito da linguagem e imagens do pensamento místico medieval. Embora o misticismo tenha uma longa história, o renascimento religioso do século XII renovou sua vitalidade na Europa Ocidental. A fundação da Ordem Cisterciense foi baseada no desejo de muitos religiosos por uma vida mais ascética e por uma prática meditativa que buscasse a profunda união espiritual com Deus. O objetivo das místicas cristãs era a união espiritual com Cristo, que poderia ser alcançada por práticas ascéticas, sofrimento e mortificação da carne, meditação e compreensão para a experiência reveladora. As mulheres místicas descreviam seu caminho a Deus de diversas maneiras, mas este em geral incluía vários estágios: 1) purificação do corpo e da alma por exclusão de todas as distrações sensoriais alcançadas pela prática ascética, oração e um esvaziamento da alma de todas as questões mundanas. 2) A "noite do espírito" ou "escuridão do desconhecimento", quando todo o conhecimento anterior foi abandonado para deixar a alma em prontidão, é seguida de uma experiência transcendente, uma ascensão repentina. As místicas descreviam a presença de

Deus como uma certeza súbita de uma realidade metafísica percebida por elas como algo muito prazeroso e reconfortante. 3) O estágio final, que pode ocorrer simultânea ou posteriormente, é a união com Cristo, na qual as mulheres místicas revivem o sofrimento e a crucificação de Cristo, ou que pode surgir como um sentimento esmagador e revelador de união, uma entrega ao Outro convergida e, às vezes, orgiástica. Todos os grandes místicos, homens ou mulheres, descreviam tais experiências, não raro em palavras que só expressavam a inadequação das palavras. A explicação de Hadewijch é bastante característica: "Pois as línguas do céu não podem ser entendidas na terra. Podemos encontrar idiomas ou holandês o suficiente para todas as coisas na terra, mas eu não sei nada de holandês ou qualquer idioma para as coisas do céu".[4] De forma semelhante, Mechthild de Magdeburg, após uma passagem bastante poética ao descrever uma de suas visões, disse, em prosa modesta e bastante viva: "Agora, meu alemão falha. Latim, eu não sei. Se houver algo de bom nisso, não é minha culpa. Pois nunca houve um cachorro tão mau que não viesse com alegria quando seu dono lhe oferecia um pãozinho".[5] A mudança para um discurso simples aqui não só expressa a escassez de linguagem diante da revelação mística, como sua metáfora da oferta de um pãozinho a um cachorro expressa vividamente seu sentimento de perda por não receber o precioso dom da língua sagrada.

O QUE O MÍSTICO aprende durante o êxtase e o arrebatamento é transmitido aos contemporâneos em revelações, profecias, visões e comentários espirituais. As visões de alguns místicos equivalem a um sistema teológico coerente, outras são fragmentárias e assistemáticas. Algumas se baseiam em imagens ritualísticas bíblicas e tradicionais; outras são surpreendentemente originais com relação ao conceito e ao simbolismo. Os místicos, como é óbvio, usavam qualquer material que a própria vida lhes desse; portanto, os místicos enclausurados foram influenciados por imagens que veriam retratadas em igrejas, na Bíblia e nos manuscritos sagrados aos quais pudessem ter tido acesso. Os místicos que viveram bastante tempo fora da clausura ou que vivenciaram tardiamente suas experiências místicas, tais como Hadewijch, Mechthild de Magdeburg, Margery Kempe, Doroteia de Montau e as últimas místicas protestantes, usaram imagens que refletem intimamente suas experiências mundanas. Margery Kempe, ao descrever sua experiência em êxtase, se valeu de metáforas modestas vindas de sua experiência de vida como dona de casa e mãe de Lynn na Ânglia Oriental. Ela descreveu sons maravilhosos que escutou: "Um era uma espécie de som como se fosse um par de foles soprando em seu ouvido. [...] era o som do Espírito Santo. E, então, Nosso Senhor transformou aquele som [...] na voz de um passarinho chamado peito-vermelho, que cantava alegremente muitas vezes em seu ouvido direito".[6] Anna Vetter, mística pietista do século XVII, tinha visões de Cristo dançando com ela em um banquete de casamento e de alguma presença mística intervindo em uma briga em uma taverna.[7] A visão dos místicos é, em geral, muito concreta em detalhes. Não pode haver dúvidas de que eles descreveram experiências que de fato vivenciaram, sendo elas visões, sonhos, alucinações, situações fora do corpo. No caso de Hildegarda de Bingen e Juliana de Norwich, as visões vieram durante plena consciência, em forma de "demonstrações", imagens visuais e auditivas, depois explicadas por "vozes". A conquista importante de todos os místicos que conhecemos é de que eles não só tiveram experiências extraordinárias, mas também puderam convencer contemporâneos tanto de sua veracidade quanto de seu significado espiritual.[8] Homens místicos da Idade Média eram todos clérigos que não precisavam de outra autorização que não fosse de sua instrução religiosa para assumir um papel público. No entanto, para as mulheres, a disciplina privada, o sofrimento e as recompensas da vida mística poderiam ser, às vezes, transformadas em papéis públicos de liderança incomuns para seu sexo, como pode ser visto no caso de Hildegarda de Bingen e, mais tarde, com Santa Catarina de Sena e Santa Teresa D'Ávila.

Hugo de São Vitor, um dos primeiros místicos, acreditava, como muitos outros, que o aprendizado escolástico e o ritual institucionalizado não conduziam à preparação espiritual. A percepção do místico era, então, uma alternativa do modo religioso/teológico dominante de perceber e conhecer. Isso era particularmente adequado para os analfabetos, os humildes, os desprezados aos olhos da sociedade. Pois Jesus não tinha falado exatamente de tais homens e mulheres, os humildes de espírito, de que entrariam em seu Reino? Toda mulher mística lidou, de algum modo, com o problema de sua indignidade para o papel que assumia. De certa maneira, que ocorria com tanta frequência entre as mulheres que afirmavam seu direito de pensar que se poderia chamar de padrão, elas transformaram essa fraqueza imputada de sua feminilidade em uma força. Foi justamente pelo fato de serem fracas, sem educação e simples, e por serem excluídas do grande privilégio do sacerdócio, que Deus teve que escolhê-las como Seu instrumento de salvação. Esse argumento é recorrente ao longo dos séculos. Mechthild de Magdeburg abordou isso muitas vezes em seu livro. Em uma seção intitulada "Deste livro e sua escritora", ela perguntou, por meio da oração, por que fora ordenada a escrevê-lo.

> Oh, Senhor! se eu fosse um padre erudito
> E tivesses Tu operado nele essa maravilha
> Então, Tu tiveste, daí, honra infinita.
> Mas como posso crer
> Que neste solo indigno
> Tu poderias erguer uma casa dourada...

E Deus, então, responde:

> É possível encontrar um escritor de livros sábio dentre vários
> Que, por si só, à Minha vista, é um tolo.
> E Eu te digo mais, isso muito Me honra
> E fortalece poderosamente a Santa Igreja
> Que lábios incultos deveriam ensinar
> As línguas aprendidas do Meu Espírito Santo.[9]

Em outra passagem característica, ela fez o Senhor lembrar àqueles que duvidam que os apóstolos também, a princípio, eram fracos, que Moisés hesitava em dominar seu poder. "E pergunte ainda como foi que Daniel foi capaz de falar (com tanta sabedoria) em sua juventude?"[10]

A postura apologética de Mechthild de Magdeburg, uma beguina não enclausurada, em relação a seus próprios dons proféticos pode ter sido em razão de seu *status* social marginal, como observou a medievalista Caroline Bynum. Bynum observou que as freiras do mosteiro de Helfta, vivendo uma geração depois em uma grande e poderosa comunidade de mulheres, falavam em um tom mais confiante de seu direito de ensinar e aconselhar outros cristãos.

Mechthild de Hackeborn e Gertrude, sua irmã, que era a abadessa de Helfta, aceitavam a autoridade dada a elas por suas visões para serem mediadoras, "pastoras e professoras". Bynum destaca que essa autoridade deu-se precisamente pelo fato de que negavam papéis ativos a mulheres na Igreja institucionalizada.[11]

O modo de conhecimento e compreensão das místicas transcendia barreiras nacionais e religiosas. Os místicos praticantes podem ser encontrados em todas as religiões e na maioria dos períodos históricos. Para demonstrar a universalidade da experiência mística, é interessante comparar os relatos supracitados com os de um evangelista afro-americano do século XIX.

Julia Foote, a filha dos escravos, nascida livre, cresceu no estado de Nova York e, mais tarde, mudou-se com o marido para a Nova Inglaterra. Ela vivenciou cedo um forte chamado religioso, mas, quando teve duas visões nas quais um anjo lhe mostrou um pergaminho que a mandava pregar, ela resistiu. "Não, Senhor, não eu [...] pensei que não poderia estar sendo chamada para pregar – eu, tão fraca e ignorante. [...] Eu sempre fui avessa à pregação por mulheres, e me posicionei contra isso."[12] Seguindo um padrão familiar aos primeiros místicos, ela ficou muito doente. Seus amigos e parentes se reuniram ao redor de seu leito esperando que ela morresse. Ela, então, teve uma visão da Trindade em um jardim. Ela foi conduzida diante de Deus Pai, Filho e Espírito Santo e de muitos anjos. O Pai pediu que ela decidisse se o obedeceria. Ela concordou, então, Cristo a conduziu até a água, "e tirou minhas roupas. [...] Cristo então pareceu me lavar, a água estava bem morna. [...]". Ela, então, ouviu uma música doce e um anjo estendeu um manto para ela. O Espírito Santo colheu alguns frutos de uma árvore e a alimentou. Então, Deus, o Pai, ordenou que ela fosse embora, mas ela insistiu que as pessoas não acreditariam nela. Cristo, então, apareceu para escrever algo com uma caneta dourada e tinta dourada, sobre papel dourado. "Ele enrolou e pediu para ela colocar em seu colo e disse: '[...] aonde quer que você vá, mostre-o, e eles saberão que eu te enviei para proclamar a salvação a todos.'"[13]

Como tantas místicas antes dela, Julia Foote enfrentou forte desaprovação. Foi excomungada de sua igreja, censurada por seu bispo e proibida várias vezes de falar ou pregar. Porém, ela persistiu e conquistou muitos adeptos para sua doutrina da Santificação. Trinta anos depois, ela comentou sobre esses esforços de negar sua autoridade para pregar:

> É-nos dito que, se uma mulher finge um chamado divino [...] ela será acreditada quando mostrar credenciais do céu: isto é, quando ela fizer um milagre. Se for necessário provar o direito de pregar o Evangelho, peço a meus irmãos que me mostrem suas credenciais, ou não posso acreditar na propriedade de seu ministério.

Mais uma vez, seguindo um precedente muito anterior, Julia Foote citou a Bíblia em defesa do direito de pregar das mulheres. Ela citou profetas anteriores, em particular, Paulo. "Quando Paulo disse 'Ajude aquelas mulheres que trabalham comigo no Evangelho', com certeza ele quis dizer que elas faziam mais do que servir chá."[14] Com esse comentário amargo, essa evangelista afro-americana autodidata do século XIX se junta à longa linhagem de mulheres cristãs que embasam a autoridade como professoras e pregadoras em suas experiências místicas e em citações da Bíblia.

É EVIDENTE, a partir do registro histórico, que o pensamento místico tinha um apelo especial para as mulheres e que mulheres místicas pareciam se concentrar em certos períodos e regiões. Em seus estudos sobre sociologia e origem de 864 santos na Era Cristã, Weinstein e Bell relataram que a proporção geral de santos para santas era de cinco para uma. Embora nem todos os místicos tenham se tornado santos, o estudo de Weinsten-Bell ilustra padrões que valem tanto para místicos quanto para santos. Weinstein e Bell encontraram um aumento gradual na proporção de mulheres para homens santificados do século XI até o século XIII, com um aumento acentuado nos séculos XIV e XV, quando um em cada quatro santos era mulher.[15] Weinstein e Bell também mostram a conexão entre o misticismo e a santidade das mulheres. Embora elas representem apenas 17% de todos os santos que eles estudaram, elas constituem 40% de todos os santos conhecidos para contemplação mística e 45% de todos os santos conhecidos por experiências visionárias. A característica mais impressionante das santas parece ser sua propensão à comunicação e aos sinais sobrenaturais, nos quais representam 52% da amostra de Weinstein e Bell.[16] A contemplação mística, as visões e a comunicação com o sobrenatural manifestadas em sinais são formas peculiarmente privadas do milagroso. Visto que as mulheres eram proibidas de exercer o sacerdócio e a maioria dos papéis públicos, com exceção de cuidar dos doentes, não é nenhuma surpresa o fato de que expressavam sua experiência religiosa nessas manifestações místicas mais privadas. A necessidade de autorização para mulheres falarem, a qual detalhamos antes, pode também tê-las levado a escolher essas formas de expressão mística. A imagem divina as autoriza, envia um pergaminho, fala diretamente com elas. Faz parte de um casamento místico; as limpa do pecado em uma cena de batismo; dá-lhes garantias, sinais e mensagens. Sem isso, ninguém acreditaria em mulheres místicas. Pode-se concluir, por essas estatísticas, que as mulheres tendiam mais às visões e contemplações místicas do que os homens, mas também é possível que essas manifestações fossem mais recompensadas com a santidade no caso de mulheres do que no de homens religiosos. A definição específica de gênero de mulheres como mais emotivas pode fazer com que o clero que controla a institucionalização da santidade favoreça tais manifestações em mulheres, não em homens.

As mulheres místicas aparecem em grupos. As grandes místicas do século XII, Hildegarda de Bingen e Elizabeth de Schönau, ambas falecidas antes de 1180, foram seguidas pelas místicas beguinas Marie d'Oignies, Hadewijch, Mechthild de Magdeburg e as memoráveis freiras de Helfta, cujo misticismo floresceu no fim do século XIII.[17] O século XIV trouxe o surgimento do misticismo feminino na Holanda, Alemanha, Inglaterra, França e Itália. Com a disseminação da caça às bruxas e o início da Reforma, houve uma queda acentuada no número de mulheres santas, seguido por um declínio contínuo. Porém mulheres pregadoras fazendo alegações proféticas com base em suas visões continuaram a aparecer entre os sectários católicos e protestantes nos séculos XVI e XVII. A Contrarreforma inspirou o misticismo de Teresa d'Ávila e de Madame Guyon. Em séculos posteriores, o modo místico de pensamento encontraria expressão em vários movimentos religiosos sectários protestantes, como os *shakers*, os espiritualistas e muitas das igrejas evangélicas menores.

O agrupamento local de mulheres místicas também pode ser explicado pelo fato de que as práticas místicas podiam ser aprendidas. As freiras da abadia de Helfta na Saxônia e do Convento das Pobres Claras (clarissas) de São Damião em Assis ensinaram práticas místicas umas às outras. Christina Ebner, ela mesma uma mística, considerava incomum que algumas freiras de seu convento não tivessem essas experiências.[18] Como explicar o fenômeno da prosperidade do misticismo entre mulheres do século XII até o século XIV?[19] Muitos historiadores pensam que as condições sociais que fomentaram o crescimento do misticismo se desenvolveram no século XI, quando as reformas gregorianas da Igreja expandiram a influência do clero e o controle sobre os leigos. No início da Idade Média, a fonte de poder sobrenatural se manifestou para a vida diária dos leigos predominantemente por meio de relíquias de santos, enquanto o contato da pessoa comum com o clero se limitava ao batismo, sepultamento e pagamento de dízimos. A espiritualidade monástica se apresentava como um ideal, enquanto as orações de monges e freiras garantiam a graça de Deus ao indivíduo e à comunidade. Em meados do século XII, as reformas na Igreja, a disseminação do celibato clerical, o refinamento do direito canônico e o monopólio seguro da Igreja acima da educação haviam reforçado a posição do clero, enquanto separavam os mundos espiritual e material de maneira mais categórica. O mundo espiritual era cada vez mais visto como dominante sobre o laico. Do ponto de vista teológico, o ofício do sacerdote teve sua importância muito aumentada em razão de sua autoridade para dispensar o sacramento na forma da missa e da eucaristia. Isso também se refletiu no aumento acentuado do número de ordens monásticas fundadas. A ordem de Fontevrault, fundada por Roberto d'Arbrissel em 1100, cresceu com rapidez em número de integrantes. Os cistercienses, sob a liderança de Bernardo de Claraval, expandiram-se muito durante os séculos XII e XIII. Em 1270, eles tinham 671 abadias na Europa Ocidental. A ordem Premonstratense, fundada por São Norberto em 1120, evangelizou o domínio alemão.[20]

Uma vez que o papel do clero instruído foi reforçado, o papel das mulheres, tanto como não escolarizadas quanto como inadequadas para o cargo clerical, tornou-se delineado com mais nitidez, o que, de fato, significava para as mulheres uma restrição em sua conexão com o mundo do sagrado. Essa perda espiritual foi acompanhada por uma perda de autoridade visível para as mulheres. Enquanto o número de pessoas que ingressavam nas ordens monásticas aumentava dramaticamente no século XII, as mudanças na forma de monasticimo também contribuíram para diminuir a autonomia das religiosas. No fim do século, o dobro de mosteiros governados por abadessas havia quase desaparecido na Inglaterra e na Europa Ocidental. As três novas ordens – a princípio, relutantes em admitir mulheres –, depois, estabeleceram casas separadas para elas, mas definiram as regras para as religiosas de modo mais rígido em relação ao que era antes. Em meados do século XII, a clausura total das religiosas e suas orientações espirituais pelos padres se tornaram norma. No mesmo período, os objetivos educacionais para as freiras foram redefinidos, e o estudo do latim pelas freiras passou a ser a exceção.

No entanto, o mesmo período viu o desenvolvimento e a difusão de novas formas de vocações religiosas. A vida apostólica, agora, era procurada por uma proliferação de grupos leigos nos quais os homens podiam buscar novas expressões de santidade. Alguns se retiraram para o deserto a fim de viver na pobreza e na oração; outros formaram bandos nômades que atraíram seguidores para seu fervor religioso. A segunda metade do século XII viu o surgimento da heresia albigense (os cátaros no sul da França eram conhecidos como albigenses). Alguns dissidentes espirituais leigos, como Peter Valdes, queriam reformar o clero com sua vida exemplar de pobreza e boas obras. Ele formou o movimento dos valdenses, que consistia de pessoas leigas que escolheram viver uma existência próxima à de Cristo e dos apóstolos. O movimento de Valdes, a princípio tolerado pela Igreja, logo foi condenado como heresia. Por outro lado, o papa Inocêncio III aprovou movimentos idealistas que buscavam regenerar a Igreja por dentro, como o das novas ordens de frades, tanto os dominicanos quanto os franciscanos. Os frades se assemelhavam a monges em seus votos religiosos, mas não viviam em mosteiros. Eles viviam no mundo, mendigando por sua subsistência e se devotando às boas obras e pregação. O movimento fundado por São Francisco de Assis inspirou Santa Clara a se tornar sua seguidora e a fundar, com aprovação dele, a ordem das Pobres Claras (clarissas). As mulheres juntaram-se aos pregadores nômades e a suas seitas, muitas delas ingressando em grupos heréticos, como discutiremos mais adiante. Assim, a explosão de fervor religioso entre as mulheres persistiu sobre a resistência masculina.[21]

As mulheres encontraram apoio temporário, muitas vezes de curta duração, para a noção de sua igualdade inata com os homens como criaturas de Deus nas seitas heréticas. Mulheres em grandes números eram ativas na organização e no proselitismo para as seitas heréticas, sendo visíveis entre aqueles que sofriam perseguição e martírio. Nisso, seguiram um padrão já observado na história do Cristianismo primitivo: desde que os movimentos fossem pequenos, mal-estruturados e sofressem perseguição, as mulheres eram bem-vindas como integrantes, tinham acesso à liderança organizacional e autoridade compartilhada com os homens. Quando o movimento tinha sucesso, tornava-se mais estruturado, mais hierárquico e mais dominado pelos homens. As mulheres foram, então, relegadas a papéis auxiliares e à invisibilidade. Isso pode ser ilustrado pelo caso dos cátaros.

A heresia cátara floresceu no século XI no Languedoque e, no século XII, continuou lá e se espalhou pela Itália, Renânia e Países Baixos. Seu sistema de crenças dualista baseava-se fortemente em textos e interpretações gnósticas.[22] A doutrina cátara ensinava que havia dois deuses distintos: um era o criador do bem; o outro, do mal. O mundo material foi criado pelo deus do mal e sua reprodução foi, por definição, má; portanto, os cátaros rejeitaram o casamento e o que definiam como frutos de cópula, carne e leite. Visto que o pecado se originou em Satanás, os cátaros consideraram Eva inocente na Queda; eles a viam apenas como uma ferramenta de Satanás. Seguindo a doutrina gnóstica, os cátaros acreditavam que Maria Madalena havia sido a esposa ou concubina de Cristo. Eles negaram a doutrina da ressurreição física e sustentaram que a ressurreição se referia apenas à alma. Foi o deus do mal que criou o homem e a mulher; no reino celestial, todas as criaturas seriam anjos sem sexualidade terrena. Essas diferenças doutrinárias da ortodoxia católica possibilitaram aos cátaros verem homens e mulheres como mais semelhantes do que diferentes no propósito divino e em seu potencial religioso. Eles acreditavam que era possível para os seres humanos chegar mais perto da perfeição por meio de uma vida ascética; aqueles que tiveram sucesso foram chamados de *perfecti*; tanto homens quanto mulheres poderiam chegar a esse estágio. Na prática, a maioria das pessoas atingiu esse estágio pouco antes de morrer. Embora o casamento fosse tolerado para o crente comum, era proibido aos *perfecti* e *perfectae*. Chegava-se a esse estágio por meio da cerimônia do *consolamentum*, uma espécie de batismo pela imposição das mãos. Isso significava que os crentes comuns tinham uma grande liberdade em questões sexuais durante suas vidas, uma vez que contavam com a garantia de que, após a confissão e o recebimento do *consolamentum*, seriam aperfeiçoados e salvos. É significativo para o alto *status* das mulheres entre os cátaros porque, pelo menos em teoria, homens e mulheres podiam administrar o *consolamentum*, embora, na prática, poucas mulheres o fizessem.[23]

O catarismo se desenvolveu nas cidades do Languedoque, em particular em Toulouse, centro da produção e do comércio têxtil. Um grande número de mulheres nas manufaturas têxteis tornou-se cátara, assim como os homens artesãos e trabalhadores têxteis. Como os salários das mulheres que trabalhavam na área têxtil eram muito inferiores aos dos homens, mesmo as totalmente empregadas mal conseguiam se sustentar. Para essas, o catarismo pode ter oferecido esperança de salvação e um apoio comunitário prático. O número desproporcionalmente grande de mulheres entre esses hereges foi notado até mesmo por contemporâneos.

Várias mulheres nobres de Languedoque são conhecidas como líderes do catarismo e como *perfectae*. Phillipa, esposa do conde de Foix, liderou um convento de *perfectae*; uma das irmãs do conde era Esclarmonde de Foix, a *"Princesse Cathare"*. Após a morte do marido, ela voltou à corte de seu irmão, que construiu uma casa na qual ela, sua ex-esposa e outras *perfectae* viviam. Em 1207, houve uma disputa pública entre vários bispos e representantes dos valdenses e cátaros. É indicativo tanto de seu alto *status* quanto das limitações de sua posição que Esclarmonde tenha participado dessa disputa pública ao lado dos hereges, e que os bispos a tenham repreendido e dito a ela para que voltasse a fiar.[24]

Na segunda metade do século XII, muitos conventos de mulheres cátaras foram fundados para filhas solteiras e viúvas da baixa nobreza. Essas comunidades, lideradas por *perfectae*, estavam sob a orientação espiritual de um bispo herético. Embora essas mulheres cátaras, como freiras católicas, fossem ativas na educação, fiação e tecelagem, também faziam proselitismo e realizavam algumas cerimônias religiosas.[25]

A perseguição constante aos cátaros pela Inquisição fez várias incursões na força do movimento. A violência da Cruzada Albigense de 1209 caiu sobre as mulheres de modo particularmente brutal. Naquele ano, houve um massacre de mulheres e crianças hereges em Béziers e, um ano depois, em Minerva, os cátaros puderam escolher entre renunciar à sua crença ou queimar na fogueira. Cento e quarenta cátaros, homens e mulheres, pularam nas chamas. Quando os Cruzados começaram um reinado de terror contra os *perfectae*, a população local, às vezes, defendia os hereges. Em 1234, em várias comunidades, mulheres armadas e outros cidadãos impediram a prisão dos hereges. Em 1243, as mulheres lutaram ativamente em defesa do Castelo de Montségur, a última fortaleza dos cátaros. Durante o cerco, quase todas as nobres do castelo fizeram um pacto com o bispo para lhes dar o *consolamentum* caso fossem feridas e não pudessem falar. O acordo foi cumprido quando a situação na fortaleza se tornou desesperadora. Após a derrota, os defensores militares da fortaleza tiveram permissão para recuar ilesos, mas duzentos homens e mulheres cátaros foram queimados em uma grande pira, entre eles, uma série de notórios *perfectae*. Depois de Montségur, a nobreza retirou-se em grande parte do catarismo, e os conventos cátaros desapareceram aos poucos.[26]

No fim do século XIII, os registros da Inquisição não mencionam mais os *perfectae*, o que indica que eles perderam sua posição de liderança na seita. Em sua fase de declínio, o catarismo atraiu mais adeptos das classes médias urbanas. Membros da classe média eram atraídos para o catarismo porque ele permitia lucro e juros, aos quais a Igreja se opunha.[27] As mulheres cátaras desse grupo aparecem no registro entre os fiéis, mas não como líderes. Elas apoiavam o movimento angariando fundos, dando ajuda aos fugitivos e fazendo trabalho missionário. Com a destruição dos conventos cátaros, a oportunidade para as mulheres exercerem o poder autônomo e até mesmo a liderança política desapareceu. Muitas ex-*perfectae* juntaram-se às beguinas; outras encontraram refúgio em conventos católicos. Em meados do século XIV, o catarismo havia quase desaparecido. Como aconteceu tantas vezes mais tarde em movimentos revolucionários e heréticos, o catarismo parecia prometer às mulheres um papel de igualdade espiritual e teológica. Sob o impacto da perseguição e da respeitabilidade da classe média, essa promessa deu lugar ao domínio masculino e às estruturas patriarcais. A coragem das mulheres armadas que defendiam suas aldeias no Languedoque contra os Cruzados invasores foi apenas um clamor singular, reprimido e logo esquecido.

O DESENVOLVIMENTO do movimento das beguinas logo após 1200 nos Países Baixos, na Renânia, na Suíça e no norte da França, ofereceu um novo caminho para a santidade às mulheres. As beguinas – mulheres leigas comprometidas com a pobreza, castidade, trabalho manual e adoração comunitária – viviam em comunidades autônomas totalmente compostas de mulheres. Além das razões espirituais discutidas acima, havia também razões econômicas para a propagação desse movimento em certas regiões. Houve, nos séculos XII e XIII, um excedente de mulheres na população, o que tornava muitas delas inaptas ao casamento. Não era necessário dote para ingressar em uma beguinaria, como acontecia para ingressar em um convento, e esse fato pode, segundo alguns historiadores, explicar a rápida difusão do movimento das beguinas.[28] As comunidades de beguinas não só ofereciam refúgio e um novo estilo de vida às mulheres solteiras, como também promoviam a leitura da Bíblia em língua vernácula, o que aumentava o potencial para mulheres não escolarizadas de se expressarem por intermédio da religião. É de interesse aqui que várias beguinas se tornaram místicas célebres. Embora a disseminação do movimento das beguinas tenha sido interrompida no início do século XIV por acusações de heresia e bruxaria, o misticismo continuou a florescer.[29]

Comecei essa discussão definindo misticismo como um modo alternativo de pensamento em relação ao pensamento patriarcal. Se isso for verdade, então, o fato de seu apelo às mulheres em um período de convulsão social, quando as vias de autorrealização e expressão religiosa eram restritas para elas, faz sentido. Qualquer que seja a motivação que as mulheres possam ter para se tornarem místicas, era mais difícil e perigoso para elas do que para os homens reivindicar experiências místicas e santidade. Os fiéis eram muito mais propensos a aceitar tais reivindicações de homens, que, em geral, eram padres ou monges. Há uma diferença notável na popularidade durante a vida e em seu impacto posterior entre as mulheres místicas que permaneceram sob a orientação ou proteção de um conselheiro espiritual masculino ou de uma instituição de apoio e aquelas que operaram sem tal proteção. Era quase impossível para uma mulher atingir a santidade sem essa proteção e promoção clerical masculina. Hildegarda de Bingen, apesar de conflitos frequentes com as autoridades da Igreja, logo ganhou a aprovação de São Bernardo de Claraval e do próprio papa, que a estabeleceu e lhe permitiu seguir uma carreira pública respeitável. Cristina de Markyate, uma mística e reclusa anglo-saxã do século XII, teve o apoio do eremita Roger e de Geoffrey, abade de St. Albans. Margareta e Christina Ebner tiveram o apoio de seu mentor espiritual Henrique de Nördlingen. Santa Clara teve o apoio de São Francisco de Assis; Santa Catarina de Sena foi encorajada por seu conselheiro espiritual Raimondo de Cápua, mais tarde, Mestre da Ordem Dominicana. Essas místicas, que exerceram grande influência durante e depois de sua vida, conseguiram combinar seus papéis públicos incomuns como professoras e profetisas com os papéis tradicionais das religiosas dentro da Igreja Católica.

Essa situação era mais difícil para uma mulher não enclausurada ou para uma que tenha chegado tarde à vida de clausura. Ela precisava convencer sua família de origem, ou, se já era casada, seu marido, de seu desejo e compromisso com a castidade. A luta foi, muitas vezes, prolongada e amarga, como pode ser visto no caso de várias místicas célebres.[30]

Cristina de Markyate (nascida em 1096), filha de uma família nobre anglo-saxã, fez seus votos de castidade muito jovem. Mesmo assim, sua família conseguiu um noivado, o que Cristina recusou. Ela fugiu de sua casa e foi abrigada pelo eremita Roger, que se tornou seu conselheiro espiritual. Ela viveu por muito tempo como reclusa e, mais tarde, tornou-se prioresa de uma pequena ordem beneditina em Markyate. Maria d'Oignies (nascida em 1176), cujo casamento foi arranjado quando ela tinha 14 anos, convenceu o marido a viver um casamento casto, e até mesmo o convenceu a compartilhar sua vida de pobreza. Brígida da Suécia (nascida em 1302 ou 1303 e falecida em 1373) conseguiu da mesma forma convencer o marido a levar uma vida de castidade e ascetismo, mas somente depois que teve oito filhos e viveu uma vida tradicional como dona de casa na corte real. Depois da morte do marido, ela procurou abrigo e apoio na abadia cisterciense de Alvastra, cujo prior se tornou seu conselheiro espiritual. Foi lá que ela ditou suas Revelações. Logo se mudou para Roma e começou sua carreira pública como conselheira espiritual, professora e fundadora da Ordem do Santíssimo Salvador de Santa Brígida. Sua filha, que se tornou Santa Catarina da Suécia (1331-1381), casou-se aos 12 anos, mas convenceu o marido a não consumar o casamento. Ainda virgem aos 18 anos, ela deixou o marido doente na Suécia e se juntou à mãe em Roma. Deus lhe assegurou em uma visão que era isso o que ela deveria fazer e que o marido morreria em breve, o que de fato aconteceu. Como viúva, ela aperfeiçoou sua vocação de mística e santa.

Várias outras mulheres místicas casadas tiveram uma luta ainda mais difícil por seu direito à vocação. Doroteia de Montau (1347-1394), embora certa de sua vocação religiosa desde muito jovem, casou-se aos 16 anos e deu à luz nove filhos, dos quais oito morreram. Ela vivia uma vida ascética, praticando constantes devoções e mortificações da carne, o que interferia em seus deveres de dona de casa. Seu marido a maltratava e batia nela por essas transgressões, mas ela considerava todo o seu sofrimento, fosse autoinfligido ou infligido pelo marido, um desígnio especial de Deus que aumentava seu êxtase e transes. Enquanto ela estava em peregrinação, seu marido morreu, e ela se colocou sob a proteção de John de Marienwerder, que promoveu sua fama como milagrosa e escreveu duas *vitae* sobre ela. Doroteia de Montau viveu os últimos anos de sua vida como anacoreta, encerrada em uma cela da Catedral de Marienwerder.

Chiara Gambacorti (falecida em 1419), filha de uma família proeminente em Pisa, foi prometida aos 7 anos e enviada para morar na casa do noivo aos 12. Quando ele morreu, antes que o casamento pudesse ser consumado, a família queria que ela entrasse em um segundo noivado, mas ela recusou, citando o exemplo de Catarina de Siena, e fugiu para se juntar às clarissas. Seus irmãos foram até lá com um grupo armado e ameaçaram incendiar o convento se ela não fosse libertada. As freiras a mandaram de volta para a família, onde foi mantida prisioneira em seu quarto por muitos meses, até que seu pai enfim se convenceu de sua vocação. Ele lhe deu uma nova comunidade dominicana, da qual ela mais tarde se tornou prioresa.

As mulheres que viviam sem proteção dos pais ou dos homens estavam sempre muito vulneráveis a acusações de heresia. As místicas que viviam como beguinas estavam sempre sob suspeita de heresia e sob ataque. A beguina Hadewijch de Brabant, que vivia em uma comunidade de mulheres da qual era guia espiritual, parece ter escapado da perseguição como herege apenas por ter deixado a comunidade e passado a viver em isolamento. Em sua velhice, a beguina Mechthild de Magdeburg teve que buscar abrigo e proteção no convento de Helfta. A maioria das mulheres místicas sem clausura, até o século XIX, denuncia assédio, ridicularização e condenação pública. Durante o período dos julgamentos de bruxaria, essas mulheres estavam particularmente vulneráveis a processos judiciais e à morte.

O caso de Marguerite Porete é um exemplo significativo desse fenômeno e um dos poucos exemplos em que as palavras e crenças reais do herege acusado estão disponíveis por meio de seus escritos, não de interpretações de processos inquisitoriais ou tribunais. Visto que muitos contemporâneos diferentes se referem a ela como uma beguina, podemos supor que ela era uma e que esse fato contribuiu para as suspeitas que se centraram nela. Marguerite Porete nasceu em Hainaut e escreveu seu famoso livro *Le Miroir Des Simples Ames* [O Espelho das Almas Simples] em algum momento entre 1296 e 1306. Seu extenso trabalho, composto de versos e comentários, está na forma de um diálogo entre Amour e Raison [Amor e Razão] sobre a conduta da alma.[31] Esse livro postula sete estados de graça que conduzem à união da alma com Deus. No quarto estágio, a alma está em um nível de contemplação em que está livre de toda obediência à autoridade e às leis externas. No sétimo estágio, a alma chega a um nível de "glorificação" em que "todas as obras da virtude estão encerradas na alma e lhe obedecem sem contradição".[32] Porete segue argumentando que, nesse estágio, a alma não precisa se preocupar com missas, penitências, sermões, jejuns ou orações. Ela canta em regozijo: "Virtudes, me despedi de vocês para sempre: / Terei um coração mais livre para isso – mais alegre também. / Seu serviço é muito persistente – de fato, eu sei. / [...] Desisti de suas tiranias; agora, estou em paz".[33] Essa crença, que beira o antinomianismo, era por si só ofensiva para os ortodoxos. Em 1306, seu livro foi condenado perante um tribunal eclesiástico em Valenciennes como herético e queimado em sua presença. Ela foi alertada para não divulgar mais seu livro ou suas ideias. Em 1308, foi apresentada ao novo bispo de Cambrai, Philip de Marigny, e ao inquisidor de Lorraine, sob a acusação de que ainda estava circulando cópias de seu livro. Ela, então, foi enviada a Paris para ser avaliada pelo inquisidor dominicano, mas lá ela se recusou a responder a quaisquer perguntas e a fazer os votos necessários para sua avaliação. Então, ela foi presa e permaneceu na prisão por um ano e meio. Quando enfim foi levada a julgamento, em 1310, o inquisidor extraiu uma lista de artigos de seu livro, que os juízes, então, declararam heresia. O inquisidor se opôs em especial à passagem em *Miroir* que afirmava que "uma alma aniquilada no amor do Criador pode, e deve, conceder à natureza tudo o que ela deseja". O examinador, citando essa passagem ofensiva contra ela e apontando sua semelhança com as crenças dos adeptos do Espírito Livre, havia omitido de propósito a frase seguinte do texto, que qualifica essa afirmação ao explicar que a alma, assim transformada e glorificada, recebe a ordem "de que não exija nada proibido".[34] Sua defesa argumentando que, antes do julgamento, ela havia enviado o livro a três altas autoridades da Igreja para julgamento e que eles não o haviam considerado herético, voltou-se contra ela. Como Porete havia repudiado as heresias ostensivamente com sua presença na queima de livros em Valenciennes, a comissão avaliadora considerou sua ofensa atual a mais deplorável e a condenou como "herege recdiva". Ela foi transferida de imediato aos tribunais seculares e, alguns dias depois, queimada na fogueira da Place de Grève, em Paris. Um espectador contemporâneo testemunhou sua dignidade e coragem incomuns, que levaram às lágrimas muitos dos que estavam presentes em sua provação.[35]

Marguerite Porete acreditava de fato em "almas livres", mas ela se referia a uma comunidade invisível de almas livres unidas no amor de Deus. Em *Miroir*, ela apontou o caminho pelo qual esse nível de amor e espiritualidade poderia ser alcançado. Até esse ponto, ainda estava dentro do reino do pensamento místico aceito. Sua doutrina da união mística com Deus reflete as ideias encontradas nos escritos de Hildegarda de Bingen e Mechthild de Magdeburg, mas, ao contrário dessas autoras, Marguerite Porete não respeitou a Igreja implantada como o único ou principal veículo para a salvação. Porete comparou sua Igreja maior com a "Igrejinha" estabelecida na terra. A seu ver, a Igreja maior dos espíritos livres poderia se sobrepor à menor, a implantação da igreja escolástica. É essa heterodoxia que a distinguia da maioria das outras místicas. Sua escrita torna-se afiada, quase polêmica, ao lidar com esse assunto:

> Teólogos e outros sacristãos,
> Vocês não entenderão este livro
> — mesmo com vossa brilhante inteligência —
> se vocês não cumprirem com humildade,
> e, dessa forma, Amor e Fé
> fazem vocês superarem Razão:
> elas são as mestras da casa de Razão.

E, em sua "Canção da Despedida", ela expressa mais uma vez um tom desafiador:

> Amado, o que dirão as beguinas e a piedosa multidão
> quando ouvirem a excelência de sua canção divina?
> Beguinas dizem que estou errada, padre e sacristão e pregador,
> agustinos e carmelitas e os frades menores,
> errada em escrever sobre a existência deste nobre Amor.
> Eu não estou – [...][36]

Ainda assim, seus desacordos teóricos da ortodoxia eram muito leves para explicar seu destino. O historiador Robert Lerner considera que sua perseguição se deveu ao fato de ela não ter sido enclausurada e ter sido julgada em um momento no qual, por razões políticas que nada tinham a ver com ela, o rei Filipe teve de demonstrar seu zelo ortodoxo. Lerner pensa que Porete foi vítima dessa necessidade política de forma bastante arbitrária quando o bispo Marigny, seu acusador e conselheiro próximo do rei Filipe, interpretou de maneira equivocada certas passagens de seu livro como um ataque ao rei.

No entanto, apesar de sua morte como herege, e embora a Inquisição declarasse que manter uma cópia de seu livro tornava alguém sujeito à excomunhão, o *Miroir* foi bastante lido e apreciado nos séculos seguintes. Uma cópia do original em francês foi salva, mas havia cinco traduções medievais (duas em latim, duas em italiano e uma em inglês médio) nas quais o livro sobreviveu. Por um tempo, o livro chegou a ser atribuído ao célebre místico Ruysbroeck, cuja ortodoxia era inquestionável.[37] O trabalho de Porete sempre foi mais aceitável do que sua pessoa e sua atitude para com a autoridade. Outras mulheres rebeldes filiadas a movimentos sociais considerados heréticos ou revolucionários foram perseguidas de modo feroz por tal filiação, mas Porete representa uma figura mais solitária. Como Joana d'Arc e, muito mais tarde, a *quaker* Mary Dyer, ela seguiu sua voz interior e se recusou a cooperar com a Igreja ou com a autoridade do Estado. O fato de, depois de um ano e meio na prisão, ter permanecido em silêncio durante seu julgamento e se recusado a obedecer a todas as ordens que lhe pediam para renunciar e abandonar seus próprios escritos a torna uma figura heroica, mais corajosa que Galileu e tantos outros, mais conhecida e mais celebrada. Galileu, depois de retratar suas teorias sob a pressão da Inquisição, disse ter declarado em seu leito de morte: "No entanto, ela [a Terra] se move. [...]". Marguerite Porete, sem nunca se retratar, antecipou sua morte martirizada e, após listar todos aqueles que diriam que ela estava errada, desafiou o futuro com sua orgulhosa afirmação: "Eu não estou [errada]".

Vimos como o misticismo ofereceu a algumas mulheres um caminho libertador para a autorrealização e até mesmo para a adoção de papéis públicos. O caminho místico deu poder a essas mulheres e permitiu-lhes levar uma vida individualista e heroica, desafiando todos os pressupostos da ideologia patriarcal. No entanto, essas mulheres raras e com certeza dotadas de talento incomum pagaram um preço enorme em forma de insegurança, doença e vulnerabilidade. Com muito poucas exceções, essa posição era marginal e ameaçada. A mística do século XV, Margery Kempe, forneceu uma descrição excepcionalmente vívida dos perigos que enfrentou em sua vocação e estilo de vida incomuns em sua autobiografia, a primeira escrita por uma inglesa. A insegurança de Margery não se estendia apenas a sua vida, mas também a sua reputação.[38] Se Hildegarda de Bingen, a freira nobre de gênio reconhecido, representa um extremo no espectro do misticismo das mulheres, Margery Kempe, a dona de casa urbana e mãe que se fez peregrina e pária, representa outro.

Margery Kempe (aproximadamente 1373-1438) era filha de uma proeminente família burguesa em Lynn, na Ânglia Oriental, e esposa de um comerciante de Lynn. Com pouca educação, mas abastada de recursos, levou uma vida bastante convencional até o parto do primeiro filho, o que lhe trouxe uma grave crise mental e física. Ela pensou que fosse morrer e teve uma visão em que Cristo apareceu para ela, após a qual se recuperou. Então, decidiu que "estava ligada a Deus e seria sua serva". Ainda lutando por sua vocação, ela se engajou na carreira de cervejeira, na qual foi bem-sucedida por três anos e depois fracassou. Tomando isso como punição de Deus por seus pecados, ela tentou investir de novo como moleira, mas também não teve sucesso nessa função. Enquanto isso, seu marido exercia seus direitos conjugais sobre ela, que ela descreveu como tão "abomináveis [...] que [...] preferia ter comido ou bebido o lodo e a sujeira na sarjeta do que consentir em qualquer comunhão carnal, exceto apenas para obediência".[39] Podemos supor, a partir disso, que suas catorze gestações não foram voluntárias. Em sua autobiografia, na qual menciona muitos incidentes triviais com muitos detalhes, ela nunca fala de seus catorze filhos, exceto um, um grande pecador a quem ela ajudou a se arrepender e se reformar.

A luta de Margery Kempe pela castidade conjugal foi prolongada e sem dúvida malsucedida. Ela sentiu uma grande vontade de fazer peregrinações e superou a relutância do marido, fazendo com que enfim a acompanhasse. Na primeira viagem, depois de terem observado oito semanas de castidade voluntária, ocorreu o incidente crucial. Margery Kempe o descreve com sua maneira simples e prática de sempre, lembrando-se de detalhes singelos, como o fato de estar "um bom clima quente", que eles estavam vindo de York e que ela carregava uma garrafa de cerveja para o marido. John Kempe perguntou se ela preferia vê-lo decapitado a dormir com ele de novo. Ela respondeu: "com grande tristeza: – Em verdade, prefiro vê-lo morto do que voltarmos para a nossa impureza". E ele respondeu: "Você não é uma boa esposa", mas lhe ofereceu um acordo. Ele não iria "mexer com ela" novamente se ela pagasse suas dívidas; ele exigiu que continuassem dividindo a mesma cama e que ela comesse e bebesse com ele às sextas-feiras, como costumava fazer.[40] Concordando de pronto com os dois primeiros pontos, Margery buscou a garantia de Cristo sobre a decisão de não jejuar às sextas-feiras, ao que parecia ficou mais aliviada e concordou com a barganha que o marido havia proposto. Daí em diante, mantiveram uma vida de casados casta, nos próprios termos.

A simplicidade e a ingenuidade do relato de Kempe explicam parcialmente sua má reputação entre os historiadores, que a consideram histérica ou uma fraude. Seu comportamento extrovertido e escandaloso costuma ser contrastado, de forma desfavorável, com o misticismo introvertido e profundo das mulheres enclausuradas. Porém, é justamente a novidade do papel que ela criou, que tornou o caminho do místico acessível às mulheres comuns que vivem no mundo, que interessa aqui. Kempe compreendeu sua missão de estar no mundo, de ser um espelho para os pecadores, para que, por meio de seu exemplo, eles pudessem ser salvos. Desde o momento de sua primeira visão de Cristo, ela viveu asceticamente, fez muito jejum e penitência e comungou com frequência. No entanto, suas visões vieram com facilidade e aparentemente sem as agonias autoinfligidas que tantos místicos pagaram por seus arrebatamentos. Ela falava com Cristo tão familiar e claramente como com o marido e outros contemporâneos. Fazia viagens curtas por ordem do Senhor, disseminando suas mensagens. Certa vez, logo após o parto, o Senhor ordenou que ela fosse ao vigário de Santo Estêvão em Norwich e "mostrasse a ele teus segredos e Meus conselhos, como os que te mostro". Ela explicou ao vigário "como, às vezes, o Pai do Céu falava à sua alma tão clara e verdadeiramente como um amigo fala a outro. Às vezes, a Segunda Pessoa na Trindade, às vezes, todas as Três Pessoas na Trindade, e uma substância na Divindade falavam com sua alma. [...] Às vezes, Nossa Senhora falava à sua mente; às vezes, São Pedro; às vezes, São Paulo; às vezes, Santa Catarina. [...]".[41] Ela reconheceu que muitas pessoas a caluniaram e não acreditaram que falava a palavra de Deus, mas conseguiu vez ou outra convencer monges, frades e bispos da verdade de suas afirmações.

Margery Kempe preocupava-se com dinheiro, com dívidas, em como garantir comida, bebida e alojamento. Sua espiritualidade está enraizada no cotidiano comum. É justamente isso que dá a seu relato a devida singularidade e o torna uma fonte convincente de história social, não importando seu interesse intrínseco.

Kempe não sabia ler nem escrever, e sua autobiografia foi ditada a dois escribas quando ela tinha mais de 60 anos. Está escrito na terceira pessoa e ela se refere a si mesma como "esta criatura". O livro existe em um manuscrito do século XV, que permaneceu desconhecido até 1934 em uma casa de Lancashire. Assim, faltam todas as convenções hagiográficas e formalidades da vida da maioria das místicas que chegaram até nós na história. Kempe era muito desconhecida fora de um círculo de pessoas próximas e conhecidos durante sua vida e não tinha seguidores para perpetuar sua memória. Ela pretendia que o livro fosse um testemunho da "alta e indescritível misericórdia de nosso Soberano Salvador" e esperava que encorajasse outros "infelizes pecadores" a encontrar consolo e conforto na misericórdia de Cristo. Ela está, portanto, mais próxima em tom e atitude dos sectários de esquerda da Reforma e dos evangélicos afro-americanos dos Estados Unidos do século XIX do que dos místicos mais teologicamente orientados discutidos antes.

Após ter conquistado sua liberdade para fazer peregrinações como Deus lhe ordenou, Margery Kempe continuou a moldar uma única e, até certo ponto, notória carreira. O Senhor ordenou que ela vestisse apenas roupas brancas, o que lhe causou muita tristeza e críticas dos contemporâneos. Porém serviu para diferenciá-la dos outros como única e singular. Ela viveu uma existência de peregrinações quase constantes, aparentemente sem o apoio do marido e da família. Viajou para a Alemanha, Roma e a Terra Santa. Ela relata inúmeras dificuldades por causa de sua vida itinerante e desviante. Em sua época, mulheres respeitáveis de boa família não viajavam sozinhas, então, Kempe estava sempre tentando se ligar a grupos de peregrinos. No entanto, seu modo peculiar de devoção, os soluços altos e de piedade, e os choros em igrejas e lugares sagrados, deram-lhe uma desagradável visibilidade entre os companheiros de peregrinação, e eles a expulsavam com frequência. Embora ela já tivesse sucumbido ao transe em "lágrimas sagradas", chorando alto sempre que contemplava a paixão de Cristo, isso se intensificou quando estava na Terra Santa, no Monte Calvário. "Ela caiu porque não conseguia se manter em pé ou ajoelhar-se e rolou e lutou com o corpo, abrindo os braços e chorando em voz alta, como se seu coração fosse explodir em pedaços."[41] Esse tipo de choro, além de gritos, apoderava-se dela ao ver o crucifixo, em outros lugares sagrados ou quando via um animal ou uma pessoa ferida. Contemporâneos (e leitores póstumos) consideravam seus lamentos exagerados. No início, isso acontecia com pouca frequência, mas, mais tarde, diariamente; um dia, ela teve sete ataques. Tentava se controlar, mas não conseguia. "Alguns diziam que um espírito mau a enfadava; alguns diziam que era uma doença; alguns diziam que ela havia bebido muito vinho; alguns a baniram [...] alguns desejavam que ela estivesse no mar em um barco sem fundo."[43] É nítido que o choro e o pranto estavam fora de controle e traziam-lhe, sobretudo, tristeza. Ainda assim, serviu para impressionar os contemporâneos com sua peculiaridade e poder e, combinado com suas visões e energia, tornou suas qualidades místicas críveis.

Kempe relata que ela consagrou uma série de milagres, como salvar o Guildhall em King's Lynn de um incêndio com suas orações, o que provocou uma queda de neve. Ela tinha seguidores entre pessoas que queriam que ela chorasse por eles, especialmente os moribundos ou os enfermos, e ela relatou alguns sucessos na cura dos enfermos com suas lágrimas e orações. Durante longos anos de peregrinações e viagens, ela passou muito tempo entre estrangeiros, e a precariedade de sua existência a levou a ser acusada de heresia e, uma vez, de ser uma *lollard*. Ela foi presa e questionada, mas suas respostas às questões teológicas eram tão ortodoxas, que foi libertada. Quando se viu em situações perigosas desse tipo, não hesitou em invocar seus respeitáveis laços familiares como filha de um notável burguês de Lynn e esposa de outro. Garantiu aos acusadores que tinha permissão do marido para viajar. Em muitas outras ocasiões, clérigos de alto escalão, a quem ela apelava corajosamente quando estava em apuros, simpatizavam com ela e lhe ofereciam proteção contra o clero de baixo escalão que a acusava. Nesses encontros, ela mostrou grande coragem, inteligência e desenvoltura.

Certa vez, o arcebispo de York tentou fazê-la prometer que não lecionaria em sua diocese, mas ela insistiu que continuaria a "falar de Deus". Os monges invocaram São Paulo contra ela, mas ela tinha uma resposta pronta: "Não prego, senhor; não subo a nenhum púlpito. Uso apenas comunicação e boas palavras, e isso farei enquanto viver".[44] Ela foi acusada repetidas vezes de má conduta sexual e muitas vezes se sentiu ameaçada de estupro. Vale salientar que seu choro, ansiedade, medo de estupro e perseguição exagerados eram traços comuns a outras mulheres da época, que ela conseguiu dramatizar e colocar a serviço de sua vocação. Ela viveu em um mundo rigoroso em tempos difíceis, tendo se afastado do conforto, da segurança e da proteção que ela tinha como esposa de um burguês em Lynn, e tornando-se visível e suspeita por seu comportamento incomum. Enquanto suas explosões reforçavam o estereótipo de vítima, a mulher que chora de modo incontrolável, ela era ativa, astuta e dotada de talento para a autopreservação. Em tempos de crise, ela demonstrava uma autoconfiança pretensiosa e um instinto de segurança para apelar ao mais importante homem encarregado a quem tinha acesso. Margery Kempe mostra pouca introspecção e raramente chega às especulações teológicas. Sua maior preocupação era se poderia confiar em suas visões ou se estaria sendo enganada pelo diabo. Ela consultou a anacoreta dominicana Juliana de Norwich e foi tranquilizada por ela: "Filha, você mama até no peito de Cristo e tem uma parcela do Céu".[45] Vários monges e bispos que ela consultou acreditavam em sua inspiração divina. Suas peregrinações fortaleceram sua fé em si mesma, e ela sempre encontrou pessoas que acreditaram nela e a apoiavam em seu trabalho. Apesar de todas as acusações de heresia, permaneceu uma filha fiel da Igreja por toda a vida.

As conversas de Margery Kempe com Cristo são naturais, quase simplórias. Como mística, ela tem a qualidade de lenhadores e pintores que decoram as igrejas das aldeias com suas belas e rústicas obras de arte. Fez-se sozinha, original, devota e totalmente humana em sua energia para sobreviver e em sua insistência em se fazer ouvir. Nela, o aspecto afetivo do misticismo foi desenvolvido em excesso, mas sempre contido por seu bom senso e a capacidade de lidar com pessoas. Onde a sociedade patriarcal confinou as mulheres à escolha entre a virgindade e clausura, e o árduo trabalho doméstico, Margery Kempe traçou um novo caminho a ser seguido por donas de casa, mães, carismáticas seculares e reformistas. Ela estava no fim de uma longa fila de mulheres santas, ligeiramente desgastadas e, às vezes, um pouco cômicas, mas fortes e sólidas, sinalizando outras opções para as mulheres no futuro.

CINCO

O CAMINHO DAS MÍSTICAS – 2

Vimos como as mulheres, por meio de experiências místicas, encontraram a assertividade e a autoridade necessárias para falar, ensinar e influenciar as pessoas. Outras encontraram modos diferentes de fazer valer sua reivindicação de igualdade religiosa. O esforço individual por parte das mulheres, cada uma agindo à sua maneira, perdurou ao longo dos séculos. Ele assumiu variadas formas: 1) o desenvolvimento de linguagem e simbolismo de Deus femininos; 2) a reconceituação do Divino como masculino e feminino; 3) intervenção direta das mulheres na redenção e salvação; e 4) uma crítica deliberada e, muitas vezes, acadêmica da Bíblia feminista, da qual tratarei em um capítulo separado.

O desenvolvimento da linguagem e do simbolismo de Deus femininos tem uma história complexa e ambígua, porque tanto homens quanto mulheres se engajaram na iniciativa, embora possivelmente por razões bem opostas. A medievalista Caroline Bynum estudou os vários símbolos femininos atribuídos a Cristo por homens e mulheres místicos durante o fim da Idade Média – Cristo, o Redentor, como uma mãe que nutre e salva os filhos; a alimentação da alma por meio da Eucaristia comparada a uma mãe amamentando seu filho; a imagem do cuidado com a alma alimentando-se ou bebendo o sangue das feridas de Cristo; e a imagem usada com frequência da Igreja ou do sacerdote como mãe alimentando as almas com o leite da religião. Essas imagens eram usadas por religiosos e religiosas, mas, como observa Bynum, as imagens "femininas" eram utilizadas com mais frequência por homens do que por mulheres. As mulheres pareciam preferir a imagem de ser filha de Jesus ou de ser sua noiva.[1] Ela observa que a metáfora do líder como "mãe" costumava ser aplicada a figuras masculinas de autoridade – apóstolos, abades, bispos. Ela vê que isso expressa o desejo dos monges do século XII de projetar uma imagem de liderança mais amorosa e menos autoritária e nos adverte para não confundirmos isso com sua alta valorização das mulheres contemporâneas. Na verdade, tanto o culto a Maria quanto o uso do simbolismo feminino na linguagem de Deus coincidiram com a misoginia e a redução do poder e da influência das mulheres na Igreja e na vida secular.[2]

A imagem da mulher mística como noiva ou amante de Cristo acontece repetidas vezes. Darei apenas um exemplo disso. Hadewijch, em uma de suas visões, se expressa em imagens eróticas características:

> Em um pentecostes, tive uma visão ao amanhecer. A missa estava sendo celebrada na igreja e eu estava lá. Meu coração e minhas veias e todos os meus membros vacilaram e tremeram de desejo [...] e me senti tão feroz e terrível que pensei que não poderia satisfazer meu amado, e meu amado não me preenchia por completo: parecia que eu tinha que morrer furiosa contra mim mesma, e a morte tinha que continuar a se enfurecer contra mim mesma. [...] Ansiava por desfrutar do meu amado, reconhecê-lo e senti-lo para experimentar minha humanidade em plena medida, sentindo sua humanidade [...]
>
> Então, Ele veio do altar na forma de uma criança; e a criança parecia estar nos primeiros três anos de vida. Ele se virou para mim, pegou seu corpo do *Ciborium* na mão direita e na esquerda pegou a Taça. [...]
>
> Então, ele veio com a forma e as roupas de um homem, como estava no dia em que nos deu seu corpo pela primeira vez; inteiramente humano e masculino, maravilhoso e belo com um rosto glorificado ele se aproximou de mim em uma atitude de humildade, como alguém que pertence por completo a outro. Ele se entregou a mim como sacramento, na forma em que normalmente se participa dele; e, depois, ele mesmo me ofereceu a Taça para beber com seu gosto e forma, como de costume. Mas, então, ele mesmo veio até mim, me tomou em seus braços e me apertou contra ele; e todos os meus

membros sentiram-no na plenitude do desejo do meu coração e da minha humanidade. [...] Mas, depois de um curto período, perdi o belo homem em sua forma externa. Eu o vi desaparecer e derreter na Unidade, então, não pude mais separá-lo como algo fora de mim e não pude mais compreendê-lo. Pareceu-me que havíamos nos tornado Um sem distinção. [...] E, assim, eu descansei sobre meu amado com veneração e admiração, de modo que me misturei por inteiro nele e não restou nada de mim para mim mesma. Fui transformada e aceita no espírito; e essa visão durou horas.[3]

Não são muitos os místicos que interpretam as imagens eróticas tão literalmente, mas a maioria das mulheres místicas usa metáforas corporais específicas de gênero para expressar suas experiências transcendentes misteriosas e insondáveis. Elas se descrevem como nutridoras, às vezes, como se amamentassem o menino Jesus; embalam e acariciam a criança; experimentam a sensação de se alimentar do sangue de Cristo ao receberem a Eucaristia. Caroline Bynum mostrou que a devoção eucarística é uma contribuição amplamente realizada por mulheres para o ritual da Igreja.[4]

A reconceituação do Divino como masculino e feminino já aparece na obra de Hildegarda de Bingen (discutida no Capítulo 3). As figuras maternas arquetípicas em suas visões – Caritas, Maria e Ecclesia – fazem a mediação entre Deus e a humanidade em sua "teologia do feminino ricamente influenciada".[5] No entanto, por fim, seu acréscimo de um elemento feminino à divindade, embora poderosa e persuasiva, é incremental em uma teologia na qual a Trindade permanece sendo descrita e personificada por homens.

A reconceituação de maior alcance do Divino ocorre na obra de Juliana de Norwich, uma mística e reclusa inglesa do século XIV. Em dezesseis visões que ela narra em seu livro *Revelações do Amor Divino*, Juliana nos apresenta um Deus andrógino, expresso em essência por símbolos masculinos e femininos.

E, assim, em nossa Criação, Deus todo-poderoso é nosso bondoso Pai, e Deus, Que é toda a sabedoria, é nossa bondosa Mãe, com o amor e a bondade do Espírito Santo – todos os quais são um Deus e um Senhor. [...] Assim, em nosso Deus Pai, temos nosso ser, e em nossa Mãe de misericórdia temos nossa reforma e nossa restauração, em Quem nossas partes são unidas e todas feitas em homens perfeitos, e pela graça submissa e generosa do Espírito Santo somos realizadas [...] pois nossa natureza é completa em cada pessoa da Trindade, que é um Deus.[6]

Juliana, em outro momento, elabora as metáforas da maternidade. Assim como a mãe amamenta seu filho, assim Jesus, nossa Mãe, nos alimenta consigo mesmo. Assim como a mãe deita o filho sobre o seio, Jesus, nossa Mãe, nos leva ao seu seio. Ela continua:

> À propriedade da maternidade pertencem a natureza, o amor, a sabedoria e a compreensão, e isso é Deus. Embora nosso nascimento corporal possa ser insignificante, suave e humilde em comparação com nosso nascimento espiritual, é Ele Quem capacita as criaturas a dar à luz; [...] Ele é nossa Mãe na natureza pela operação da graça na parte humilde por amor da parte superior.[7]

Embora outros teólogos anteriores a ela tenham usado a metáfora de Deus tanto como pai quanto como mãe, a visão de Juliana torna esse conceito o centro de toda sua teologia. A ideia de um Deus andrógino ou uma parte feminina da Trindade aparece de novo no trabalho do místico Jacob Böhme e, mais tarde, em algumas seitas de esquerda da Reforma Protestante, sobre a qual discutiremos adiante. Curiosamente, as mulheres não retomaram o conceito até o século XVIII, quando Ann Lee desenvolveu uma teologia baseada na plena igualdade do aspecto masculino e feminino do Divino.

A maior ênfase no repensar das mulheres com relação à teologia cristã ao lado de Juliana de Norwich está em reformular o papel dessas mulheres na salvação. Uma expressão radical dessa tendência aparece no século XIII, entre um pequeno grupo de hereges chamado *guglielmites*. Nós os conhecemos apenas por meio dos registros do processo inquisitorial contra os seguidores de uma certa Guilhermina da Boêmia (1210-1281), adorada como a encarnação do Espírito Santo. Ela era uma figura um tanto misteriosa, provavelmente filha do rei da Boêmia que, com seu filho, fugiu da família para levar a vida de uma terciária cisterciense em Milão. Ela estava ligada à abadia de Santa Maria di Chiaravalle, mas não entrou na ordem. Pregou, aconselhou as pessoas e relatou suas visões, logo conquistando um séquito constante de homens e mulheres que a consideravam uma santa. Seus adeptos disseminaram a informação de que ela era fisicamente igual a Cristo, que morreria para salvar os não convertidos e que a redenção só era possível por meio da Encarnação do Divino tanto no homem como na mulher. Ela escolheu uma mulher para representá-la como uma verdadeira Papisa, assim como São Pedro representava Cristo. Sua candidata ao papado era Manfreda da Pirovana, prima do governante de Milão, Matteo Visconti. Após a morte de Guilhermina, em 1281, seus seguidores esperavam que ela ascendesse fisicamente ao céu. De acordo com seu desejo, foi sepultada em Chiaravalle, que se tornou o centro de sua veneração como santa, com peregrinos, milagres, relíquias e vários feriados dedicados a ela.

Um mês após seu enterro, seu corpo foi exumado e submetido a uma lavagem cerimoniosa. O corpo foi, então, vestido com o hábito dos terciários e enterrado novamente. A água em que seu cadáver foi lavado foi guardada por Manfreda e usada como fluido milagroso. Os *guglielmites* realizavam reuniões de pregação e oração e refeições comemorativas de celebração. Manfreda afirmou a divindade de Guilhermina, pregou sua doutrina e chegou a celebrar duas vezes a missa e dar a seus seguidores a Eucaristia, funções reservadas ao sacerdócio masculino. Dezenove anos após a morte de Guilhermina, a Inquisição examinou Manfreda e vários de sua seita duas vezes antes de concluir que não apenas Manfreda e seus seguidores, mas, acima de tudo, os *guglielmites* mortos eram culpados de heresia. Manfreda e dois de seus seguidores homens foram queimados em Milão em 1300, junto com o corpo exumado de Guilhermina, uma medida que parece indicar que as autoridades da Igreja temiam seu apelo e queriam impedir qualquer culto ligado a seus restos mortais.[8]

Uma reivindicação semelhante de atuação feminina em trazer a salvação aparece logo após esse julgamento. Na Prous Boneta foi presa em Montpellier e levada perante a Inquisição em Carcassonne. Lá, em 6 de agosto de 1325, ela fez uma confissão pública e foi queimada na fogueira. Boneta, uma mulher simples e analfabeta, ao que parecia, era a figura central de um pequeno grupo de sectários radicais, fato que foi confirmado pelas confissões da irmã e de outra mulher acusada com ela. Boneta afirmou que o então papa, João XXII, era um verdadeiro anticristo e que sob seu reinado nenhuma outra alma poderia ser salva. Ela considerou a própria condenação a redenção do Espírito Santo, necessária para alcançar a salvação da humanidade – pois ela, Na Prous Boneta, fora escolhida como representante da Trindade e doadora do Espírito Santo à humanidade pecadora. Ela não parece ter tido muitos seguidores, mas sua confissão é outro exemplo de uma mulher tentando formular uma doutrina teológica totalmente elaborada que coloca as mulheres no centro do desígnio divino de salvação.[9]

Não sabemos quantas das mulheres acusadas de bruxaria e queimadas na fogueira nos dois séculos seguintes tinham opiniões semelhantes. Porém, precisamos notar que não houve transmissão de tais ideias de uma geração para outra ou de uma localidade para outra. Toda mulher visionária e "louca", lutando com as questões profundas da definição teológica de humanidade que a eliminava do desígnio de Deus, desempenhou seu limitado papel localmente e desapareceu. Restam apenas vestígios de mulheres que afirmaram sua plena igualdade como seres humanos e buscaram encontrar a forma adequada de expressão para tais noções, anseios e intuições.

Considero particularmente interessante as visões de mulheres místicas em que estão envolvidas no nascimento de Cristo. Tais visões estão espalhadas ao longo dos séculos, derivando de circunstâncias bastante variadas. Nessas visões, a visionária não se identifica com Maria, mãe de Cristo. Muito pelo contrário, a visionária é colocada em um papel excepcional, ativo e gerador, sem o qual o milagre do nascimento de Cristo não teria acontecido. Como veremos, em alguns casos, essa atuação das mulheres em particular é interpretada como essencial para a segunda vinda de Cristo.

Uma das visões mais simples e convincentes é a relatada por Christina Ebner (1277-1356), freira alemã do convento dominicano em Engelthal que praticava um regime de severa autoprivação e autoflagelação e que, depois de uma doença grave aos 16 anos, começou a ter visões. Ela as registrou com a ajuda e o incentivo de seu guia espiritual, Konrad von Füssen. Aos 20 anos, era famosa fora de seu convento e, em 1350, o imperador Carlos IV pediu sua bênção. Henrique de Nördlingen, que também fez amizade com outras mulheres místicas, a visitou por três semanas e se correspondeu com ela. Ela escreveu um livro sobre suas visões, o qual teve várias versões, e também escreveu

Engelthaler Schwesternbuch [Livro de Enfermagem de Engelthal], uma biografia coletiva de seu convento.

> No período em que estava bem e tinha 24 anos, ela sonhou que estava grávida de nosso Senhor. Ela estava tão cheia de graça que todo o seu ser sentiu tal graça. E ela sentia tanta ternura pela criança que teve que se proteger por causa dele. [...] E, depois de um tempo, ela sonhou que o deu à luz sem nenhuma dor e ela vivenciou uma alegria tão extraordinária que depois de carregá-la dentro de si por um tempo, ela sentiu que não poderia mais negar e, então, ela pegou a criança nos braços e trouxe-a perante todos os que estavam reunidos no refeitório e disse: "Regozijem-se comigo. [...] concebi Jesu e, agora, o dei à luz", e ela mostrou-lhes a criança e, quando estava cheia de alegria ao passear com ele, ela acordou.[10]

Christina Ebner não deu nenhuma interpretação teológica a essa experiência encantadora e alegre. Em vez disso, descreveu tal evento como parte de seu caminho para a *imitatio Christi*, sua revitalização empática da vida do Salvador.

A próxima visionária que usa essa metáfora vem de uma das seitas radicais da Reforma Protestante. Antes de discuti-la, precisamos fazer uma pausa para considerar as mudanças importantes na forma e no significado do discurso religioso no protestantismo e, particularmente, seu impacto sobre as mulheres.

A QUESTÃO do efeito da Reforma Protestante sobre as mulheres tem sido objeto de controvérsia considerável, em especial entre estudiosas feministas. O debate diz respeito a interpretações contraditórias em Lutero e Calvino sobre a natureza da mulher e seu papel na sociedade. Aqueles que sustentam que a sorte das mulheres melhorou com a Reforma costumam elencar a difusão da educação e o papel mais importante das mulheres como mães e tutoras dos jovens. Aqueles que veem a Reforma como prejudicial às mulheres citam a crescente ortodoxia patriarcal dentro das igrejas da Reforma, as restrições constantes aos direitos civis e papéis públicos das mulheres e o enfraquecimento dos conventos, que podem ser vistos como tendo proporcionado um espaço privilegiado para as mulheres. A controvérsia não pode ser solucionada de imediato, uma vez que, como tantas reformas em sociedades estruturadas de modo patriarcal, seus resultados tendem a ter efeitos ambíguos. Acredito que, vista da perspectiva da história intelectual e religiosa, a Reforma foi um ponto de inflexão decisivo para as mulheres e afetou de maneira positiva a capacidade delas de chegar à consciência feminista. O avanço no pensamento teológico e religioso foi a percepção de Lutero de que todas as almas têm igual acesso a Deus, e sua declaração revolucionária de que não há necessidade de mediação entre Deus e os seres humanos. De uma vez só, como se o antigo véu tivesse sido rasgado, as mulheres foram informadas de que podiam falar diretamente com Deus e que Deus poderia e iria falar com elas. É verdade que as católicas ortodoxas conseguiram demonstrar esse mesmo fato por meio da prática mística, mas é evidente que apenas algumas, as mais raras humanas, poderiam se tornar mulheres místicas. O discernimento místico foi uma graça, um presente, obtido por meio de sacrifícios árduos e prática ascética. Agora, Lutero havia proclamado, esse presente estava aberto a todos e todas, mulheres e homens.

Em termos práticos, em razão da crescente ortodoxia do estabelecimento da Igreja Protestante, essas ideias revolucionárias foram trabalhadas de forma mais completa nos grupos de esquerda da Reforma. As mulheres participaram ativamente de vários desses grupos de esquerda: os anabatistas, os *quakers* e o movimento com forte tendência mística do pietismo. Temos a sorte de ter disponíveis várias fontes primárias, depoimentos, autobiografias e relatos visionários de pietistas alemãs nos quais essas mulheres falam por si mesmas. Embora algumas dessas visionárias possam ser comparadas às místicas católicas medievais, eram sem dúvida originárias das classe baixa. Eram mulheres urbanas, esposas e filhas de artesãos e trabalhavam como professoras, pregadoras e oradoras. Pietistas alemãs e holandesas compartilhavam com outros protestantes a crença de que as mulheres não deveriam falar em público sobre assuntos religiosos, mas desenvolveram no *huiskerk* – uma reunião de oração em uma casa – um fórum onde elas podiam ensinar e pregar.[11]

Uma pietista alemã, Anna Vetter, "mulher simples e humilde", conforme uma contemporânea a descreveu, deixou um relato particularmente vívido de sua vida e visões, que é de interesse aqui porque ela se debruça sobre o tema de que tratamos antes, acerca do papel elevado das mulheres na realização da segunda vinda. Anna Vetter nasceu na Francônia, filha de um ferreiro.[12] Quando ela tinha 4 anos, soldados invadiram a pequena cidade onde ela nasceu, roubaram a família e espancaram seu pai com tanta força que culminou em sua morte. Sua mãe e os quatro filhos viviam na pobreza e no exílio, com Anna contribuindo para sua sobrevivência tornando-se costureira. Ela se casou com um pedreiro, que ela disse não ter nenhum interesse em assuntos espirituais. Em dez anos, ela deu à luz sete filhos, dos quais quatro sobreviveram. Aos 30 anos, ela quase morreu de uma doença grave, durante a qual seu marido a estuprou. A gravidez resultante desse estupro prolongou sua doença; a criança morreu logo após o parto. Anna Vetter interpretou esses eventos do ponto de vista teológico. "Era porque eu deveria me tornar uma pessoa totalmente diferente, física e espiritualmente renovada."[13]

Foi após esses eventos que ela começou a ter visões, as quais ela registrou. O fato desse registro era em si mesmo milagroso: Anna Vetter, que era analfabeta até o momento de suas visões, foi instruída por Deus a escrevê-las de maneira ordenada, para que pudessem ser compartilhadas com seu povo. Então, ela aprendeu a escrever em uma noite e redigiu sua autobiografia. O padre local testemunhou esses fatos e comentou que tal evento era um sinal de verdadeira inspiração. Quando outros manifestaram para que Vetter seguisse o conselho de São Paulo, ela respondeu que Paulo deveria ser responsável por sua comunidade, e ela deveria ser responsável pela dela. Suas regras não a preocupavam, mas ela acreditava que sua pregação tinha o mesmo espírito que a de São Paulo. Ela se via como uma profetisa, como Oseias e Jeremias, e sentia que era seu dever salvar as pecaminosas cidades alemãs, em particular Nuremberg e Weissenbach, onde morava. Seguindo a ordem de Deus, ela se dedicou a falar e pregar no mercado, negligenciando seus deveres domésticos. Ela também viveu como se fosse uma viúva, embora seu marido ainda estivesse vivo.[14] Ela diz em sua história de vida que foi inspirada por Deus para ser sua porta-voz até o dia de São Bartolomeu em 1663; depois disso, ela "se acalmou e não teve mais visões".

Anna Vetter escreveu nitidamente no vernáculo da pessoa não escolarizada e, em seu relato, misturou sonho, visão e eventos diários sem transição ou explicação. Isso torna seu relato muito atraente, pois, como é óbvio, não traz as marcas da edição literária nem do "aperfeiçoamento". A cidade a que ela se refere na visão a seguir é Nuremberg.

Por fim, vi a cidade como uma grávida em trabalho de parto, e todas as suas parteiras sentavam-se à sua volta e não conseguiam fazer a criança nascer. E mãe e filho estavam condenados à morte e à condenação eterna. Então, pensei que não devia deixar essa mulher e seu filho morrerem e fui até a mulher e, com ela, dei à luz um menino que trouxe a Deus. Eu tive uma dor terrível, assim como a mulher dando à luz com seus gritos; Deus seja louvado Que me ajudou a superar, mas isso me custou sangue [...] Vi que todas as almas das pessoas na cidade estavam representadas na forma desse menino, que teve que nascer do coração para cima e não como uma criança física que irrompe da mãe por baixo. Este teve que sair do coração, e aquele trabalho amargo tirou meu sangue do meu lado direito. [...] Minha própria filha [...] e esse menino eram como um. Eu coloquei correntes e grilhões por eles por 27 semanas até que eu os trouxe a Deus, e, já que orei mais pelo garotinho em cuja forma todas as pessoas estavam representadas, meu próprio filho não foi escrito no Livro da Vida até que eu tivesse me superado e reconciliado; depois, vieram dois anjos do céu e escreveram no berço do meu filho [...] assim, minha filha e o menino foram inscritos no Livro da Vida novamente. [...] Então, peguei uma faca, cortei as correntes de ferro e fugi para Wedelsheim, a cinco milhas de Anspach; se não tivesse feito o parto do filho daquela mulher, ninguém teria sido salvo.[15]

Essa visão memorável combina de modo inconsciente detalhes prosaicos – ela fugiu e nos dá os nomes das aldeias e a distância exata entre elas – com metáforas religiosas elaboradas, como sua responsabilidade pela cidade pecaminosa como uma irmã, a assistência feita por anjos, o milagroso corte de correntes de ferro, a redenção de outros por meio de dor e sacrifício. Como Abraão, ela abandona o próprio filho em obediência e, assim, se torna um instrumento de santificação. Como o sangue de Cristo, seu sangue flui de seu lado direito para testemunhar seus trabalhos de redenção. O nascimento do menino ecoa o nascimento do Salvador, e sua frase "o menino em cuja forma todas as pessoas foram representadas" alude à Segunda Vinda. De acordo com a imaginação de Vetter, a redenção é impossível até que o segundo menino nasça e seja oferecido a Deus. Porém o que é novo e diferente na visão de Anna Vetter é seu papel ativo no processo de Redenção. Ela começa afirmando ser uma profetisa e alertando a cidade pecaminosa, mas, na verdade, faz mais do que isso – dá à luz o menino milagroso por meio do qual a cidade e todos os seus habitantes são de fato salvos. "Se eu não tivesse feito nascer o filho da mulher, ninguém teria sido salvo." A frase é reveladora, embora não em termos gramaticais – ela não afirma ter ajudado a mulher, o que a colocaria no papel habitual que as mulheres místicas imaginavam, o de uma ajudante solidária da Virgem Maria. Mas, por meio de seu trabalho de parto – após o fracasso da mãe física e de todas as parteiras reunidas –, a própria Anna Vetter afirma ter dado à luz a criança, que com certeza não é o menino Jesus, mas o Salvador da Segunda Vinda que redime o mundo pecador. Esse é um salto na imaginação das mulheres, reivindicando atuação essencial no plano divino. De forma alguma Anna Vetter poderia ter conhecimento sobre as ideias das hereges queimadas Guilhermina de Boêmia e Na Prous Boneta, quatrocentos anos antes. No entanto, a dela foi um *insight* semelhante: a redenção é impossível sem a função derradeira das mulheres, a mulher sagrada dando à luz.

Essa visão, se fosse a de um religioso enclausurado e o resultado de árdua prática ascética, seria significativa e incomum. Mas Anna Vetter era filha de um artesão e esposa de um artesão, mãe de sete filhos. A filha de sua visão era a criança nascida após o estupro conjugal, o evento que produziu as visões proféticas em primeiro lugar. Alguém poderia pensar que uma mulher submetida à dor e à indignidade que seu marido infligiu a ela o culparia por causar a morte do filho ou aceitaria essa morte como a vontade de Deus. Porém, Anna Vetter transformou o evento em uma visão profética poderosa na qual transcendeu seu papel e destino terrestres e, com coragem, confirmou a afirmação mais poderosa que qualquer mulher poderia fazer: ela e, por implicação, todas as mulheres com ela, eram agentes essenciais no plano de Deus para a redenção da humanidade.

A visão de Anna Vetter foi comunicada pelas ideias de homens e mulheres pietistas, cuja teologia desafiou as crenças cristãs ortodoxas sobre o papel das mulheres no Estado e na igreja. Desde o início, o pietismo tratou as profecias e visões das mulheres com grande respeito. Adelheid Sibylla Schwarz e Rosamunde von der Asseburg eram admiradas por homens correligionários por sua sabedoria, discernimento, piedade e eram consideradas santas. Os pietistas viam o sentimentalismo das mulheres como uma força que conduzia a percepções religiosas mais profundas. Na época, Anna Vetter pregou e profetizou em

Nuremberg e seus arredores, uma pietista chamada Antoinette Bourignon (1606-1680) deu palestras e escreveu folhetos na Holanda. Ela foi perseguida pelos jesuítas, que a forçaram a queimar um de seus folhetos; ela fugiu de Brabant para a Holanda, e de lá para Hamburgo e de volta para a Holanda, tentando escapar da perseguição. Ela era uma escritora prolífica e aparentemente popular. O veneno e o ódio que despertou nos inimigos são uma amostra de seu impacto. Um polemista, escrevendo um panfleto contra ela, inverteu a metáfora do nascimento para ridicularizar e caricaturar essa mulher, que foi literalmente perseguida até a morte por seus perseguidores (ela morreu no trajeto de Hamburgo para a Holanda). Ele escreveu:

> Agora na retaguarda vem uma velha cavalgando em algum animal e berrando que sua hora de dar à luz chegou / ela escolheu a costa Norte / para segurar seu filho / e cuspir sua velha semente de dragão. [...] Eu deveria tê-la deixado se esconder lá, exceto pelo fato de que certas pessoas surgiram e tinham vontade de provar o leite da porca velha, portanto, eu queria pegar a caneta [...] várias [...] compreenda o horror do demônio nesta mulher e comece a odiá-la. [...] A mulher é tola, louca e ímpia.[16]

Mais uma vez, como tantas vezes, seus escritos se perdem na história, mas podemos ter uma noção de seu impacto sobre os contemporâneos pela potência dos ataques a ela. Também sabemos, pelos escritos de homens pietistas, que Bourignon era considerada uma heroína e modelo de piedade. Gottfried Arnold, que registrou muitas das *vitae* dos pietistas e também foi um dos líderes da seita, recomendou os escritos de Bourignon a todos os pietistas.[17]

Outra desse grupo de pietistas alemãs, Beate Sturm, tinha a reputação de ter memorizado a Bíblia inteira. Ela era capaz de recitar todas as partes da Bíblia e comentar sobre os sermões que ouvira nas reuniões de seu grupo aos sábados. Desse modo, desenvolveu uma forma puramente feminina de ensino religioso. Alguém é lembrado de uma prática semelhante por Anne Hutchinson no Massachusetts colonial, que levou à sua excomunhão e expulsão da colônia. Beate Sturm sentiu o chamado para a pregação pública; seus sermões abordavam temas religiosos e políticos, às vezes durando até quatro horas, e eram ouvidos por centenas de pessoas.[18]

Outra líder pietista, Johanna Eleonora Petersen (1644-1724), deixou uma longa autobiografia, com relatos de suas visões, que foi escrita entre 1688 e 1719. Sua última visão gera interesse peculiar, e nela foi prisioneira em uma casa que continha 24 quadros. Seguindo esses quadros como se fossem guias, ela se libertou, mas, então, se deparou com uma porta fechada atrás da qual está o segredo, "um pai, uma mãe e um filho". Ela não conseguia se lembrar do que fazer para abrir a porta, mas, então, se lembrou que, em um quadro anterior, ela tinha visto um rouxinol, e interpretou isso como um aviso de que ela era um rouxinol e "quando comecei a cantar e minha voz ficou cada vez mais forte, a porta se abriu e me senti maravilhosamente bem, e acordei do meu sono". Ela interpretou essa última imagem como a da Santíssima Trindade – Pai, Filho e "a mãe fecunda e a pomba reprodutora [o Espírito Santo]".[19]

Mulheres como essas influenciaram o pensamento e as teorias do conde Nikolaus von Zinzendorf, que, em 1730, fundou com a esposa Erdmuth a mais importante comunidade pietista dos irmãos da Morávia em Herrnhut.[20] Bastante estimulado pelo desenvolvimento religioso pessoal, que creditou à influência da avó, Zinzendorf decidiu deliberadamente ampliar o papel das mulheres na comunidade e mostrou, por meio de argumentos bíblicos, que Jesus considerava as mulheres evangelistas. Zinzendorf queria que elas fossem pregadoras porque acreditava que carregavam uma convicção emocional maior do que os homens. Seu argumento teológico era de que Adão era andrógino antes da Queda e de que os homens deveriam se tornar mais femininos em sua natureza antes que a Redenção ocorresse. Essas ideias revolucionárias sobre gênero levaram a conflitos com homens de mentalidade mais tradicional nas comunidades pietistas. Após a morte de Zinzendorf, a mentalidade mais patriarcal prevaleceu e, em 1764, o Sínodo excluiu as mulheres dos cargos de liderança na comunidade.[21] Assim, por várias décadas, o pietismo, tanto na Europa quanto nas comunidades utópicas de Filadélfia nos Estados Unidos, proporcionou certo espaço e escopo para a liderança religiosa das mulheres e uma teologia para apoiar tais iniciativas. Sendo assim, como vimos acontecer em tantos outros movimentos revolucionários, a ortodoxia triunfou e as mulheres retornaram a seus papéis subordinados mais tradicionais.

As místicas medievais criaram e perpetuaram um papel para as religiosas que, sob o endosso e a tutela dos homens e dentro da proteção da vida enclausurada, permitiu-lhes influenciar a Igreja e a política secular e assumir um papel público honrado e respeitado. Dentro das seitas heréticas dos séculos XII a XV, as mulheres assumiram funções públicas como professoras, pregadoras, proselitistas e mártires, mas não temos registro de suas palavras reais. As contribuições de Anna Vetter, Beate Sturm e Johanna Petersen para o repensar teológico das mulheres atraíam suas contemporâneas, mas não podiam ser transmitidas a outras pessoas e reproduzidas por elas porque a rede de mulheres da qual surgiram não existia mais. No entanto, a transmissão de tais ideias e práticas continuou entre outra seita protestante, a dos *quakers*, e é entre eles que encontraremos mulheres fazendo avanços intelectuais significativos.

Desde o estabelecimento do quakerismo, as mulheres, em suas Reuniões e por meio de um Conselho de mulheres idosas, davam orientação religiosa e moral às amigas. As mulheres *quaker* costumavam ser mais escolarizadas do que suas contemporâneas, e tinham a tradição de falar em público e de liderança religiosa. Assumiram papéis ativos na instauração de igrejas *quaker* (Reuniões); eram ministras, pregadoras, missionárias em vários continentes. Muitas delas foram presas e até morreram por conta de suas convicções religiosas, como Mary Dyer em Boston, em 1660.[22] Após a restauração da monarquia na Inglaterra, muitas radicais protestaram, distribuindo panfletos pela abolição dos dízimos. Algumas foram ainda mais longe e profetizaram a destruição de cidades pecaminosas.[23]

Algumas mulheres *quaker* inglesas lançaram uma crítica radical aos ensinamentos de São Paulo e à misoginia desde o início dos anos 1650. Possivelmente em resposta a tais pontos de vista, George Fox, o fundador do quakerismo, em seu panfleto *The Woman Learning in Silence* [Mulher que Aprende em Silêncio] (Londres, 1656) articulou o princípio básico para as crenças *quaker*: Deus fez todos os seres humanos iguais implantando o Espírito Interior em todo o mundo. Ele deu essa interpretação a fim de significar que, portanto, o espírito de Cristo pode falar tanto na mulher quanto no homem. Baseando-se nesses antecedentes, Margaret Fell expandiu sua doutrina para incluir o direito das mulheres de pregar.

Margaret Fell (1614-1702), uma colega de trabalho próxima e, depois de 1669, esposa de George Fox, teve uma carreira pública ativa como missionária, pregadora, professora e escritora. Seus livros foram traduzidos para o hebraico, o latim e o holandês. Ela fazia longas viagens pela Inglaterra todos os anos, visitando Reuniões *quaker* e defendendo amigos que haviam sido presos e sofreram ataques físicos. Ela e George Fox foram julgados em 1664 por se recusarem a fazer o juramento de fidelidade e por realizarem Reuniões *quaker*. Sua sentença a privou de todas as suas propriedades e a condenou à prisão perpétua. Depois de quatro anos, foi libertada da prisão por ordem do rei, mas foi presa mais duas vezes. Enquanto cumpria sua primeira sentença de prisão, ela escreveu e publicou *Women's Speaking Justified* [A Fala Justificada das Mulheres], um argumento bíblico totalmente desenvolvido que justificava o papel ativo das mulheres na história bíblica e seu direito de participar da vida religiosa pública.[24] Ela escreveu um resumo teológico coerente; seu tom é auto-confiante e assertivo, sem nenhuma das desculpas presentes nos escritos femininos durante séculos.

> Aqueles que falam contra o Poder do Senhor e o Espírito do Senhor falando em uma mulher simplesmente em razão de seu Sexo, ou porque ela é Mulher, não a respeito da Semente, e do Espírito, e do Poder que fala nela; tais falam contra Cristo e sua Igreja, e são a Semente da Serpente. [...]
>
> O Senhor Deus na Criação, quando fez o homem à sua imagem, o fez homem e mulher; e [...] Cristo Jesus foi feito de uma mulher, e o poder do Altíssimo a cobriu com sua sombra e o Espírito Santo desceu sobre ela. [...][25]

Ela citou cada capítulo e versículo no Antigo e no Novo Testamento, listando todas as mulheres que profetizaram, falaram ou argumentaram, e forneceu uma munição poderosa para qualquer mulher que argumentasse contra a misoginia ortodoxa do texto das escrituras.

O panfleto de Margaret Fell, sua vida e carreira ilustram o salto qualitativo que as mulheres puderam dar intelectualmente como resultado da Reforma Protestante. O fato de as mulheres protestantes, depois dela, ainda precisarem argumentar, raciocinar e persuadir para conquistar igualdade dentro da Igreja e do Estado dialoga com o lado negativo da Reforma, sua institucionalização da ortodoxia patriarcal e sua resistência a mudanças fundamentais.

Desse modo, o ousado repensar de Margaret Fell não encontrou meios de ecoar até o século XVIII, quando Ann Lee fundou a seita dos *shakers* e afirmou o papel das mulheres como o agente essencial na Segunda Vinda.

Ann Lee (1736-1784) nasceu na Inglaterra na família de um ferreiro pobre. Aos 20 anos, ela se juntou a uma seita que se separou dos *quakers* e ficou conhecida como *shakers*, por causa de seu canto, dança e adoração aos gritos. Ela se casou alguns anos depois e teve quatro filhos em rápida sequência, todos falecidos na infância. Como tantas outras mulheres místicas, a doença quase fatal que se seguiu ao seu último parto a levou a uma profunda crise. Ela se convenceu de que a morte dos filhos havia sido uma punição por seu pecado de concupiscência. Com medo de dormir com o marido, para não "acordar no inferno", passava as noites caminhando, orando e gemendo. Depois, recusou todo tipo de alimento a fim de mortificar o corpo para que sua alma pudesse "ter fome de nada além de Deus". Nesse estado, teve uma profunda experiência psíquica. Ela acreditava que tinha renascido no reino espiritual. Lee, então, entrou em um período de pregação e ensino, e, alguns anos depois, tornou-se líder da pequena seita de *shakers* de Manchester. Embora tenha convertido seu pai e um dos irmãos mais novos, outro irmão, uma vez, tentou desarmar sua determinação batendo-lhe com brutalidade no rosto e na cabeça com um pedaço de pau. Mas Ann Lee clamou pela ajuda de Deus. "Enquanto ele [seu irmão] continuava golpeando, senti minha respiração, como um bálsamo curativo, escorrendo de minha boca e nariz [...] de modo que não senti nenhum dano de sua agressão."[26] Essa foi apenas a primeira de muitas ocasiões em que ela sofreu espancamentos, prisão e assédio com o estoicismo de uma mártir. Em 1772, e de novo um ano depois, ela passou um tempo na prisão por violação do sábado, por causa do culto de dança de seu grupo. Enquanto estava na prisão, teve uma grande visão da cena da Queda, que a levou a compreender que "a satisfação da luxúria da carne [era] a fonte e o fundamento da corrupção humana". Ela agora sabia que tinha um motivo especial para cumprir a obra de Cristo. "Não sou eu que falo, é Cristo que habita em mim."[27] Depois disso, viveu uma vida celibatária e impôs o celibato a seus seguidores. Eles a consideravam uma personificação do Cristo da Redenção e a chamavam de Mãe Ann Lee da Nova Criação.

Para escapar da perseguição, Ann Lee e oito de seus seguidores viajaram para a Nova Inglaterra, e logo se acomodaram perto de Albany, Nova York, onde ela fundou uma colônia utópica e continuou sua pregação e seu trabalho missionário de proselitismo. Lá, também sofreu muita perseguição nas mãos de turbas furiosas que acreditavam ser ela uma herege e até mesmo uma espiã britânica. Mesmo assim, ela e seu grupo persistiram.[28]

A doutrina de Ann Lee revitalizou o conceito de um Deus andrógino – Sofia, a Sagrada Sabedoria da Bíblia, era o elemento feminino em Deus; em Cristo, o lado masculino se manifestou; e, na Mãe Ann Lee, o feminino reencarnou. As revelações de Ann Lee indicavam que o milênio estava próximo e que os *shakers*, com sua vida celibatária e piedosa, apressariam sua chegada. Mãe Lee continuou sua missão até a morte, e o trabalho da seita permaneceu e se expandiu com seus sucessores.

De forma alinhada com a teologia de Mãe Lee, os *shakers* acreditavam na igualdade dos sexos. Em suas comunidades, a liderança era compartilhada entre homens e mulheres, e eles praticavam a crença de que as mulheres, assim como os homens, podiam ser professoras e pregadoras.[29]

A norte-americana Jemima Wilkinson (1752-1819) continuou a tradição de mulheres profetisas. Wilkinson foi criada como uma *quaker*, mas foi demitida da Sociedade pois compareceu à reunião de um grupo Batista da Nova Luz. Aos 23 anos, quase morreu de febre e, durante sua doença, teve uma visão de que realmente havia morrido e retornado do céu. Desde o momento de sua recuperação, ela mudou seu nome para Public Universal Friend (Amiga Pública Universal) e, por mais de quarenta anos, pregou e profetizou sua doutrina milenar. Sentiu-se chamada a construir uma comunidade utópica, Nova Jerusalém, perto do lago Seneca, para onde mais de duzentos colonos a seguiram. Apesar do assédio legal, o estilo carismático de Wilkinson atraiu muitos crentes, e sua comunidade se manteve unida até sua morte.[30]

Joanna Southcott (1750-1814), contemporânea inglesa de Ann Lee e Jemima Wilkinson, era uma criada e aprendiz de estofadora que, aos 42 anos, começou a ter visões. Ela as registrou mais tarde em nada menos que 65 livros e panfletos, que foram publicados entre 1801 e a época de sua morte, tendo ampla circulação. Southcott afirmava ser a mulher do Apocalipse, "uma mulher vestida de sol... e ela, grávida, chorou, teve dores de parto e sofreu para dar à luz". Ela desenvolveu uma teologia feminista argumentando que, uma vez que a mulher colheu os frutos pecaminosos pela primeira vez, devia trazer o conhecimento dos frutos bons. Acreditava na iminência da Segunda Vinda e que havia sido escolhida para realizá-la. Bem no espírito das místicas anteriores, não buscou essa distinção e, a princípio, resistiu a ela:

> Isso é algo Novo entre a humanidade, uma mulher ser a maior profetisa que já veio ao mundo, para tirar o homem das trevas para a Minha luz maravilhosa. [...] E que grande tola presunçosa eu devo ser, para falar de mim, tenho mais conhecimento do que os eruditos, e posso contar a eles mais do que eles sabem por minha própria sabedoria. Devo dizer que o conheço da filosofia e não entendo um planeta? Devo dizer que o conheço da divindade, e nunca estudei a Bíblia em minha vida, não além do que pensei ser necessário para minha própria salvação [...] Sempre me considerei [a mais simples da casa do meu pai]; mas o Senhor escolheu as coisas tolas e fracas deste mundo para confundir os grandes e poderosos.[31]

Southcott recebeu suas revelações do Espírito, uma voz que se comunicava com ela com regularidade. Quando escreveu isso, ninguém conseguiu ler porque sua caligrafia era muito ruim. Mais tarde, adquiriu um amanuense entre seus seguidores. A partir de 1801, ela morou em Londres, reunindo adeptos e escrevendo em abundância. Boa parte de cada ano ela passava viajando, hospedando-se na casa dos seguidores, pregando por toda a Inglaterra. Em 1804, a rica Jane Townley tornou-se sua discípula devota e a convidou para se juntar à sua família, após o que Southcott viveu e foi totalmente sustentada por ela. Southcott, a princípio, buscou a aprovação da Igreja Metodista e conseguiu convencer alguns clérigos proeminentes de sua causa, mas nunca foi aceita pela Igreja. Em vez disso, a Igreja vinculou seus seguidores a ela dando-lhes "um selo", um documento com o nome do crente e a assinatura de Southcott na parte inferior. Esse selo deveria conferir proteção ao crente, mesmo que as tropas napoleônicas invadissem a Inglaterra. O sucesso da missão se reflete no crescimento impressionante de seus apoiadores: começando com 58 em 1803, a fila aumentou para 20.500 em 1815, um ano após sua morte. Seus inimigos afirmavam que ela tinha mais de 30 mil seguidores leais.[32] Sua linguagem e argumento feministas de Deus devem ter atraído as mulheres, já que 63% de seus seguidores eram mulheres. Talvez seu apelo tenha sido baseado em escritos como este, quando Southcott falou na voz de Cristo:

> Elas [mulheres] me seguiram até a minha cruz e ficaram chorando ao me verem crucificado; elas foram as primeiras em Meu Sepulcro a ver Minha ressurreição; agora, não vou recusar mulheres que te ajudem. [...] Foi por uma mulher que vim ao mundo na forma de um homem; e, agora, por uma mulher, Eu me revelarei aos homens. [...] e, agora, da mulher será revelada minha segunda vinda, para que nenhum homem se glorie nem seja adorado em Meu lugar. [...] Mas nenhum Salvador pode surgir em uma mulher para que ela seja o Cristo. Pois aqui estou Eu [...] vim para curar a queda das mulheres, que primeiro deve ser curada antes que a redenção do homem possa vir. [...][33]

Se Joanna Southcott estivesse ciente das visões de Anna Vetter, poderíamos concluir que ela as estava aprimorando e levando adiante. Porém nenhum conhecimento de pensamentos das mulheres do passado foi possível para as que viviam no século XVIII, e assim vemos aqui, mais uma vez, um exemplo de uma mulher reinventando uma revisão da doutrina patriarcal que já havia sido feita antes por outra mulher. Southcott foi bastante explícita sobre o papel da mulher na Redenção – sem a elevação anterior da mulher, não haveria Redenção. No entanto, ela terminou a vida com uma elaboração do seu conceito metafórico que se tornou patológico e, sem dúvida, era patético.

Em 1813, o Espírito anunciou a ela: "Neste ano, no sexagésimo quinto ano de tua idade, terás um FILHO pelo poder do ALTÍSSIMO". O nome da criança seria Shiloh, e ele seria o pró-cônsul de Cristo na terra, para preparar o caminho para a Segunda Vinda.[34] Southcott, durante um período em que seus seguidores começavam a sumir, declarou que tinha sentido "uma visitação poderosa trabalhando em meu corpo". Acreditando que estava grávida de um milagre semelhante ao que acontecera à idosa Sarah no Antigo Testamento, convidou um corpo de médicos para examiná-la e observá-la. Vinte e um médicos aceitaram o convite e dezessete deles confirmaram sua gravidez, embora, por modéstia, ela se recusasse a deixá-los fazer um exame pélvico. Os crentes se aglomeraram em sua casa em Londres, enviaram-lhe presentes caros, fizeram circular relatórios e "selos" falsos, e transformaram seu leito de doente em um circo público. Southcott orientou que, caso morresse no parto, nenhum outro parto deveria ser feito até quatro dias após sua morte. Ela estava, na verdade, morrendo durante as longas semanas após seu nono mês de "gravidez". Depois de sua morte, a autópsia não revelou gravidez, mas mostrou o fígado aumentado, e os médicos especialistas relataram que não encontraram nenhuma causa física para sua morte.

Joanna Southcott levou sua revisão apaixonada da teologia patriarcal mais longe do que a maioria e foi derrotada, mas a iniciativa, não importa quantas vezes frustrada, não findaria.

AGORA VAMOS CONSIDERAR dois grupos provenientes de diferentes culturas raciais e étnicas – mulheres afro-americanas e judias – e comparar seus esforços de revisão teológica com os das mulheres discutidas anteriormente. As mulheres afro-americanas nos Estados Unidos do século XIX, embora compartilhassem da tradição teológica e das fontes das religiões protestantes brancas dominantes, vieram de igrejas afro-americanas que tinham sua própria linguagem, simbolismo, estruturas e tradições. Neste ponto, não podemos tentar fazer justiça à complexa história de diferenciação, autodefinição e revisão espiritual das igrejas afro-americanas, mas, para fins de comparação, consideraremos um pequeno grupo sectário cujas práticas e inspiração visionária podem ser comparadas às seitas protestantes de esquerda da Reforma que discutimos antes.

Nas décadas de 1830 a 1870, um notável grupo de mulheres negras espiritualistas e profetisas apareceu na Costa Leste, onde tiveram carreiras públicas ativas. A mais conhecida delas, durante sua vida e depois, foi Isabella Baumfree, que, depois de uma experiência de revelação, renomeou-se Sojourner Truth (1797-1883). Nascida em regime de escravidão no estado de Nova York, ela viu seus irmãos serem vendidos, e ela mesma foi vendida quando criança. Seu senhor a estuprou e, mais tarde, forçou-a a se casar com um escravo mais velho, com quem ela teve cinco filhos. Libertada pela lei do estado de Nova York em 1827, ela resgatou um dos filhos da escravidão. Quando ainda era escravizada, tinha conversas frequentes e muitas vezes diárias com Deus, e delas tirava forças para suportar sua sorte. Em vários momentos, percebeu a interferência de Jesus em sua vida e em sua proteção. Sua rica vida religiosa interior culminou em uma visão durante o tempo em que morava na cidade de Nova York, e se sustentava fazendo trabalhos domésticos. Essa visão ordenou que ela deixasse a cidade e "declarasse a verdade ao povo". Daquela época em diante, ela viajou como pregadora itinerante pelo Norte, defendendo a abolição, os direitos das mulheres, a proteção dos pobres e seu próprio estilo de Cristianismo pragmático.[35]

Como as místicas e profetisas antes dela, Sojourner Truth extraiu sua autoridade da comunicação direta com Deus. Era uma oradora carismática que tinha um forte efeito sobre o público e, muitas vezes, domava multidões hostis com sua atitude destemida e comentários vigorosos. O discurso que mais sucintamente incorporou seu feminismo baseado em processos raciais e étnicos foi proferido na convenção dos Direitos da Mulher em Akron, Ohio, em 1851. Erguendo-se do fundo da plateia e insistindo em ser ouvida, ela disse:

> Aquele homenzinho de preto ali, ele disse que as mulheres não podem ter tantos direitos quanto os homens porque Cristo não era uma mulher. De onde veio o seu Cristo? De onde veio o seu Cristo? [...] De Deus e de uma mulher! O homem nada teve a ver com Ele. [...] Se a primeira mulher que Deus fez foi forte o bastante para virar o mundo de cabeça para baixo sozinha, essas mulheres juntas deveriam ser capazes de virar tudo do avesso e colocar do lado certo novamente![36]

Sojourner Truth figura quase isolada entre as mulheres negras do século XIX, ao combinar fortemente a defesa de sua raça com a defesa de seu sexo.[37] Mesmo com idade muito avançada, ela insistia em enfatizar a dualidade da opressão das mulheres negras, como membros da raça e como mulheres. Ela disse, ainda em 1867:

> Eu quero que as mulheres tenham seus direitos. Nos tribunais, as mulheres não têm direito algum, não têm voz; ninguém fala por elas. Desejo que a mulher tenha sua própria voz entre os insignificantes. [...] Fazemos tanto [como os homens], comemos tanto, queremos tanto. Acho que sou a única mulher de cor que fala pelos direitos das mulheres de cor.[38]

Ela foi uma figura única em sua época, tanto na *persona* que criou para si mesma quanto em seu ministério itinerante autossustentável e atividades de reforma, as quais manteve até a velhice. Ela era bastante diferente das outras mulheres místicas afro-americanas de seu tempo por atuar na comunidade de reforma geral, e não fora de uma igreja específica, embora tivesse tido contato com várias igrejas evangélicas no início da carreira.[39]

Nancy Prince, Jarena Lee, Amanda Berry Smith, Julia Foote e Rebecca Jackson desenvolveram vidas religiosas na Igreja Episcopal Metodista Africana. Nessa igreja, a instituição dos "grupos de oração", reuniões de mulheres nas quais elas pregavam e falavam sobre as Escrituras e das quais algumas delas passavam para a pregação pública, fornecia um raro "espaço livre" para mulheres que permitia ao talento de liderança florescer. As mulheres ofereceram apoio e encorajamento umas às outras e pares ou grupos delas enfrentaram a censura e as dificuldades da pregação das mulheres em público.

Já discutimos as experiências místicas de Julia Foote. A autobiografia visionária de Rebecca Jackson é bem interessante no contexto dos místicos e profetas que discutimos neste capítulo, por causa da semelhança impressionante com as de algumas das outras mulheres místicas, e porque expressa a luta pela atuação religiosa das mulheres no contexto da consciência racial.

Rebecca Jackson (1795-1871) foi criada na Filadélfia, para onde sua mãe levou os filhos após a morte de seu pai. Sua mãe se casou de novo e teve mais filhos, de quem a jovem Rebecca cuidou enquanto a mãe trabalhava. Por esse motivo, ela não recebeu educação formal. A mãe morreu quando Rebecca tinha 13 anos e não se sabe nada de sua vida até o início de sua autobiografia espiritual em 1830, quando tinha 35 anos.

Na época, ela era casada com Samuel Jackson, e os dois viviam com o irmão mais velho dela, Joseph, Rebecca cuidando dos quatro filhos e trabalhando como costureira. Embora seu irmão fosse um ministro da Igreja Metodista Episcopal Africana, Jackson nunca se uniu formalmente à igreja. Ela teve um despertar espiritual e se sentiu santificada, embora duvidasse da autenticidade de suas visões a princípio. No entanto, após alguns eventos milagrosos, Jackson passou a confiar cada vez mais em sua voz interior e convenceu a família de sua autenticidade. Ela recebeu um "dom de cura" e foi libertada da "concupiscência da carne". Fez uma aliança com Deus, prometendo obedecer completamente aos comandos de sua voz interior. Como as místicas medievais, ela começou uma rotina sistemática de jejum nos primeiros três dias de cada semana, enquanto fazia todo o seu trabalho normal. Ela combinou isso com a privação sistemática de sono e se empolgou com a intensidade crescente de suas visões.[40] Assim como outras mulheres místicas casadas, Jackson precisava encontrar uma maneira de se libertar de suas obrigações conjugais. Ela escreveu:

> De todas as coisas, esta [a concupiscência da carne] parecia a mais suja aos olhos de Deus – tanto nos casados quanto nos solteiros, tudo parecia igual aos olhos de um Deus santo para mim, embora eu nunca tivesse ouvido ninguém dizer que era errado.[41]

Mas ela ainda não falava sobre isso com ninguém. Jackson começou a realizar reuniões de oração em sua casa e logo conquistou um número considerável de seguidores entre os metodistas negros. Nesse período, ela teve três sonhos que a encorajaram ao ministério. Como os sonhos de Anna Vetter, os seus usavam símbolos corriqueiros e comuns do universo feminino. Em um sonho, ela fez bolos na lareira, que muitas pessoas comeram e apreciaram. Em outro, lavou três acolchoados e, com eles, foi transportada para um lugar estranho, uma cabana branca na qual iria morar. Em outro sonho, trocou uma vassoura velha por uma nova e recebeu um baú com um tesouro de ouro de sua avó e de uma senhora misteriosa.[42]

Como várias das místicas sobre as quais falamos, Jackson milagrosamente recebeu o dom da leitura. Ela pediu ao irmão que a ensinasse a ler, mas ele parou depois de duas aulas. Quando ela lhe pediu que escrevesse suas cartas, descobriu que ele havia corrigido o que ela estava lhe dizendo para escrever. Ela se opôs:

> Você escreveu mais do que eu disse. "Isso ele fez várias vezes". Eu, então, disse: "Não quero que ponha *palavras* em minha carta. Só quero que a *escreva*". Então, ele disse: "Irmã, você é a pessoa mais difícil para quem já escrevi!". Essas palavras, aliadas à maneira como ele havia escrito minha carta, perfuraram minha alma como uma espada. Não pude deixar de chorar.

Ela orou para que Deus a ensinasse a ler.

> E quando eu olhei para a palavra, comecei a ler. E quando descobri que estava lendo, fiquei assustada – então, não consegui ler uma palavra. Fechei meus olhos novamente em oração e, então, abri meus olhos, comecei a ler. Então, eu o fiz até ler o capítulo. Eu me recompus. "Samuel, eu posso ler a Bíblia." "Mulher, você está ficando louca!" "Louvado seja o Deus do Céu e da terra, posso ler a Sua palavra sagrada!" Sentei-me e li tudo. E estava em Tiago. Então, Samuel louvou ao Senhor comigo.[43]

Jackson se libertou espiritualmente por meio desse ato de superar seu analfabetismo. Então, deu o próximo passo, convencendo o marido de que ele não tinha o poder de tocá-la, visto que o espírito divino a habitava. Ainda assim, eles viviam juntos, é bem provável que no celibato. Durante uma doença grave, possivelmente uma série de ataques cardíacos, Rebecca Jackson teve a sensação de abandonar o corpo várias vezes e de se comunicar com os anjos. Essas mensagens divinas cada vez mais fortes a convenceram a começar uma carreira de viagem e pregação em 1833. Quando ela voltou, seu marido ficou furioso e a ameaçou com violência. "Se eu não tivesse o dom da previsão que me foi dado no início, poderia ter caído na morte por suas mãos. [...] Eu sempre fui capaz de saber o que ele estava planejando fazer antes de ele mesmo fazer." Vendo que não poderia intimidá-la, Samuel se arrependeu e disse: "Agora, Rebeca, você pode dormir em sua própria casa, não vou incomodá-la mais. Vá em frente e faça a vontade de Deus [...] Eu nunca mais vou incomodá-la".[44]

Assim como Doroteia de Montau e Margery Kempe, guiada por suas visões e sonhos, Rebecca Jackson se libertou de suas obrigações sexuais para se concentrar em sua missão religiosa. Mas, no caso dela, essa autolegitimação feminista ocorreu no contexto de sua vida como mulher negra. A longa tradição de liderança religiosa das mulheres negras e a existência de "bandos de oração" ajudaram a fomentar seu papel ministerial. Durante seus muitos anos de pregação itinerante, ela nunca faltou a uma audiência, embora também tenha enfrentado muita oposição. Sua defesa do celibato foi considerada muito ameaçadora pelo ministério dos homens. Em 1837, quando acusada de heresia, Jackson pediu um julgamento na própria casa, perante representantes de igrejas negras de credo metodista e presbiteriano. Ela também pediu que "mães da igreja" estivessem presentes, mas lhe foi negado o julgamento, e ela rompeu com a Igreja Metodista Episcopal Africana depois disso. Foi durante esse período que conheceu Rebecca Perot, uma mulher negra que se tornou sua companheira constante na vida e no trabalho missionário até o fim de seus dias.[45] Jackson e Perot viveram com um grupo de perfeccionistas brancos em Albany, Nova York, durante algum tempo e, em 1843, após duas visitas à comunidade *shaker* na vizinha Watervliet, elas e outros daquele grupo junta-ram-se aos *shakers*.

Jackson viu muitos paralelos com sua própria teologia na doutrina *shaker* e logo assumiu um papel de liderança na comunidade predominantemente branca ao pregar nas reuniões *shaker* e "no mundo". Após se juntar aos *shakers*, as visões de Jackson incluíam figuras de mulheres divinas e, onde antes em seus sonhos ela era guiada por uma figura masculina branca, agora imaginava uma bela mulher de cabelos negros como sua instrutora em um sonho.[46] Também tinha uma visão da Sabedoria da Sagrada Mãe e expressou sua revisão feminista da seguinte maneira:

> Oh, como te amo, minha Mãe! Não sabia que tinha Mãe. Ela estava comigo, embora eu não soubesse, mas agora a conheço e Ela disse que eu deveria fazer um trabalho nesta cidade, que é tornar conhecida a Mãe da Nova Criação de Deus. [...] E ninguém pode vir a Deus no novo nascimento a não ser por meio de Cristo, o Pai, e por meio de Cristo, a mãe. [...] E, então, também pude ver quantas vezes fui conduzida, confortada e aconselhada em tempos de provação por uma terna Mãe e não o sabia.[47]

Apesar do acordo teológico de Jackson com a comunidade *shaker*, ela estava profundamente desapontada com seus esforços, insuficientes para recrutar mais negros. Jackson se via sobretudo como uma missionária para a comuni-dade afro-americana, e depois de alguns conflitos com os anciãos *shakers*, que, a princípio, recusaram permissão para ela partir, ela e Perot fizeram trabalho missionário na Filadélfia e instauraram uma sociedade *shaker* predominante-mente de mulheres negras, em que ambas as mulheres eram anciãs. As "irmãs" viviam juntas em uma grande casa bem mobiliada, sustentavam-se no trabalho diário, costurando e lavando roupa. A sociedade sobreviveu durante quarenta anos após a morte de Jackson.[48]

O grupo de mulheres místicas pietistas alemãs do século XVII e as espiritualistas afro-americanas do século XIX parecem ter pouco em comum, exceto sua feminilidade e sua busca religiosa. Mesmo assim, ambos os grupos eram marginais à sociedade como mulheres de classe baixa e autossustentáveis, e ambos estavam centrados em pequenos movimentos religiosos que lhes ofereciam algum espaço livre e uma rede de apoio. A comunhão de suas experiências, linguagem, visões e vidas autodefinidas, apesar das enormes diferenças culturais entre elas, fala fortemente da existência de uma cultura feminina modificada por fatores de raça e etnia.

ENFIM, VAMOS considerar como as mulheres judias expressaram sua busca religiosa e participação a partir de um contexto histórico bastante diferente daquele das mulheres que discutimos antes. O dever religioso mais importante, o estudo da Torá, os livros sagrados e a lei judaica, era em geral reservado aos homens. Embora nos primeiros séculos haja exemplos registrados de mulheres judias que foram ensinadas a ler a Torá e até mesmo interpretá-la, eram exceções. No período da diáspora judaica, há de novo alguns exemplos de mulheres eruditas, que citamos acima, mas, em geral, entre as mulheres judias europeias existiam aquelas que raramente dominavam o hebraico, a língua dos textos religiosos. Até o século XIX, entre as mulheres judias europeias que eram alfabetizadas, escreviam no vernáculo, iídiche. As mulheres foram excluídas das casas de estudo e dos tribunais rabínicos. A unidade básica da comunidade de culto, o *minyan*, foi definida como uma comunidade de dez homens. Na sinagoga, as mulheres ficavam sentadas na varanda ou mesmo em uma sala à parte, participando do culto público apenas de forma remota. Ainda assim, as mulheres judias levavam vidas intensamente religiosas, que tinham grande significado espiritual para elas.[49]

A historiadora religiosa e folclorista Chava Weissler, que estudou a extensa literatura devocional iídiche escrita para e por mulheres, descobriu evidências das vozes ocultas das mulheres em uma variedade de expressões. Em particular, ela encontrou em coleções de *tkhines* dos séculos XVII e XVIII – orações em geral recitadas por mulheres em casa – evidências de esforços para aumentar a importância religiosa das mulheres. Em um mandamento para a observância das mulheres, "tomar *hallah*", separando porções da massa do pão, a oração compara a atuação desse ritual ao serviço realizado pelo sumo sacerdote que faz com que os pecados sejam perdoados. A mulher ora: "[...] assim, também meus pecados podem ser perdoados com isso. Que essa *mizvah* (boa ação) do *hallah* (fazer o pão da festa) seja contabilizada como se eu tivesse dado o dízimo".[50] Assim, ela se associa à antiga tradição bíblica dos dízimos e ao sumo sacerdote. Na *tkhine,* para acender velas na mesma coleção, a mulher ora para que sua "'*mizvah*' das luzes das velas seja aceita como a *mizvah* dos sumos sacerdotes que acenderam as luzes no querido Templo".[51]

Em suas orações domésticas que fluíram das atividades mundanas de esposas e mães, as mulheres judias expressaram sua conexão com as tradições sagradas e antigas, que muitas delas vieram a conhecer apenas por comunicação oral. Em várias orações a serem recitadas durante o ritual doméstico de preparação das velas para o Yom Kippur, as mulheres apelaram não apenas aos patriarcas, mas também às matriarcas Sarah, Rebecca e Rachel. Elas o fizeram com uma diferença importante: os patriarcas eram mencionados de forma estereotipada, como recipientes passivos da ajuda de Deus, enquanto as matriarcas eram descritas como se agissem para salvar seus filhos e, portanto, eram mencionadas como defensoras. As orações afirmaram e celebraram o poder das mulheres como mães para salvar o povo de Israel.[52]

Outra *tkhine* do Leste Europeu, importante porque a identidade de seu autor é conhecida, "A *tkhine* das Matriarcas para a Lua Nova de Elul", afirma que foi escrita por uma certa Serel, esposa de um rabino de Dubno. É uma oração de mulher a ser recitada durante o toque do chifre de carneiro no Dia Santo do Ano Novo; ela pede às matriarcas que intercedam junto a Deus pela mulher que ora. Toda matriarca é lembrada do próprio sofrimento por seus filhos, para que ela possa se comover e assim evitar o sofrimento semelhante de outras mães. "Pedimos a todas as nossas mães que implorem por nós para que possamos ser inscritos para a vida e para a paz e para o sustento."[53]

O mais interessante desses *tkhines* foi escrito por uma mulher célebre durante sua vida pelo conhecimento talmúdico. Sarah Rebecca Rachel Leah Horowitz (conhecida como Leah Horowitz) nasceu por volta de 1720 na Polônia e morreu em 1800. Era filha de um rabino e esposa do rabino Shabbetai.

Pelas anedotas contadas sobre ela, parece que ela superou os alunos do pai no aprendizado e na habilidade de explicar textos talmúdicos. A oração que ela escreveu tem três partes: uma introdução em hebraico, uma oração em aramaico e uma tradução em iídiche. Obviamente, Horowitz queria ser lida não apenas por mulheres, mas também por estudiosos do hebraico. Na introdução, ela discute os deveres das mulheres para com os maridos e assume a visão tradicional de que devem cumprir as ordens do marido. A própria oração inclui um apelo às matriarcas para intercessão, e afirma que a oração e as lágrimas das mulheres, descritas como detentoras de grande poder redentor, devem ser oferecidas por causa da Shekinah, o espírito feminino de sabedoria. As referências repetidas a Shekinah são extraídas da literatura cabalística e mostram a familiaridade de Horowitz com o misticismo judaico. Em resumo, sua mensagem para as mulheres é que elas devem usar plenamente os poderes dados a elas em seus papéis tradicionais, e que seus poderes espirituais são maiores do que imaginam.[54]

O misticismo judaico, que, como o misticismo cristão, foi influenciado pelo pensamento gnóstico nos séculos I e II, floresceu na Idade Média na Alemanha, França e Espanha. No auge da Cabala espanhola (Cabala é a palavra hebraica para misticismo, literalmente "tradição"), o texto clássico do *Zohar* (Livro do Esplendor) foi escrito, no século XIII. Todos os sistemas místicos judaicos posteriores foram baseados nesse livro. Um renascimento do misticismo judaico ocorreu no século XVI em torno da figura de Isaac Luria. Um século depois, os judeus europeus, especialmente na Polônia, incorporaram a Cabala luriânica ao movimento chassídico.

A Cabala enfatizou os mistérios contidos nas palavras e letras do Antigo Testamento. Assim como outros misticismos, enfatizou o conhecimento intuitivo do Divino. Ela postulou a existência de uma divindade oculta primordial, *Ain Soph*, da qual emanaram dez potências divinas, ou *Sephiroth*, uma das quais era a Shekinah, a forma feminina do Divino. O pecado humano, particularmente o pecado de Adão e Eva, causou uma separação dos aspectos masculino e feminino das emanações divinas. Isso só poderia ser reparado reunindo esses aspectos divididos por meio da prece e da prática mística. Assim, um dos fundamentos teóricos da Cabala parecia oferecer uma abertura para uma teologia mais voltada à mulher, que aumentaria o papel e a participação delas.[55]

O chassidismo do século XVIII foi inspirado por Israel Baal Shem Tov, um homem santificado que não teve nenhum treinamento talmúdico. Ele apelou às mulheres, aos pobres e analfabetos, e encorajou sua expressão religiosa, em especial nos primeiros estágios do movimento; no entanto, a estrutura do movimento era patriarcal. Seus seguidores criaram comunidades exclusivamente compostas de homens em torno de um Zaddik (um homem sagrado), no qual celebravam e adoravam com música e dança após as refeições comunitárias.

A extensão da participação das mulheres nesses movimentos é uma questão controversa entre os especialistas. Gershom Sholem, um historiador religioso do movimento, diz: "A longa história do misticismo judaico não mostra nenhum traço de influência das mulheres. Não existiram mulheres cabalistas". Ele explica essa "masculinidade exclusiva" do Cabalismo pela ênfase que coloca "na natureza demoníaca da mulher e no elemento feminino do cosmos". O demoníaco, segundo os cabalistas, está ligado à esfera feminina, portanto, as contribuições das mulheres tanto para a teoria quanto para a prática do movimento foram rejeitadas.[56]

Por outro lado, há evidências de que certas mulheres, em geral filhas ou esposas de rabinos chassídicos, eram reconhecidas como acadêmicas por direito próprio e tinham homens como discípulos. Um exemplo anterior de uma mulher que assumiu um papel de liderança em uma seita foi Eva Frank, filha de Jacob Frank, o fundador de um movimento messiânico na Polônia. Ela se tornou colíder da seita com o pai em 1771 e, após a morte dele, liderou a seita até sua própria morte, quando o grupo então se dispersou.[57]

Várias mulheres chassídicas foram celebradas por seu aprendizado. Uma delas era Hannah Havah Twersky, filha de um rabino que a considerava "dotada do Espírito Santo desde o ventre e desde o nascimento". Seus aforismos e fábulas tornaram-se famosos em toda a Polônia. Ela deu orientação religiosa às mulheres e as incentivou a prosseguir com sua educação.[58] Um historiador cita pelo menos dez mulheres chassídicas de erudição, todas relacionadas a rabinos reconhecidos, que ensinavam e comentavam sobre os textos sagrados e podem ter tido os próprios seguidores.[59]

A mais famosa dessas mulheres eruditas é Hannah Rachel Werbemacher, (aproximadamente 1815-1892), conhecida como "A Donzela de Ludomir". Ela foi instruída na casa de seu pai rico e recebeu uma educação religiosa meticulosa. Foi prometida desde muito nova a um jovem que amava; sua mãe morreu antes do casamento, fato depois do qual a jovem tornou-se muito retraída. Ela teve visões no túmulo da mãe e adoeceu gravemente. Após sua recuperação, em um padrão que lembra a de muitas místicas cristãs, Hannah declarou que havia recebido uma nova alma no céu. Então vestiu um *tzitzit* e um *talit* e colocou um par de *tefilin* (todos atributos da prática religiosa reservados aos homens) e passou um tempo estudando a Torá e orando. Seu *bethrothal* foi anulado. Após a morte do pai, Hannah Rachel construiu uma casa de estudos perto de sua residência, na qual, todos os sábados, dava palestras e discursava com os alunos que iam comer em sua casa. Ela o fez por meio da porta aberta de uma sala contígua, para que ela pudesse ser vista, como o costume exigia. Ela conquistou muitos seguidores e um grupo especial de chassidismo se formou ao seu redor, tratando-a como sua líder. Aos 40 anos, se casou com um erudito talmúdico, mas o casamento durou pouco e terminou em divórcio. Após seu casamento, sua influência diminuiu e ela emigrou para a Palestina, onde mais uma vez reuniu seguidores como líder espiritual.[60] A real extensão da influência e reputação de "A Donzela de Ludomir" é difícil de determinar com base nas fontes disponíveis. No entanto, a semelhança da história de sua vida com a de algumas mulheres místicas cristãs é inconfundível e digna de nota.

A BUSCA DAS MULHERES pelo Divino e, por meio dele, a busca das mulheres pela humanidade plena, transcendendo as diferenças de classe, raça e religião, continuou e encontrou expressão nos lugares mais improváveis e humildes.

Em 5 de janeiro de 1839, uma celibatária de 36 anos, que vivia no que era, então, a fronteira de Ohio, escreveu suas reflexões religiosas em um diário. Ela morava com a mãe idosa em uma fazenda isolada; lobos uivavam fora de sua cabana; o faz-tudo que ocasionalmente vinha ajudar as mulheres assustava-a com suas investidas sexuais. Marian Louise Moore desconhecia a literatura, exceto pelos contos sentimentais de Lydia Sigourney e as ortodoxias religiosas de Hannah More. Porém, ela moldou sua própria declaração feminista, fazendo tentativas na busca por palavras e exemplos, como tantas mulheres ao longo dos séculos antes dela. "Acho que se eu me dirigisse às mães [...] eu ainda proclamaria, tu és responsável [...] ó, mães." Ela, então, citou o grupo de heroínas bíblicas e argumentou que era o papel das mulheres agirem "como um anjo aqui para guiar, ajudar e acompanhar o homem a um paraíso mais nobre [...]". Essa visão bastante tradicional do papel da mulher é nitidamente redefinida em seu diário, três anos depois, quando ela escreveu:

> Agora, meu Salvador, peço que a mulher seja considerada digna diante de Deus para se posicionar em uma plataforma de direitos iguais como o primeiro grande golpe nos Estados Unidos da América [...] Senhor, aumenta minha fé. Desejo que ela seja exaltada, não para fazer o mal, mas para fazer o bem. [...] Eu oro a Deus nesse sentido. Se não houver outra mulher na América implorando por isso, eu estou implorando [...] Ó, meu salvador, se eu puder experimentar o céu de meus últimos desejos mencionados, minha alma te louvará.[61]

Marian Moore não sabia que havia outra mulher na América pedindo os direitos das mulheres em 1842, mas ela batalhou com Deus a esse respeito, vendo-se como parte de uma coletividade ainda não constituída de mulheres que precisava de "uma plataforma de direitos iguais".

O conceito da mulher divina, Grande Deusa, procriadora, deusa da vida e da morte, continuou a inspirar as mulheres dois mil anos após seu falecimento. Apesar de toda a doutrinação de gênero e da intensa pressão para a submissão, as mulheres, obcecadas ou racionais, escreveram-se na história da redenção. Elas falavam com Deus, representavam o Divino, davam à luz o redentor, firmavam o elemento feminino na divindade e usurpavam, por visão extática, a inspiração louca, a fé modesta ou qualquer outra coisa semelhante de que pudessem se valer, o direito de definir o Divino e, com isso, o direito de definir a própria humanidade.

SEIS

LEGITIMAÇÃO POR MEIO DA MATERNIDADE

Ao LADO DAS MULHERES místicas e daquelas motivadas por impulso religioso, sempre havia outras, escritoras que buscavam uma fonte diferente de autoridade feminina. Elas encontravam isso na experiência mais básica e comum das mulheres – a maternidade. Como mães, seu dever de instruir os jovens lhes deu autoridade para expressar suas ideias sobre uma ampla gama de assuntos. Munidas de tal autoridade, podiam dar conselhos, instruções sobre a moral e até propor interpretações teológicas. No período moderno, as mulheres entrariam em embate sobretudo para fazer reivindicações de igualdade baseadas na maternidade e, mais tarde, até mesmo na consciência de grupo.

O conceito de "maternidade" contempla um grande leque de significados. O assunto é vasto e complexo, e se tornou foco central para estudos feministas. Há o aspecto físico da maternidade, tanto como a capacidade de dar à luz quanto como a prática da criação. Os dois fatores nem sempre estão conectados, como no caso das mulheres medievais que abandonavam os filhos para se dedicarem aos deveres religiosos ou, no século XVII, no caso das mulheres que entregaram os filhos aos cuidados de amas de leite.[1] Depois, há a "maternidade como instituição" ou "a construção social da maternidade". Isso abrange os meios jurídicos, econômicos e institucionais pelos quais a sociedade define os papéis, direitos e deveres das mães. A "instituição da maternidade" muda com o tempo e é diferente em diferentes lugares ou quando aplicada a mulheres de diferentes grupos étnicos ou raciais.[2] Por fim, há a ideologia da maternidade, seu significado simbólico definido em determinados períodos e sob diferentes circunstâncias. Estou, neste capítulo, interessada principalmente na última definição de "maternidade" – seu significado simbólico e ideológico *como visto pelas mulheres*. Acho notável que, ao longo de muitos séculos, algumas mulheres encontrem sua identidade, em essência, na maternidade e que pensem em sua identidade no todo primeiro como mães, muito antes de começarem a conceber a possibilidade de "irmandade".

As duas primeiras escritoras conhecidas na Europa, Dhuoda e *Frau* Ava, fundamentaram sua busca por autoexpressão em sua posição como mães. Dhuoda, nascida no ano de 803 em uma família nobre do reino franco, casou-se com Bernardo de Septimânia, um parente dos reis carolíngios. Ela foi privada dos dois filhos pelo marido, que mandou o mais velho como refém para uma corte distante – uma prática comum na época – e quis que o outro fosse educado sob seu controle e longe da mãe. A ausência de sua esposa pode ter sido devido a seu caso com outra mulher.[3] É surpreendente que Dhuoda não se queixasse nem considerasse isso uma violação de suas obrigações conjugais. Separada à força dos filhos e levada ao exílio pelo marido, Dhuoda escreveu um manual de conduta para o filho mais velho. Sua justificativa para escrever era que ela era uma mãe privada dos filhos.

> Saber que a maioria das mulheres no mundo tem a alegria de viver com seus filhos e ver que eu, Dhuoda, estou afastada de você, meu filho William, e estou longe – como alguém ansioso por isso e cheio de desejo de ser útil, estou lhe enviando este pequeno trabalho meu. [...] Ficaria feliz se, uma vez que não estou fisicamente presente, a presença deste pequeno livro o lembre, ao lê-lo, do que você deve fazer por mim. [...] Eu, Dhuoda, embora frágil no sexo, vivendo indignamente entre mulheres dignas, sou, no entanto, sua mãe, meu filho William.[4]

E, mais uma vez, dirigindo-se a Deus, ela enfatizou a singularidade de seu relacionamento com o filho: "Ele nunca terá ninguém como eu para lhe dizer isso, / eu, embora indigna, também sou sua mãe".[5] Ela, então, continua a traçar um plano para a educação do filho, incentivando-o a se tornar culto, piedoso, desenvolver habilidades cavalheirescas e honra, e viver com humildade. Ela o incitou a honrar e obedecer a seu pai e expressou a esperança de que nunca haveria discórdia entre pai e filho. Por fim, afirmou que, para "ajudar meu senhor e mestre, Bernard", ela se sobrecarregou com grandes dívidas e pediu ao filho que, se alguma continuasse sem pagamento após sua morte, pagasse com seu patrimônio tudo o que era devido.

A conversa comovente com o filho é patética com relação a sua aceitação inquestionável do destino amargo imposto a ela por seu marido, mas sua agonia e perda pessoal a impeliram a um ato de autoafirmação que não aparecerá de novo na escrita de mulheres até o século XII – para escrever devido à sua autoridade como mãe e mulher.

A primeira poetisa conhecida a escrever em alemão foi uma certa *Frau* Ava, identificada como uma freira chamada Ava na abadia de Melk. Ela morreu em 1127, sendo conhecida por ter vivido uma existência secular antes de receber ordens religiosas. Foi autora de quatro longos poemas religiosos, escritos em alto-alemão antigo, um dos quais tratava do Juízo Final. Ao fim desse poema, ocorre a única referência autobiográfica em sua obra, na qual ela se identifica como *Frau* Ava, mãe de dois filhos. Ela disse:

> Este livro foi escrito pela mãe de dois filhos. [...]
> A mãe amava estas crianças, uma das quais deixou este mundo.
> Agora, pergunto a todos vocês, grandes e pequenos,
> quem quer que leia este livro, que peça que a alma dele vá à graça,
> e aquele que ainda está vivo e que por seu trabalho se esforça,
> desejem-lhe graça, assim como sua mãe, que é AVA.[6]

As informações biográficas que ela fornece são mínimas, mas sua caracterização primária como mãe de dois filhos que escreveram um livro de poemas é significativa. Ela faz duas notas pessoais: um dos filhos morreu jovem; o outro se esforça para fazer um bom trabalho; ela pede que o leitor ore pela salvação do filho que partiu e pelo sucesso do filho vivo e dela mesma, identificada apenas como mãe dele. As últimas linhas dão a impressão de que todo o trabalho foi realizado para garantir mais bênçãos aos filhos e, com isso, a ela mesma. Visto que, no momento em que esse livro foi escrito, é provável que ela vivesse enclausurada, isso demonstra sua legitimação por meio da maternidade.

A próxima escritora que, pelo menos de modo parcial, foi motivada pela maternidade viveu quase trezentos anos depois. A autora francesa Cristina de Pisano foi levada a escrever não apenas por causa de seu amor pelo aprendizado, mas por extrema necessidade. Embora argumentasse de forma muito mais complexa sobre a emancipação das mulheres do que qualquer outra antes dela, Cristina também legitimou a própria escrita pela maternidade e sua compreensão do destino da mulher.[7] Como Dhuoda, deixou um livro de conselhos para o filho. Porém, ao contrário daquele, que instruiu o filho a honrar seu pai acima de tudo, Cristina estimulou o filho: "Não engane nem calunie as mulheres, mas as respeite".[8]

Somente no século XV encontramos, pela primeira vez, um número considerável de autoras, mulheres eruditas e poetas seculares. À medida que essas mulheres instruídas criavam uma obra que as contemporâneas liam e apreciavam, elas também começavam a defender seu sexo. A maioria delas se limitava a um argumento a favor da educação das mulheres, sob a justificativa de que elas eram capazes de se beneficiar da educação, e que lhes oferecer essa chance melhoraria a sociedade. Elas também começaram a longa tradição de crítica bíblica feminista, reinterpretando as histórias centrais usadas para legitimar a subordinação das mulheres. Todas aceitavam as diferenças de gênero que consideravam "naturais", ou seja, que o papel principal e adequado da mulher era o de esposa e mãe.

Minha hipótese é de que todos os seres humanos desenvolvem ideias com base, pelo menos em parte, na própria experiência. As mulheres, devido à privação educacional e à ausência de um passado utilizável, tendiam a confiar mais na própria experiência para desenvolver suas ideias do que os homens. O matrimônio e a maternidade foram as experiências que a maioria das mulheres tiveram em comum com outras mulheres. Mas a condição de esposa, sob o patriarcado, colocava as mulheres em competição com outras, para assegurar e encontrar um homem que lhes oferecesse apoio e proteção, e, uma vez que se casassem com ele, deveriam fazer de tudo para mantê-lo por perto. Até meados do século XIX, as mulheres eram estruturadas na sociedade como dependentes: primeiro dos pais, depois dos maridos.

Embora os direitos de herança tenham variado ao longo dos séculos, as mulheres proprietárias dependiam de seus dotes ou heranças, que estavam sob o controle dos pais, para garantir o casamento ou até mesmo para assumir a vida religiosa. Depois de casadas, as mulheres da nobreza dependiam de sua capacidade de produzir herdeiros homens para manter seu poder e riqueza, muitas vezes, consideráveis. A falha em produzir filhos tornaria tais esposas sujeitas à perda de todos os privilégios para outra mulher. Algumas das ferozes lutas pelo poder entre as mulheres da nobreza sob o Feudalismo foram as lutas por herança e a sucessão de filhos bastardos *versus* filhos legítimos. Quando consideramos que, ainda no século XI, os homens da nobreza europeia se dedicavam ao concubinato, a competição era real e tendia a colocar as nobres umas contra as outras. Não apenas o concubinato, mas também o adultério masculino com mulheres de classe baixa representava uma ameaça à segurança econômica das esposas.

O acesso das camponesas aos recursos econômicos e, acima de tudo, à terra, vinha do homem – pai, marido, filho ou soberano. Mesmo assim, elas eram valorizadas como ajudantes de seus maridos e davam contribuições essenciais para o lar e a economia. No início da Idade Média, as mulheres eram mais valorizadas do que os homens nas comunidades rurais por seu trabalho, o que pode ser visto no fato de que, em algumas comunidades, as filhas permaneciam na casa de seus pais por algum tempo após o casamento.[9] As famílias camponesas tinham que trabalhar como uma equipe, com cada membro da família fornecendo trabalho para as necessidades e o serviço do soberano. A instituição da servidão baseava-se em um conjunto de obrigações mútuas entre o servo e sua família, de um lado, e o senhor do feudo, do outro.[10] Os servos e as servas deviam parte de seu trabalho semanal ao senhor. A proteção dada às famílias de servos, além das obrigações econômicas, envolvia sempre os serviços militares que o servo devia ao senhor. O senhor tinha autoridade para aprovar ou proibir o casamento de servos. Proprietários de terras não costumavam interferir nas escolhas de casamento de seus servos ou camponeses, desde que o camponês não deixasse a terra. Em muitos lugares e por muitos séculos, o senhor tinha o direito da primeira noite com a noiva do servo.[11] Com essa importante exceção em mente, pode-se ver que as camponesas tinham relativa liberdade nas escolhas de casamento em comparação com as mulheres da nobreza.[12]

Os demógrafos nos dizem que sempre houve um grupo em cada população, estimado em até um terço de todas as mulheres, que era composto de mulheres solteiras, isto é, ainda não casadas, nunca casadas ou viúvas. No entanto, até o século XIX, a escolha de permanecer solteira era só a escolha de um tipo de dependência em vez de outro. As mulheres solteiras podiam escolher o celibato e a vida religiosa, dependendo de seus superiores e do clero masculino; poderiam escolher o celibato e a dependência de homens membros de sua família de origem; talvez mal pudessem ganhar a vida como empregadas ou governantas na casa de estranhos com total e humilhante dependência. Uma mulher solteira poderia escolher a vida da prostituição, caso em que dificilmente poderia ser considerada independente, já que a própria existência dependia da "proteção" e sanção de várias autoridades. Uma pequena porcentagem de todas as mulheres levava vidas autossuficientes em termos econômicos, à margem da sociedade (na Idade Média, literalmente na periferia das cidades), como ambulantes, mendigas, pedintes, ladras. Além disso, durante todo o período aqui considerado, sempre houve uma pequena porcentagem de mulheres solteiras que trabalhavam como fiandeiras, cervejeiras, estalajadeiras e trabalhadoras agrícolas. Também havia viúvas proprietárias que podiam viver existências independentes, mas suas propriedades originavam-se de uma dependência anterior a um homem. Para a maioria das mulheres, o casamento e a maternidade eram seu destino e seus principais meios de garantir o acesso a recursos e proteção econômica. Essa era a razão pela qual as mulheres não podiam conceber de imediato os laços de irmandade ou desenvolver uma consciência de interesse comum por meio de sua condição de esposas.

Mas a maternidade era diferente, tanto como realidade quanto como conceito unificador. As mulheres compartilhavam a experiência de vida da maternidade – gestações frequentes, abortos espontâneos, nascimentos, mortes de crianças e deficiências induzidas pelo parto. Mesmo aquelas que não podiam conceber não escapavam desse ciclo de tribulações, uma vez que também estavam sujeitas a menstruações, tentativas de gravidez e constante ameaça de estupro.[13] Para camponesas que eram servas ou empregadas domésticas nos feudos de seus senhores, o assédio sexual dos mestres era uma ameaça constante e inevitável.

O significado da maternidade difere para as mulheres de acordo com a classe. Até meados do século XVIII, na Europa e nos Estados Unidos, 90% das mulheres viviam no campo, portanto, devemos considerar as camponesas em primeiro lugar. A vida das camponesas seguiu padrões notavelmente constantes durante toda a Era Cristã, apesar das vastas mudanças políticas e tecnológicas que ocorreram nos estados e nações em que viviam. As camponesas, geração após geração, aceitaram o duplo fardo do trabalho e da reprodução, assumindo a responsabilidade pela sobrevivência de suas famílias e fazendo todo o trabalho necessário.[14] Os demógrafos estimam que a expectativa de vida das mulheres era menor do que a dos homens no início da Idade Média, mas que isso mudou drasticamente no século XI devido a mudanças na agricultura que trouxeram melhor nutrição. Ainda assim, uma pesquisa feita na comuna de Florença em 1427 mostra que a idade média dos homens era de 28 anos e a das mulheres, de 28,5.[15]

Os demógrafos em geral sustentam a ideia de que as mulheres podem ter cinco a sete gestações bem-sucedidas durante os vinte anos de sua idade fértil; dadas as expectativas de vida citadas acima, quatro a seis gestações bem-sucedidas parece mais provável. Com o alto índice de abortos espontâneos e natimortos antes do século XX, isso significava que uma mulher estaria grávida ou amamentando uma criança durante a maior parte de sua vida adulta, enquanto trabalhava sem descanso em casa e no campo. As taxas de mortalidade infantil eram altas; as camponesas podiam esperar que metade de seus filhos morresse antes dos 20 anos. Vinte e cinco por cento das crianças nascidas na Inglaterra até o século XVII morriam no primeiro ano.[16]

Se o casal camponês médio tivesse gerado três filhos adultos em uma média de seis nascimentos, a população camponesa da Europa deveria ter crescido, mas, na verdade, não cresceu. Somente após desastres em massa, como a peste bubônica do século XIV e a Guerra dos Trinta Anos do século XVII, as populações de camponeses aumentaram. Isso indica que os camponeses, vivendo em condições de simples sobrevivência, controlavam suas taxas de natalidade. Eles o fizeram postergando a idade para o casamento, praticando várias formas de controle de natalidade e, quando os tempos eram ruins, recorrendo ao infanticídio, em geral, matando as meninas.[17] Mesmo que seja impossível saber se essas decisões demográficas eram tomadas por mulheres ou por homens e mulheres em conjunto, podem-se interpretar os padrões gerais como um significado de que a maternidade, para as camponesas, era parte de seu destino – não ser mãe era considerado um fracasso – mas, também, que elas exerciam certo controle sobre a frequência de suas gestações.[18]

Para as mulheres da nobreza, a maternidade não raro era imposta pelos homens de quem dependiam, ou pela obrigação estrutural de gerar filhos e herdeiros para não perderem seu lugar como esposas para outras mulheres. Para mulheres de todas as classes, criar filhos até a idade adulta era um meio de garantir o próprio sustento na velhice.

A maternidade, como destino e experiência, era algo que as mulheres podiam compartilhar com outras mulheres. Os rituais da maternidade envolviam as mulheres umas com as outras e eram dominados por redes de apoio femininas, compostas de parentes ou vizinhas. Nascimentos, mortes de bebês, doenças e socorro ao abuso conjugal foram vividos por mulheres entre as mulheres. A maternidade era, então, a única base sobre a qual a irmandade podia ser concebida. Portanto, não é de surpreender que, por quase 350 anos, o principal argumento das mulheres que progrediu a favor de sua reivindicação por igualdade tenha sido baseado na maternidade.

Porém havia outro aspecto mais poderoso com relação ao potencial unificador da maternidade. As mulheres criaram uma nova vida a partir de seus corpos e a sustentaram pela amamentação e pelos cuidados maternos, conectadas a outras mulheres, com o apoio da oração e dos rituais femininos. Essa experiência, que muitas sentiram como empoderadora, as conectou com outras mulheres e com a metafísica das antigas religiões da Deusa-Mãe, nas quais a capacidade de dar vida, criar e procriar foi experimental e metaforicamente fundida. Mesmo que a religião cristã tenha reconhecido e honrado o poder procriador das mulheres, mas não o criativo, encontram-se evidências da sobrevivência contínua de imagens da Deusa-Mãe no folclore, nos mitos e na crença popular ao longo dos primeiros séculos do Cristianismo, que fala da força do conceito de maternidade.

Nos primeiros séculos do Cristianismo, a adoração às deusas da colheita, Ceres e Deméter, era comum na área mediterrânea. Na Europa, práticas pagãs, como a celebração de festivais ao ar livre perto de certas pedras e fontes, antes relacionadas a deusas, continuaram por séculos após a aceitação do Cristianismo. Fiel ao sincretismo do Cristianismo, muitos desses rituais foram incorporados às festas e celebrações da Igreja oficialmente sancionadas. Vários santuários e igrejas dedicados a Maria estavam situados em locais onde antes ocorria a adoração de deusas. Ervas antes dedicadas à deusa alemã Freya eram, no início da Idade Média, chamadas de "ervas de Maria" e usadas para o festival da Assunção de Maria.[19] As misteriosas forças vitais da Deusa-Mãe continuaram a ser celebradas no folclore e na memória popular, como o costume de puxar a deusa em uma carroça pelos campos para garantir o sucesso das colheitas. Esse "costume miserável" foi descrito por Gregório de Tours como sendo praticado em Autun, na França, no século VI. O costume permaneceu em lendas sobre certas santas cristãs e, por fim, sobre a Virgem Maria, cujo "milagre do grão" durante a fuga para o Egito narra sua capacidade milagrosa de fazer o grão crescer logo após a semeadura. A história se repetiu em textos e obras de arte dos séculos XII e XIII, quando sua conexão com a Deusa-Mãe já tinha sido esquecida havia muito tempo.[20]

É incerto se o desenvolvimento do culto da Virgem Maria foi uma resposta da Igreja às crenças reais e práticas populares derivadas do culto à Deusa-Mãe ou se a prática popular desenvolveu certos aspectos do papel de Maria para se encaixar mais na tradição antiga. O fato é que a figura de Maria, Mãe de Cristo, transformou-se aos poucos – ao longo de alguns séculos – de uma figura menor no drama do martírio de Cristo em uma figura importante, próxima da Trindade, e sentada, bem figurativamente, à direita de Deus ou ao lado de Cristo, como mediadora entre Deus e os humanos.

O culto à Virgem Maria tinha raízes duplas: na religião popular e na Igreja. Em quase todas as suas manifestações, carregava significados múltiplos, muitas vezes, contraditórios, sobre a natureza da mulher e sobre a maternidade. A devoção popular à Virgem começou em Bizâncio, antes do século V d.C. Na Europa Ocidental, o culto a Maria começou no século IX, nos "festivais de Maria" locais de vilas e cidades alemãs. Na crença popular, a Virgem Maria adquiriu e reteve algumas das características das antigas deusas. Muitas lendas centradas em Maria já tinham ampla circulação entre as pessoas quando a freira e dramaturga Rosvita de Gandersheim escreveu um hino a Maria contando a maioria dessas lendas. Em seu hino, ela se referiu a Maria por uma série de epítetos, que remetem à linguagem em que as pessoas haviam se dirigido às várias Deusas-Mães um milênio antes: "Senhora do Céu; Santa Mãe do Rei; Estrela-do-mar brilhante". Rosvita reafirmou o principal argumento teológico pelo qual o papel de Maria foi elevado e que a intitulou a ser objeto de culto religioso: "Por meio de seu filho, virgem bondosa, você devolveu ao mundo aquela vida que a primeira virgem [Eva] destruiu".[21]

O argumento teológico em que o poema de Rosvita se baseia já havia sido apresentado no primeiro século pelo apóstolo Paulo, que chamou Maria de a segunda Eva. Irineu (falecido em 202 d.C.) seguiu o tema: "Assim como a raça humana foi condenada à morte por meio de uma virgem, agora, ela é corrigida por meio de uma virgem. [...] A desobediência de uma virgem é salva por uma obediência da virgem".[22] Jerônimo escreveu no século IV: "Mas, depois que uma virgem concebeu no ventre e nos deu um filho [...], a maldição foi revogada. A morte veio por Eva, a vida, por meio de Maria".[23] Essa interpretação teve ampla aceitação e constituiu um dos fundamentos doutrinários da devoção a Maria.

A devoção popular a Maria aumentou de modo considerável quando mercadores e peregrinos trouxeram ao Ocidente informações sobre a adoração de relíquias e o culto à Virgem praticado pela Igreja Oriental. A escultura românica mostrava a Madona e o Menino em majestosa entronização, o que enfatizava seu papel como *Teótoco*, portadora de Deus.

Os desenvolvimentos religiosos do século XI, em particular as reformas dentro da Igreja e a maior ênfase no celibato do clero, afetaram a teologia e a devoção a Maria. Para muitos do clero masculino, ela se tornou uma mãe espiritual, objeto de piedade e adoração afetiva que tentava, empaticamente, se envolver nos sofrimentos da mãe de Jesus crucificado. A devoção de dois místicos a Maria teve um impacto particular no desenvolvimento de seu culto na Europa Ocidental. Isabel de Schönau (falecida em 1164), registrando e relatando suas visões da assunção corporal de Maria ao céu, ajudou a promover a celebração desse evento e a dar-lhe concretude iconográfica. A devoção à Virgem foi promovida pelo místico Bernardo de Claraval, que a tornou um aspecto central da prática ritual dos cistercienses. A ordem dedicou todos os seus mosteiros à "Rainha do Céu e da Terra"; seus membros usavam túnicas brancas em homenagem à sua pureza e construíam capelas especiais para mulheres em suas igrejas. Já discutimos como Hildegarda de Bingen reviveu a iconografia da Deusa-Mãe em suas descrições da Virgem Maria, Sofia e a Igreja personificada como uma figura feminina. A fusão por Hildegarda de Maria e a Sabedoria e/ou a Igreja resultou em uma representação poderosa do aspecto feminino do Divino.[24]

O culto à Virgem Maria foi oficializado quando, em 1095, o papa Urbano II, no Concílio de Clermont, lançou a primeira Cruzada sob a proteção de Maria. Ela se desenvolveu plenamente nos séculos XII e XIII na glorificação de Maria, com orações, hinos, drama litúrgico, lendas e representações artísticas dedicadas a ela. Na arquitetura e retratos góticos, Maria aparece sentada ao lado do Cristo adulto no céu, investida de poder pelos próprios méritos, a Virgem Triunfante. Em ainda outras representações, ela aparece como a "Rainha do Céu" em plena glória, cercada por anjos e santos.[25] As histórias de maravilhas de Maria floresceram do século XII ao século XV, e apareceram em textos latinos, gregos e coptas.[26]

No século XII, muitas catedrais e igrejas foram construídas em homenagem à Virgem, entre elas, a Catedral de Notre Dame, em Paris, reconstruída no local onde o véu de Maria, uma relíquia dada à igreja no século IX, ficou milagrosamente intacto quando, em 1194, um incêndio destruiu por completo a velha igreja.[27] A fundação de santuários à Virgem Maria, com base em milagres e aparições visionárias, continuou do século XVI aos séculos XIX e XX, os mais proeminentes deles – os santuários de Loreto (1503), Lourdes (1858) e Fátima (1917) – se mantendo em popularidade como objetos de peregrinações e adoração.

A santidade de Maria devido à sua virgindade e sua própria concepção imaculada refletiam qualidades adoradas por milênios nas deusas antigas. A maternidade divina de Maria ecoava o poder das antigas Deusas-Mães como doadoras de vida e como protetoras das mulheres no parto. A crença e os costumes populares enfatizaram com persistência esses aspectos da sacralidade de Maria. Um comerciante em Milão teve uma visão de Maria como uma deusa em um manto coberto de espigas de milho. Ele encomendou uma pintura de sua visão e a doou à Catedral de Milão, onde os fiéis cultuavam a "donzela do milho" com guirlandas de flores para garantir a própria fertilidade. Essa imagem também era popular no século XV, no Tirol e na Alemanha.[28] Em muitas imagens renascentistas de Maria com seu filho, ela ou a criança é mostrada segurando uma romã, um antigo símbolo de fertilidade.

A crença popular em Maria como protetora das mulheres grávidas persistiu. Nas aldeias medievais, as mulheres grávidas usavam amuletos de figuras femininas semelhantes aos amuletos para gravidez do primeiro milênio antes de Cristo Mulheres sem filhos imploravam por sua intercessão, assim como as em trabalho de parto. A rainha Ana da Áustria, esposa de Luís XIII, estéril após 22 anos de casamento, rezou no santuário de Maria em LePuy e fez com que a relíquia do cinto da Virgem, guardada ali, fosse levada em sua redoma da catedral a seu quarto. Suas orações foram respondidas, e ela deu à luz, em 1638, o futuro Luís XIV.[29] Em várias igrejas, as crentes dedicavam seus vestidos de casamento ou bonecas de porcelana representando bebês à Virgem em gratidão pelas orações respondidas.[30]

Em seu papel de "Rainha do Céu", Maria foi identificada com frequência, em metáforas e na iconografia, com a lua, as estrelas e o mar, refletindo e ecoando, outra vez, antigas crenças pagãs. A associação da Virgem com a fertilidade da lua, sua celebração como dona das águas e como estrela brilhante, tudo remete às qualidades mantidas pelas antigas deusas da lua.[31]

Curiosamente, Maria compartilhava outra série de características com as antigas Deusas-Mães – sua proteção à guerra e à violência. Durante o cerco de Constantinopla pelos ávaros em 626, o patriarca mandou pintar uma imagem da Virgem com o Menino nos portões da cidade; a mesma imagem carregada ao redor das muralhas da cidade protegeu-a contra os invasores árabes em 717. No século IX, os defensores de Chartres contra os nórdicos levaram a túnica da Virgem de seu báculo episcopal.[32] Maria, como rainha e protetora de um rei em particular, foi usada para amparar sua reivindicação de supremacia com a bênção divina dela. Era dito aos Cruzados que Maria abençoava a missão deles, e muitos dos Cruzados visitavam os santuários da Virgem no caminho para a Terra Santa. O poder da imagem de Maria para inspirar os homens à batalha foi manifestado quatrocentos anos depois, quando, em 1620, perto de Praga, as tropas católicas do imperador do Sacro

Império Romano, Francisco Ferdinando II, avançaram gritando "Santa Maria" e derrotaram o inimigo calvinista.

A imagem da Virgem também foi usada para justificar a perseguição aos judeus. No século XII, no auge da perseguição aos judeus europeus, muitos dos contos de milagres de Maria também eram antissemitas e retratavam os judeus como vilões que ameaçavam a vida de crianças cristãs.[33] Após um século, contos míticos semelhantes, quando contados em resposta a um evento real, como o desaparecimento ou a morte de uma criança cristã, proporcionavam uma desculpa para ataques às comunidades judaicas.[34] No fim do século XV, o aparecimento de uma imagem chamada "bela Maria" junto a uma imagem de Cristo sangrando inspirou massacres contra os judeus na Baviera.[35] Um historiador do culto a Maria conclui: "Como guardiã de cidades, nações e povos, como a portadora da paz ou da vitória [...] a Virgem se assemelha a Atenas".[36]

Os argumentos teológicos complexos subjacentes ao culto a Maria estão além do escopo deste livro. Porém, podemos notar que a devoção a Maria é fundamental para pontos essenciais da doutrina católica; que ela força a questão de um elemento feminino no Divino em consciência e ritual, e que é tanto responsivo quanto o reflexo da crença e das práticas populares, enquanto tenta moldá-las. Os conceitos doutrinários básicos implícitos na devoção a Maria são: maternidade divina; virgindade; concepção sem pecado original; e sua assunção do corpo ao céu. Todos esses conceitos são enigmáticos e contraditórios, pressupondo a aceitação do milagroso. Sua maternidade divina é o aspecto dessa doutrina aceito com mais facilidade, até mesmo pelas igrejas cristãs de todas as denominações, visto que se fundamenta nos textos do Evangelho. Na Anunciação, a Virgem, ainda plenamente humana, é tocada pelo Divino. Os milagres de sua virgindade pós-parto e da milagrosa Imaculada Conceição da idosa Ana são pontos essenciais da doutrina católica que tornam Maria mais do que humana, mas não divina. O ponto doutrinário crucial da Imaculada Conceição, debatido pelos religiosos desde o século V e adotado pela Igreja como doutrina oficial em 1854, é que, por meio desse milagre, Cristo nasceu livre do pecado original corporificado no ato sexual necessário para a procriação de mortais. O conceito de que a própria Maria foi imaculadamente, e, portanto, milagrosamente, concebida a eleva à mesma posição de Cristo por estar livre do pecado original.[37] Por fim, o milagre da assunção total do corpo de Maria ao céu, um evento popularmente celebrado desde o século VII e objeto de disputas doutrinárias brutais entre teólogos, tornou-se dogma católico oficial apenas em 1950. O argumento doutrinário era de que Maria, por estar livre do pecado original como Cristo, não estava sujeita à corrupção corporal da morte. A elevação de Maria ao céu, de corpo e alma, transformou a imagem da mortal milagrosamente santificada em figura semidivina, colocada, de modo apropriado, na iconografia ao lado de Cristo como sua Mãe e Rainha dos Céus.

Suas múltiplas e contraditórias funções foram interpretadas por teólogos e oficiais da Igreja da maneira mais conservadora e patriarcal: a virgindade de Maria elevou essa condição a uma escolha santificadora para as mulheres comuns; sua submissão à vontade divina na Anunciação era modelo para o comportamento das mulheres em relação a pais e maridos; sua trágica maternidade era o modelo para a submissão silenciosa das mães comuns ao destino de sofrimento e perda das mulheres, e até mesmo a Assunção de Maria foi interpretada e pregada como um símbolo de aceitação do papel adequado de serva e intercessora. Maria, entronizada no Céu, não deveria ser encarada como deusa, mas intercessora, por meio de sua influência materna sobre o filho, dos pecadores mortais.[38]

A mariologia não foi desenvolvida por mulheres, nem a teologia em torno de Maria foi desenvolvida por santas e profetisas. Ainda assim, várias das grandes místicas – Hildegarda de Bingen, Mechthild de Magdeburg, Gertrude de Helfta e Isabel de Schönau – adoravam Maria com devoção especial. Entre as pessoas, a adoração a Maria era, em grande parte, proveniente das mulheres, e pode ter se baseado no apelo que Maria, como figura sagrada, exercia sobre elas. Em termos mais simples, as mulheres podiam sentir e compartilhar a experiência de Maria. Maria era venerada por ser mãe, uma mãe muito especial de um filho muito especial, mas, mesmo assim, uma mãe que, com humildade, submetia-se ao comando e à vontade de Deus assim como outras mulheres se submetiam ao comando e à vontade dos maridos. E Maria havia criado um filho que ela logo perderia, uma experiência, com certeza, com a qual todas as mães eram capazes de se identificar. A iconografia de Maria com o filho, como aparecia em inúmeras igrejas, mãe terrena, nutrindo um bebê especial, mas também terreno, reforçava essa identificação.

O significado teológico da transformação de Maria, a Mãe, em Maria, a intercessora entre os humanos e Cristo, Mãe Misericordiosa – uma figura divina ou semidivina –, é difícil de descrever sem ambiguidade. Observadores modernos notaram que Maria, nesse novo papel, era uma figura à qual nenhuma mulher poderia aspirar, uma vez que sua santidade se baseava em dois milagres: o de seu nascimento sem pecado original e o de sua gravidez virginal, um feito sem dúvida impossível para mulheres mortais. A Assunção de Maria e seu triunfo no céu foram uma concessão teológica ao princípio feminino do Divino? Ou seu papel subordinado no céu, sua atuação somente como defensora dos pecadores humanos e intercessora dos interesses humanos eram outra forma de definir as mulheres como "ajudantes" e subordinadas? Ambas as interpretações são baseadas em evidências que se estendem por muitos séculos; ambas representam diferentes aspectos dos complexos sistemas de crenças em torno da figura de Maria. No entanto, devemos notar que ambas as interpretações falam da glorificação da maternidade.

O TEMA DO VÍNCULO ENTRE MULHERES e da reputação da maternidade é inesperadamente transmitido em um panfleto em defesa das mulheres escrito por uma inglesa sob o pseudônimo de Constantia Munda, em 1615. Esse panfleto erudito, espirituoso e carregado de insultos é prefaciado por uma séria "Dedicatória" escrita em um tom bem distinto. O texto diz:

> A Certa Senhora Venerável, sua querida Mãe, a Senhora Prudentia Munda, verdadeira referência de Piedade e Virtude, Constantia Munda deseja imensa felicidade.

> No início, suas dores em me suportar foram tamanho
> Benefício além da retribuição, que foi muita
> Para ti, quantas dores de tristeza você suportou
> no nascimento da criança, quando minha infância foi obtida
> A inspiração vital do ar, então, seu amor
> Misturado com cuidado, mostrou-se acima
> do curso normal da Natureza. Vendo que você ainda
> está em trabalho de parto perpétuo comigo, mesmo até

O segundo nascimento da educação me aperfeiçoa: [...] Assim,
eu pago minha dívida cobrando juros e coloco
Para penhorar o que eu peço de você; então,
Quanto mais eu dou, eu recebo; eu pago, eu devo.
No entanto, para que você não pense que perderei meu vínculo,
Eu aqui apresento a você com minha mão de escrever. [...]

Sua querida Filha
Constantia Munda[39]

O tema do vínculo mãe-filha, que aparecerá com tanta frequência sentimentalizado na poesia e na ficção dos séculos posteriores, é aqui abordado de maneira fria e metafórica. O trabalho de procriação e nutrição é comparado ao "segundo nascimento da educação" em um elegante equilíbrio entre esforço e investimento, pelo qual a filha erudita paga sua dívida com a mãe escrevendo e publicando em defesa das mulheres. Esse é um dos primeiros exemplos de um trabalho que expressa a consciência feminista em termos de cultura feminina.

A Reforma Protestante foi o maior divisor de águas intelectual para as mulheres de diversas maneiras. Discutiremos aqui apenas seu impacto na educação das mulheres e na valorização do papel das mães.

O estabelecimento do protestantismo promoveu o desenvolvimento da educação pública nas cidades protestantes e, em geral, tal educação rudimentar era disponibilizada de forma igualitária para meninos e meninas. A doutrina protestante exigia que cada pai e chefe de família fosse responsabilizado pela instrução religiosa de todos os membros da família. De modo geral, isso significava um aprimoramento do papel da mãe. Esperava-se que as mães protestantes não só fossem capazes de ler a palavra de Deus diretamente na Bíblia, mas também instruíssem os filhos nos elementos de leitura e escrita, e no conhecimento religioso. Essa mudança na doutrina legitimou as mulheres a serem educadas, e a falarem e lecionarem individualmente. O protestantismo estabeleceu limites estritos sobre essa legitimação de mulheres como educadoras: as igrejas protestantes restringiam as mulheres de igual participação no serviço e na administração, assim como o Estado, e as questões do direito feminino de aprender e ensinar em igualdade com os homens tiveram que ser combatidas com severidade ao longo de três séculos. No entanto, a base doutrinária para aceitar as mães como educadoras havia sido lançada.

Um exemplo notável de mulher que legitimou tanto sua poesia quanto sua teologia com a maternidade é Anna Ovena Hoyers (1584-1655), filha de um astrônomo próspero, Hanns Ovenn, em Holsácia. Ela se casou com Hermann Hoyers, um oficial abastado, aos 15 anos e teve nove filhos. Após a morte do marido, administrou sua propriedade e sustentou seis filhos sobreviventes. Após sua conversão ao anabatismo, começou a escrever panfletos religiosos e políticos, e poesia didática, satírica e religiosa. Perseguida por seu sectarismo e com dificuldades financeiras, foi forçada a vender sua propriedade e foi abandonada pelos amigos. Em 1632, fugiu para a Suécia, onde foi protegida e apoiada pela viúva do rei, Marie Eleonore. Uma seleção de seus poemas, impressa em 1650, foi queimada em vários lugares devido a suas visões heréticas.

Ela desafiou os críticos ao afirmar: "Eu posso e não serei silenciada", e "Eu sou motivada / tenho que falar / Já o escrevi / ousarei mais / mesmo que isso me custe a cabeça".[40]

Seus poemas são bem elaborados e repletos de acrósticos e outros recursos poéticos que incorporam seu nome de várias maneiras. Isto é bastante evidente em um hino alegre e confiante chamado "Vamos, vamos, Sião", no qual ela canta para a glória de Sião e usa uma estrutura de rima em que cada estrofe termina com "Cante, Hoseanna, e, assim, canta com você a filha de Hanns Ovenn, Anna". Na estrofe 12, ela muda o refrão, referindo-se não à sua filiação, mas à sua maternidade: "Vocês, meus três filhos, cantem alto e forte. / Cante, Hoseanna, vocês, duas filhas, sejam alegres com sua mãe Anna". Esse padrão é repetido por mais duas estrofes e, em seguida, a última estrofe termina com sua assinatura como a filha de Hans Ovenn, Anna. Essa canção alegre e autoconfiante é única em minha leitura da literatura feminina em constante reiteração do próprio nome e seu crédito em nome de filha e mãe.[41]

Um de seus longos poemas, "Discussão Espiritual Entre Mãe e Filho Sobre o Verdadeiro Cristianismo", representa a própria interpretação teológica da doutrina básica e, portanto, é uma forma literária de pregação. Sua única justificativa para tal iniciativa é o fato de ser uma mãe instruindo o filho.[42] A criança faz perguntas a ela improváveis de serem feitas por qualquer criança: "Como posso me aproximar de Cristo?", "Ó, mãe, estou muito fraco para renunciar ao mundo e seguir meu Senhor Jesus. O que eu faço?". Suas respostas às perguntas teológicas da criança duram 41 páginas. Embora a criança funcione sobretudo como artifício literário, ela mantém suas respostas simples, em um nível infantil. Após receber sua instrução, a criança diz: "Sim, mãe, eu te agradeço por isso. Você me mostrou o caminho, e, por sua maternidade, me ensinou e me deu acesso a belos livros nos quais Deus me revela sua glória pela manhã e noite. Tudo que ficar gravado em meu coração vai dar frutos em minha vida".[43] Assim, a criança ficcional legitima a ousada aventura da mãe na interpretação teológica.

UMA DONA DE CASA E MÃE JUDIA-ALEMÃ do século XVII deixou um relato fascinante de sua vida, suas ideias teológicas e suas atividades como mãe. Pouco após a morte do marido, Glückel von Hameln (1646-1724) escreveu suas memórias na forma de um diário dedicado aos filhos.[44] Ela começou com um resumo de suas crenças teológicas e morais, as quais instigou os filhos a colocar em prática. A história de sua vida abrangeu vários eventos públicos, que afetaram sua segurança e ameaçaram sua sobrevivência como judia nas terras alemãs dilaceradas pelos conflitos religiosos da Guerra dos Trinta Anos e suas consequências. Casada aos 14 anos, Glückel teve catorze filhos, dos quais dois morreram na infância. Em um tom que lembra um pouco o estilo prático e pragmático de Margery Kempe, ela conta sobre seu casamento, suas atividades como mulher de negócios e os esforços para garantir casamentos favoráveis para os filhos. Ela passou por guerras, perseguições e massacres antissemitas, a chegada do falso messias Sabbtai Zevi, pestilência, doenças e a morte do marido. Viúva, com oito filhos ainda em casa, salvou a fortuna da família com suas atividades comerciais perspicazes, que exigiam longas viagens para a maioria das cidades da Europa. Casou-se uma segunda vez, muito mais tarde, na esperança de encontrar certa segurança na velhice, mas o negócio do marido faliu e ele escapou da prisão por pouco. Ele morreu pobre, e ela teve que aceitar a oferta de um dos genros para se mudar para sua casa, na qual permaneceu o resto da vida.

As memórias de Glückel são o único relato em primeira pessoa da vida de uma judia no século XVII disponível para nós. Eles dão uma representação clara da cena social e da vida judaica, suas dificuldades, e da forte rede de apoio das comunidades judaicas. Há um momento particular em seu livro que exemplifica a cultura da mulher. Ela e seu jovem marido moravam na casa de seu pai, em Hamburgo, na época de sua primeira gravidez. Sua mãe também estava esperando um filho:

> Minha querida mãe calculou nossa hora para o mesmo dia. No entanto, ela ficou muito feliz por eu ter sido levada para a cama primeiro, para que pudesse ajudar a garotinha jovem que eu era. Oito dias depois, minha mãe também deu à luz uma jovem filha. Portanto, não havia inveja nem censura entre nós, e deitamos uma ao lado da outra no mesmo quarto. Mas, Senhor, não tivemos paz, por conta das pessoas que vieram correndo para ver a maravilha, uma mãe e filha juntas no parto.[45]

Glückel continua a história de como ela e a mãe quase trocaram bebês por engano "gargalhando [...] a palavra se espalhou: 'Um pouco mais, e tivemos que convocar o próprio abençoado rei Salomão'".[46]

O tema da maternidade aparece de forma experiencial na obra de várias outras escritoras do século XVII. Essas mulheres não apenas se sentiam autorizadas a escrever e ensinar porque eram mães, mas também consideravam sua experiência na maternidade um assunto adequado para o trabalho literário. Isso representa um novo nível no desenvolvimento da consciência das mulheres.

Um poema com veia humorística dá continuidade à tradição das mães instruindo seus filhos. Ele aparece em uma coleção de poemas de uma sra. Barber, esposa de um comerciante em Dublin, que, como nos informa o escritor do "Prefácio": "Encontrou lazer sem negligenciar os negócios do marido, para escrever várias pequenas peças". Ela cumpriu a convenção ao explicar que escreve exclusivamente para a edificação dos filhos. O fato de ter conseguido publicar seu trabalho, apesar da humilde posição social, deveu-se ao patrocínio de algumas mulheres e homens cultos, entre eles, *lady* Carteret e Jonathan Swift, cujos comentários condescendentes citamos antes.[47] A sra. Barber se manteve firme contra aqueles que a tratavam com condescendência e, de forma espirituosa, respondeu na mesma moeda:

Conclusão de uma carta ao rev. sr. C.

É hora de concluir; porque eu tornei isso uma regra

Para deixar de escrever, quando Con. vem da escola.

Ele não gosta do que escrevi e diz que é melhor

Enviar o que ele chama de carta poética.

A isso, eu respondi, você está fora de si;

Uma carta em verso o deixaria em crise;

Ele acha que é um crime uma mulher ler –

Então, o que ele diria se o seu conselho fosse bem-sucedido?

Tenho pena da pobre Barber, sua esposa é tão romântica:

Uma carta em rimas! – Ora, a mulher está frenética!

Ler os poetas a deixou completamente louca!

Pela minha vida, ela deveria ter um quarto escuro e uma cama de palha.

Seu marido tem certamente uma vida terrível!

Não há nada que eu tema como uma esposa que escreve versos. [...]

Se algum dia eu me casar, vou escolher um cônjuge,

Que deverá *servir* e *obedecer*, como ela é obrigada por seus votos

Que deverá, quando eu estiver me vestindo, assistir como um criado;

Em seguida, ir à cozinha e considerar meu paladar.

Ela tem sabedoria suficiente, que se livra da sujeira,

E pode fazer uma boa sobremesa, e cortar uma camisa.

O que há de bom em uma dama que se debruça sobre um livro?

Não! – Dê-me a esposa que me poupará uma cozinheira.

Até agora eu tinha escrito – Então, me voltei para meu filho

Para lhe dar um conselho, antes que minha carta terminasse.

Meu filho, se você se casar, procure uma esposa,

Que seja adequada para aliviar o trabalho da vida.

Tenha certeza de se casar com uma mulher que você conhece bem,

E evite, acima de tudo, *uma megera dona de casa*. [...]

Escolha uma mulher sábia, bem como de boa educação,

Com um desvio, pelo menos sem aversão, à leitura.

No cuidado de sua pessoa, exata e refinada;

Ainda assim, deixe que seu principal cuidado seja sua mente.

Quem pode, quando sua família importa, dar-lhe lazer,

Sem as cartas estimadas, passe uma noite com prazer

Ao formar seus filhos para a virtude e o conhecimento,

Não confie, para isso, em uma escola ou faculdade...

O primeiro elogio do marido é um Amigo e Protetor.

Então, não mude os títulos, por Tyrant e Hector.

[...] Escolha livros para os estudos dela, para moldar sua mente,

Para emular aqueles que se destacaram de sua espécie.

[...] Assim, você, em seu casamento, terá seu verdadeiro fim

E encontrará, em sua esposa, uma Companheira e Amiga.[48]

A sra. Barber não só subverteu habilmente a ideologia doméstica e os papéis de gênero ao instruir o filho a escolher o que seus contemporâneos consideravam uma aberração, ou seja, uma esposa educada, mas também elevou a cotidianidade de sua existência como dona de casa à poesia. Nisto, antecipou o desenvolvimento da expressão literária das mulheres, que não atingiria o pleno florescimento até o século XVIII na Europa.

UMA ABORDAGEM DIFERENTE do assunto é encontrada na obra de uma poeta alemã. Margaretha Susanna von Kuntsch (1651-1716) era filha de um escrivão do Tribunal Municipal em Eisleben, tendo sido educada em latim e francês. Ela se casou em 1669 e teve catorze filhos, dos quais apenas uma filha faleceu depois dela. Ela escreveu muitos poemas impulsionados pela morte de seus filhos. Após sua morte, seu neto editou uma publicação de sua poesia. Em um de seus poemas, ela lida com sua experiência de vida patética de uma forma bastante notável, dando um significado mais amplo à sua tragédia. O poema é intitulado "Ocasionado pela Morte de meu Quinto Filhinho, o pequeno Chrysander, ou CK, em 22 de novembro de 1686", e consiste em sete estrofes rimadas. As duas primeiras estrofes contam como um artista que tentou pintar a dor de Agamenon no sacrifício de sua filha Ifigênia foi incapaz de mostrar o rosto do herói porque o golpe do destino foi muito forte e chocante. A terceira estrofe continua:

O que é luto precedente?
Devem me comparar com Agamenon.
Eu, que todas as minhas esperanças e alegrias
tive que enterrar na tumba
com meu nono filho
sacrificado à faca da morte.

Ele foi um herói corajoso,
um rei acostumado a comandar e reinar,
um guerreiro liderando seus homens
para a batalha contra o inimigo,
e, ainda assim, seu coração valente de sempre
vacilou oprimido por sua dor. [...]
Que me dá coragem,
que afiará minha escrita com arte
quando meu sangue for agitado
para tentar descrever em palavras meus sentimentos,
Eu, que sou apenas uma mulher?
Infelizmente, meus sentidos vacilam.

Minha mão treme,
a caneta se recusa a me servir.
O papel está tremendo
e não pode suportar as palavras do luto.
Deixe meu sofrimento silencioso
Testemunhar minha desolação.[49]

Aqui, pela primeira vez, uma mulher eleva sua experiência de maternidade a uma posição igual à do herói guerreiro, desafiando com sutileza o sistema de valores patriarcal, que torna insignificante sua experiência dolorosa.

A PARTIR DO século XVII, os debates sobre as responsabilidades das mães em amamentar seus filhos começaram a assumir uma carga ideológica. Uma nova ênfase sobre a infância e os benefícios e alegrias da domesticidade desenvolveu-se no século XVIII em um "culto à maternidade e à domesticidade" em pleno desenvolvimento. Literatura de aconselhamento, sermões e romances glorificavam a maternidade e romantizavam as mulheres como seres primariamente maternos. A literatura de aconselhamento incitava as mulheres ricas a amamentar os filhos; uma nova literatura sobre educação infantil tornou-se popular; as representações iconográficas da maternidade sentimental tornaram-se persistentes.[50]

As mulheres aparentemente abraçaram o conceito e o adaptaram de acordo com suas necessidades, sobretudo como gênero literário. Ele apareceu primeiro em coleções de poemas escritos por mulheres, direcionados a leitoras; depois, cada vez mais, em jornais e revistas femininas, que proliferaram no fim do século XVIII e no início do século XIX. Ao mesmo tempo, muitos jornais e revistas reformistas adotaram o costume de publicar uma "página da mulher", na qual apareciam com regularidade poemas escritos por e para as mães. O gênero é sentimental e, de modo geral, de baixa qualidade literária, com opiniões religiosas, pensamentos consoladores ou generalizações morais como mensagem predominante. É difícil ver alguma consciência feminista nessas produções, mas devemos notar que a ênfase na experiência materna da morte de crianças constitui um reconhecimento rudimentar da maternidade como conceito cultural coletivo.

O conceito de maternidade também foi redefinido de forma política e feminista no despertar dos grandes movimentos revolucionários do fim do século XVIII. Por exemplo, a autora inglesa Bathsua Pell Makin, do século XVII, citou que as mulheres, em seu papel de mães instruídas, beneficiariam a nação. Esse argumento a favor da "Maternidade Republicana" seria um tema também mencionado com frequência por feministas póstumas, e será explorado com mais detalhes no Capítulo 9.

É impressionante ver com que frequência o argumento apresentado pelas primeiras pensadoras feministas em favor da igualdade como cidadãs baseava-se na elaboração do papel da mulher como mãe. Até mesmo a primeira grande teórica feminista, Mary Wollstonecraft, atraiu as mulheres como grupo sobretudo no que dizia respeito à sua maternidade. Seu principal argumento para homens e mulheres era que mulheres com melhor educação seriam esposas e mães melhores. No entanto, Wollstonecraft desafiou o próprio argumento ao referir-se ao trabalho doméstico e materno feminino como seus "deveres simples [...] mas a finalidade, o grande objetivo de seus esforços, deve ser desenvolver as próprias faculdades e adquirir a dignidade da virtude consciente".[51] Onde as primeiras defensoras da educação das mulheres argumentaram que as mulheres, como criaturas sob a moral de Deus, tinham direito à igualdade, ela secularizou esse argumento, fundamentou-o nos direitos naturais e, mais uma vez, confundiu a cidadania das mulheres com a maternidade:

> O ser que exerce as funções de sua posição é independente; e, falando das mulheres em geral, seu primeiro dever é para com elas mesmas como criaturas racionais, e, o próximo, em ponto de importância, como cidadãs, é aquele, que inclui tantos outros, de uma mãe.[52]

Ela vai muito além da tendência feminista em suas duas obras de ficção, *Mary* e *Maria*. Nelas, dá evidências concretas de solidariedade entre classes de mulheres e critica o casamento como instituição. A heroína de *Mary* morre com o pensamento alegre de que "ela se precipitava para aquele mundo em que não há casamento, nem entrega em casamento".[53] *Maria* tem um fim trágico para sua heroína, uma esposa que sofre abusos. Ainda assim, em ambas as obras, a solidariedade das mulheres só é possível pela comunhão de suas experiências de esposa e maternidade.

O tema da maternidade foi contradito por um tema bem diferente, o da feminilidade independente, pelas pioneiras do pensamento feminista na Inglaterra e na França do século XVII. Mulheres como Sarah Fyge, Bathsua Pell Makin, Mary Astell, *lady* Mary Chudleigh, na Inglaterra, e Marie de Gournay, na França, apesar das diferenças em suas origens e crenças políticas, tinham em comum seu compromisso com a independência das mulheres, com o desenvolvimento de papéis sociais fora do casamento e seu desenvolvimento intelectual. Essas primeiras feministas começaram a definir as mulheres como grupo social coerente, cuja subordinação não era natural nem divinamente ordenada; elas lançaram um forte desafio à reivindicação da inferioridade intelectual das mulheres, exigiram uma educação institucionalizada para meninas igual à dos meninos – e presumiram, de modo implícito, que as mulheres de sua classe teriam um interesse comum no avanço dessas reivindicações. Vamos discuti-las em mais detalhes a seguir, mas devemos notar aqui que elas foram as primeiras a pensar em termos de irmandade como coletividade.

As primeiras feministas inglesas, tal como suas colegas europeias, foram criticadas com violência, ridicularizadas e caluniadas. Designadas como "sabichonas, solteironas e mulheres obstinadas", eram consideradas "assexuadas" e não femininas quando comparadas à esposa e à mãe idealizadas da literatura prescritiva.

Nesse estágio inicial do pensamento feminista, o reconhecimento do interesse do grupo, além daquele da maternidade, tinha que ser uma mera projeção utópica, uma esperança provisória sem consequências práticas ou políticas. No entanto, foram as ideias das primeiras feministas que prenunciaram o desenvolvimento da consciência feminista um século depois. Apenas no século XIX, quando nos Estados Unidos e na Grã-Bretanha mulheres instruídas de classe média estruturavam o bem-estar religioso e comunitário, e quando as trabalhadoras começaram a se organizar *como mulheres* para melhorar suas condições econômicas, foi que a ideia de irmandade pôde se tornar uma questão central do pensamento feminista. E até mesmo ali, bem na primeira década do século XX, as mulheres defenderiam a pauta feminista com base em sua experiência comum como mães. Na Europa Ocidental e nos Estados Unidos, a reivindicação da superioridade moral das mulheres sobre os homens por causa de sua preocupação com o bem-estar das crianças – e, portanto, com o bem-estar da comunidade – foi usada por muito tempo para justificar a reivindicação das mulheres ao voto. Por serem mães, mencionaram algumas, as eleitoras melhorariam a política.

Até que o casamento não fosse mais o principal meio de sustento para a maioria das mulheres e até que grandes grupos de mulheres não precisassem mais passar a maior parte da vida como portadoras e educadoras dos filhos, o principal conceito pelo qual elas podiam conceituar sua identidade de grupo era a experiência comum da maternidade. Essa experiência permitiu que reivindicassem igualdade muito antes do conceito de irmandade se desenvolver.

SETE

MIL ANOS DE CRÍTICA BÍBLICA FEMINISTA

Qualquer que fosse o caminho que as mulheres escolhessem para a autonomia, inspiradas ou não pela religião, eram confrontadas com os textos centrais da Bíblia, usados durante séculos por autoridades patriarcais para definir os papéis adequados para as mulheres na sociedade e para justificar a subordinação delas: Gênesis, a Queda e São Paulo. Visto que as objeções dos homens ao fato de as mulheres pensarem, lecionarem e falarem em público foram, por séculos, baseadas na autoridade bíblica, o desenvolvimento da crítica bíblica feminista pode ser visto como uma resposta apropriada e, talvez, já esperada às restrições e limitações impostas à evolução intelectual das mulheres por definições de gênero sancionadas pela religião. Esses textos bíblicos centrais se consolidaram como enormes pedras nos caminhos que as mulheres tiveram que percorrer para se definirem como iguais aos homens. Não é de admirar que elas se engajaram na reinterpretação teológica antes que pudessem seguir para outras ideias mais originais e criativas.

As mulheres também podem ter adotado a crítica bíblica sobretudo porque a Bíblia era o único texto que tinham disponível. Nesse caso, a crítica e a reinterpretação seriam um exemplo primordial de sua subversão e transformação da doutrina patriarcal, por si só, um ato feminista. Tal ato implica que a pessoa engajada na reinterpretação se considera totalmente livre e capaz de desafiar a autoridade teológica especializada. É incrível ver como uma mulher atrás da outra se engajou em tais críticas sem referência às autoridades teológicas e sem mais explicações. As mesmas mulheres que se desculpavam sem cessar pela audácia de escrever ou lecionar corrigiam com confiança padres, papas, pastores e pregadores da Igreja. Comumente, apresentavam a própria versão da intenção de Deus, não como as místicas faziam, com base na revelação especial, mas apenas porque raciocinavam como o faziam e acreditavam que tinham todo o direito de raciocinar de tal forma. Não há qualquer evidência mais forte para mostrar que sempre houve mulheres que nunca aceitaram as definições de gênero patriarcais que as definiam como inerentemente inferiores e incapazes de raciocinar. Muito antes de grupos organizados de mulheres desafiarem a autoridade dos homens, as críticas bíblicas feministas já haviam feito isso. Sem nenhuma reivindicação especial sobre o direito de pregar ou lecionar, as mulheres fizeram as duas coisas, apropriando-se da Bíblia e usando-a para os próprios fins. A longa trilha de evidências desse processo, encontrada na obra da maioria das escritoras europeias ao longo dos séculos, é apenas a ponta do iceberg. Para cada mulher que escreveu desse modo, deve ter havido muitas, anônimas e desconhecidas, que pensaram assim e ensinaram seus filhos de tal maneira.

Este capítulo trata de exemplos de críticas à Bíblia feitas por mulheres de diversos lugares e períodos, embora as seleções do período moderno sejam, sobretudo, de fontes britânicas e norte-americanas. Essa é uma escolha pragmática; as fontes sobre esse assunto são muito ricas, e é possível provar os mesmos pontos de fontes vindas de muitas culturas diferentes da Europa Ocidental. O objetivo é ilustrar a falta de continuidade e a ausência de memória coletiva por parte das mulheres pensadoras. É interessante apontar que, individualmente, e em diferentes países e períodos, as pensadoras seguiram caminhos intelectuais semelhantes no desenvolvimento de seus argumentos pela igualdade e emancipação das mulheres. No entanto, elas quase nunca baseavam seu trabalho no de outra mulher e, ao que parecia, ignoravam a tradição feminista de crítica bíblica. Selecionei os exemplos mais reveladores de muitas épocas e lugares para ilustrar essa descontinuidade.

Há, por outro lado, uma tradição contínua de escritos religiosos realizados por mulheres. As energias criativas das mulheres foram, durante séculos, canalizadas para a escrita religiosa, com outras formas de expressão desencorajadas ou excluídas. Portanto, há um grande *corpus* de textos religiosos femininos que só repetem as interpretações tradicionais. Mais especificamente, durante os séculos XVIII e XIX, as escritoras religiosas tradicionalistas encontraram canais e leitores e, às vezes, aclamação. Não considerei tais escritos aqui, uma vez que eles pouco ou nada fazem para desafiar a tradição patriarcal.

O SUPOSTAMENTE MAIS ANTIGO exemplo feminino conhecido de um comentário bíblico diz respeito a uma mulher chamada Helie, no século II d.C., que queria permanecer uma "virgem consagrada" e que discutiu com a mãe e um juiz a quem seus pais a expuseram. Quando o juiz citou São Paulo – "É melhor casar do que viver queimando de paixão" – contra ela, Helie respondeu: "É verdade que a Escritura diz que é melhor casar do que viver queimando; mas não para todos, isto é, não para virgens sagradas". Ela ressaltou que "os homens não são regidos por leis promulgadas para as mulheres" e, com esse argumento, ganhou o direito de permanecer virgem e tomar Cristo como seu marido.[1]

Os ensinamentos da Igreja medieval a respeito das mulheres baseavam-se em diversos textos bíblicos centrais do Antigo Testamento: Gênesis 1:27 (Deus criou o homem à sua imagem; à imagem de Deus o criou; homem e mulher os criou) e o antigo relato javista, Gênesis 2:20-23, a história da criação de Eva a partir da costela de Adão. Na exegese cristã, esses textos eram associados com frequência à história da Queda, Gênesis 3:1-24. Os textos do Novo Testamento citados com mais frequência derivam de São Paulo e parecem ditar a submissão das mulheres e o silêncio público: 1 Timóteo 2:8-15; 1 Coríntios 14:33-35; Efésios 5:22-23. O próprio São Paulo assumiu uma visão teleológica ao relacionar textos anteriores e posteriores ao Antigo Testamento, lendo de trás para a frente, a partir da Queda, para interpretar o Gênesis, como em 1 Coríntios 11:7-9 ("O homem, pois, não deve cobrir a cabeça, porque é a imagem e glória de Deus, mas a mulher é a glória do homem. Porque o homem não provém da mulher, mas a mulher do homem. Porque também o homem não foi criado por causa da mulher, mas a mulher por causa do homem"). Os estudos bíblicos modernos chegaram a um julgamento quase consensual de que a maioria dos comentários pertencentes às mulheres atribuídos a Paulo não foram de fato escritos ou falados por ele, mas sim um produto de escritores pós-apostólicos que lhe atribuíram os textos para maior autoridade. Isso inclui a admoestação mais citada: que "a mulher aprenda em silêncio, com toda a sujeição. Não permito, porém, que a mulher ensine, nem use de autoridade sobre o marido, mas que esteja em silêncio" (1 Timóteo 2:11). A ciência dessa atribuição equivocada não estava, é óbvio, disponível para as mulheres até os dias atuais, de modo que, por quase dois mil anos, a tradição paulinista misógina, que dominou a interpretação bíblica, foi considerada apostólica.[2]

O padre Tertuliano (160-225 d.C.), da Igreja do segundo século, expressou com vigor essas ideias misóginas ao falar com Eva:

> Você é a porta do Diabo. Você é a abridora de selo dessa árvore proibida. Você é a primeira desertora da Lei divina. [...] Por culpa de seu deserto, que é a morte, até o filho de Deus teve que morrer.[3]

Duzentos anos depois, Ambrósio, o bispo de Milão, comentou que Eva foi mais culpada pela Queda do que Adão, porque, logo depois de comer a maçã, ela percebeu seu pecado, mas, ainda assim, continuou a tentá-lo. "Ela não deveria [...] ter tornado seu marido participante do mal de que tinha consciência. [...] Ela pecou, portanto, com premeditação."[4]

No século V, Santo Agostinho de Hipona citou que a mulher não foi criada à imagem de Deus, mas apenas à sua "semelhança", o que sustentava a ideia de sua "fraqueza" e maior propensão ao pecado. Ele argumentou que "mesmo antes de seu pecado, a mulher foi feita para ser governada por seu marido e ser submissa e sujeita a ele", mas essa condição era sem ressentimento, enquanto após a Queda "há uma condição semelhante à escravidão".[5] Em outra declaração citada com frequência, Agostinho disse:

> Eu disse, quando tratava da natureza da mente humana, que a mulher junto com o marido é a imagem de Deus [...] porém, quando ela é mencionada em separado pela qualidade de "ajudadora", que considera apenas a mulher, então, ela não é a imagem de Deus; mas, no que diz respeito apenas ao homem, ele é a imagem de Deus tão plena e completamente como quando a mulher também está unida a ele.[6]

Essa passagem foi controversa não apenas entre os teólogos, mas também entre as críticas feministas modernas. Foi interpretada tanto de forma literal, mostrando a inferioridade inata da mulher, quanto alegórica, referindo-se a dois aspectos da mente humana: o intelecto superior (masculino) e a razão inferior (feminina), estando inextricavelmente ligados um ao outro.[7] Qualquer que seja a interpretação que alguém esteja inclinado a aceitar, é óbvio que o texto dá suporte àqueles que defendem a inferioridade intelectual feminina. Algumas teólogas e, mais tarde, algumas pensadoras feministas usaram Santo Agostinho para defender a igualdade das mulheres, mas o impulso mais impactante da interpretação, que chegou às pessoas comuns, foi na direção misógina.

Quase mil anos depois, o dominicano Tomás de Aquino, influenciado pelo pensamento aristotélico que definia as mulheres como incompletas e inferiores aos homens, mostrou que o homem havia sido criado com capacidade superior de conhecimento e com uma alma racional, enquanto a mulher fora criada, sobretudo, como um auxílio na reprodução. Apesar de Tomás de Aquino ter qualificado esse julgamento rigoroso sobre as mulheres dizendo "Não se desrespeitem, mulheres, o filho de Deus nasceu da mulher", o que ele fez foi apenas salientar a maternidade como o único caminho da mulher para o Divino, enquanto a mantinha com firmeza sob uma inferioridade inata por desígnio divino.[8] Essa doutrina de culpar a mulher foi aceita como verdade por todos os teólogos medievais. Foi uma discussão subvertida muitas vezes por revisoras feministas que argumentaram que Eva não conseguia evitar sua fraqueza inata e que, portanto, seu pecado era menor que o de Adão.

Embora os textos bíblicos e apostólicos não fossem, de modo algum, inequívocos em seu posicionamento sobre as mulheres, durante a Idade Média, duas suposições a respeito da natureza da mulher foram aceitas como verdades fundamentais: que elas foram criadas de forma inferior e para um propósito diferente, inferior em relação ao dos homens, e que, por sua natureza e fraqueza, tinham maior propensão ao pecado e à tentação sexual do que os homens. Uma terceira suposição bastante difundida sobre a natureza das mulheres originou-se da interpretação patrística inicial dos textos centrais, em particular por Orígenes e Santo Agostinho, isto é, que o pecado de Adão e Eva é transmitido de pai para filho por meio da concupiscência, que invariavelmente faz parte do ato de geração. Uma vez que o pecado já havia sido atribuído a Eva, todas as mulheres foram acusadas de uma grande carga de culpa pela Queda e pelo pecado original.[9]

UMA VERSÃO POPULAR dessas crenças baseadas na culpa das mulheres é expressa por um poeta irlandês medieval, que fez Eva falar o seguinte:

Eu sou Eva, a esposa do nobre Adão; fui eu quem violou Jesus no passado; fui eu quem roubou meus filhos do céu; eu, por direito, deveria ter sido crucificada. [...] Fui eu quem arrancou a maçã; [...] não haveria inferno, não haveria luto, não haveria terror, não fosse por mim.[10]

É contra o pano de fundo dessa tradição milenar de interpretação patrística que se deve ver os esforços ousados e persistentes da crítica feminista da Bíblia.

A primeira reinterpretação original da história da Criação do ponto de vista feminino pode ser encontrada na obra de Hildegarda de Bingen. Ela revisitou o tema várias vezes ao longo da vida. Abordei antes a teologia de Hildegarda, na qual as imagens de Eva – Maria – e da mulher vestida de sol se fundem e simbolizam o aspecto feminino do Divino. Ela considerava Eva um presságio de Maria, o símbolo da humanidade divina "na qual toda a raça humana estava escondida até que surgisse no grande poder de Deus, assim como Ele deu à luz o primeiro homem. Homem e mulher estavam unidos, portanto, de forma que cada um trabalhe através do outro".[11] Hildegarda vê o homem e a mulher como complementares e interdependentes, mas pensa que a mulher é mais fraca do que o homem, porque ele foi formado da terra e ela foi formada da carne. Ainda assim, em sua bela versão da Criação, citada antes, ela descreve de modo comovente a sabedoria profética de Adão, "pois ele viu a mãe por meio da qual ele geraria filhos", e o anseio de realização de Eva, "pois ela depositou sua esperança no homem".[12] Hildegarda imaginou Adão e Eva antes da Queda em estado de perfeição, uma totalidade de mente e corpo em que o sexo era livre de luxúria e em que Eva teria dado à luz um filho sem que sentisse dor, da maneira como tinha sido criada de Adão. Distanciando-se da interpretação patrística tradicional a respeito da inocência antes da Queda, Hildegarda fala do "amor" que Adão sentia por Eva. "E Deus deu uma forma ao amor do homem, e, assim, a mulher é o amor do homem."[13] Essa visão harmoniosa, tão diferente da condenação da sexualidade agostiniana, reverbera na maneira tolerante e igualitária com que Hildegarda, em seus escritos médicos, descreveu o coito humano como uma união de duas forças igualmente importantes, as quais determinam a natureza da criança.[14]

O próximo comentário bíblico feito por uma mulher vem da escrita da autora do século XIV Cristina de Pisano (1365-1430), e provém de um contexto bem diferente do da visionária Santa Hildegarda. Cristina nasceu em Veneza e, poucos anos depois, foi levada a Paris, quando seu pai foi chamado para assumir o posto de astrólogo da corte do rei Carlos V. Ela recebeu uma educação excelente, apesar da oposição da mãe, e, aos 15 anos, se casou com Estienne du Castel, um notário. Seu marido incentivou sua atividade literária e o casamento foi muito feliz. O marido faleceu em 1389, não muito depois de seu pai ter morrido na pobreza. Aos 25 anos, Cristina ficou viúva, sem renda, e teve de encarar as dívidas do marido. Ela sustentava a mãe, os três filhos pequenos e a si mesma copiando e produzindo livros, fazendo ilustrações e, é bem possível, realizando o trabalho de um notário, ao mesmo tempo que construía sua reputação como escritora. Viveu sua existência no mundo, engajada na corte e na política, ambicionando fama e reputação. Logo foi reconhecida como poetisa e recebeu uma encomenda para fazer a biografia de Carlos V. Ela criou sua reputação como defensora das mulheres ao criticar o popular *Romance da Rosa*, de Jean de Meun, por zombar das mulheres. Isso deu origem a uma troca de cartas com alguns dos principais homens humanistas de sua época, na qual sua reputação foi atacada e deu início a um debate de três séculos sobre o *status* das mulheres, conhecido como *querelle des femmes* [querela das mulheres]. Cristina continuou seu debate em sua principal obra, *Le Livre de la Cité des Dames* [*A Cidade das Damas*] (1405), uma defesa corajosa das mulheres e um esforço deliberado para constituir a História das Mulheres, que discutirei em detalhes no Capítulo 11.[15]

Não é de surpreender que o comentário bíblico de Cristina de Pisano seja expresso com sua confiança assertiva habitual:

> Ali dormiu Adão, e Deus formou o corpo da mulher com uma de suas costelas, significando que ela deveria ficar ao seu lado como uma companheira e nunca rebaixar-se a seus pés como uma escrava, e também que ele deveria amá-la como sua própria carne. [...] Não sei se você já reparou nisto: ela foi criada à imagem de Deus. Como pode qualquer boca ousar caluniar o receptáculo que traz uma marca tão nobre? [...] Deus criou a alma e colocou almas totalmente semelhantes, igualmente boas e nobres, nos corpos da mulher e do homem. [...] [M]ulher foi feita pelo Artesão Supremo. Em que lugar ela foi criada? No Paraíso Terrestre. De qual substância? Era matéria indigna?

Não, era a substância mais nobre que já havia sido criada: era do corpo do homem, do qual Deus fez a mulher.[16]

Cristina, embora autodidata, era muito instruída e bem familiarizada com a literatura clássica e patrística. Ela pode estar familiarizada com a afirmação de Hugo de São Vitor de que a mulher não foi criada da cabeça do homem e, portanto, não foi criada para ser sua senhora, e que também não foi criada dos pés, portanto, não foi criada para ser sua escrava.[17] Ela interpretou em termos alegóricos a colocação de Agostinho de que a mulher não foi criada à imagem de Deus, mas à sua "semelhança", e utilizou a afirmação dele de que Deus não criou o corpo, mas a alma, o que lhe permitiu enfatizar a igualdade dos sexos, não importando as diferenças físicas. Sua afirmação de que a substância da qual Eva foi criada era "a substância mais nobre", isto é, o corpo do homem, representa uma inversão nítida e de senso comum da reivindicação dos homens de sua superioridade por precedência. Nesse caso, ela usou um artifício que as mulheres costumavam utilizar para desacreditar as ideias patriarcais – ela, ao que parecia, as aceitou, mas as subverteu com habilidade ao extrair delas conclusões diferentes das dos pensadores patriarcais. Se o homem era nobre por sua criação anterior, Eva o supera por ser criada de uma substância mais nobre do que ele. Esse é um avanço lógico em relação à aceitação de Hildegarda da fraqueza da mulher por ela nascer da carne, não da terra.[18]

Cristina também é assertiva ao lidar com a Queda:

> E se alguém dissesse que o homem foi banido devido à senhorita Eva, eu digo a você que ele ganhou mais por Maria do que perdeu por Eva quando a humanidade foi unida à Divindade, o que nunca teria acontecido se o crime de Eva não tivesse ocorrido. Assim, o homem e a mulher deveriam estar contentes por esse pecado, pelo qual tal honra surgiu. Pois, tão baixo quanto a natureza humana caiu através dessa criatura mulher, a natureza humana foi elevada por essa mesma criatura.[19]

Aqui, vemos Cristina impulsionar o argumento patrístico de que a graça de Maria redimiu o pecado de Eva com sua afirmação de que o papel de Maria em elevar a natureza humana ultrapassou o dano criado por Eva.

A construção da principal obra feminista de Cristina, *A Cidade das Damas*, permitiu-lhe responder e destruir todas as acusações – maiores e menores – levantadas contra as mulheres, uma a uma. Ela fez isso trazendo à tona todas as acusações misóginas contra as mulheres em um diálogo com Dama Razão, uma figura alegórica de grande serenidade, que respondia a cada acusação com argumentos, exemplos da história, mito ou fábula, e com trechos apropriados da Bíblia. O que é mais incomum sobre a defesa de Dama Razão para as mulheres é que ela inverteu com confiança a ordem existente de gênero – ela desprezava sem pudor as mulheres em destaque superior ao dos homens e elogiava suas virtudes sem culpa.

Por exemplo, Cristina disse que os homens a oprimiam com "uma carga pesada", usando um provérbio em latim: "Deus fez as mulheres falarem, chorarem e costurarem" para atacar as mulheres. Dama Razão respondeu que o provérbio é verdadeiro e mostrou como essas mesmas qualidades salvaram as mulheres. "Que favores especiais Deus concedeu às mulheres por conta de suas lágrimas! Ele não desprezou as lágrimas de Maria Madalena, mas as aceitou e perdoou seus pecados, e, pelo mérito dessas lágrimas, ela está na glória do Céu."[20] Então, prosseguiu citando exemplos semelhantes entre os santos. Quanto à fala das mulheres, Jesus Cristo desejou que sua ressurreição fosse, primeiro, relatada por uma mulher; ele teve misericórdia da mulher de Canaã, que não parava de expor sua situação deplorável na rua, e discutiu sua salvação com a mulher samaritana no poço. "Deus, com que frequência nossos pontífices contemporâneos se dignariam a discutir qualquer coisa com alguma mulher simples, ainda mais sobre sua própria salvação?"[21]

O fato de Cristina selecionar heroínas e exemplos dignos na Bíblia formou um precedente que seria seguido por séculos, ainda que nenhuma das mulheres que escreveram pelo mesmo viés jamais a tenham citado. Também não há nenhuma evidência de que sabiam sobre ela e seu trabalho. No entanto, foi Cristina de Pisano quem lançou a participação das mulheres no debate sobre o *status* das mulheres na sociedade representada pela *querelle des femmes*, que se prolongaria por três séculos em várias partes da Europa e na Inglaterra. Isso se desenrolou como uma lúdica e, às vezes, amarga troca entre feministas e antifeministas de ambos os sexos, tendo representado a primeira discussão séria sobre gênero como construção social na história da Europa Ocidental.[22]

Durante o Renascimento, o principal fundamento do debate foi a reinterpretação bíblica e um esforço para descrever o caráter e a natureza da mulher cristã como diferente da mulher, real e mítica, da Antiguidade. Homens e mulheres que defendiam as mulheres atribuíram qualidades heroicas à "mulher viril" que transcendeu seu sexo pela virtude, nobreza e coragem. O tipo ideal para aqueles que defendiam as mulheres surgiu como um andrógino, uma pessoa com virtudes "femininas" e "masculinas". O debate foi, por mais de dois séculos, bastante abstrato, intelectual e retórico. Não fez e não pretendia fazer propostas de mudança social; o que ele ofereceu foi um contrapeso à tradição esmagadoramente misógina da Igreja. As longas listas de mulheres heroicas apresentadas por feministas foram comparadas a apresentações de degradação da feminilidade em sermões, literatura prescritiva e na crença popular. As mulheres que participavam desse debate quase sempre faziam da reinterpretação bíblica uma parte de seu argumento.

Uma das mulheres eruditas do Renascimento, Isotta Nogarola (1418-1466), envolveu-se com esse argumento de reinterpretação bíblica. Ele apareceu na forma de um diálogo por meio de cartas com um notável homem humanista, o veneziano Ludovico Foscarini, sobre a responsabilidade de Adão ou Eva pela Queda. Ludovico argumentava que Eva era mais culpada que Adão por ter recebido uma punição mais dura, causado o pecado de Adão e agido por orgulho.[23] Isotta, como Hildegarda fez antes dela, aceitou a fraqueza maior de Eva como um fato:

> Onde há menos intelecto e menos constância, há menos pecado; e Eva [carecia de bom senso e constância] e, portanto, pecou menos. Conhecendo [sua fraqueza], aquela astuta serpente começou a tentar a mulher, pensando que o homem talvez fosse invulnerável pela sua constância. [...] [Adão também deve ser julgado mais culpado do que Eva, em segundo lugar] pelo seu maior desprezo à ordem. Pois em Gênesis 2, parece que o Senhor ordenou a Adão e não Eva. [...] Além disso, a mulher não [comeu da árvore proibida] porque acreditava que se tornara mais semelhante a Deus, mas sim porque era fraca e [propensa ao] prazer... e isso não quer dizer [que ela o fez] para ser como Deus. E, se Adão não tivesse comido, o pecado dela não teria consequências. Pois isso não quer dizer: "Se Eva não tivesse pecado, Cristo não teria se encarnado", mas

> "Se Adão não tivesse pecado" [...] Perceba que a punição de Adão parece mais severa do que a de Eva; pois Deus disse a Adão: "ao pó voltarás", e não a Eva, e a morte é o castigo mais terrível que poderia ser atribuído. Portanto, está consagrado que a punição de Adão foi maior do que a de Eva.[24]

Ludovico respondeu que, de qualquer modo, Eva foi responsável por seu pecado, e que seu pecado tinha sido pior que o de Adão porque ela o induzira a isso. E ainda mais: o pecado dela não era fraqueza, mas orgulho. Isotta discordou:

> Desejar o conhecimento do bem e do mal sem dúvida é um pecado menor do que transgredir um mandamento divino, visto que o desejo por conhecimento é uma coisa natural, e todos os homens por natureza desejam sabê-lo. [...] Eva, fraca e ignorante por natureza, pecou muito menos por concordar com aquela serpente astuta, que foi chamada de "sábia", do que Adão – criado por Deus com conhecimento e compreensão perfeitos – por dar ouvidos às palavras persuasivas e à voz da mulher imperfeita.[25]

O argumento de Isotta é engenhoso e erudito. Ela citou e comentou livremente sobre os padres da Igreja e vários textos patrísticos. Vale notar que, quando defendeu Eva contra a acusação de orgulho, disse que o desejo por conhecimento é natural e comum a "todos os homens". Como é evidente, ela quis dizer todos os homens e mulheres, antecipando dessa forma o argumento dos direitos naturais de uma época posterior. Ainda assim, insistiu na fraqueza de Eva. O fato de que ela reforçou seus outros argumentos com fontes patrísticas, mas não reforçou esse argumento citando Hildegarda de Bingen, que argumentou o mesmo antes, mostra que ela deve ter ignorado o trabalho de Hildegarda.

Por outro lado, Laura Cereta (1469-1499), uma geração mais tarde e representando a terceira geração de mulheres humanistas italianas, era íntima do trabalho de Nogarola.[26] Nascida em Brescia, ela era muito bem-educada e tinha interesse e treinamento incomuns em matemática devido à influência do pai, que supervisionava construções militares. Casada aos 15 anos e viúva precoce, ela não só continuou sua correspondência literária e estudos durante o casamento, mas se recuperou da grande dor após a morte do marido, continuando a escrever. Sofreu muita depreciação por parte dos homens humanistas, que alegaram que seu pai devia ter escrito suas cartas porque nenhuma mulher poderia tê-lo feito. Cereta respondeu a seus detratores com injúrias corajosas. Em uma carta, ela atacou um humanista que dava muita atenção à aparência das mulheres:

> Portanto, Agostinho, [...] Gostaria que você não prestasse atenção à minha idade ou, pelo menos, ao meu sexo. Pois a natureza [da mulher] não é imune ao pecado; a natureza produziu nossa mãe [Eva], não da terra ou da rocha, mas da humanidade de Adão. [...] Somos um animal bastante imperfeito, e nossa força insignificante não é suficiente para batalhas poderosas. [Mas] vocês, grandes homens, exercendo tal autoridade, comandando tal sucesso [...] tenham cuidado. [...] Pois onde há mais sabedoria, há maior culpa.[27]

Nesse caso, sem dúvida ela se apoiou na linha de raciocínio de Nogarola em defesa de Eva.

Margarida de Angolema, rainha de Navarra e irmã do rei Francisco I (1492-1549), em seu *Miroir de l'âme Pécheresse* [O Espelho da Alma Pecadora], publicado em 1531, oferecia uma teologia feminina e, por vezes, feminista. Ela era uma humanista e muito influenciada pela teologia de Calvino, embora nunca tenha deixado a Igreja Católica. Em sua corte, ela se tornou uma protetora dos humanistas e reformadores protestantes. Em seus escritos, ela aceitou o conceito luterano de *sola fides* (somente pela fé) quando afirmou em seu "Prefácio" que somente "o dom da fé [...] provê uma ciência de Bondade, Sabedoria e Poder".[28] É provável que Margarida, por meio de seu mentor Lefevre d'Etaples, estivesse familiarizada com os escritos dos místicos Hildegarda de Bingen e Mechthild de Hackeborn, o que pode ter fortalecido sua convicção em sua missão religiosa e seu direito de proporcionar suas próprias percepções espirituais. Ela escolheu uma mulher narradora e intérprete para seu livro e se concentrou em suas citações em passagens bíblicas relacionadas às mulheres. Ecoando o êxtase místico de suas antecessoras, ela enfatizou a bênção especial de Deus concedida a ela como uma mulher:

> Você me chama de amiga, noiva e bela:
> Se eu sou, você me fez assim. [...]

Enquanto eu te ouço, eu me ouço ser chamada de Mãe
Irmã, Filha, Noiva. Ah, a alma que pode
Sentir essa doçura é quase consumida,
Derretida, queimada, reduzida a nada.[29]

Em uma passagem que descrevia a tormenta de uma alma pecadora, com a qual ela se identificava, interpretou uma passagem bíblica tão literalmente, a ponto de dar maior significado ao feminino em relação ao Divino:

Meu espírito ousará falar
e te chamar de Pai? Sim, e nosso:
Isso você permitiu no Pai Nosso.
Mas, Senhor, se você é meu pai
Posso pensar que eu sou sua Mãe?
Para engendrar você, por quem fui criada:
Esse é um mistério que não consigo compreender:
Mas você cessou minha dúvida
Quando, na pregação, estendendo os braços, Você disse:
"Aqueles que fazem a vontade de meu Pai
São meus irmãos, e minhas irmãs, e minha mãe".[30]

A audaciosa sugestão de Margarida do "mistério" para que ela pudesse "engendrar você, por quem eu fui criada" pressupõe, no mínimo, a igualdade total da mulher com o homem em relação ao Divino, sugerindo o mistério do papel de Maria na Redenção. É típico da maneira "oblíqua" com que as mulheres reinterpretam as Escrituras, deixando implícita a questão respeitosa de uma alma pecadora para com Deus, embora sustentada por um texto bíblico escolhido com cuidado, que Margarida não hesita em interpretar com liberdade e segurança.

Essa garantia, sem dúvida, derivava da posição poderosa e privilegiada da rainha na sociedade. Por outro lado, como vimos antes no caso de Marguerite Porete, as interpretações não ortodoxas dos textos bíblicos por parte de mulheres desprotegidas eram muito perigosas, podendo levar a acusações de heresia e feitiçaria. A contemporânea inglesa de Margarida de Navarra, Anne Askew, filha de um cortesão de Henrique VIII e bem-educada, se viu em grave risco quando o marido católico inculto a expulsou junto de seus dois filhos, acusando-a de heresia por ser membro da igreja reformada. Anne Askew pediu divórcio, que não foi concedido, e, então, morou sozinha e desprotegida em Londres, circulando nos meios da corte. Oficialmente acusada de heresia, ela escreveu o registro das próprias investigações perante um tribunal religioso. É um registro bastante incomum, revelando a coragem e a inteligência afiada de Askew e sua insistência no direito e na capacidade de interpretar as Escrituras. Quando o bispo citou São Paulo contra ela:

> Respondi-lhe que reconheci o que Paulo disse, isto é, I Coríntios XVIII, que uma mulher não deve falar na congregação a título de lecionar. E, então, eu perguntei a ele quantas mulheres ele tinha visto ir ao púlpito e pregar. Ele disse que nunca viu nenhuma. Então, eu disse que ele não deveria culpar mulheres pobres, exceto as que tivessem ofendido a lei.[31]

Askew, com confiança, se apossa de seu direito de interpretar São Paulo e discutir nuances sutis de interpretação com o bispo. Quando Margery Kempe, acusada de forma semelhante, usou uma defesa semelhante – a saber, que ela não estava pregando em um púlpito, mas apenas ensinando – ela foi apoiada por seus acusadores. Anne Askew não teve tanta sorte. Quando o bispo a pressionou a "responder de acordo com a opinião dele", ela recusou, dizendo: "Deus me deu o dom do conhecimento, mas não da fala". Mantida na prisão, ela foi questionada mais uma vez por um padre que tentou ganhar sua confiança e mais uma vez ela se recusa a responder. "Eu não farei isso, porque vejo que vocês vêm para me tentar. E ele disse que era contra a ordem das escolas que aquele que fazia a pergunta, que a respondesse. Eu disse a ele que era apenas uma mulher e não conhecia o curso das escolas."[32] Mais uma vez, a capacidade de Askew de definir o discurso, mesmo nas circunstâncias mais adversas, é notável. Os homens que mantêm as mulheres fora das escolas, apesar de tudo, desejam que elas sigam as regras da escola – o que ela recusa. O resultado de suas recusas é catastrófico. Ela foi colocada no cavalete ou potro [um instrumento de tortura] com o objetivo de fazê-la revelar os nomes de integrantes da nobreza que compartilhassem da mesma opinião. Permaneceu em silêncio sob severa tortura e não gritou "até que estivesse quase morta". Então, foi libertada da tortura e desmaiou. Quando retomou a consciência: "fiquei sentada por onze longas horas raciocinando com meu lorde chanceler no chão puído". A descrição é gráfica e convincente – após ter sido torturada por ordens do chanceler, ela sentou-se por horas no chão puído, conversando com ele. Tal insistência no direito de raciocinar com autoridade só poderia terminar de uma maneira: Anne Askew foi queimada na fogueira como herege em 1546.

Quase quarenta anos depois, um debate duradouro ocorreu na Inglaterra sobre panfletos a respeito das mulheres, seguindo a tradição anterior da *querelle des femmes* na França. Em ambos os países, o debate foi iniciado com a publicação de um panfleto antifeminista, que resumiu todos os argumentos contra as mulheres na literatura medieval e patrística, o que, por sua vez, levou a uma defesa vigorosa das mulheres por parte dos homens e mulheres panfletários. Em ambos os países, os panfletos antifeministas gozaram de maior popularidade e foram reimpressos com muito mais frequência do que as respostas feministas.[33]

Na Inglaterra, uma das primeiras panfletárias, Jane Anger, reagiu à panfletagem misógina com uma defesa focada na mulher, a qual chamou de *Her Protection for Women...* [Sua Proteção para as Mulheres...].[34] Anger reiterou a interpretação mais antiga da história da Criação, mas deu-lhe um resplendor especial:

> A criação do homem e da mulher começou com ele formado *In principio* de escória e barro imundo, e permaneceu assim até que Deus viu que, nele, sua obra era boa e, portanto, pela transformação do pó que era repugnante para a carne, tornou-se purificado. Então, sem ajuda, Deus, fazendo a mulher da carne do homem para que ela pudesse ser mais pura do que ele, evidentemente mostra até que ponto nós, mulheres, somos mais excelentes do que os homens. Nossos corpos são frutíferos, e, por eles, o mundo aumenta, e nosso cuidado é maravilhoso, pelo qual o homem é preservado. Da mulher, nasceu a salvação do homem. Uma mulher foi a primeira a crer, e uma mulher foi, igualmente, a primeira que se arrependeu do pecado.[35]

A extensão do argumento de Anger sobre a superioridade de Eva por meio do ato da criação até os resultados da Queda – isto é, que é Eva a quem as bênçãos da procriação são dadas após a Queda – será muito usada por outras comentaristas bíblicas em períodos posteriores, sem que notassem o argumento que Anger fez antes. Parece ser original dela vindo desse panfleto. Anger continuou essa argumentação de uma maneira simples e de bom senso, quando listou todos os serviços que as mulheres prestam aos homens em detalhes bastante gráficos. "Eles recebem conforto por nossos meios", afirmou ela. As mulheres nutrem os homens e os mantêm limpos e saudáveis. "Sem nosso cuidado, eles deitam na cama como cachorros na ninhada e vão como uma cavalinha nojenta nadando no calor do verão."[36] Como outras antes e depois dela, Anger elencou mulheres virtuosas da Antiguidade e da Bíblia para apoiar suas afirmações.

Em 1615, um Joseph Swetnam (pseudônimo) escreveu uma crítica às mulheres que se tornou um *best-seller* instantâneo e continuou sendo publicado nos cem anos seguintes.[37] Ele provocou uma série de respostas em forma de panfleto, várias delas escritas por homens, mas o primeiro deles foi escrito por Rachel Speght, a filha instruída de um clérigo que, na época, segundo ela mesma, tinha menos de 20 anos. A resposta satírica de Speght a Swetnam não é apenas uma desconstrução brilhante de seu argumento ilógico e repleto de falhas, suas peculiaridades estilísticas e seus pomposos chavões, mas um elaborado argumento bíblico, mais desenvolvido do que o de qualquer escritora até então, com a exceção de Cristina de Pisano. Sem causar surpresa, o trabalho de Speght foi posto em dúvida e ela foi acusada de reivindicar os escritos do pai como seus. Tal acusação a irritou profundamente e ela se referiu a essa acusação ao reivindicar com franqueza a autoria de seu panfleto anterior e do trabalho teológico posterior, *Mortality's Memorandum* [Memorando da Mortalidade].[38]

Em seu ataque a Swetnam, Speght adotou o antigo assunto de que a mulher (Eva) foi feita de matéria refinada, enquanto o homem foi criado do pó. Ela mencionou:

> Ela não foi feita do pé de Adão para ser pisada, nem de sua cabeça para ser superior, mas de seu lado, perto do coração, para ser sua igual. [...][39]

Ela interpretou a questão da culpa de Eva na Queda da mesma forma que Cristina de Pisano, mas foi mais mordaz em sua crítica a Adão: "Pois pelo livre-arbítrio, de que antes de sua queda ele gozou, ele poderia ter evitado e ficado livre de ser queimado ou chamuscado com aquele fogo que foi aceso por Satanás e soprado por Eva".[40] Speght era bem versada em Santo Agostinho e os padres da Igreja, mas deixou de lado sua interpretação da Queda e a contradisse com a sua própria. Ela continuou seu argumento citando a qualidade vivificante de Eva, argumentando que, embora a mulher tivesse ocasionado o pecado, pela "semente abençoada de Havvah", Cristo havia nascido e, em Cristo, homem e mulher são um.[41] O que causa ainda mais curiosidade: ela escreveu uma crítica à declaração de São Paulo: "Era bom para um homem não tocar em uma mulher". Speght argumentou com base na História, dizendo que isso foi dito enquanto os coríntios estavam sujeitos a perseguição e era um conselho destinado a protegê-los, e a suas esposas, da prisão ou morte. Ela também destacou que o próprio Paulo se casou mais tarde. Esse tipo de análise crítica histórica não havia sido feito antes por mulheres.[42]

Em um argumento complexo baseado em conceitos aristotélicos de causalidade, Speght disse que o verdadeiro mérito da mulher deve advir da causa final ou finalidade para a qual ela foi criada por Deus. A mulher, assim como o homem, foi feita para glorificar a Deus, para ser uma "companheira colateral do homem para glorificar a Deus, usando seu corpo e todas as partes, poderes e faculdades como instrumentos de sua honra".[43] Essa ousada afirmação de sacralidade e bem-aventurança do corpo feminino e todas as suas partes não foi apenas uma resposta adequada à descrição vil do corpo feminino por Swetnam, mas fez progredir a interpretação feminista dos textos bíblicos. Speght argumentou também que o papel da mulher como ajudante a colocava em pé de igualdade com o homem. Ela então começou a selecionar de todos os textos bíblicos as passagens que considerava relevantes para seus pontos. Seu argumento é ágil, bem documentado e construído de modo minucioso.

Dois anos após o lançamento do panfleto de Speght, a mesma tipografia publicou outra resposta ao panfleto de Swetnam feito por Ester Sowernam. A autora conhecia o panfleto de Speght, o qual considerava inadequado, porque Speght, às vezes, condenava as mulheres. Sowerman adota um tom mais agressivo que Speght e mostra mais autoconfiança, provavelmente com base em sua leitura ampla da literatura clássica. Ela enfatizou as bênçãos positivas que Deus concedeu às mulheres. Após a Queda, Deus puniu Adão e Eva com a morte, mas

Justiça ele concedeu a Adão; embora a mulher experimente a justiça, a misericórdia é reservada para ela. E, de todas as obras de misericórdia que a humanidade pode esperar, a maior, a mais abençoada e a mais alegre é prometida à mulher. Mulher suplantada pela prova da fruta, ela é punida por produzir os próprios frutos. No entanto, o que pelos frutos ela perdeu, pelos frutos ela recuperará.[44]

Sowerman reiterou o agora conhecido argumento derivado do nome de Eva, "a mãe dos vivos", que expressa o papel "para o qual ela e todas as mulheres foram designadas: para serem ajudantes, consoladoras, alegria e deleite".[45] Sowernam, então, evocou uma extensa lista de heroínas bíblicas do Antigo e do Novo Testamento e terminou com um ataque espirituoso e devastador ao caráter, mente e referências de Joseph Swetnam.

A guerra de panfletos sobre o assunto referente às mulheres continuou até o fim do século XVII na Inglaterra, quando Sarah Fyge (Field Egerton) (1669/72-1722/23), então com 14 anos de idade, respondeu a um ataque misógino de um certo Robert Gould com um longo poema, "The Female Advocate" [A Defensora], publicado em 1686. Sua publicação enfureceu tanto seu pai que ele a baniu de casa. Fyge usou o conhecido argumento da superioridade de Eva por sua criação a partir de matéria refinada e acrescentou seu próprio toque especial:

> Assim, provei que a Criação da Mulher é boa,
> E não inferior, quando bem compreendida,
> À do Homem; para ambos, um Criador tinha,
> O que tornava tudo bom; então, como Eva poderia ser má?[46]

A crítica e a reinterpretação feministas da Bíblia são evidentes também na obra da poeta inglesa do século XVII, Emilia Lanier. Seu volume de poemas religiosos foi publicado em 1611 e trazia nada menos que nove poemas dedicados às damas reais e nobres. Esse artifício literário era bastante comum naquele período e ajudou a autora a ganhar apoio e benevolência. O fato de todos esses poemas serem dirigidos a mulheres mostra que já existia um público influente feminino. Uma grande parte do trabalho se refere ao tratamento da Paixão de

Cristo, no qual Lanier se esforçou de maneira árdua para mostrar o papel ativo e positivo que as mulheres desempenhavam no auxílio a Cristo:

> Agradou ao nosso Senhor e Salvador Jesus Cristo, sem a ajuda do homem [...] ser gerado de uma mulher, nascido de uma mulher, nutrido por uma mulher, obediente a uma mulher; e que ele curou mulheres, perdoou mulheres, consolou mulheres: sim, mesmo quando ele estava em sua maior agonia e transpirando sangue, a caminho de ser crucificado, e também em sua última hora de morte, teve o cuidado de induzir uma mulher: depois de sua ressurreição, apareceu primeiro a uma mulher, enviou uma mulher para declarar sua ressurreição mais gloriosa ao resto de seus discípulos.[47]

Lanier descreveu como os homens traíram Cristo; todos os juízes, escribas e fariseus eram homens. Ela contrapôs isso ao pecado de Eva, que parecia pequeno em comparação.

> Nossa Mãe Eva, que provou da Árvore,
> Dando a Adão o que ela mais amava,
> Era simplesmente boa e não tinha poder de ver,
> O dano posterior não apareceu:
> A sutil Serpente que nosso Sexo traiu,
> Antes de nossa queda, tão certa que um conluio havia se estabelecido [...]

> Mas, por certo, Adão não pode ser desculpado,
> Embora a culpa dela fosse grande, ele era o mais culpado;
> O que a Fraqueza ofereceu, a Força pode ter recusado,
> Sendo Senhor de tudo, maior foi a sua vergonha:
> Embora o ofício da Serpente tenha abusado dela
> A palavra sagrada de Deus deve enquadrar todas as ações dele,
> Pois ele era Senhor e Rei de toda a terra,
> Antes que a pobre Eva tivesse vida ou fôlego.

Ela continuou a descrever a maior responsabilidade de Adão pela Queda e passou disso a um forte argumento pela igualdade das mulheres:

Você não veio ao mundo sem a nossa dor,

Faça disso uma barreira contra sua crueldade;

Sendo sua culpa maior, por que você deveria desdenhar

De nosso ser igual, livre de tirania?

Se uma mulher fraca o ofendeu,

Esse pecado seu não tem desculpa, nem fim.[48]

Em uma passagem vigorosa e original, ela forneceu uma leitura de gênero da Paixão de Cristo:

Primeiro, foi o Pregoeiro com a boca aberta proclamando

A pesada sentença da Perversidade,

o Carrasco em seguida, por seu ofício reivindicando

Seu direito no Inferno, onde os pecadores nunca morrem,

Carregando os cravos, as pessoas ainda blasfemando

seu criador, usando toda impiedade:

Os Ladrões cuidando dele por todos os lados,

Os Sargentos assistindo, enquanto as mulheres choravam.[49]

O volume de Lanier também contém uma elegia pastoral na qual ela descreve uma propriedade rural habitada apenas por mulheres, Margaret Clifford, condessa de Cumberland, sua filha Anne e a própria Emilia, que, no fim, são forçadas a se separar. A descrição idílica, seguindo a reescrita de forte tendência feminista da história da Queda e da Paixão de Cristo, representa uma revisão feminista da história do Éden e dos outros textos principais do Cristianismo.

A próxima grande discussão teológica sobre a posição das mulheres vem da escrita da estudiosa holandesa Anna Maria van Schurman (1607-1678). Ela foi, talvez, a mulher erudita mais famosa do século XVII, e manteve correspondência com várias outras intelectuais em diferentes países. Nascida em Colônia, filha de pais reformados, Schurman viveu a maior parte da vida em Utrecht. Seus primeiros talentos artísticos foram acompanhados por suas realizações precoces. Sua proficiência em aritmética, geografia, astronomia e música foi acompanhada pelos conhecimentos de escrita e fala em todas as principais línguas europeias, bem como em latim, grego, hebraico, sírio, caldeu e árabe.

Seu pai encorajou sua educação e lhe pediu que não se casasse para não desperdiçar seu talento. Sua principal obra, amplamente distribuída e aclamada, foi um ensaio escrito em latim: "Se o Estudo das Cartas é Apropriado para uma Mulher Cristã", publicado em 1638. Schurman respondeu de modo afirmativo, mas queria restringir esse estudo a mulheres solteiras e abastadas, para que não interferisse em suas responsabilidades domésticas. No entanto, a base de seu argumento ligeiramente feminista para a educação das mulheres era um forte argumento religioso para a igualdade de todas as almas diante de Deus. "Tudo o que leva à verdadeira grandeza de alma é adequado para uma mulher cristã. [...] Tudo o que aperfeiçoa e adorna o entendimento humano é adequado para a mulher cristã. [...] Tudo o que enche a mente humana de deleite incomum e honesto é adequado para uma mulher cristã."[50] A teologia de Schurman não permitia distinções de sexo em relação à mente ou alma humana. Ela queria mulheres educadas para a glória de Deus e a salvação da alma delas, assim como a dos homens.

Quando, devido à morte da mãe, Schurman teve que abandonar sua vida contemplativa e assumir os deveres domésticos habituais das mulheres, buscou outros meios de expressão e os encontrou nos ensinamentos de Jean de Labadie. Juntou-se a uma comunidade pietista e, pelo que pareceu, desmentiu sua preocupação anterior com o estudo e o aprendizado porque não acreditava mais que eles levassem ao "verdadeiro conhecimento" e à perfeição. Em vez disso, tornou-se uma sectária ativa e líder reconhecida de sua comunidade. A ela são dados os créditos por ter desenvolvido a forma e a estrutura da "igreja doméstica" pietista, que deu às mulheres oportunidades incomuns para a liderança religiosa. De acordo com pelo menos um historiador, ela passou de uma sabedoria isolada para uma vida comunitária que combinava conhecimento prático e crescimento espiritual.[51]

O movimento pietista formou um grupo notável de pregadoras e profetas leigas cujos sermões nos mercados de pequenas cidades alemãs e holandesas atraíram grandes multidões e cujas autobiografias espirituais testemunharam a liderança religiosa das mulheres. Como discutimos antes, Anna Vetter pregou sua visão do papel essencial das mulheres na segunda vinda de Cristo; Johanna Eleonora Petersen era uma líder reconhecida da seita e correspondente de Anna van Schurman e William Penn. Sua autobiografia espiritual, publicada em 1688, ajudou a promover as ideias de sua seita e a prover um modelo de liderança religiosa para as mulheres.[52] Outra pregadora pietista e escritora religiosa foi Antoinette Bourignon (1606-1680), cujos folhetos foram amplamente lidos, e que deu palestras e pregou na Holanda e no norte da Alemanha. Ela obteve autoridade para esse papel público por meio da "luz de Deus". Sua interpretação da história da Criação reflete a teologia mística de Jacob Bohme, que ensinou que Adão era um andrógino antes da Queda e que a punição para a Queda foi a divisão da humanidade em dois sexos. Antoinette Bourignon comentou o seguinte:

> Após Adão se afastar de Deus, ele perdeu seu corpo glorioso, então, Deus moldou a mulher a partir dele. [...] Antes da Queda, não havia homem nem mulher divididos, mas ambas as naturezas eram uma em Adão. Ele criou ambas as naturezas à Sua imagem, isto é, homem e mulher juntos.[53]

Discutimos anteriormente o importante papel desempenhado pelas mulheres nas seitas *quaker* e o principal trabalho teológico de Margaret Fell, *Women's Speaking Justified, Proved and Allowed by the Scriptures...* [A Fala das Mulheres Justificada, Comprovada e Permitida pelas Escrituras...], publicado em 1666. Neste ponto, precisamos apenas observar a importância da pesquisa sistemática de Fell de todos os textos bíblicos aplicáveis às mulheres e de sua interpretação feminista sobre eles. Apesar de seu trabalho ser muito mais extenso do que o de suas antecessoras, ela, de maneira geral, não fornece nenhuma nova interpretação antes daquela oferecida por Rachel Speght, que mais se aproxima dela ao tentar uma revisão textual completa das referências bíblicas a mulheres. Porém, Fell vai mais além do que seus antecessores, entre eles, George Fox, em sua crítica aos textos paulinos. Como Lutero, Calvino e Milton, que vieram antes dela, Fell exclamou que esses textos haviam sido mal interpretados. Como Rachel Speght citou antes dela, ela escolheu ler a injunção de Paulo de que as mulheres se calassem nas igrejas em seu contexto histórico, dizendo que era intenção de Paulo que homens e mulheres que estavam fora de ordem permanecessem em silêncio. Argumentou que a doutrina paulina havia sido mal interpretada e explicou a máxima de Paulo "pois é uma vergonha as mulheres falarem na igreja" ao vê-la em seu contexto histórico. O apóstolo pretendia apenas eliminar a confusão nas reuniões, evitando que os membros confusos da congregação falassem. Fell afirmou que todos os que receberam o Espírito de Deus tinham sido libertados do silêncio e deviam falar para trazer a verdadeira redenção dos pecadores.

Além disso, a proibição de Paulo deveria ser vista como algo local, não universal. O argumento não era novo e foi apresentado várias vezes por mulheres nos três séculos seguintes. Seu argumento de que a doutrina paulina não tem validade para o grande número de viúvas e mulheres solteiras, mesmo que se a interprete de forma literal, o que ela não faz, é original e indica as necessidades sociais de um número cada vez maior de mulheres urbanas de sua época que se autossustentavam. Margaret Fell, como os místicos anteriores, contrapôs a revelação e a luz interior às regras e aos ditames de estudiosos e padres. "Deus não fez diferença, mas deu o seu bom espírito, como lhe agradou tanto ao Homem quanto à Mulher, como *Débora, Hulda e Sara*."[54] Seu trabalho foi influente entre as mulheres *quakers* na Inglaterra e nos Estados Unidos.

Na obra de Mary Astell (1666-1731), o tema da legitimidade das mulheres para a profecia recebeu uma explicação muito mais lógica e racional do que a de Fell.[55]

> Onde encontraremos uma obra poética mais nobre do que o *Cântico de Débora*? Ou um Governante melhor e maior do que aquela mulher renomada, cujo Governo tanto superou o dos antigos juízes? E, embora ela tivesse um Marido, ela mesma julgava Israel, e em decorrência era sua Soberana, de quem não conhecemos mais do que o Nome. Instância que, como eu humildemente suponho, derruba a Falsa *Inferioridade Natural*. Pois não é a simples Relação de um Fato, pelo qual nada deve ser concluído, a menos que seja conforme a uma Regra e à Razão das Coisas: mas o Governo de *Débora* foi conferido a ela pelo próprio DEUS. Consequentemente, a Soberania de uma Mulher não é contrária à Lei da Natureza; pois a Lei da Natureza é a Lei de DEUS, que não pode contradizer a si próprio; e, ainda assim, foi DEUS quem inspirou e aprovou aquela grande Mulher, erguendo-a para Juízo e para Libertar Seu Povo *Israel*.[56]

Astell foi mais longe do que suas antecessoras ao questionar a autoridade dos intérpretes patriarcais das Escrituras:

> A Escritura nem sempre está do Lado deles que a Exibem, por meio de sua Habilidade nas Línguas e dos Truques das Escolas, a arrebatam de seu sentido genuíno para suas próprias invenções. [...] Porque as Mulheres, sem sua própria Culpa, são mantidas na Ignorância do Original, querendo Linguagens e outras Ajudas para Criticar o Texto Sagrado, do qual, elas não sabem mais do que os homens são solicitados a transmitir em suas Traduções.[57]

O argumento de que as mulheres, devido à privação educacional, foram negadas de seu direito a interpretar está aqui, até onde sei, levantado pela primeira vez por uma mulher. É um argumento que seria levantado com frequência pelas feministas modernas. Por exemplo, no fim do século XVIII, a escritora norte-americana Judith Sargent Murray, em seu ensaio "On the Equality of the Sexes" [Sobre a Igualdade dos Sexos] (1790), baseou sua defesa de Eva na história da Queda em uma tradução alternativa da palavra "serpente":

> É verdade que alguns ignorantes nos informaram absurdamente que a bela exposição do paraíso foi seduzida para longe de sua obediência por um demônio maligno, *disfarçado de serpente maligna*; mas nós, que estamos mais bem informados, sabemos que o espírito caído apresentou-se à vista dela *ainda um anjo reluzente*; pois assim, dizem os críticos na língua hebraica, a palavra deve ser traduzida. Vamos examinar seu motivo. [...] Não parece que ela foi governada por algum apetite sensual; mas somente pelo desejo de adornar sua mente; uma louvável ambição acendeu sua alma, e uma sede de conhecimento impulsionou a predileção tão fatal em suas consequências. Adão não poderia alegar o mesmo engano; força, ou admiração por sua sagacidade, quando tantas vezes confessamos que o exemplo é muito mais influente do que o preceito. [...][58]

No século XIX, o argumento da "tradução falha" reapareceu nos escritos de Sarah Grimké. Também se reflete no esforço não recompensado de Julia Smith (1792-1878), uma abolicionista da Nova Inglaterra e defensora dos direitos da mulher, que repetiu o trabalho de Erasmo ao traduzir a Bíblia cinco vezes, "duas vezes do grego, duas vezes do hebraico e uma vez do latim – a Vulgata", para chegar a um texto mais autêntico. Ela realizou essa façanha em sete anos com a ajuda de suas quatro irmãs e publicou sua tradução aos 84 anos. Que seu propósito era revisionista fica claro em sua introdução: "[Nós] estávamos ansiosas por aprender o significado exato de cada palavra grega e hebraica da qual os 47 tradutores do rei Tiago haviam tirado sua versão da Bíblia. [...] Era o significado literal que buscávamos".[59] Nenhum desses autores modernos se referiria ao argumento anterior de Astell ou indicaria qualquer conhecimento dele.

Historicamente, encontramos mulheres reinterpretando os textos bíblicos centrais por si mesmas, cada uma discutindo, da melhor maneira que pudesse, interpretações alternativas às patriarcais, que haviam aprendido. A crítica dessas mulheres seguia padrões previsíveis: elas justapunham afirmações contraditórias de textos bíblicos (como as duas versões do Gênesis); usavam textos de outras partes da Bíblia para interpretar os textos centrais de maneira diferente (como o Cântico de Débora para contradizer São Paulo); citavam diferentes autoridades patrísticas sobre as dominantes. Algumas fizeram uma reinterpretação livre, usando apenas o próprio *insight* como autoridade; outras selecionaram entre várias autoridades masculinas tudo o que pudessem usar para construir seus argumentos. A partir do século XVII, essas críticas internas foram complementadas por críticas externas – dúvidas quanto à exatidão das traduções de certas palavras e frases – dúvidas quanto à intenção dos tradutores e dúvidas quanto à autenticidade de certas fontes, como algumas das cartas de São Paulo. À medida que os argumentos da revelação, da experiência mística e das percepções pessoais foram substituídos por argumentos baseados na lógica e na razão, a crítica bíblica feminista tornou-se mais sistemática. Começando com Rachel Speght no século XVII, mais críticas insistiram que a interpretação das cenas centrais deve levar em consideração todo o texto bíblico. Assim, encontramos passagens em que as mulheres são elogiadas, com destaque ou autoridade, citadas para iluminar passagens que aparentemente reforçam as interpretações patriarcais. A crítica histórica começou a surgir no fim do século XVII, isto é, certas afirmações devem ser consideradas aplicáveis apenas ao tempo e lugar em que foram feitas, mas não devem mais ser consideradas aplicáveis no presente. Não é de surpreender que esses argumentos tenham sido usados sobretudo contra os ditames de São Paulo.

No início do século XIX, a crítica feminista sobre a Bíblia tornou-se mais difundida e mais radical do que nunca. Grande parte das críticas não apresentava nada de novo, pois repetia argumentos já usados por outras mulheres. Vou deixar isso de lado e discutirei apenas o que considero novas tendências nos Estados Unidos, que são significativas não tanto por sua novidade, mas pelo impacto na mente da geração de mulheres que organizariam o primeiro movimento pelos direitos da mulher em 1848. Muitas delas vieram de seitas *quaker* radicais e, durante décadas, antes do início do novo movimento, estiveram envolvidas na redefinição de sua missão religiosa e na discussão do lugar da mulher na Igreja e no Estado.[60]

A primeira mulher norte-americana que tentou escrever uma reinterpretação do texto bíblico nos mesmos termos da obra de Margaret Fell foi uma *quaker* convertida, Sarah Moore Grimké. Sua obra *Letters on the Equality of the Sexes* [Cartas sobre a Igualdade dos Sexos] (1838), escrita dez anos antes da convenção de Seneca Falls de 1848 e sete anos antes do livro mais celebrado e lido de Margaret Fuller, foi a obra feminista mais radical de seu tempo. O primeiro grande livro feminista de uma norte-americana foi pouco conhecido em sua época e negligenciado por mais de cem anos.[61]

Sarah Grimké (1792-1873) era filha de um importante fazendeiro e escravocrata da Carolina do Sul. Ela se rebelou cedo contra a escravidão e a posição subordinada das mulheres. Deixou o Sul para nunca mais voltar após a morte do pai e influenciou a irmã mais nova, Angelina (1805-1879), a se juntar a ela na Filadélfia. Muito religiosa, Sarah Grimké mudou-se de uma seita para outra em busca de uma religião que lhe permitisse a expressão adequada do feminismo e antirracismo. Criada como episcopal, tornou-se metodista, depois *quaker*, afiliada mais por acidente do que por escolha ao ramo mais conservador dos *quakers* na Filadélfia. Desapontada e também rejeitada por eles, foi influenciada pelo Unitarismo de William Ellery Channing e, ao fim da vida, abraçou o Espiritismo. Decepcionada com a ortodoxia *quaker*, Sarah Grimké concordou em acompanhar a irmã Angelina em uma turnê de conferências pela Nova Inglaterra em nome da Sociedade Antiescravagista Americana (American Antislavery Society – AAS). Durante essa turnê, as irmãs foram atacadas severamente, com palavras e ameaças físicas, por ousarem falar em público sobre o assunto polêmico da abolição. Era algo que mulheres respeitáveis não deveriam fazer. *Letters on the Equality of the Sexes* foi escrito em resposta a esses ataques e publicado em seguida, em formato de série, no jornal abolicionista *The Liberator*. Assim, esse primeiro argumento feminista de pleno direito surgiu da experiência prática direta e da ação do movimento antiescravagista das mulheres, o que explica seu tom feminista radical.[62]

Ainda assim, Sarah Grimké, como fizeram todas as críticas que discutimos antes, escreveu com base em uma estrutura cristã ortodoxa. Ela considerava o texto bíblico sagrado, mas maculado pela fragilidade e erro humanos. Sua postura era a de uma sectária de extrema esquerda da Reforma em sua insistência pelo direito de julgar os significados do texto bíblico por si mesma. Ela escreveu:

> Minha mente está inteiramente livre da reverência supersticiosa que acompanha a versão em inglês da Bíblia. Os tradutores de Rei James com certeza não estavam inspirados. Portanto, reivindico o original como meu padrão, *acreditando que foi inspirado*, e também reivindico julgar por mim mesma qual é o significado dos escritores cheios de inspiração.[63]

Ela reforçou essa postura ao encerrar a primeira carta, na qual abordava a história da Criação e da Queda, com a frase: "Aqui me planto. Deus nos criou iguais". Essa frase, que é um eco da declaração de Lutero antes da Dieta de Worms em 1521, reitera com ainda mais vigor do que suas declarações a reivindicação de igualdade com o fundador do protestantismo, com o crítico da doutrina da igreja instaurada.[64]

Sarah Grimké, assim como comentaristas anteriores, enfatizou a versão inicial do Gênesis como decisiva. Ela argumentou que a Criação estava cheia de animais que poderiam ter sido companheiros de Adão, mas que Deus queria "dar-lhe um companheiro, *igual a ele em todos os aspectos*; alguém que fosse como ele *um agente livre*, dotado de intelecto e de imortalidade".[65] Ela interpretou a Queda mostrando tanto Adão quanto Eva como culpados, uma interpretação que encontramos anteriormente por parte de várias escritoras. Mas a interpretação de Sarah Grimké da maldição de Deus sobre Eva – "Estarás sujeita a teu marido e ele te governará" – foi inovadora. Ela argumentou que a maldição é

> simplesmente, uma profecia. O hebraico, como a língua francesa, usa a mesma palavra para expressar dever e poder. Nossos tradutores estavam acostumados a exercer o domínio sobre as esposas e a ver apenas por meio

de um julgamento pervertido [...] traduzira *dever* em vez de *poder* e, assim, converteu uma predição para Eva em uma ordem para Adão; para observá-la, é dirigido à mulher e não ao homem.[66]

A interpretação da "profecia" dessa seção havia sido feita antes por Mary Astell, mas não há evidências de que Grimké sabia disso. Seu esforço para basear sua interpretação em fundamentos linguísticos foi elaborado por ela. Mais importante é sua insistência na má-fé dos tradutores e seu esforço feminista para historicizar sua visão do texto baseada em gênero. Sarah Grimké foi atrás desse tema vigorosamente em cartas sucessivas. Ela acusou o homem de ter exercido "domínio" sobre as mulheres "por quase seis mil anos", e continuou:

> Não peço nenhum favor ao meu sexo. Tudo o que peço a nossos irmãos é que tirem os pés de cima de nossos pescoços e nos permitam ficar de pé no terreno que Deus nos designou para ocupar. [...] Toda a história atesta que o homem sujeitou a mulher à sua vontade, usou-a como um meio para promover sua gratificação egoísta, para ministrar aos seus prazeres sensuais, para ser instrumental na promoção de seu conforto; mas ele nunca desejou elevá-la ao posto para o qual ela foi criada. Ele fez tudo o que podia para rebaixar e escravizar sua mente; e, agora, ele olha de modo triunfal para a ruína que causou e diz: o ser assim profundamente ferido é seu inferior.[67]

Aqui, Grimké estava muito à frente de seus predecessores e contemporâneos. Os homens não apenas degradaram as mulheres, mas as tornaram meros instrumentos para o próprio conforto. Eles escravizaram a mente delas, privaram-nas de educação e, por fim, roubaram-lhes o conhecimento de sua humanidade equivalente. Essas acusações não aparecerão em nenhum outro lugar até a Convenção Nacional dos Direitos da Mulher de 1850, realizada em Ohio, e mesmo lá aparecem isoladas, não como parte de uma visão de mundo feminista que ousa desafiar o pensamento patriarcal.[68]

Sarah Grimké começou a construir seu desafio ao patriarcado fazendo uma pesquisa crítica a vários aspectos das condições das mulheres em diferentes momentos e lugares. Ela traçou um panorama superficial do *status* das mulheres na Ásia e na África e em vários períodos históricos, desde a antiga

Mesopotâmia até a Antiguidade, passando pela história europeia até o presente norte-americano. Ela atacou a discriminação contra as mulheres na educação, no direito, em oportunidades econômicas e dentro da família. Sua exposição da exploração sexual de mulheres no casamento era bastante avançada para sua época. Ela defendeu o acesso igualitário das mulheres ao ministério e descreveu em detalhes todas as passagens bíblicas que legitimam as mulheres como professoras e profetas. Sua análise de São Paulo era histórica e crítica, e ela apontou todas as contradições do relato bíblico. Ela perguntou por que, se as mulheres não tinham permissão para pregar ou ensinar, muitas moças, agora, trabalhavam como professoras de escola dominical, quebrando de forma ostensiva a injunção paulina e ainda "advertidas para não ultrapassar os limites estabelecidos para nós por nossos irmãos em outro? Simplesmente [...] porque, em um caso, defendemos *seus* pontos de vista e *seus interesses*, e agimos em subordinação a eles; enquanto, no outro, entramos em contato com seus interesses e afirmamos estar em igualdade com eles no... ministério da palavra".[69] Em passagem anterior, ela resumiu a parte mais avançada de sua análise, que seria "reinventada" muitas vezes pelas futuras gerações de feministas:

> Eu menciono [isso] [...] somente para provar que o intelecto não tem sexo; que a força da mente não tem sexo; e que nossos pontos de vista sobre os deveres dos homens e os deveres das mulheres, a esfera do homem e a esfera da mulher, são meras opiniões arbitrárias, diferindo em diferentes idades e países, e dependentes apenas da vontade e do julgamento de mortais errantes.[70]

Aqui, Sarah Grimké, discutindo por meio de uma leitura atenta do texto bíblico e baseando-se apenas no próprio julgamento e em suas interpretações, definiu a diferença entre sexo e gênero e afirmou, em termos que não seriam tão declarados abertamente de novo até o fim do século XX: gênero é uma definição arbitrária e culturalmente variável de comportamento apropriado a cada um dos sexos. A crítica feminista da Bíblia havia atingido o ponto que resultou na perspectiva feminista do mundo.

Restava à crítica feminista sair dos limites da visão de mundo cristã e se tornar cética, racional e até agnóstica. Isso ocorreu nos trabalhos de Matilda Joslyn Gage e Elizabeth Cady Stanton. Ambas as mulheres, bem tarde, chegaram a uma posição de ceticismo em relação a todas as religiões e a um vago deísmo, que encontrou expressão em sua análise feminista radical. Em um rompimento abrupto com todas as mulheres que discutimos neste capítulo, elas não aceitaram mais a origem sagrada da Bíblia ou a autoridade das igrejas. Viam a própria religião como opressora das mulheres e rejeitavam o texto bíblico por não ter autoridade alguma sobre a vida e a moralidade das mulheres.

Matilda Gage, falando durante uma convenção de Pensamento Livre realizada em Watkins, Nova York, em 1878, afirmou que "a Bíblia e a Igreja Ortodoxa foram os dois maiores obstáculos no caminho do avanço das mulheres".[71] Seus sentimentos tiveram eco e aprovação em Elizabeth Cady Stanton, que reconheceu que esse ponto de vista a afastaria do movimento dos Direitos da Mulher, ao qual ela devotou a maior parte de sua vida. Stanton escreveu:

> O movimento sufragista definha hoje porque os novos e muitos dos antigos nichos têm medo de dar um passo adiante. Estamos apenas na posição das igrejas, mortas. [...] Estou farta de todas as organizações e não vou me comprometer a fazer nada, exceto entrar para [a recém-formada organização de pensamento livre, União Liberal Nacional das Mulheres] e falar. [...] Uma vez fora de meu posto atual no movimento sufragista, sou livre para fazer e dizer o que eu quiser e chocar as pessoas o quanto eu quiser.[72]

A União Liberal Nacional das Mulheres resumiu sua posição na seguinte resolução:

> A Igreja Cristã, qualquer que seja o nome, é baseada na teoria de que a mulher foi criada secundária e inferior ao homem e trouxe o pecado ao mundo, necessitando, portanto, do sacrifício do Salvador. O Cristianismo é falso, e seu embasamento é um mito que toda descoberta científica mostra ser tão infundada quanto sua crença anterior de que a Terra era plana.[73]

Matilda Gage e Elizabeth Cady Stanton, em 1895, publicaram sua maior crítica à Bíblia do ponto de vista feminista radical, *The Woman's Bible* [A Bíblia da Mulher].[74] Como Stanton esperava, o movimento dos Direitos da Mulher rejeitou seu livro. O fato de Stanton ter continuado por mais alguns anos em seu papel de liderança na Associação Nacional para o Sufrágio das Mulheres (National American Woman's Suffrage Association – NAWSA) foi devido apenas à defesa veemente de Susan B. Anthony e ao respeito devido a ela como pioneira do movimento. Na verdade, sua posição anti-igreja e antibíblia a tornava inaceitável para o movimento. De modo curioso, Anna Howard Shaw, uma líder dos direitos da mulher muito mais conservadora do que Stanton, além de ministra protestante, fez ecoar sua crítica à interpretação da Bíblia como verdade literal.

The Woman's Bible é uma obra escrita por um comitê, sem reivindicar estudos sérios, mas tentando resumir as críticas bíblicas até então conhecidas. Ela é organizada como um glossário de várias seleções bíblicas relativas às mulheres, escrita em um tom irreverente, que incentiva o leitor a pensar com bom senso sobre as passagens que lhe foram contadas como sagradas. Sua própria irreverência é o que a distingue de trabalhos anteriores desse tipo. Assim, ao discutir a história da Queda, as autoras comentam que é discutível que a serpente pudesse ficar em pé ou falar, que é improvável que uma maçã pudesse crescer na "latitude" do paraíso e que as descobertas darwinianas sobre a evolução lançam, no mínimo, dúvidas sobre a história bíblica. No entanto, com admirável inconsistência, elas aceitam as seções do texto que testemunham a dignidade das mulheres como verdade do evangelho. Eles consideram Gênesis 1:26 o "primeiro" e verdadeiro relato da Criação e comentam que "dignifica a mulher como um fator importante na criação, igual em poder e glória ao homem. O segundo [relato] a torna uma mera reflexão tardia". Por que, então, dois relatos? Para as autoras, "é evidente que algum escritor astuto [...] achava importante que a dignidade e o domínio do homem afetassem a subordinação da mulher de alguma forma. [...] A segunda versão [do Gênesis]", concluem elas, "é uma mera alegoria".

Considerando a intenção delas de resumir a crítica feminista da Bíblia, a ausência de qualquer referência ao trabalho anterior das mulheres é particularmente reveladora. Stanton, quando era uma jovem noiva, visitou as irmãs Grimké, que estavam na meia-idade à época, na fazenda em que viviam em Nova Jersey. Ela e as duas irmãs compareceram juntas às reuniões sobre os direitos da mulher, e Stanton conhecia bem os escritos de Angelina Grimké. Embora não haja nenhuma prova direta disponível, é difícil imaginar que em algum momento ela não tivesse lido *Letters on the Equality of the Sexes*, de Sarah Grimké. E, no entanto, essa importante obra prévia não deixou nenhuma impressão aparente na obra de crítica bíblica de Stanton. Pelo contrário, ela e seus colaboradores enfatizaram várias vezes a singularidade de sua iniciativa. É possível que isso se devesse à sua extrema alienação com relação ao pensamento religioso e à sua rejeição de todas as críticas feministas da Bíblia que vinham do quadro de referência cristão. É ainda mais provável que tal fato reflita o padrão de invisibilidade do trabalho das mulheres antecessoras para as sucessoras.

Sarah Grimké, no parágrafo inicial de seu trabalho pioneiro, escreveu: "Em uma tentativa de [...] dar minhas opiniões sobre a Província da Mulher, sinto que estou me aventurando em um terreno quase inexplorado".[75] Em um terreno quase inexplorado, depois de mais de mil anos de crítica bíblica das mulheres. Quando se olha para trás, para essa força monumental e desconhecida, fica-se impressionado, acima de tudo, pela repetitividade do processo. Por várias vezes, mulheres, individualmente, criticaram e reinterpretaram os textos bíblicos centrais, sem saber que outras antes delas já o haviam feito. Na verdade, a crítica bíblica feminista atual está percorrendo o mesmo território e usando os mesmos argumentos utilizados durante séculos por outras mulheres engajadas no mesmo objetivo. Assim como Elizabeth Cady Stanton e Matilda Joslyn Gage assumiram a tarefa monumental de escrever *The Woman's Bible* em total desconhecimento do trabalho semelhante feito por gerações de antecessoras, algumas críticas feministas atuais as consideram seus primeiros antecedentes, quando, na verdade, a tradição da crítica feminista à Bíblia vem desde o século III d.C.

Esse não é um ponto trivial. Acredito que ele marca a própria essência da relação distinta que homens e mulheres têm com o processo histórico. Isaac Newton, em seu famoso aforismo – que, na verdade, começou com Bernard de Chartres – "Se eu vi mais longe, foi por ficar sobre os ombros de gigantes", expressou o modo pelo qual o pensamento dos homens foi moldado com base nos principais conceitos da civilização ocidental. Os homens criaram a história escrita e se beneficiaram da transmissão do conhecimento de uma geração a outra, de modo que cada grande pensador pudesse estar "nos ombros de gigantes", fazendo avançar, dessa forma, o pensamento sobre as gerações anteriores com a máxima eficiência.[76] O conhecimento sobre a própria história era negado às mulheres, e, por isso, cada mulher teve que argumentar como se nenhuma outra antes dela já tivesse pensado ou escrito. As mulheres tiveram que devotar sua energia para reinventar a roda, várias e várias vezes, uma geração após a outra. Os homens discutiam com os gigantes que os precederam; as mulheres discutiam contra o peso opressor de milênios de pensamento patriarcal, que lhes negou autoridade, até mesmo humanidade, e, quando tiveram que discutir, argumentaram com os "grandes homens" do passado, privadas de autonomia, força e conhecimento que as mulheres do passado poderiam ter lhes oferecido. Como não podiam basear seus argumentos no trabalho de suas antecessoras, as pensadoras de cada geração tiveram que perder tempo, energia e talento reconstruindo seus argumentos. No entanto, elas nunca abandonaram a missão. Geração após geração, diante de descontinuidades recorrentes, elas pensaram até contornar e se afastar do pensamento patriarcal.

OITO

LEGITIMAÇÃO POR MEIO DA CRIATIVIDADE

Durante muitos séculos, as mulheres instituíram seu direito de expressão, seu direito à criatividade, apesar de todas as restrições que frustraram e negaram seus talentos. Mulheres escritoras adaptaram-se às restrições de gênero, contornaram-nas ou as atacaram abertamente. A maioria delas considerou um tanto impossível ignorá-las. No entanto, havia mulheres cuja autolegitimação era baseada exclusivamente na confiança que tinham na própria criatividade, e que se empoderaram como escritoras e pensadoras. Essas mulheres reconheceram que tinham talento, o que lhes permitiu escrever, e, com seus escritos, influenciaram outras. A aceitação desse talento como um dom de natureza quase misteriosa permitia que tais mulheres desconsiderassem restrições patriarcais, papéis definidos de gênero e a constante enxurrada de desestímulo que toda mulher intelectualmente ativa enfrentava. A autoconfiança e a serenidade que vêm com sua formação possibilitou a essas mulheres criarem o próprio lugar no mundo e defenderem seu talento, muitas vezes em isolamento, na solidão e sob o escárnio de seus contemporâneos. E não foram poucas que, em seu trabalho criativo, também avançaram em direção à consciência feminista e sua expressão pública. São essas mulheres que nos interessam neste capítulo.

A crítica literária moderna se preocupa muito com o debate sobre a possibilidade de existência de uma literatura feminina à parte e, em caso positivo, se ela terá um caráter feminista ou antifeminista. Existe alguma diferença entre um poeta e uma poetisa que possa ser discernida pela leitura da poesia? A pergunta não pode ser respondida, porque mulheres diferentes fizeram escolhas também muito diferentes. Poetisas que desejavam descrever sua experiência feminina eram bem explícitas em sua autoidentificação; elas não podiam nem queriam escrever sobre a experiência masculina, tampouco afirmavam estar falando de alguma experiência feminina universal. Apenas falavam da própria vida. Outras, disfarçando a vida de mulher e não querendo ser julgadas por um padrão inferior ao dos homens, adotaram pseudônimos ou outras identidades masculinas e escreveram sobre assuntos presumivelmente sem gênero. Pode-se argumentar que o fato de elas terem feito isso prova, de forma mais segura do que qualquer outra coisa, a existência de uma voz feminina e sua depreciação no mundo cultural do patriarcado. Se a voz feminina não fosse diferente da masculina, ou se fosse tão reconhecida e honrada quanto a masculina, não haveria necessidade de abandoná-la, negá-la ou disfarçá-la.

A mente de um homem ou uma mulher está localizada em um corpo sexuado, e isso, suponho, teria que fazer alguma diferença em sua expressão. A diferença pode ser leve ou irrelevante, não mais importante, digamos, do que a diferença entre um poeta que vive em um corpo frágil e outro que tem uma saúde vigorosa, não fosse o fato de que, em uma sociedade patriarcal, o sexo é um indício significativo de diferenças de poder, direitos e liberdade. Mais importante ainda, e para os propósitos deste livro, essencial para nossa discussão é o fato de que os homens e as mulheres poetas vivem em uma sociedade separada por gênero, isto é, na qual as definições sociais de comportamento e expectativas apropriadas aos sexos estão implícitas em cada instituição da sociedade, em seu pensamento, sua linguagem, seu produto cultural. Se alguém pesquisar o produto literário da civilização ocidental – livros, poemas, peças de teatro, biografias e autobiografias, filosofia, religião e história –, torna-se claro que as condições sob as quais o talento de homens ou mulheres encontra expressão são e vêm sendo, em essência, diferentes para os sexos. E, por fim, o homem ou mulher de talento vivem uma relação diferente com a história e o processo histórico, e isso, inevitavelmente, deve afetar a forma e o modo de pensar dele ou dela. Sob essa perspectiva, a voz e a cultura femininas podem ser vistas não como atributos do sexo, mas como produtos da história dividida por gênero.

Apenas alguns exemplos precisam ser dados do gênero de escrita das mulheres sobre a própria experiência. Elas escreveram a respeito da própria vida, aflições, decepções amorosas, o pesar pela morte dos filhos, o prazer da amizade, o temor e amor a Deus. Essa é a forma mais antiga e persistente pela qual as mulheres expressavam suas vozes. Comecemos com um poema anônimo, que pode servir de arquétipo para muitas baladas e canções folclóricas anônimas, todas falando sobre a condição das mulheres rejeitadas no amor ou traídas pelos homens que amavam. O poema "Wife's Lament" [O Lamento da Esposa] está no *Livro de Exeter*, uma antologia de poemas anglo-saxões presenteados à Catedral de Exeter por Leofric, bispo de Exeter, no século XI. A primeira estrofe diz:

> Eu canto para mim mesma, uma mulher infeliz,
> de minha própria tristeza. Tudo o que senti
> desde que cresci, permito-me dizer,
> seja novo ou velho – nunca mais do que agora:
> eu carreguei a cruz de minhas preocupações, sempre.

Ela descreve sua condição, a ausência do marido e o conflito com a família dele.

> Eles me levaram para viver na floresta
> sob um carvalho, naquela velha pilha de pedras.
> Esta casa arruinada; estou cheia de saudade.
> Os vales são sombrios, as colinas são altas,
> os quintais amargos com silvas crescidas,
> os assentos estão pesarosos. Estou com o coração doente,
> ele está tão longe de mim. [...]

O tema do amor não correspondido ou traído é recorrente ao longo dos séculos na poesia e na música feitas por mulheres. Entre as "troubatrixes", mulheres trovadoras do Languedoc, isso às vezes dava origem a expressões excepcionalmente francas sobre o jogo do poder sexual. A condessa de Dia (nascida por volta de 1140), de quem pouco se sabe, exceto que era casada e apaixonada por outro homem, expressou-se com extraordinária sinceridade:

> Ultimamente tenho estado em grande angústia
>
> sobre um cavaleiro que um dia foi meu,
>
> e eu quero que se saiba por toda a eternidade
>
> como eu o amava em demasia.
>
> Agora eu vejo que fui traída
>
> porque eu não quis dormir com ele;
>
> noite e dia minha mente não descansa
>
> pensando no erro que cometi. [...]
>
> [...]
>
> Amigo belo, charmoso e gentil,
>
> quando terei você em meu poder?
>
> Se eu ao menos pudesse deitar ao seu lado por uma hora
>
> e abraçá-lo amorosamente
>
> saiba disso, que eu daria quase qualquer coisa
>
> para ter você no lugar do meu marido,
>
> mas apenas sob a condição
>
> de você jurar fazer minhas vontades.[2]

A frase final usada no original, *"de far tot so qu'ieu volria"* (fazer tudo o que eu desejar), é ainda mais forte do que a frase utilizada na tradução. Essa dama angustiada e traída não perdeu o senso de si mesma nem do próprio poder. Mulheres de séculos posteriores não foram tão independentes de verdade como as nobres do século XII, nem tão seguras de si; o amor não correspondido era descrito por elas como uma experiência devastadora e perturbadora. Sendo assim, a poetisa Louise Labé de Lyon (1525-1566), uma mulher das classes artesãs que era casada com um cordoeiro e mantinha um salão cultural, escreveu com muita sinceridade, em uma série de poemas notáveis, sobre seu amor adúltero por um homem que a abandonou:

> Eu vivo, eu morro. Eu me queimo e me afogo.
>
> Sou extremamente quente em um frio agonizante:

minha vida é suave e de difícil controle.

Quando estou feliz, sinto dor e franzo a testa.

De repente estou rindo enquanto choro

e em meu prazer eu suporto profundo pesar:

minha alegria permanece e escapa como um ladrão.

De repente, estou florescendo e depois seco.

Então o amor instável me conduz em vão

e quando eu penso que minha tristeza não tem fim

irracionalmente descubro que não tenho dor.

Mas quando parece que a alegria está no meu reino

e uma hora de êxtase é minha para gastar,

Ele vem e eu, em uma antiga dor, me humilho.[3]

Em outro de seus poemas, Labé expressou não apenas sua angústia, mas também raiva pela traição do amante:

De que adianta para mim se há muito tempo

você elogiou com eloquência meus cabelos dourados,

comparou meus olhos e beleza com o brilho

de dois sóis onde, você diz, o amor armou o arco,

disparando os dardos que te perfuraram com sofrimento?

Onde estão suas lágrimas que se desfizeram no chão?

Sua morte? Pela qual o seu amor constante é unido

em juramentos e honra agora inacreditáveis?

Seu objetivo brutal era tornar *a mim* uma escrava

sob o ardil de ter sido servida por você.

Perdoe-me, amigo, e pela primeira vez ouça-me:

Estou indignada com raiva e me enfureço.

Ainda assim, tenho certeza, aonde quer que você tenha ido,

seu martírio é duro como minha alvorada negra.[4]

Outro tema relacionado a uma experiência feminina comum, o pesar da viúva, é belamente expresso em um dos poemas de Cristina de Pisano:

Sou uma viúva, vestida de preto, sozinha:
meu rosto é triste e estou vestida com simplicidade.
Obscura é a minha vida diária. Estou angustiada,
pois o luto amargo me seca até os ossos.

É claro que me sinto abatida, morta como uma pedra,
em lágrimas, silenciada, deprimida em todos os sentidos
Sou uma viúva, vestida de preto, sozinha.

Pois perdi aquele que me faz ter
a memória da dor pela qual estou obcecada.
Longe estão os dias de alegria que um dia eu tive.
Com ervas venenosas meu duro terreno é semeado.
Sou uma viúva, vestida de preto, sozinha.[5]

Poesia como essa chega até nós através dos séculos, falando clara e convincentemente da vida emocional das mulheres, de sua resistência, sua tolerância e coragem. De maneira um pouco diferente, existem obras que falam das experiências rotineiras das mulheres em um tom que, segundo parece, aceita as definições de gênero dos homens e ainda assim as desafia, ou as subverte com sutileza.

Anne Bradstreet (1612?-1672), inglesa que chegou com a família a Massachusetts em 1630 e combinou uma vida tradicional doméstica e puritana com a vida interior de uma poeta – a primeira poeta norte-americana, na verdade – oferece um bom exemplo de adaptação às restrições de gênero. Ela escreveu:

Trovar sobre guerras, capitães e reis,
Das cidades fundadas, as riquezas começaram,
Para minha pena cruel, são coisas muito superiores,
E, como todos eles, ou cada um, seus dias passaram:
Deixe que poetas e historiadores expliquem,
Meu verso obscuro não diminuirá seu valor.
[...]
Eu sou desagradável para cada má-língua
Que diz que uma agulha fica melhor na minha mão,

A pena de um poeta, todo o desprezo eu devo, então, corrigir;

Não obstante, apesar do que lançam sobre a capacidade feminina:

Se o que eu fizer ficar bom, não avançará,

Eles vão dizer que é roubado, ou talvez, que foi por acaso.

[...]

Que os gregos sejam gregos, e as mulheres, o que elas são,

Os homens têm precedência, e ainda assim se destacam,

É apenas inútil travar essa guerra injusta;

Os homens podem fazer melhor, e as mulheres sabem bem disso;

A primazia em cada um é sua,

Mas concede algum reconhecimento a nós.[6]

A moderação dócil de Bradstreet pode ser interpretada como irônica ou conformista, mas o fato significativo é que ela persistiu toda a vida trabalhando e publicando como poeta. A que custo, para ela e sua arte, só podemos supor. Como observou Adrienne Rich: "Ter escrito poemas, os primeiros bons poemas dos Estados Unidos, enquanto criava oito filhos, adoecendo com frequência, mantendo uma casa à beira do nada, foi ter conseguido manter o alcance e a extensão de uma poeta dentro dos limites mais austeros que algum poeta norte--americano pudesse ter confrontado".[7]

Anne Bradstreet ignorou as "más-línguas" e garantiu para si e para o mundo que escrevia primordialmente para os filhos e para louvar a Deus. Ainda assim, em todas as gerações, em todo lugar que as mulheres lutassem por expressão intelectual, algumas "más-línguas" as lembravam de suas limitações e obrigações femininas. Várias vezes encontramos mulheres direcionadas ao tear, à costura, à roca de fiar e ao bastidor do bordado em vez de à pena. Muitas delas atenderam a esses chamados: os tecidos artísticos, as colchas magníficas, os bordados ricamente variados, as peças que decoravam igrejas e lares, tudo atesta a criatividade feminina florescente. E, como lembrou Alice Walker, a criação de jardins era, para muitas mulheres, uma forma de arte.[8] Mas a área contestada pelos homens era a da criação literária, da definição. Foi nela que eles afirmaram suas assim chamadas prerrogativas, alegaram superioridade de instrução e intelecto, definiram padrões excludentes e usaram todas as formas possíveis de pressão psicológica para desencorajar mulheres a reivindicar qualquer parte desse terreno. Contra tal pressão, apenas aquelas com personalidade e motivação mais fortes conseguiram se manter em pé. Como já vimos, as motivadas por inspiração divina foram inabaláveis. Para citar apenas um exemplo, a freira mexicana irmã Juana de la Cruz (ver Capítulo 2), quando castigada pelo confessor por sua presunção ao escrever versos, respondeu que ela não podia evitar e não conseguia controlar sua capacidade de fazê-lo; era-lhe natural e, portanto, devia ser um presente de Deus. A partir disso, ela concluiu que tinha o direito de escrever versos.

Mulheres que não eram tão motivadas assim pela religião afirmaram seu talento do mesmo modo. O reconhecimento desse talento tão inato e a capacidade de se conectar com os leitores por meio da escrita tinham um efeito poderoso sobre a autora. Uma mulher treinada para servir aos outros e expressar sua identidade apenas por meio desse serviço inesperadamente expressaria sentimentos bem diferentes. Ela admitiu que gostaria de ser lembrada pela obra, pela própria escrita. Queria a validação de sua autoria, a proteção de sua identidade e a preservação de sua memória. Em suma, aspirava à imortalidade. Esse desejo e sua expressão vão totalmente contra a observada evasão da atenção pública para a qual as mulheres foram doutrinadas. Assim, Maria de França (século XII), uma das mulheres medievais mais conhecidas de sua época, foi bastante precisa ao definir sua autoria literária. Ela comentou:

> Darei meu nome, para a memória:
> Eu sou da França, meu nome é Maria.[9]

Em seu livro *Lais*, ela se identifica como "Maria, que não deveria ser esquecida em sua época".[10]

Cinco séculos inteiros depois, Margaret Cavendish, duquesa de Newcastle (1623-1674), encerrou sua breve autobiografia com uma explicação para seu esforço incomum. Ela escreveu este trecho:

> para dizer a verdade, para que as eras não se enganem, por não saber que eu era filha de certo Mestre Lucas de St. Johns, perto de Colchester, em Essex, segunda esposa do lorde e marquês de Newcastle; pois meu Senhor teve duas

esposas, eu poderia ser confundida com facilidade, em especial se morrer e meu Senhor se casar de novo.[11]

É provável que sua autodefinição como filha e esposa expresse a consciência das mulheres de sua época de forma bem precisa, mas seu medo de ser confundida com uma esposa precedente ou sucessora de seu "Senhor" é notável. Não importa quanto ela tentasse esconder a consciência de sua personalidade independente, a insolência de alguém que escrevia sua vida não podia ser reprimida por completo. Ela veio à tona em outro momento da mesma obra quando ela expressou a esperança de que "meus leitores não me considerem vaidosa por escrever minha vida, já que muitos fizeram o mesmo, como César, Ovídio e muitos outros, homens e mulheres, e não sei por que não posso fazer isso tão bem quanto eles".[12] A suposição repleta de autoconfiança de que ela é uma escritora no mesmo nível de César e Ovídio logo vacila. Algumas frases depois, ela se defende contra "os leitores censores" que perguntarão com desdém "por que essa senhora escreveu sua própria vida?" e responde: "É verdade que não há propósito para os leitores, mas há para a autora, porque eu escrevo pelo meu próprio bem, não pelo deles". Em outra parte da autobiografia, ela admite ser ambiciosa "para me elevar à torre da Fama, que é viver sendo lembrada na posteridade".[13]

A autobiografia está repleta de qualificações, explicações e desculpas por essa ambição indecorosa, mas a confissão da duquesa soa verdadeira. Em suas próprias palavras, portanto, ela admite escrever por dois motivos: para ser lembrada e para o próprio bem. Este último marca um importante avanço na consciência feminista.

A duquesa de Newcastle foi uma das várias poetas e escritoras que floresceram na Inglaterra do século XVII. Algumas basearam sua obra nas próprias experiências e as abordaram de forma comovente para um apelo mais universal. Aphra Behn (1640-1689) foi a primeira escritora inglesa a ganhar a vida escrevendo; a primeira mulher a ter sucesso como dramaturga (escreveu catorze peças); e a primeira a desafiar a convenção e a tradição ao descrever com franqueza o prazer sexual das mulheres em seus poemas. Em vários deles, o objeto de desejo é uma mulher; Behn trata o assunto sem reserva ou explicação. Com mais idade, ela publicou uma série de obras de ficção em prosa que foram pioneiras no desenvolvimento do romance. Ela resistiu à difamação, ao escárnio e ao menosprezo de sua reputação e continuou a escrever como uma profissional. Sua vida e suas lutas possibilitaram o desenvolvimento de outras mulheres talentosas como artistas e profissionais sérias.

O século XVII também viu uma proliferação de mulheres poetas ascendendo à breve notoriedade, e até fama, no domínio alemão. Isso ocorreu em razão da disseminação da educação feminina e do fato de a Reforma encorajar a poesia e os tratados religiosos como um escape para a criatividade feminina. Já mencionamos a obra de Anna Hoyers e da poeta Margaretha Suzanna von Kuntsch (Capítulo 6). Embora as recém-populares sociedades literárias em geral excluíssem as mulheres, havia algumas poucas exceções que ofereciam um fórum semipúblico para mulheres criativas. O *Palmorden*, em 1617, aceitou a esposa do presidente como filiada. Outra sociedade afim, a *Pegnesische Blumenorden*, em Nuremberg, tinha dezenove integrantes mulheres. No entanto, mesmo essa limitada oportunidade para escritoras levou a terríveis críticas sarcásticas contra as mulheres "escribas". Uma jovem e talentosa poeta, Sibylla Schwarz (1621-1638), defendeu a si mesma e a outras mulheres contra esses ataques. Em um poema intitulado "Song Against Envy" [Canção Contra a Inveja], ela se dirigiu aos que atacavam mulheres escritoras sugerindo que, se eles estavam chateados com a escrita feminina, deveriam parar de lê-la. Ela argumentou que o lugar das Musas era tão acessível às mulheres quanto aos homens e citou uma lista de poetisas, de Safo a Anna Maria von Schurman, para reforçar sua afirmação. Ela finalizou: "Desistam de sua difamação e de sua inveja. Sei que posso viver muito bem sem vocês e me dedicar à poesia [...] Não vou deixar vocês me reprimirem. [...] Vou confiar no Deus que me deu dons e por quem eu escrevo e digo a vocês, aquele que confia em Deus em tudo conquistará o mundo, a inveja e a morte".[14] Embora seus versos tenham sobrevivido em publicação póstuma, ela morreu na adolescência.

Apesar da refutação desafiadora de Sibylla Schwarz, mulheres continuaram a ser criticadas pelo ato de escrever. Quase cem anos após sua morte, outra poeta alemã foi exaltada em público, e também criticada com violência. Christiana Mariana von Ziegler (1695-1760), duas vezes viúva e tendo perdido os dois filhos, dirigiu um salão literário em Leipzig, publicou um livro de poesia e deu palestras públicas em defesa da educação de mulheres. Ela escreveu o texto de nove cantatas que Johann Sebastian Bach musicou. Ziegler foi a primeira integrante mulher a ser aceita na Sociedade Alemã. Ela também foi laureada como poeta pela Universidade de Leipzig em 1733. Ainda assim, foi atacada em inúmeros poemas satíricos e ridicularizada por sua presunção. No poema "The Female Poet and the Muses" [A Poetisa e as Musas], ela expressou sua ansiedade e frustração. Ela descreveu como seus impulsos a fizeram aspirar ao Olimpo porque sabia que era ali que as Musas – mulheres como ela – cantavam (trabalhavam como poetas). Mas, quando ela alcançou a montanha sagrada, as Musas barraram sua entrada, temendo que Apolo pudesse preferi--la a elas.[15] Aqui, o desespero em relação à ambição frustrada se transforma em auto-ódio feminino: essa poeta não foi barrada por homens hostis (como seria na realidade), mas por mulheres ciumentas.

Contudo, Sidonia Hedwig Zäunemann (1717-1740) foi tão influenciada pela fama de Ziegler que embarcou na carreira de escritora. "Seu exemplo fez meu sangue ferver", escreveu ela. Ela ignorava os temas "femininos" habituais; em vez disso, andava muito a cavalo, usando em geral roupas masculinas e sem acompanhante, e escrevia sobre o que observava. Um de seus feitos foi descer em uma mina subterrânea e descrever suas impressões em um poema. Em 1738, foi laureada "Poetisa Imperial" pela Universidade de Göttingen e, depois de receber essa homenagem, publicou seu primeiro volume de poemas. Ainda assim, o sucesso exigiu o preço de sempre – em um longo poema intitulado "Virgin's Bliss" [A Bênção da Virgem], ela exaltou as virtudes da vida no convento. Virgens podiam viver ali em paz e sossego, longe de fofocas maliciosas, enquanto as esposas viviam com o medo constante de que as palavras gentis do marido em breve se transformassem em ira e agressões. Presumivelmente, Zäunemann explicou sua decisão de renunciar ao casamento nesse poema, repetindo uma estratégia que evitava os papéis de gênero tradicionais, usada pelas mulheres durante muitos séculos. Dois anos após a publicação de seu livro, ela morreu em um acidente durante uma viagem.

O assédio e a reprovação de mulheres escritoras eram uma experiência tão habitual que transcendia as fronteiras nacionais e étnicas. É interessante comparar a experiência de uma poetisa judia do século XVIII com a das mulheres alemãs do século XVII que acabamos de discutir. Rachel Morpurgo era essa raridade, uma poetisa judia cujo trabalho sobreviveu e que expressou com vigor sua frustração com as condições sob as quais tinha que trabalhar. Rachel Morpurgo (1790-1871) nasceu em Trieste, em uma família famosa pela erudição. Ela recebeu uma educação excepcionalmente boa para uma menina, dominando o hebraico, a Bíblia, o Talmude e, mais tarde, a literatura judaica. Ela recusou um casamento arranjado e se casou com um homem de sua escolha. Escrevendo em hebraico, ela ganhou alguma reputação como poeta.

> Ai de mim, minha alma diz, quão amargo é meu destino,
> Meu espírito vaidoso aspirava a ser grande.
> Eu ouço uma voz pronunciar: sua música merece ser exaltada.
> Quem são seus pares, Rachel, mestra das canções?

> Meu espírito me repreende: minha virtude é um pecado,
> Exílio após exílio exauriu a minha pele,
> Minha pungência se foi, minha vinha está acabando,
> Temendo a desgraça, não consigo mais cantar.

> Eu fui para o norte, para o sul, leste e oeste,
> "A mente da mulher é frágil", como pode esta ser melhor?
> Depois de anos, se sua memória for posta à prova,
> Superará um cão morto que conheceu uma província ou cidade?
> Aonde quer que você vá, ouvirá ao seu redor:
> A sabedoria da mulher está atrelada aos afazeres femininos.[16]

Durante o século XVIII, surgem algumas mulheres das classes mais pobres que adquiriram educação suficiente para se expressar em verso e que conseguiram publicar seus poemas. Uma delas é a inglesa Mary Collier (1689/1690-após 1759). Ela nasceu em uma família pobre em Sussex e aprendeu a ler com os pais. Ganhava a vida como lavadeira, provavelmente também como empregada doméstica e trabalhadora agrícola sazonal. Em 1739, ela reagiu furiosamente a um poema, "The Thresher's Labour" [O Trabalho do Debulhador] (1736), escrito por Stephen Duck, que, ecoando as atitudes predominantes em relação às mulheres, despreocupadamente aviltou o valor e o esforço das trabalhadoras do campo. Mary Collier afirmou que, ao lê-lo, sentiu uma "grande propensão a chamar um Exército de Amazonas para vingar o sexo ferido". Ela foi incentivada por seus empregadores a publicar o extenso poema. Nele, descreveu o longo dia de trabalho das mulheres no campo e sua jornada dupla:

> [...] quando chegamos em casa,
>
> Descobrimos mais uma vez que o trabalho recém-começou;
>
> Tantas coisas para fazer em nosso serviço,
>
> Se tivéssemos dez mãos, usaríamos todas.
>
> Nossos filhos colocados na cama com o maior cuidado
>
> Todas nós preparamos o lar para vocês voltarem:
>
> Vocês jantam, vão para a cama sem demora.
>
> E descansam até o dia seguinte;
>
> Enquanto nós, meu Deus! podemos dormir tão pouco,
>
> Porque nossos filhos insubordinados [!] choram e gritam;
>
> Mas, sem erro, assim que o dia começa,
>
> Nosso trabalho no campo começa outra vez.[17]

O poema continua descrevendo em detalhes a labuta incessante das trabalhadoras domésticas e lavadeiras, tornando o duplo fardo do trabalho das mulheres uma experiência sentida de forma vívida.

Outro exemplo de mulher poeta de classe baixa que escrevia sobre a própria experiência é a alemã Anna Louisa Karsch (1722-1791). Nascida em uma família de camponeses muito pobres, teve uma infância de trabalho estafante e carente de educação formal. Ainda assim, desenvolveu um talento surpreendente para versar, que conseguiu transformar em uma forma de sustento, fazendo versos ocasionais para outros aldeões em troca de comida ou alguns trocados. Sua competência permitiu-lhe complementar a renda familiar e ajudar a sustentar os filhos em seu casamento com um marido negligente e alcoólatra, que a maltratava e de quem se divorciou após onze anos de matrimônio. Os talentos dessa mulher atraíram a atenção de algumas senhoras da nobreza local, que fizeram dela uma espécie de mascote e a levaram, com os filhos, para a sociedade instruída. A maior parte da produção literária de Karsch é bem convencional e desinteressante. Ela foi forçada a entrar na vida de "*poodle* adestrado" e conseguiu se autossustentar com a venda de sua capacidade poética no mercado, mesmo sustentando outro marido negligente e seus sete filhos e parentes. Uma coletânea de seus poemas surgiu sob o patrocínio do poeta Gleim, e ela foi apresentada ao imperador Frederico II, que elogiou suas habilidades. No entanto, em seus últimos anos, precisou implorar a senhoras da nobreza por ajuda financeira. Em vários poemas que escreveu com esse propósito, ela apresentou uma descrição realista de sua situação econômica, descrevendo o frio, a fome e o estado deplorável de sua existência em uma linguagem frugal. Neste poema em particular, ela trata do casamento infeliz:

> Ó, maldita santidade da tortura do matrimônio!
> Eu tremo quando minha mente olha para trás:
> Quão horrível era o estado de ser uma escrava [...]
> Coberto de pele humana, um patife infernal
> permaneceu senhorial sobre mim, sem restrição
> gritando sua raiva contra a minha pequena reclamação.
> Zombando do meu coração mole, por dez anos
> ele rasgou as páginas contendo minhas ideias.
> Pois este homem, falível pela bebida,
> assassino da minha vida, não conseguia pensar.
> Seu caminhar, sua palavra, seu olhar eram meu destino amargo.
> Proteja-me e abrigue-me de tal homem, ó, Deus.[18]

Poetas como Mary Collier e Anna Louisa Karsch acrescentam a voz das mulheres da classe trabalhadora ao registro da luta das mulheres pela autoexpressão.

No fim do século XVIII, escrever tornou-se um meio de ganhar a vida para um pequeno número de mulheres inglesas. O aparecimento de mulheres de classe média como escritoras profissionais foi produto de muitos fatores, todos relacionados à modernização. A urbanização causou o surgimento de jornais diários e revistas semanais ou mensais. A difusão da educação e do aumento do lazer para mulheres da classe média levou ao crescimento do público de leitores do sexo feminino. O sistema de mecenato para o apoio às artes começou a dar lugar a um genuíno comércio, e as mulheres passaram a publicar livros com fins lucrativos. Sarah Fielding, Charlotte Smith e Susannah Rowson sustentavam suas famílias e a si mesmas escrevendo. A ensaísta Elizabeth Montagu, as historiadoras Catharine Macaulay e Mary Wollstonecraft estavam entre as mulheres que ganhavam a vida escrevendo não ficção.[19] Nos Estados Unidos, um novo ambiente para mulheres de talento não se desenvolveu até o século XIX, quando vemos o florescimento de escritoras de ficção, biógrafas e compiladoras de biografias de mulheres notáveis, bem como jornalistas e escritoras de revistas.

Os romances escritos por mulheres no século XVIII deram início a um gênero que se desenvolveu completamente na Inglaterra, França, Alemanha e nos Estados Unidos apenas no século XIX. Não é por acaso que a maioria dos grandes romancistas – Jane Austen, a família Brontë, George Eliot, George Sand, Fanny Lewald, Annette von Droste-Huelshoff – trabalham nesse período. Elizabeth Barrett Browning expandiu a forma poética para dar-lhe dimensões novelísticas em seu conhecidíssimo romance feminista em verso *Aurora Leigh*. Margaret Fuller, a escritora afro-americana Frances Ellen Watkins Harper, Florence Nightingale e Helen Hunt Jackson são várias das muitas mulheres que escreveram obras de não ficção que influenciaram muito suas contemporâneas. Com elas, enfim, a luta secular das mulheres pelo direito de pensar e pelo direito de decidir havia se realizado. Essas escritoras se livraram dos grilhões da definição de gênero e usaram o potencial da mente, indo mais longe do que outras mulheres jamais conseguiram chegar.

Vimos ao longo deste livro que a autonomia das mulheres teve de ser conquistada com dificuldade antes que a criatividade pudesse florescer. O contexto cultural para a criatividade das mulheres era bastante diferente do dos homens. A ausência de heroínas e da História das Mulheres incapacitou até mesmo as mulheres mais talentosas, ou desviou seus talentos para formas menos ambiciosas ou mais curtas: poemas em vez de obras dramáticas; cartas e diários em vez de obras filosóficas. O constrangimento social relacionado à autoria e à publicação de mulheres criou enormes tensões em mulheres talentosas cujos dons, para que fossem plenamente realizados, exigiam ambição, estabelecimento de metas de longo prazo e desejo por fama. As definições sociais de "feminilidade" e as obrigações familiares intermináveis impostas às mulheres faziam com que concentrar a atenção na escrita profissional fosse difícil, se não impossível, para a maioria delas. Até meados do século XIX era raro encontrar uma escritora que não precisasse pagar por sua produtividade intelectual com uma vida deturpada e infeliz. Ou as mulheres tinham que abrir mão da vida sexual para que pudessem ter tempo livre e licença para pensar, imaginar e criar, ou tinham que abandonar o casamento e a maternidade para que fossem livres para se concentrar em si mesmas e em sua produção intelectual – elas enfrentavam mais obstáculos do que os irmãos na busca por objetivos semelhantes.

Começando por Aphra Behn, também havia algumas mulheres que desafiavam os tabus da sociedade e levavam vidas livres, ou pelo menos não convencionais. Elas pagavam um alto preço por qualquer alegria que derivasse de seu estilo de vida e, em inúmeros casos, reprimiam e negavam leituras públicas de suas obras por serem escandalosas. Mary Wollstonecraft é o exemplo mais conhecido desse modelo: era uma escritora que alcançou grande público quando, após sua morte precoce ao dar à luz, sua vida se tornou um escândalo. Isso ocorreu por causa da decisão do marido de publicar as memórias de sua vida e uma coletânea de cartas dela ao amante, que tornaram perceptível que tivera um filho ilegítimo e vivia com dois homens fora do casamento. A partir de então, sua vida foi apresentada como exemplo de libertinagem e da ligação entre feminismo e transgressão. Esse tipo de ataque a ela foi feito durante todo o século XIX e ainda era impresso na década de 1950. Sem dúvida, isso desencorajou outras mulheres de acessar seu trabalho e levá-lo a sério.

Frances Wright, radical escocesa que viveu nos Estados Unidos nas décadas de 1820 e 1830, foi seguidora de Robert Dale Owen e formou sua própria colônia utópica, foi difamada na imprensa e no púlpito e perdeu grande parte de sua influência por defender a liberdade sexual e o casamento inter-racial. Seu nome se tornou um epíteto, na verdade; ser uma "Fanny Wrightist" era ser uma transviada. Esses são apenas dois exemplos de muitos outros que poderiam ser citados em diferentes países. A vida e o trabalho das mulheres estavam sempre em tensão contra as definições patriarcais de gênero.

A NEGAÇÃO ÀS MULHERES de igual acesso às instituições de ensino superior tornou difícil o debate de escritoras com homens eruditos. Essa pode ter sido uma vantagem real para os escritores criativos, uma vez que estavam livres para a inovação e a criação de obras imaginativas. A maioria dos primeiros grandes romancistas, homens ou mulheres, não tinha formação universitária. Mas a ausência de acesso às universidades privou as mulheres de espaços seguros para o trabalho criativo e de uma comunidade com opiniões semelhantes para testar suas ideias. Veremos nos capítulos seguintes a importância da existência de tais espaços e de tais comunidades para a formação da consciência feminina.

Vimos em nossa discussão sobre o desenvolvimento intelectual das mulheres europeias que a luta delas por legitimação era um pré-requisito necessário para a autonomia como escritoras e pensadoras. Vimos como algumas mulheres conseguiram isso por meio de inspiração divina, revelação mística ou um senso de chamado religioso especial. Outras foram fortalecidas pelo papel de mães e educadoras da juventude. Por último, as mulheres que discutimos neste capítulo foram levadas à autolegitimação quando aceitaram as exigências de seu talento. Para mulheres, a afirmação da plena humanidade perante Deus, da plena igualdade como seres humanos e da autonomia como pensadoras foram expressões verdadeiramente revolucionárias. Mulheres específicas de talento fizeram essas declarações de autoafirmação já no século VIII, como Rosvita de Gandersheim, e, em face da enorme indiferença, negação e difamação, essa declaração teve que ser feita várias vezes. A duquesa de Newcastle nos assegurando que escrevia "para o próprio bem"; Anna Maria von Schurman afirmando que as mulheres deveriam ser estudadas pelo bem da educação – eis aqui as raízes da autonomia cultural das mulheres, surgindo no solo mais impróprio. É apropriado encerrar este capítulo com Emily Dickinson, uma mulher que, mais do que qualquer outra mulher criativa que a precedeu, foi, nas palavras de uma de suas mais recentes intérpretes, "a criadora do próprio discurso".[20] Embora seu modo extremo de triunfar sobre as condições que ameaçavam frustrar e desviar seu talento pertença a uma época anterior, ela abriu caminho para o futuro e conquistou a imortalidade que reivindicou com tanta ousadia ao se expressar como uma mente livre, um espírito livre e uma mulher. Nesse sentido, Dickinson surge como a perfeição e o ápice de séculos de esforços das mulheres pela autodefinição.

"EU HABITO A Possibilidade", escreveu Emily Dickinson. Não existem dúvidas de que ela era um gênio, e é muito evidente, tanto na obra quanto na vida, que sua genialidade era totalmente compreendida e protegida por ela. Depois de uma infância e adolescência convencionais, ela se tornou nas últimas décadas da vida uma quase reclusa na casa do pai, vendo apenas seus parentes mais próximos e quase nunca saindo do quarto. Cultivava excentricidades notáveis, como vestir-se apenas de branco e falar até mesmo com os amigos íntimos por trás de uma porta entreaberta. Sua postura meticulosamente calculada de pessoa reclusa e introvertida libertou-a de obrigações sociais indesejadas, da necessidade de explicar sua recusa em se casar e de muitas das tarefas domésticas esperadas de jovens mulheres de sua classe. Isso lhe permitiu espaço e tempo para trabalhar e refletir. Pode-se entender melhor sua decisão de viver uma existência de reclusão se ela for colocada junto a um *continuum* de mulheres pensadoras ao longo dos séculos, lutando para se autolegitimarem à criatividade.

O que primeiro vem à mente é a semelhança da sua escolha de vida e estilo com várias das grandes mulheres místicas – Hildegarda de Bingen, Mechthild de Magdeburg, Christine Ebner, Juliana de Norwich. O poder delas vinha da rejeição da vida "normal" de mulher, da castidade, do isolamento, da concentração no eu interior e de suas visões. Emily Dickinson referiu-se a si mesma em vários poemas como uma "freira" (nos 722 e 918), e em seu trabalho há inúmeras referências a si como alguém que atende a mistérios além de sua compreensão.[21]

Seu afastamento da vida pública não significou uma rejeição do contato humano e da comunidade, embora a abadessa e a freira enclausurada tivessem um envolvimento muito maior com a vida pública do que a poeta de Amherst. Como vimos, Hildegarda criou um papel público para a visionária mística e exerceu influência na arena pública mais ampla possível. Mechthild e Juliana de Norwich rejeitavam esse tipo de poder e se abstiveram dele. A mulher a quem Dickinson mais se assemelha em suas escolhas é Isotta Nogarola, que decidiu por vontade própria viver uma existência de isolamento, na companhia apenas da mãe, a fim de manter sua capacidade para a escrita. Para Isotta, essa escolha foi menos heroica do que o necessário; o que torna a escolha de Emily Dickinson tão intrigante é que ela ocorreu quinhentos anos depois da de Nogarola. Dickinson viveu nos Estados Unidos do século XIX, numa época em que as mulheres estavam começando a encontrar uma comunidade própria ao se organizarem por seus direitos. Outras mulheres que saíram de ambientes não muito diferentes do dela voltaram-se para agremiações, para a luta pela educação superior de mulheres, para o trabalho missionário e para a escrita de ficção para um público feminino. Ela, em vez disso, escolheu o isolamento e a vida de poeta.[22]

Que sua escolha foi deliberada, cuidadosamente examinada e refeita várias vezes fica evidente em um estudo atento de sua biografia. Ela tinha alternativas e escolheu sua vida, não com amargura e decepção, mas com criatividade extasiante e celebração dos poderes conquistados a duras penas. O que ela ganhou e o que criou foi a vida consciente da mente, o mundo no qual ela era "Imperatriz [...] Rainha", à altura dos heróis dos mitos e da literatura, uma alma livre para discutir com Deus e negociar os termos de seu debate. Como todos os grandes artistas, ela sabia que essas recompensas só vêm depois de uma autodisciplina rigorosa e com grande concentração de esforços. Como todas as mulheres artistas, ela sabia que esses ganhos não poderiam ser obtidos ao se desempenhar os serviços tradicionais definidos pelo gênero para marido, filhos e até mesmo para a comunidade.

Emily Dickinson, uma das maiores poetas da língua inglesa, produziu uma obra impressionante – 1.775 poemas, dos quais menos de vinte foram publicados durante sua vida, e a maioria deles sem sua permissão. Isso não ocorreu por timidez ou hipersensibilidade, como muitos dos intérpretes declararam, mas foi mais uma escolha deliberada que ela fez, como veremos a seguir.

Emily Dickinson (1830-1886) cresceu em Amherst, Massachusetts, filha do meio de uma família muito unida. O pai era um cidadão importante e advogado que cumpriu um mandato na Câmara dos Representantes em Washington e outro no órgão legislativo estadual. Era um homem severo, dedicado inteiramente ao trabalho e autoritário na relação com a esposa e os filhos. Emily o via como uma figura heroica e admirável. Ela escreveu: "Nunca tive mãe. Suponho que mãe é aquela a quem você recorre quando está com problemas". "Sempre corria para casa e para o Awe [Austin] quando era criança, se alguma coisa acontecesse comigo. Ele era uma mãe terrível, mas gostava dele mais do que não ter nenhuma."[23] No entanto, a mãe sempre esteve presente em sua vida, uma mulher tímida e infeliz, cuja incapacidade e submissão não serviam de modelo para a brilhante filha. "Minha mãe não liga para o pensamento", Emily escreveu certa vez sobre ela.[24] Entretanto, Dickinson deve ter entendido as causas da infelicidade da mãe, pois passou muito tempo cuidando dela com amor durante seus anos de invalidez e escreveu a respeito dela com muito carinho.

Dickinson estudou na Amherst Academy por sete anos. Sua instrução em matemática, astronomia e ciências foi extraordinariamente completa para uma jovem da época, e sua educação durante aqueles anos foi igual à do irmão. Ela era uma aluna brilhante, fazia amizade com outros alunos e visitava a casa de amigos e vizinhos. Gostava de cozinhar e se destacou na panificação, uma vez ficando em segundo lugar na Feira Agrícola por seu pão de centeio.

Estudou na Mt. Holyoke Academy por um ano, mas não quis continuar lá. Durante os últimos anos de ensino, várias renovações religiosas aconteceram em Amherst e na Mt. Holyoke, mas ela resistiu a elas de forma categórica e com solitária rebeldia. Sua capacidade de dizer "não" já estava bem desenvolvida naquela época. Quando estava na casa dos vinte anos, viveu basicamente como a irmã mais nova, Lavinia – tocava piano, visitava vizinhos, recebia a visita de vários pretendentes e passeava com eles pelo jardim. Seu pai mudou-se com a família para *Homestead*, a casa na Main Street em Amherst que, dali em diante, seria a residência de Emily. Anos mais tarde, quando o irmão Austin estava prestes a se casar, o pai construiu uma casa para ele no terreno adjunto.

Embora os eventos externos de sua vida fossem bastante convencionais durante essa época, seu desenvolvimento interno foi intenso. A crise religiosa e sua recusa em seguir o caminho da família e dos amigos que vivenciavam a "conversão" com certeza foram cruciais para seu trabalho futuro. A "luta com Deus", como sua biógrafa Cynthia Griffin Wolff descreveu seu conflito ao longo da vida, começou com essa negação. Em suas batalhas religiosas, ela confrontou um Deus patriarcal que havia dado as costas à humanidade e se recusou a revelar suas intenções. Seus medos mais profundos em relação a abandono e perda do amor ressoavam em seus poemas como desespero pela ausência de Deus.[25]

Sabemos que ela começou a escrever poesia em 1849, aos 19 anos. Em um cartão do Dia dos Namorados, escrito para seu pretendente George Gould e publicado anonimamente no jornal estudantil da Academy, ela escreveu: "Sou Judith, a heroína dos Apócrifos, e você é o orador de Éfeso. Isso é o que chamam de metáfora em nosso país. Não tenha medo, senhor, não vai morder".[26] Em 1854, escreveu à amiga Jane Humphrey: "Ousei fazer coisas estranhas – coisas ousadas, e não pedi conselho a ninguém".[27] Ela deixou claro em referências feitas em outras cartas que as "coisas estranhas" e "ousadas" estavam relacionadas à decisão de levar uma vida de poeta. Ela considerou essa decisão como um divisor de águas, um novo começo e, acima de tudo, como autonomia. Ela escreveu:

Eles me calaram em prosa –
quando eu era uma garotinha
Eles me esconderam no armário –
Porque gostavam de mim "quieta" –

Quieta! Eles mesmos poderiam ter espiado –
E visto meu cérebro – girar –
Eles bem poderiam ter prendido um pássaro
Por traição – na carrocinha –

Ele mesmo tem apenas que desejar
E simples como uma estrela
Desprezar o cativeiro –
E rir – eu, nunca mais –
(nº 613, aproximadamente 1862, II, pp. 471-72)

O entusiasmado senso de liberdade que ela expressa aqui aparece em uma série de outros poemas, o mais forte dos quais deixando claro que ela considerava o compromisso com seu talento um verdadeiro recomeço:

Eu renunciei – deixei de ser Deles –
O nome que Eles jogaram na minha cara
Com água, na igreja do interior
Já perdeu sua utilidade, agora,
E Eles podem guardar com minhas bonecas,
Minha infância e o colar,
Eu deixei de costurar – também –

Batizada, antes, sem escolha,
Mas desta vez, conscientemente, da Graça –
Até o nome supremo –

Chamada à minha completude – a crescente caiu –
Todo o arco da existência, completo,
Com um pequeno diadema.

Minha segunda classificação – muito pequena a primeira –
Coroada – cantando – no peito de meu pai
Uma rainha meio inconsciente –
Mas desta vez – adequada – ereta,
Com disposição para escolher ou rejeitar,
E eu escolho apenas uma coroa –
(nº 508, II, pp. 389-90)

Ela deixou de ser quem era, não é mais uma criatura definida por outros e nomeada por eles. Desistiu do nome de batismo (definição de papel), que não foi escolha sua. Mas dessa vez, consciente e "chamada à minha completude", está expressando sua vocação, sua busca pelo "pequeno diadema". Não é mais a criança no peito do semiconsciente; agora *ela* toma as decisões, "adequada – ereta / com disposição para escolher ou rejeitar". A coroa que ela escolhe, o "diadema", é poesia. O poema tem fortes conotações religiosas; o momento descrito é a "crisma" ou uma "experiência de conversão", não com base na entrega emocional, mas sim racional.

Em algum momento de 1862, ela escreveu:

Calculo – quando eu conto todos –
Primeiro – Poetas – Depois o Sol –
Depois o verão – depois o paraíso de Deus –
E então – a lista está feita –

Mas, olhando para trás – o primeiro parece
Compreender o todo –
Os outros parecem um show desnecessário –
Então eu escrevo – Poetas – Todos –
[o poema continua com mais duas estrofes]
(nº 569, aproximadamente 1862, II, p. 434)

Em sua análise, dali em diante, a poesia estaria acima de todos os outros objetivos a serem perseguidos, até mesmo do "Paraíso de Deus".

Desde o momento em que reconheceu sua vocação, Dickinson expressou sua ambição e seu orgulho em uma linguagem de assertividade e força que nenhuma mulher havia usado e poucas mulheres desde então conseguiram igualar. Às vezes, sua força e sua arrogância a apavoravam, e ela se referia a si mesma como "um vulcão", como em "Vesuvius at Home" [Vesúvio em Casa]:

> No meu vulcão cresce a grama
> Um local meditativo –
> Um acre para um pássaro escolher
> Seria o pensamento geral –
>
> Quão vermelhas as rochas de fogo abaixo
> Quão instável a relva
> Eu revelei
> Povoaria de admiração a minha solidão.
> (nº 1.677, III, p. 1141)

Como era enganosa sua mansidão e sua vida tranquila e convencional. Por baixo disso, havia uma chama que, se revelada, deixaria o espectador amedrontado.

A literatura crítica e biográfica sobre Emily Dickinson é bastante vasta. Muito disso é análise e crítica formal dos poemas, mas tanto biógrafos quanto críticos se preocupam em explicar sua decisão de viver uma existência de reclusão. Os primeiros críticos procuraram explicar essa decisão como sendo baseada no amor não correspondido, e boa parte dos escritos consiste em interpretações mais ou menos fantasiosas de referências selecionadas de poemas e cartas para identificar um ou outro pretendente. Há pouco tempo, críticas feministas contribuíram para essa busca apresentando seus fortes relacionamentos amorosos com uma ou mais mulheres por meio de poemas e cartas.[28] Todas as evidências, embora permaneçam um tanto misteriosas e abertas a diferentes interpretações, mostram que Dickinson escreveu cartas e poemas eróticos com paixão ao longo da vida, para homens e mulheres. Os direcionados a mulheres são identificados com clareza em relação ao objeto; os direcionados a homens são disfarçados com cuidado, exceto no caso do juiz Otis Lord, seu último objeto amoroso, que a pediu em casamento após a morte da esposa.

A própria Dickinson refere-se várias vezes a uma crise profunda que ocorreu em algum momento entre 1858 e 1862, levando-a à beira da loucura, e da qual ela se recuperou aos poucos. Os anos que se seguiram após esse período de maior sofrimento são os anos de sua criatividade mais intensa. Podemos reconstruir os vários elementos que devem ter causado essa grande crise. Em primeiro lugar, havia a decepção com o relacionamento com o pai. Ele adorava o irmão, que considerava seu herdeiro principal, a promessa para o futuro da família, seu semelhante intelectual e fonte de seu orgulho. O pai elogiava com extravagância as cartas que o filho enviava da faculdade, considerando-as "totalmente à frente de Shakespeare" e prometendo publicá-las, mas nunca deu a menor atenção aos escritos da filha. Ele se expressou com veemência contra a "esposa literária" em uma série de cinco artigos que publicou sob um pseudônimo no *The New England Inquirer*. Nesses artigos, acumulou escárnio e desprezo contra mulheres intelectuais e afirmou com a voz confiante da autoridade: "Modéstia e temperamento dócil, paciência, tolerância e coragem são as virtudes primordiais do sexo feminino. [...] Estas vão redimir a falta de talentos brilhantes ou grandes realizações".[29] Com certeza não havia falta de talento feminino brilhantes na casa de Edward Dickinson, mas ele não o enxergava. Emily adorava o pai e se ressentia amargamente de sua preferência tão óbvia por Austin. Aos poucos, convenceu-se de que o pai nunca lhe daria o que ela mais queria dele: o reconhecimento de seu valor como semelhante intelectual. Tampouco o faria seu irmão Austin.

No início da década de 1850, Emily desenvolveu uma apaixonada relação de amor e amizade com Susan Gilbert, que continuou enquanto o irmão cortejava Susan. O fato de Susan ter se afastado do amor de Emily e se casado com Austin foi visto por Emily como uma traição e uma decepção arrasadora. De certa forma, foi uma perda dupla, do irmão e de Susan como amante. Seu relacionamento com o irmão nunca recuperou a intensidade e a acuidade intelectual que teve durante a adolescência. Mas Susan Gilbert continuou a ser uma pessoa importante na vida de Emily e tornou-se uma amiga de confiança, crítica, perspicaz e defensora de seu trabalho como poeta.[30]

Um segundo amor intenso por uma amiga, Kate Anthon, também terminou em rejeição. O fato de Susan Gilbert e Kate Anthon permanecerem amigas íntimas antes e depois do rompimento pode ter tornado essa decepção ainda mais amarga para Emily. Críticas feministas sugeriram a possibilidade de que o relacionamento de Dickinson com Kate Anthon a fez perceber sua homossexualidade latente e levou à sua exploração poética do amor homoerótico em diversos poemas poderosos.[31]

A principal e mais forte evidência de que sua dolorosa rejeição no amor veio de um homem são as três cartas do "Mestre", sem assinatura nem data (escritas em 1858, 1861 e 1862), nas quais ela se dirige a um "Mestre", que rejeitou seu amor, da maneira mais abjeta e submissa. Seus biógrafos focaram em grande parte no reverendo Charles Wadsworth ou no editor Samuel Bowles como o objeto dessas cartas. Ambos eram homens distintos, inacessíveis porque eram casados, e ambos eram homens com quem ela manteve amizade por toda a vida e a quem enviou muitas cartas e poemas. Ambos não entendiam sua obra e estavam muito aquém dela em termos intelectuais. Existe, claro, a possibilidade de que "Mestre" fosse um personagem fictício, uma construção mental que permitiu a Dickinson desenvolver seus sentimentos ambíguos sobre seu papel "feminino", assim como nos poemas que tratam do "casamento" de duas mulheres, duas "Rainhas" iguais, de modo que "Nenhuma seria Rainha / Sem a Outra", ela elaborou um modelo alternativo de amor e partilha.[32] O comentário que fez em uma carta a Thomas Wentworth Higginson sugere que ela sentia necessidade de um "Mestre" em sua vida que pudesse conter as aterrorizantes forças dinâmicas que naquela época pareciam ameaçar sua sanidade: "Não tenho nenhum monarca em minha vida, não posso governar a mim mesma e, quando tento me organizar – minha pequena Força explode – e me deixa nua e chamuscada".[33] O mistério permanece.

Duas condições adicionais de sua vida podem ter ajudado a desencadear a depressão e a crise. Dickinson sofria de uma deficiência visual, que piorou aos poucos e, em 1862, a fez temer estar ficando cega. Ela chegou a abandonar sua vida de reclusão em 1864 para passar vários meses em Boston a fim de tratar essa enfermidade nos olhos. Outro fator era a deterioração constante da saúde da mãe, o que exigia cada vez mais de seu tempo para cuidar dela.

É possível que uma combinação de vários ou alguns desses traumas tenha produzido a crise que Dickinson descreveu como quase a tendo matado e levado à beira da loucura. Na falta de evidências, nunca saberemos as causas reais. Mas não há dúvida de que ela se salvou e se libertou do que parece ter sido uma obsessão ao escrever algumas das melhores poesias já criadas por uma mulher. A sensação de poder e vitória sobre o medo que ela vivenciou após esses conflitos se refletem em seu trabalho:

> Se o seu nervosismo lhe nega –
> Supere seu nervosismo –
> Ele pode se inclinar contra o túmulo,
> Se ele teme desviar –
> (nº 292, I, p. 211. O poema tem mais duas estrofes.)

> É tão assustador – que estimula –
> Um terror tão excessivo, que cativa parcialmente –
> A Alma olha fixamente à procura, segura –
> Conhecer o pior não deixa espaço para o medo –
> (nº 281, I, p. 200. O poema tem mais quatro estrofes.)

Em 1857, Dickinson começou a criar "maços" de seus poemas, organizando-os em grupos de até vinte e costurando-os com cuidado. Estes podem ter sido copiados de composições anteriores, mas indicam um esforço autoconsciente por parte da poetisa em selecionar e criar versões finais de sua obra. Entre 1858 e 1861, ela compôs menos de cem poemas por ano. Os três anos seguintes trazem uma explosão de criatividade extraordinária: 1862 – 366 poemas; 1863 – 141 poemas; 1864 – 174 poemas; 1865 – 85 poemas. Depois disso, não produziu mais de cinquenta poemas em nenhum outro ano.[34]

Em algum momento do fim da década de 1850, Dickinson começou uma série de tentativas de publicar seus poemas. Ela enviou poemas a Samuel Bowles, editor do jornal *Springfield Republican*, que enfim publicou quatro deles. Em 1862, ela abordou Higginson com diversas cartas, pedindo seu apoio, aconselhamento literário e seu julgamento sobre a obra dela. Ela queria ser não apenas uma poeta, escreveu a ele, mas ser uma "Representante dos Versos".[35]

Essa era, como ela já devia saber, uma ambição impossível para uma mulher nos Estados Unidos do século XIX. Higginson respondeu com algum encorajamento, mas avisou-a de que seu "passo [...] era espasmódico" e sua "escrita, descontrolada". Embora ele fosse um defensor de oportunidades educacionais iguais para as mulheres, e a amizade literária deles tenha continuado até o fim da vida dela, Higginson não apreciava seus dons excepcionais. Dickinson deve ter entendido que, se um homem como Higginson reagira dessa maneira ao que ela escrevia, ela teria poucas chances de receber a aprovação de outros. Sua aversão ao fato de que os poucos poemas que enviara a editores simpáticos haviam sido publicados com alterações de pontuação e palavras alimentou a decisão de desistir da busca por publicação em vez de adaptar seu estilo e método às exigências do mercado. Com essa rejeição definitiva, libertou-se para escrever conforme seu talento ditasse.

O período de 1866 até sua morte foi quando viveu de forma mais reclusa. Em 1869, recusou o convite de Higginson para ir a Boston, afirmando que não mais deixaria "as terras de seu pai". Ela continuou a se envolver ativamente com a família e alguns amigos íntimos, e até incentivou novas amizades, como com Helen Hunt Jackson e Mabel Loomis Todd. Ambas expressaram admiração por sua obra, e Mabel Todd seria a força motriz responsável por providenciar a publicação póstuma de seus poemas. Em sua última década de vida, Emily Dickinson expressou de forma plena e alegre seu amor pelo juiz Otis Lord, um velho amigo da família, que retribuiu profundamente seus sentimentos. Há indícios de que estava apaixonada por ele havia muito tempo quando, vários anos após a morte da esposa, ele a pediu em casamento. Ela não aceitou. Seus hábitos e atividades solitárias já estavam muito estabelecidos para arriscar qualquer tipo de mudança. Os anos restantes trouxeram repetidos e muitas vezes devastadores encontros com a morte de entes queridos. Emily Dickinson, após vários anos enferma, morreu em 1886.

Por opção, ela transformou sua vida em metáfora e através das palavras descobriu um poder de controle e criatividade muito além do alcançado pela maioria dos escritores, homens ou mulheres. Sua obra é extraordinária tanto na forma quanto no conteúdo. Sua sintaxe distorcida, linguagem elíptica e metáforas intensas confinadas no menor espaço poético possível dão à obra, mesmo sobre os temas mais simplórios – insetos, abelhas, o movimento da grama ao vento – significados metafísicos e alegorias transcendentais. Como todos os grandes artistas, ela criou um mundo próprio, um mundo alternativo secreto e, muitas vezes, misterioso que presidia com liberdade e controle absoluto. A linguagem comum da metáfora bíblica, do mito cristão e da referência poética permitiu aos leitores – ou melhor, futuros leitores – certa base para iniciar, mas Dickinson complicou o início e a participação pela maneira como sua linguagem transformou os símbolos comuns e lhes deu os próprios significados, bastante específicos. Nenhuma poeta antes dela havia sondado as profundezas dos próprios sentimentos com tanta honestidade ou confrontado a própria paixão, raiva e desespero com tal precisão cirúrgica e um distanciamento tão frio.[36]

Mas sua obra vai muito além da autoexploração. Os poemas de Dickinson, lidos na íntegra e junto com suas cartas, a revelam como uma grande pensadora que criou uma obra em grande escala. Como suas antecessoras, as místicas medievais, Dickinson estava preocupada com as grandes questões metafísicas: a relação do homem com Deus, com a morte e com a Redenção. Diferentemente delas, Emily não foi sustentada nem apoiada pela mentalidade institucional de explicação – rejeitou tanto a Igreja quanto a teologia calvinista na qual foi criada. Em seu lugar, desenvolveu uma filosofia da natureza de amor e, no fim das contas, de cura, e escreveu sobre amor, amizade e cuidado, sobre rejeição, traição e perda. Ela escreveu respeito desses temas como mulher, a partir de uma consciência baseada em um profundo compromisso criativo e homoerótico com as mulheres.

Usou perdas, decepções e abandono, por meio da morte e da ausência, e os converteu em renúncia, transformando-os em fontes de poder. Seu feito foi subversivo, na melhor tradição da resistência das mulheres ao patriarcado. Ela transformou as próprias "virtudes femininas" em seus opostos: a passividade se transformou em vigilância, e na capacidade de se concentrar e ouvir suas vozes e sinais interiores; a submissão se transformou em recolhimento calculado a ponto de se tornar invisibilidade – "Eu sou tão pequena, eu desapareço, como o camundongo, como o pássaro" ("Não sou ninguém!"; nº 288). "Minha fraqueza confere à minha fala um significado elevado, não apenas porque sou a 'trombeta de Deus' ou um recipiente para instrução divina, como foi Hildegarda, mas porque sou comum como tarefas domésticas, como a cotidianidade da vida das mulheres, como as simples abelhas, os pássaros e as flores do prado." A renúncia de si mesma se transformou na imensa disciplina que pode desprezar o que não se pode ganhar e, assim, triunfar sobre o desejo. Foi por meio dessa renúncia – que as místicas expressavam por intermédio da castidade e mortificação da carne – que ela pôde obter a arrogância do Deus-lutador, o divino Criador e guardião dos mistérios.

As perguntas que fazemos sobre as escolhas que ela fez na vida – Elas foram necessárias? Foram condicionadas socialmente por meio das definições de gênero patriarcais? Foram elas o resultado da rejeição de outras pessoas? – são todas irrelevantes em essência. Ela encontrou uma saída para as condições que sua vida lhe apresentou e, no processo, destruiu a jaula de restrições que a definição patriarcal impunha às mulheres de talento. Transformou "a casa do pai", que nunca deixou fisicamente e a cujas regras obedeceu de modo ostensivo, em um templo de liberdade, de humanidade sem gênero, onde a alma ficava nua e desimpedida, enfim aberta a todas as possibilidades.

NOVE

DIREITO DE APRENDER, DIREITO DE ENSINAR, DIREITO DE DEFINIR

Durante séculos, as mulheres se permitiram pensar e escrever, embora a religião, a tradição e a sabedoria convencional tenham lhes informado que essas atividades não eram adequadas a uma mulher. Elas precisavam superar seu senso de inferioridade internalizado e se fortalecer para fazer o que diziam ser impróprio, improvável, quando não impossível. Não é de admirar que as mulheres, após anos de reflexão, tenham discutido a saída das restrições e limitações patriarcais, reafirmando a igualdade intelectual da mulher. Ao atribuir aos homens suas tarefas especiais e talentos superiores para a liderança, coragem e autoridade, as mulheres argumentaram que, ainda assim, a capacidade de raciocínio e o potencial intelectual de homens e mulheres eram os mesmos. Seguiu-se logicamente que as desigualdades observáveis na sociedade, as diferentes frequências de realizações, os diferentes interesses e atividades de homens e mulheres eram decorrentes da educação específica para o sexo. A desvantagem educacional sistemática das mulheres foi a principal causa de sua aparente inferioridade. Segundo esse argumento, que se repetiu século após século, a igualdade de oportunidades educacionais era a chave para a emancipação da mulher. Assim, foi por meio da discussão pela educação feminina que as mulheres encontraram o caminho para a teoria da emancipação da mulher, uma teoria feminista.

Assim como em muitas outras áreas, Cristina de Pisano foi pioneira ao defender a educação feminina. Em seu trabalho, a argumentação pela educação feminina é afirmada várias vezes, tanto de modo explícito quanto subjacente a todos os outros argumentos. Cristina se sente amargurada por lhe ter sido negada uma boa educação, em grande parte por insistência da mãe; preferiria ter estudado a brincar com bonecas. Entretanto, por ser uma jovem viúva, conseguiu superar as deficiências de sua educação com grande esforço, tornando-se poeta, escritora e historiadora. A ilustração da primeira página de seu *Cidade das Damas* mostra duas figuras lado a lado: Cristina, erguendo os olhos ao ler um livro, está dialogando com três senhoras, a Razão, a Retidão e a Justiça. Na ilustração que acompanha, Cristina ajuda uma das senhoras a colocar a pedra fundamental da Cidade das Damas. A educação proporciona às mulheres a capacidade de defenderem a si mesmas e ao sexo feminino, e de estabelecerem um refúgio libertador para elas. Assim, ao se apresentar como uma mulher instruída logo no início do livro, Cristina se torna um exemplo do que as mulheres podem alcançar com a educação.[1] Depois de ouvir as três mulheres explicarem o objetivo de seu surgimento diante dela e terem explicitado as principais motivações de homens que escravizam mulheres, Cristina faz o que, para ela, é uma pergunta crucial:

> Por favor, esclareçam para mim mais uma vez se alguma vez isto contentou a Deus, que concedeu tantos favores às mulheres, honrando o sexo feminino com o privilégio da virtude de elevado conhecimento e grande aprendizado, e se as mulheres alguma vez tiveram uma mente inteligente o suficiente para isto. Quero saber de fato, pois os homens sustentam isso, que a mente das mulheres pode aprender apenas parcialmente.
>
> Ela [Senhora Razão] respondeu, minha filha [...] Eu lhe direi de novo [...] se fosse costumeiro enviar as filhas à escola como os filhos, e se as ciências naturais lhes fossem ensinadas, elas aprenderiam com tanta minúcia e entenderiam as sutilezas de todas as artes e ciências tanto quanto os homens.[2]

Tendo, assim, afirmado a igualdade intelectual inata da mulher e atribuído à educação incorreta quaisquer diferenças que pareçam existir entre homens e mulheres, Cristina, provavelmente utilizando a própria experiência em autoeducação como comparação, deseja saber: por que as mulheres não aprendem mais? A Senhora Razão explica que isso é decorrente das limitações das atividades femininas. As mulheres, limitadas às tarefas domésticas, não são desafiadas a saber mais e, assim, permanecem com uma "mente simples. Ainda assim, não há dúvida de que a Natureza forneceu a elas as qualidades do corpo e da mente encontradas nos homens mais sábios e eruditos".[3] Em seguida, a Senhora Razão dá exemplos de histórias de mulheres cultas da Antiguidade, entre elas, a poeta Safo. Em resposta à indagação de Cristina, se qualquer mulher já descobriu por si mesma coisas novas e desconhecidas, a Senhora a tranquiliza citando uma longa lista de mulheres da mitologia e da história: Nicostrata, que inventou o alfabeto latino; Minerva, que criou a escrita e a confecção de roupas gregas; Ceres, que inventou a agricultura; Ísis, que descobriu a arte de criar jardins. Cristina, agora plenamente convencida, declara: "Parece que nem nos ensinamentos de Aristóteles, que têm sido de grande proveito para a inteligência humana [...] nem nos de todos os outros filósofos que já viveram, poderia ser encontrado um benefício igual para o mundo do que o [...] [criado] por essas mulheres".[4] A validade da evidência, que pode ter sido mais convincente para o leitor medieval do que para o leitor moderno, não é o que importa aqui. O que importa é o sólido argumento em favor da igualdade intelectual da mulher e o reconhecimento de que uma reinterpretação da mitologia do passado e da história pode produzir uma História da Mulher, com base na qual sucessivas gerações de mulheres podem obter inspiração e força.

Em seu tratado acadêmico *Le Livre de Trois Vertus* [O Espelho de Cristina, ou O Livro das Três Virtudes], Cristina delineou seu plano para a educação feminina. Por ser pragmática, presumiu que homens e mulheres têm tarefas diferentes a serem realizadas; portanto, a educação de meninos e meninas deve ser diferente. O latim e o ensino teórico não seriam necessários para as meninas, mas o ensino em matemática era tão importante para elas quanto para os meninos. As meninas também deviam aprender a costurar, tricotar, bordar e tecer. Mas o maior objetivo da educação, o desenvolvimento da pessoa como um todo, para se tornar um ser humano virtuoso e moral, devia ser o mesmo para homens e mulheres. A partir da própria experiência como jovem viúva, Cristina instruiu mulheres a se prepararem para a possibilidade de precisarem amparar a si mesmas. Toda mulher devia desenvolver força e desenvoltura; a mulher devia ter "o coração de um homem".[5] O que ela quis dizer com essa frase pode ser observado com base em sua autorrepresentação em outro trabalho, no qual descreve uma transformação milagrosa à qual foi submetida com a ajuda da deusa Fortuna, que a transformou em homem para que pudesse assumir as responsabilidades de um chefe de família após a morte do marido.[6] Essa extraordinária representação alegórica reflete tanto o reconhecimento da realidade na qual uma mulher independente passou a ser vista como um homem, quanto o estereótipo renascentista da mulher excepcional de força, a *virago*. Cristina, que superou as adversidades com o próprio esforço, há pouco capacitada por necessidade, adotou as virtudes masculinas da coragem, independência e força e, desse modo, em termos simbólicos, tornou-se um homem. Em uma primeira leitura, isto parece nada mais do que a aceitação das funções de gênero tradicionais, as quais a forçaram a renunciar a sua feminilidade para se tornar uma pessoa forte e ativa. Mas a insistência de Cristina no fato de o intelecto e o julgamento moral da mulher serem iguais aos dos homens permitiu que ela fizesse essa transformação sem perder a identidade feminina. Essa redefinição de gênero se tornou um princípio no qual Cristina baseou seus conceitos de educação e seus conselhos às mulheres.

Como vimos, o debate conhecido como *querelle des femmes*, que Cristina iniciou e continuou nos principais países da Europa e na Inglaterra por um período de quatrocentos anos, focou em questões relativas à educação feminina: As mulheres eram totalmente humanas? As mulheres eram capazes de absorver a educação, utilizar o raciocínio e controlar seus sentimentos? E se a resposta para as duas primeiras perguntas fosse afirmativa, e as oportunidades educacionais para as mulheres fossem iguais, qual seria o efeito na disposição da mulher em continuar seus serviços sexuais e maternais aos homens e às famílias?

As "mulheres eruditas" do Renascimento, que costumavam ser senhoras de classe alta ligadas a uma corte em particular que promovia atividades culturais, na maioria das vezes eram solteiras. Quando se casavam, renunciavam às atividades aprendidas e, em vez disso, se estabeleciam como patronas da aprendizagem. Assim, não se via necessidade de abordar a questão do efeito do aprendizado na vida doméstica da mulher.[7]

Até o início do século XVI, surgiram mulheres cultas da classe média urbana que expressaram amor pela aprendizagem. Uma delas foi a poeta

Louise Labé, cujo trabalho discutimos antes. Esposa de um alfaiate em Lyon, ela dedicou um de seus livros de poesia a uma senhora da nobreza, a senhorita Clemence de Bourges, e a convidou a se dedicar à aprendizagem e à escrita. As mulheres, dizia ela, deveriam cultivar a mente para o próprio bem:

> Chegou o momento, *Mademoiselle*, em que as leis severas dos homens não impedem mais as mulheres de estudarem ciências e especialidades; para mim, parece que essas mulheres, que têm os meios para tal, devem utilizar a excelente liberdade que o nosso sexo tanto desejou anteriormente para se dedicarem a estudar.[8]

Embora as condições da classe de Louise Labé fossem incomuns para uma mulher erudita do século XVI, suas visões relacionadas à educação eram bem típicas. A educação deveria ser reservada a mulheres com recursos, provavelmente porque elas estavam mais livres de responsabilidades domésticas do que aquelas de classes mais baixas, e a educação deveria ser vista como um meio de aperfeiçoamento pessoal. Esse modo de estruturar o problema evitava um desafio direto de definições de gênero enquanto promovia um debate pela educação feminina. Várias outras mulheres utilizaram estratégias semelhantes. Anna Maria von Schurman foi a mais celebrada delas na área acadêmica. Em sua dissertação em latim *The Learned Maid or, Whether a Maid May Be Scholar* [A Criada Instruída, ou Se uma Criada Pode Ser Acadêmica] (1641), ela defendeu, conforme discutimos antes, a educação da mulher para a glória de Deus e para promover a própria salvação das mulheres. Anna Maria era bastante específica quanto às restrições que colocaria para a oportunidade educacional: a mulher deve ter ao menos uma capacidade mental mediana; deve ser capaz de dispor de meios de instrução, deve se libertar das tarefas domésticas. Schurman limitava sua defesa da educação feminina explicitamente a moças solteiras de famílias abastadas. Ainda assim, defendeu com vigor as mulheres contra as várias objeções masculinas à educação feminina, desafiando os homens a apoiar as mulheres em sua vontade de aprender:

> Ninguém pode avaliar de forma apropriada nossa capacidade de estudar antes de, primeiramente, com o melhor dos motivos e com todo o suporte

possível, ter nos incentivado a estudar com seriedade, para que possamos adquirir gosto pelas maravilhas do estudo.[9]

É provável que a erudição e as realizações acadêmicas de Schurman tenham contribuído mais do que seus textos para promover a ideia de que as mulheres poderiam se beneficiar da educação e se destacar nessa área. Durante a vida, Schurman se tornou modelo e inspiração em toda a Europa e na Inglaterra para outras mulheres que almejavam emancipação intelectual. Nesse aspecto, Schurman é única; seu nome aparece com mais frequência e de forma mais ampla nos textos de outras mulheres do que qualquer outra antes dela. Sua correspondência com homens e mulheres de muitas regiões difundiu sua influência, que teve um impacto diferente em seus correspondentes, dependendo do sexo: para os homens, Schurman se tornou o protótipo da mulher de genialidade, a grande exceção à imagem em geral aceita da mulher intelectualmente inferior; para as mulheres, tornou-se uma heroína e um exemplo a ser seguido.

Uma mulher cujos textos feministas eram conhecidos para Schurman e que podem tê-la influenciado foi Marie le Jars de Gournay (1565-1645). Assim como Schurman, Marie de Gournay permaneceu celibatária por toda a vida e, desse modo, evitou o conflito entre a vida doméstica e a aprendizagem, mas os argumentos de Marie de Gournay eram mais abertamente feministas. Ela era filha de um nobre que serviu na corte do rei Carlos IX da França. Cresceu em Paris, mas, com a morte do pai quando ela tinha 15 anos, as dificuldades econômicas forçaram a família a se mudar para uma propriedade rural. Aos 18 anos, ficou bastante impressionada ao ler *Ensaios*, de Michel de Montaigne. Quando a mãe organizou a mudança da família para Paris a fim de apresentar Marie à corte, ela encontrou um modo de conhecer Montaigne, na época com 54 anos, tendo ele se tornado seu mentor e amigo para toda a vida. Montaigne ofereceu-lhe o título de *fille d'alliance*, que indicava a relação de filha adotiva. A jovem mulher adorava o político e autor como um herói, e ele incentivou a carreira literária de Marie de Gournay. Os dois se viram com frequência até a morte dele, em 1592. Marie de Gournay, a convite da viúva de Montaigne, tornou-se editora do trabalho dele, o qual foi publicado em oito edições. Marie permaneceu solteira até a morte e não raro se envolvia em polêmicas em defesa de seu mentor.

A carreira de Marie de Gournay foi arruinada pela ridicularização de seus esforços como intelectual séria e por insinuações e difamações a respeito de sua relação com Montaigne. Críticos posteriores negligenciaram por um longo período o trabalho de Marie em prol de seu trabalho como editora. Ela foi alvo de ridicularização como *précieuse*, sendo alternadamente representada como um fracasso por não ter se tornado a "versão feminina de Montaigne". Ainda assim, era bastante respeitada por muitos dos contemporâneos, homens e mulheres. Schurman se correspondeu com Marie até a morte desta, e escreveu um poema de admiração em sua homenagem.[10]

Além de seu trabalho editorial e da tradução em versos da *Eneida* para o francês, Gournay publicou muitos ensaios e poemas, os quais foram impressos em um volume de mais de mil páginas em 1626. Suas duas dissertações feministas são de especial interesse aqui em razão de sua posição radical a favor da igualdade incondicional dos sexos e em virtude de sua suposição de que todas as diferenças entre os sexos eram decorrentes da educação desigual.

Em *Égalité des Hommes et des Femmes* [Igualdade entre Homens e Mulheres] (1622), Gournay escreveu: "Se as mulheres alcançam um grau de excelência de modo menos frequente do que os homens, isto é totalmente decorrente da ausência de uma boa educação para elas". Gournay se referia a isso como um trabalho em defesa de mulheres "oprimidas pela tirania dos homens" e citava as maiores autoridades masculinas, Sócrates e Platão, Plutarco, Sêneca e Montaigne. "O animal humano não é homem nem mulher [...]. Homens e mulheres são tão completamente um só que, se o homem é superior à mulher, então a mulher é superior ao homem". Como outros antes dela, Gournay citou a autoridade bíblica: "O homem foi criado como masculino e feminino [...] e os dois são um só".[11]

Seu tratado, quando publicado pela primeira vez, não teve o impacto desejado. Ela escreveu *Grief des Dames* [Queixa das Damas] (1626) em um tom sarcástico, repreendendo os homens por negar às mulheres o poder do raciocínio. Sua amargura era clara:

> Sinta-se feliz, leitor, se você não pertencer ao sexo para o qual todas as boas coisas são negadas, uma vez que a liberdade é proibida para nós, assim como também todas as virtudes [...] e cargos públicos e funções. [...] Nossa única

felicidade é esperar na ignorância, servidão e na facilidade de nos fazermos de tolas, se esse jogo agradar aos homens.[12]

Ela finalizou acusando os homens de ignorância e presunção, uma vez que julgavam os trabalhos das mulheres sem nem mesmo se preocuparem em lê-los.

COM AS GUERRAS RELIGIOSAS DA REFORMA, cujo surgimento e existência trouxeram o crescimento de seitas e a experimentação social em larga escala, o tópico da educação se tornava cada vez mais urgente e prático. A educação não era mais uma necessidade para o avanço econômico e das classes; agora era, para os protestantes, o meio direto para alcançar a salvação, uma responsabilidade religiosa para o indivíduo e a comunidade. Isso se refletiu no crescimento do ensino público em países protestantes, no comprometimento de colonos puritanos na Nova Inglaterra para o estabelecimento de escolas comuns, e nos argumentos de reformistas e educadores protestantes de ambos os sexos. Porém, para acalmar o receio de que mulheres, uma vez escolarizadas, abandonariam as obrigações maternas e domésticas, limitações foram aceitas no comportamento das mulheres no debate para a emancipação intelectual. Como vimos antes, as mulheres que defendiam o sexo feminino no século XVII argumentavam que mulheres escolarizadas não apenas se tornariam mães melhores, mas também esposas e companheiras melhores.

O aparente oportunismo e a aceitação de papéis de gênero definidos pelo sexo masculino, como os provocados por um debate como esse, tornaram o assunto desagradável aos leitores modernos e ocultaram a dinâmica transformadora inerente a ele. Enquanto as condições sociais e econômicas impossibilitavam a existência de mulheres profissionais autônomas, ninguém poderia defender papéis de gênero alternativos. Mas as mulheres poderiam e argumentaram que, com base na privação educacional compartilhada, elas formavam um grupo com reivindicações definíveis e coletivas. Ao mesmo tempo que o debate tomou forma, ele se tornou transformador. A mulher individual injustiçada foi transformada em um membro de uma coletividade prejudicada. No fim do século XVII, as mulheres começaram a reivindicar oportunidades educacionais com maior intensidade e com um grau aumentado de consciência política.

Esses desenvolvimentos intelectuais surgiram, na Inglaterra, de um contexto social no qual as oportunidades educacionais para as mulheres eram gravemente reduzidas, desde que Henrique VIII rompera com a Igreja de Roma e fechara todos os conventos e suas escolas em 1534. Para as meninas católicas, isso levou a uma restrição educacional severa, e, por quase cinquenta anos, a única educação disponível a elas era por meio de tutores particulares ou escolas ilegais não licenciadas. Professores e pais que apoiavam essas escolas eram sujeitos a persecução e penalidades rigorosas. Ao mesmo tempo, não havia um sistema de ensino público para meninas protestantes das classes média e baixa. Havia escolas beneficentes para meninas pobres escolarizadas dessas classes, mas em número muito menor do que para meninos.

Foi nesse contexto que Mary Ward (1585-1645) estabeleceu os colégios de freiras. Ward entrou para o convento das Pobres Claras como irmã leiga em 1606 e, em 1609, fundou uma comunidade religiosa de mulheres na França que gerenciou uma escola para meninas. Em seguida, foram fundadas cerca de doze comunidades em vários países europeus, cada uma gerenciando um internato para refugiados ingleses, em geral meninas de classes superiores, e uma escola para alunos locais, que eram as crianças pobres. Os padrões acadêmicos das escolas eram altos de uma forma incomum, modelados nas escolas para meninos administradas pelos jesuítas, e incluíam o estudo de latim e diversas línguas estrangeiras. De 1619 em diante, Ward tentou estabelecer escolas semelhantes na Inglaterra e buscou reconhecimento do papa para sua ordem em 1629. Suas congregações foram suprimidas em 1630 e 1631, mas ela continuou administrando escolas na Inglaterra, apesar da persecução. A Guerra Civil Inglesa também desgastou o apoio para seus esforços, mas em 1642 Ward estabeleceu uma escola em sua York natal, que dirigiu até a morte. A escola foi forçada a fechar logo depois, mas a primeira escola de freiras para meninas, nos moldes do plano de Ward, foi estabelecida e reconhecida publicamente em York em 1686, após a Restauração.[13]

Nos países católicos da Europa, a educação de meninas foi fornecida, na maioria das vezes, por ordens católicas. Angela Merici (1474-1540) fundou a ordem Ursulina na Itália. Essa ordem se espalhou para a França, a Alemanha católica, Bélgica e Holanda, e ofertou ensinos básico e secundário tanto para meninas ricas quanto pobres. Era voltada para a preparação de meninas para a maternidade católica e o trabalho doméstico eficiente. Outras ordens, como a das Irmãs de Caridade ou das Irmãs de Notre Dame da Visitação, ofereciam assistência médica e educação para os mais pobres. Esses colégios de freiras complementavam o sistema inadequado das *petites écoles* francesas, escolas das paróquias locais para crianças, tanto protestantes quanto católicas. No fim do século XVIII, a França e os territórios da Alemanha ofereciam amplas oportunidades educacionais para meninas das cidades, ao passo que tal aprendizagem estava bastante defasada na Itália e na Espanha.[14]

NA INGLATERRA, FRANÇA E HOLANDA do fim do século XVII, algumas mulheres identificaram a privação educacional como a principal causa do *status* inferior da mulher na sociedade. Elas utilizavam diversos argumentos pragmáticos para fazer com que suas ideias fossem aceitáveis aos homens que tinham autoridade para atualizá-las.

Na Inglaterra, as primeiras defensoras de maiores oportunidades educacionais para mulheres foram Bathsua Makin, Hannah Woolley e Mary Astell; as três eram mulheres autônomas. Bathsua Pell Makin (1608?-1674?) ficou órfã na infância, foi casada por pouco tempo e ficou viúva. Em 1640 era conhecida como a mulher mais culta da Inglaterra. Foi tutora e preceptora dos filhos de Carlos I e gerenciou uma escola para jovens moças em algum período de sua vida. Suas pupilas mais famosas foram a princesa Elisabeth, filha de Carlos I, que aos 9 anos sabia ler e escrever em grego, latim, hebraico, francês e italiano, e Lucy Hastings, condessa de Huntingdon.

A obra principal de Makin para a educação de mulheres, *Essay to Revive the Ancient Education of Gentlewomen* [Ensaio para Reviver a Educação Antiquada das Damas], foi escrita de forma anônima. Ela assegurava ao leitor que "a intenção não é igualar homens e mulheres, muito menos dizer que elas são superiores. Elas são o sexo mais fraco, ainda assim capazes de ideias para coisas maravilhosas, de certo modo como os melhores homens".[15] Makin enfatizava que as mulheres obteriam benefícios da educação, entre eles, o "prazer [...] encontrado no conhecimento" e a capacidade de exercitar a mente e que, por meio da educação, elas poderiam resistir melhor a heresias. Ao responder a qualquer objeção possível ao seu projeto, Makin assegurava aos homens que as mulheres instruídas seriam esposas e mães melhores.

Tivesse Deus pretendido que a mulher fosse unicamente [!] um tipo mais refinado de animal, Ele não as faria racionais [...] Deus pretendia que a Mulher fosse companheira do Homem em seu constante diálogo e nas preocupações relativas à Família e a seus Bens, quando ele mais precisasse, na doença, na fraqueza, na ausência, na morte etc. [!] Enquanto negligenciarmos adequá-las para essas atividades, estaremos renunciando à Benção Divina [...] As casadas, em virtude [!] dessa Educação, podem ser muito úteis aos maridos nos negócios, como são as mulheres na Holanda [...] Podem aprimorar o aprendizado dos filhos, em particular em Línguas; volto a mencionar, pois esse é um motivo de grande importância, suficiente (se não houver outro) para fazer pender a balança.

[...] Ninguém tem uma vantagem tão grande para deixar a impressão mais profunda em seus filhos do que suas mães. [...][16]

Makin propôs uma abordagem inovadora ao ensino de línguas estrangeiras: ensinar a gramática do inglês por um ano como base para o latim; começar o estudo intensivo de línguas estrangeiras com alunos de 9 anos de idade; iniciar os alunos em latim, que poderia ser aprendido em seis meses, para que pudessem avançar com facilidade para o aprendizado de francês, que poderia ser obtido em três meses. Makin salientava seu sucesso com diversos dos alunos ilustres que haviam utilizado esses métodos.[17] Porém, Makin também propôs incluir em seu currículo "todas as coisas comumente ensinadas em outras escolas", como culinária, geografia, música, canto, escrita e fazer contas.[18] É interessante observar que, em seus argumentos, Makin citava mulheres famosas, entre elas, um grande número de suas contemporâneas.[19]

Hannah Woolley (nascida em 1623), uma órfã, começou a estudar aos 14 anos, depois se tornou preceptora. Teve um casamento feliz e, após ficar viúva, casou-se de novo e, mais uma vez, ficou viúva. Woolley se sustentava escrevendo livros de receitas e outras obras de aconselhamentos. Seus comentários sarcásticos sobre a educação das mulheres refletiam bem a opinião geral a partir da qual um debate feminista mais articulado e filosófico poderia surgir:

A educação correta para o sexo feminino, como tem sido de certo modo negligenciada em todos os lugares, deve ser lamentada de modo geral. A maior parte das pessoas nessa época perdida considera que uma mulher será instruída e inteligente o suficiente se for capaz de distinguir a cama de seu marido de outra cama.[20]

Além dessas três educadoras feministas, o século também produziu um número considerável de damas aristocratas instruídas que, por meio de seus textos em prosa, poesia e drama, criou o protótipo da mulher culta.

Na metade do século, Margaret Cavendish, duquesa de Newcastle, que mencionamos antes, expressou o desejo da mulher por educação e o anseio por instituir a amizade feminina. Autodidata de modo insuficiente e fortuito, a duquesa foi uma escritora produtiva, talvez a mais produtiva de seu século, tendo escrito cinco teses "científicas", publicado cinco coleções de poesias, duas de ensaios e cartas e dois volumes de peças. Era contundente em sua descrição das dificuldades que as mulheres sofriam:

> Vivemos e morremos como se fôssemos produzidas a partir de bestas, e não a partir do homem; os homens são felizes e nós, mulheres, somos miseráveis; eles possuem todas as facilidades, descanso, prazer, riqueza, poder e fama, ao passo que as mulheres são incansáveis no trabalho, incessantes e com dores, melancólicas por falta de prazeres, desamparadas por falta de notoriedade. Não obstante, os homens são tão sem escrúpulos e cruéis conosco que se esforçam em proibir para nós todo tipo de liberdade, e com alegria nos enterrarão em suas casas ou camas, como em um túmulo. A verdade é que vivemos como morcegos ou corujas, trabalhamos como bestas e morremos como vermes.[21]

Em uma de suas peças, *The Convent of Pleasure* [O Convento do Prazer] (1668), a heroína, uma dama abastada, encontra uma comunidade para mulheres. A heroína, *lady* Happy, explica:

> Os homens são os únicos perturbadores das mulheres [...] eles são a causa das dores delas, mas não dos prazeres [...] Pelo que [...] considerarei tantas pessoas da nobreza de meu próprio sexo quanto meu patrimônio mantiver com abundância, aquelas cuja ascendência é mais importante do que a

fortuna e que decidiram viver solteiras e comprometer-se com a virgindade: com essas pessoas eu pretendo viver em clausura, com todos os deleites e prazeres que forem permissíveis e legítimos; meu convento não será uma clausura de restrições, mas um lugar de liberdade, não para aborrecer os sentidos, mas para agradá-los.[22]

Essa visão utópica de comunidade feminina, impressa em 1668, antecipou em alguns anos a visão de uma comunidade feminina desenvolvida por Mary Astell. Mas a semelhança termina aqui: as duas mulheres, embora contemporâneas e ambas preocupadas com o avanço da educação feminina, eram muito diferentes no estilo e no modo de pensar. A duquesa de Newcastle era rica, tinha um casamento feliz e era bastante tradicional em suas ideias a respeito de gênero. Vimos como ela traduziu as próprias ambições sendo historiadora da vida do marido e como sua solidariedade feminista incipiente encontrou expressão em excentricidades relacionadas a roupas e comportamento, que uma mulher de sua posição social poderia se permitir sem perder o *status*.

Mary Astell era uma dama da classe mercantil; seu pai era comerciante de carvão em Newcastle. Órfã aos 12 anos, viveu a maior parte de sua vida em uma pobreza requintada, financiada pela beneficência de amigos, sobretudo mulheres. Optou pelo celibato e alegrava-se por ser solteira, criando para si uma vida respeitável como escritora independente em Londres. Suas convicções políticas e religiosas eram conservadoras; simpatizava com o Partido Conservador e com o Alto Clero, e usou sua inteligência disciplinada para se envolver em debates filosóficos e políticos com John Locke, entre outros.

Astell iniciou sua carreira literária escrevendo ao reverendo John Norris, filósofo platonista, a respeito de diversas questões no livro dele, *Discursos*, das quais ela discordava. Em sua carta, Astell rejeitou brevemente as objeções a mulheres instruídas, que outras pessoas poderiam levantar, mas não alguém tão "equilibrado e habilidoso" quanto o sr. Norris. "Pois, embora eu não consiga fingir", ela continuava, "para uma diversidade de livros, uma variedade de línguas, as vantagens da educação acadêmica ou qualquer ajuda além daquela que minha própria curiosidade permite; ainda assim, *raciocinar* é uma mercadoria que nenhuma criatura racional pode querer".[23] Os comentários de Astell foram tão perspicazes e brilhantes que Norris não apenas se envolveu em correspondências com ela por um longo período, mas insistiu, após quase um ano trocando cartas, que estas fossem publicadas. Com base nas evidências dessas correspondências publicadas, Astell parecia ser bastante capaz de vencer um debate lógico com esse filósofo qualificado em sua própria área de conhecimento. Astell concordava com o preceito de Norris de que Deus era a causa de todas as ideias e sentimentos e que "Deus deve ser o único objeto de nosso amor". Mas ela achava difícil alcançar esse amor. De fato, ela tinha "uma forte propensão ao amor acolhedor", mas confessou: "Desenvolvi uma fraqueza tal [...] que para mim é muito difícil amar minimamente sem algum tipo de desejo". Astell explicitou que se referia a seus relacionamentos com mulheres. "Encontrei um movimento agradável em minha alma direcionado a ela, que amo", disse Astell, e continuou: "Sinta-se feliz por me impor algum remédio para esse transtorno".[24]

John Norris respondeu a ela com uma generalização, pela forma como ele respondeu a cada uma das perguntas de Astell de que havia uma diferença entre os movimentos da Alma e os movimentos do Corpo e que "criaturas" podem ser amadas *para* o nosso bem, mas não amadas *como* o nosso Bem".[25] Porém, para Astell, esse mandamento moral era vinculativo e forneceu à religião a base para sua dedicação, por toda a vida, ao celibato e a amizades platônicas com mulheres. A principal obra feminista de Astell, *A Serious Proposal to the Ladies for the Advancement of their True and Greatest Interest, by a Lover of Her Sex* [Uma Proposta Séria às Mulheres para o Avanço de seu Verdadeiro e Mais Importante Interesse, por uma Adoradora de seu Sexo], lançada um ano antes da publicação das correspondências com o reverendo John Norris, representa esse compromisso e o torna o alicerce da reforma institucional.[26]

Assim como alguns de seus predecessores, Astell se preocupava em particular com o destino de mulheres solteiras que, nas condições da época, eram forçadas a casamentos indesejados e desvantajosos para obter apoio econômico. Propôs a fundação de um internato para essas mulheres, que também serviria de refúgio para aquelas que desejavam permanecer solteiras. Outras, que teriam uma educação melhor resultante do estudo nesse internato, poderiam conseguir casamentos mais favoráveis e respeitáveis. A anuidade, Astell destacou, custaria menos do que as famílias gastavam à época com o dote. Vislumbrava que, para as mulheres instruídas, "o mundo inteiro é a família da moça solteira".

O apelo dela foi fundamentado na forte crença no poder da razão expresso na filosofia de Descartes. Astell incentivava as mulheres a pensarem por si mesmas, a prestarem menos atenção no julgamento das outras pessoas e mais no próprio bom senso.

Esse trabalho inicial, embora tenha tido um grande impacto nas contemporâneas, foi muito mais moderado na expressão feminista do que o trabalho de Astell relacionado ao casamento. Foi nesse trabalho que ela definiu, de modo mais claro, a conexão entre a desvantagem educacional das mulheres e a falta de poder delas na sociedade:

> Os meninos têm muito mais tempo e esforço, cuidados e custos atribuídos à educação; as meninas têm pouco ou nenhum. Os meninos são iniciados precocemente nas ciências, conhecem as descobertas antigas e modernas, estudam livros, e têm todo incentivo imaginável; não apenas fama, uma recompensa seca nos dias de hoje, mas também títulos, autoridade, poder e riquezas para si próprios, que compram todas as coisas, são a recompensa pelo aprimoramento deles. As meninas são impedidas, desaprovadas e superadas, não *para*, mas *a partir de* musas, a gargalhada e a zombaria, que o Espantalho infalível é montado para conduzi-las da Árvore do Conhecimento. Mas se, apesar de todas as dificuldades, a natureza prevalecer, e elas não podem permanecer tão ignorantes quanto seus senhores as manteriam, elas são iniciadas nos estudos como se fossem monstros, censuradas, invejadas, e de toda maneira desencorajadas.
>
> Mais uma vez, os homens possuem todos os lugares e poderes, confiança e lucro, fazem as leis e exercem a magistratura, não apenas a espada mais afiada, mas até mesmo todas as espadas e bacamartes são deles, o que, pela Lógica mais consistente [!] no mundo, dá a eles o melhor título para todas as coisas que reivindicam como prerrogativas: quem vai competir com eles? A prescrição imemorável está do lado deles nessa parte do mundo, a antiga [!] Tradição e o Uso moderno! Nossos pais têm razão, ambos ensinaram e praticaram a superioridade sobre o sexo mais fraco. [...][27]

A obra *A Serious Proposal to the Ladies for the Advancement of their True and Greatest Interest, by a Lover of Her Sex*, de Astell, foi influente na época;

recebeu apoio suficiente entre mulheres da nobreza: foi dito que uma dama, é bem provável que a própria princesa Anne, ofereceu o dinheiro necessário para estabelecer um colégio como esse para mulheres. A princesa foi dissuadida do projeto pelos argumentos de oficiais da Igreja, que temiam que o "convento" proposto por Astell promovesse a causa papal. Daniel Defoe retomou a ideia de Astell e deu crédito a ela no *Essay upon Projects* [Ensaio sobre Projetos] (1697). Entre as mulheres que reconheceram a influência das ideias de Astell sobre elas estavam Judith Drake, *lady* Mary Chudleigh, *lady* Mary Wortley Montagu e Elizabeth Elstob.

Discuti os argumentos feministas religiosos de Astell no Capítulo 7. Em *Reflections Upon Marriage* [Reflexões sobre o Casamento], Astell progrediu em relação aos seus antecessores na crítica à instituição do casamento e na defesa do estado civil de solteiro. Embora suas acusações ao casamento tenham sido diretas e explícitas, o conservadorismo político de Astell limitou sua análise. Ela fez uma analogia entre casamento e Estado, mas não acreditava no direito do indivíduo do Estado de se rebelar, mesmo que contra uma regra injusta; Astell aconselhou as mulheres casadas a se submeterem como mártires ao tratamento injusto e desigual. Portanto, seu principal impulso era recomendar às mulheres uma entrada cautelosa no casamento, ou então nem se casarem:

> Uma mulher não tem grandes obrigações para com o homem com quem faz amor; ela não tem motivos para ser considerada uma esposa, ou supor que seja um privilégio quando é levada para ser a criada principal de um homem; não é nenhuma vantagem para ela neste mundo; se conduzido do modo correto, pode-se provar uma em relação à próxima. Para as mulheres que se casam puramente para fazer o bem, para educar almas para o Paraíso, que podem ser tão verdadeiramente mortificadas de modo a deixarem de lado suas próprias vontades e desejos, a pagarem uma submissão completa para a vida, a quem elas não têm certeza de que sempre merecerá, por certo realizam uma ação mais heroica [!] do que todos os heróis masculinos famosos podem se vangloriar; essa mulher sofre um martírio contínuo para glorificar a DEUS e beneficiar a humanidade, cuja consideração, de fato, pode sustentá-la em todas as dificuldades, eu não sei quem mais pode, e envolvê-la para amá-lo, o qual talvez prove ser tão pior do que uma Besta, de modo a tornar

essa condição ainda mais penosa do que precisava ser. Ela precisa de uma razão sólida, ser uma Cristã verdadeira e ter um Espírito equilibrado, precisa de toda assistência e da melhor educação que pode receber, e deve ter uma boa convicção de sua própria firmeza e virtude [!], quem se aventura em tal provação; e, por esse motivo, não se pergunta se tal mulher se casa precipitadamente, pois talvez, se as mulheres dedicassem um tempo para considerar e refletir sobre isso, elas raramente se casariam.

Com certeza não há arrogância em uma mulher para concluir que foi feita para servir a DEUS e que essa é a finalidade delas. Pois DEUS fez todas as coisas para si, e uma mente racional é um ser muito nobre para ser feito em benefício e a serviço de qualquer criatura. O serviço que ela, a qualquer momento, é obrigada a prestar a um homem, é apenas um trabalho a propósito, assim como pode ser qualquer trabalho e obrigação dos homens para manter porcos; ele não foi feito para isso, mas se ele contrata a si mesmo para tal trabalho, conscientemente ele deve realizá-lo.[28]

O argumento lógico de Astell para a emancipação das mulheres começou com a religião e sua suposição da igualdade absoluta e inerente entre homens e mulheres. A educação elevaria as mulheres, aumentaria a consciência delas sobre a própria situação, para que pudessem proteger melhor a si mesmas do poder masculino abusivo. E mesmo aquelas mulheres que escolhessem se casar se beneficiariam da educação, pois isso lhes daria o apoio da filosofia e da religião para tolerar seu destino. A política conservadora de Astell e seu compromisso ascético e religioso moldaram sua vida: ela diminuiu suas vontades e viveu de forma modesta, beirando a miséria, mas também viveu de modo independente, em contato com os principais movimentos intelectuais da época. O sonho de uma comunidade feminina intelectual parecia utópico para seus contemporâneos, mas, de um modo próprio e modesto, Astell viveu seus últimos anos em Chelsea. Lutando a vida toda contra o desânimo relacionado à solidão, Astell passou a última década de vida cercada por um círculo de amigas atenciosas e prestativas. Foi provavelmente por causa dessa experiência de vida que conseguiu, de modo mais firme que suas antecessoras, projetar uma análise centrada na mulher e construir um sistema de ideias em torno dessa análise.

Seguindo os passos de Astell, outras mulheres continuaram criticando as crenças e os costumes dominantes e expressando indignação e raiva pelas prerrogativas sexuais e sociais masculinas.

Um sermão proferido em um casamento em Dorsetshire em 11 de maio de 1699 causou uma pequena guerra panfletária na qual as mulheres defendiam o sexo feminino e o direito à educação de modo enérgico e sagaz. O reverendo John Sprint havia usado a ocasião do casamento para discorrer sobre as virtudes de uma boa esposa, que deveria ser dócil e submissa aos desejos do marido. "A mulher foi feita para o conforto do homem", afirmou o ministro. "Uma boa esposa deve ser como um espelho [...] que não tem imagem de si próprio, mas recebe a marca e a imagem da face que olha para ele." O reverendo respondia de modo bastante preciso a "Uma Dama de Qualidade", que se identificava como "aquela que nunca caiu nas garras de um marido".[29] Tal dama argumentava que as mulheres pretendiam ser "uma companhia, uma pessoa em quem o homem pode confiar... [não] uma escrava à sua disposição". Comentando sarcasticamente o conselho do reverendo Sprint que as mulheres deveriam respeitar e amar até mesmo maridos cruéis, a dama o acusou de incentivar os maridos a baterem nas esposas: "O reverendo inflamou o temperamento dominador e acentuou a postura ultrajante de muitos homens cruéis".[30] Nada se sabe a respeito da autora anônima, exceto seu primeiro nome.

O mesmo incidente inspirou outra defesa polêmica das mulheres, partindo da caneta de uma autora bastante conhecida. *Lady* Mary Chudleigh (1656-1710) publicou um volume de poemas em 1703 e um de ensaios em 1710. Essa autora se tornou famosa pelo poema "The Ladies Defense" [A Defesa das Mulheres], que foi escrito em resposta ao sermão de casamento do reverendo Sprint. No poema, Chudleigh atacou as visões do reverendo de modo espirituoso e argumentou a favor da educação feminina. Um de seus porta-vozes homens resumiu o ponto de vista masculino nestas palavras:

> Então não nos culpe se nossos interesses importam
>
> E pelo conhecimento ser restrito a nós
>
> Uma vez que somente ele nos dá preeminência
>
> E se fosse roubado de nós, viveríamos desvalorizados
>
> Enquanto vocês são ignorantes, nós estamos seguros. [...]

Ao que a porta-voz Melissa respondeu:

> É difícil sermos, pelos homens, desprezadas,
>
> E ainda impedidas de saber o que nos tornaria apreciadas.
>
> Privadas de conhecimento, banidas de escolas,
>
> E com o principal negócio de nos criar como tolas.
>
> Rir sem razão, gracejar sem sentido,
>
> E não ter nada além da inocência inata:
>
> [...]
>
> Mas apesar de vocês, nós seremos gentis:
>
> As suas censuras desdenhar, seus pequenos truques menosprezar,
>
> E tornar todo o nosso negócio inteligente.
>
> O mesquinho, inferior e trivial cuidar da vida desdenhar, e ler e raciocinar,
>
> E de novo raciocinar e ler,
>
> E em nossas mentes a dor máxima conceder.[31]

Em um poema introdutório notável, endereçado "Às Mulheres", Chudleigh descreveu o casamento como uma verdadeira escravidão, acusando que "mulheres e servas são a mesma coisa, só diferem no nome". Chudleigh comparou as mulheres a "mudas, os sinais que sozinhas devem fazer, / e nunca nenhuma liberdade ter", mas ainda assim elas devem "ser comandadas com um sinal, / e temer o marido como seu Deus". Chudleigh concluiu com este conselho às mulheres: "Valorizem-se, e os homens desprezem, / Vocês devem ser orgulhosas, se forem sábias".[32]

Quase duas gerações depois da enérgica defesa das mulheres por *lady* Mary Chudleigh, houve outra guerra panfletária sobre a questão feminina. Uma autora anônima que se denominava "Sophia, uma Pessoa de Qualidade" publicou um panfleto vendido por um xelim, que continha o título desafiador *WOMAN Not Inferior to MAN or, A Short and Modest Vindication of the Natural Right of the FAIR SEX to a Perfect Equaly of Power, Dignity, and Esteem, with the Men*" [MULHER Não Inferior ao HOMEM, ou Uma curta e modesta Reivindicação do Direito natural do SEXO LEGÍTIMO para uma Perfeita Igualdade de Poder, Dignidade e Respeito para com os Homens].[33]

O argumento de Sophia acompanha estritamente os argumentos defendidos pelo pensador feminista mais avançado desse século, o francês François Poulain de la Barre. O livro *De l'Égalité des Deux Sexes* [Da Igualdade Entre os Sexos] (1673) foi publicado na Inglaterra em sua versão traduzida em 1677.[34] Como Poulain de la Barre, Sophia argumentava que a diferença entre os sexos é apenas uma diferença no corpo. Mas a alma não tem sexo e, assim, pode não haver nenhuma diferença real entre homens e mulheres. "Toda a diversidade deve vir da *educação*, do *exercício* e das *impressões* dos objetos *externos* que nos rodeiam em diferentes circunstâncias." As mulheres se beneficiariam do aprendizado desenvolvendo "uma exatidão do pensamento, uma propriedade do discurso e uma equidade de ações" e a habilidade de controlar suas paixões. Sophia foi bastante explícita a respeito da causa da desvantagem educacional das mulheres: "Por que eles [os homens] se esforçam tanto em nos impedir de ter o aprendizado ao qual temos o mesmo direito que eles, mas para compartilharmos conosco e brilharmos mais que eles nos cargos públicos que preenchem tão miseravelmente".[35]

Desenvolvendo um argumento forte e lógico, Sophia motivou aquelas mulheres, pois, já que eram inteligentes, corajosas, virtuosas, tinham os mesmos direitos que os homens a todos os empregos na vida pública. "Se não somos vistas em *cadeiras universitárias*, isso não pode ser atribuído à falta de capacidade de algumas delas de preencher esses cargos, mas à violência com a qual os homens fundamentam a intromissão injusta em nossos planos."[36]

Poulain de la Barre havia argumentado que as mulheres eram capazes de ocupar qualquer cargo e emprego na sociedade, até mesmo de líderes militares, mas ele ainda supunha que a maternidade era a tarefa mais importante de todas elas. Sophia acompanhou a primeira parte do argumento dele, mas ignorou a segunda. Ela citou as conquistas de rainhas inglesas e continuou, com frieza admirável:

> Não consigo descobrir qual estranheza poderia ser maior: ver uma senhora com um cassetete nas mãos ou com uma coroa na cabeça; ou porque deveria gerar mais surpresa vê-la presidir um conselho de guerra do que um conselho de Estado. Por que ela poderia não ser tão capaz de liderar um exército quanto um parlamento, ou realizar comandos no mar ou reinar em uma

propriedade? [...] A arte militar não tem mistérios em si além de outros que as mulheres não possam conquistar. Uma mulher é tão capaz quanto um homem de se familiarizar, por meio de um mapa, com o bom e o ruim, os passos perigosos e os seguros, ou as situações apropriadas para acampamento [...] As mulheres podem mostrar tanta eloquência, intrepidez e cordialidade, onde sua honra estiver em questão, quanto o necessário para atacar ou defender uma cidade. [...]

Não queremos espírito, força nem coragem para defender um país, nem prudência para governá-lo.[37]

Para concluir, ela insistia para que as mulheres desistissem de passatempos inúteis e aprimorassem a mente. O argumento de Sophia, ainda que não totalmente original, se destaca entre os de outras feministas do século XVII por seu tom autoconfiante e assertivo.[38]

Apesar dos esforços comedidos que Bathsua Makin, Mary Astell e Mary Ward fizeram em fundar escolas, as meninas inglesas tinham poucas instituições educacionais disponíveis para elas no fim do século XVII. Os pioneiros da educação feminina criaram uma base teórica para seu empreendimento e estabeleceram alguns modelos, mas não conseguiram ir muito além. No início do século XVIII, a principal forma de expressão aberta a mulheres inglesas instruídas eram os salões, onde elas poderiam se envolver em conversas intelectuais com homens letrados e constituir redes informais de mulheres com aspirações intelectuais. Discutiremos esse fenômeno de modo mais aprofundado no Capítulo 10.

Podemos resumir a situação das mulheres intelectuais europeias no início do século XVIII dizendo que elas alcançaram os três primeiros estágios da consciência feminista: a autorização para falar, o discurso inspirado e o direito a aprender e a ensinar.[39] Até mesmo o último direito foi conquistado apenas por um pequeno número de mulheres, e incluiu somente os níveis mais elementares de ensino; seriam necessários mais dois séculos para que esse direito englobasse a maioria das mulheres europeias e norte-americanas.

Uma das *bluestockings* inglesas, como as educadas *salonières* eram ironicamente chamadas, foi Hannah More (1745-1833), pensadora conservadora que escreveu e trabalhou pelo aprimoramento da educação feminina. O esforço de

Hannah fez parte do movimento escolar de domingo, que visava elevar os princípios morais de pessoas de classes sociais mais baixas por meio do ensino público. Em 1790, Hannah More e suas irmãs fundaram onze escolas em vilarejos após terem dirigido, por muitas décadas, as escolas para meninas de maior sucesso do século XVIII em Bristol. As aulas em vilarejos eram realizadas aos domingos após a missa, o único horário livre dos filhos trabalhadores dos operários e fazendeiros. Hannah More ganhou muitos seguidores de suas ideias educacionais com seus ensaios, romances e tratados.[40]

Apesar da ausência de progresso em melhorar a educação das mulheres, a discussão desse tema se tornou o principal instrumento para o desenvolvimento de ideias feministas. Por exemplo, na França, a influente obra de François de Salignac Fénelon, *De L'éducation des filles* [Da educação das meninas] (1686), escrita para as filhas de um nobre francês, expressou a visão do Renascimento sobre a natureza das mulheres e o lugar apropriado para elas. Fénelon achava que a educação das mulheres deveria prepará-las para seu papel social: as mulheres da nobreza deveriam ter conhecimentos sobre religião, a administração de propriedades e serviçais e a economia relacionada à lei contratual. As ideias de Fénelon foram colocadas em prática por madame de Maintenon, amante e depois esposa do rei Luís XIV. No início de 1680, Maintenon fundou diversos pequenos colégios internos e, por fim, St.-Cyr, a primeira escola para meninas financiada pelo Estado na França, que em 1693 foi fechada pelo governo revolucionário. O plano educacional de St.-Cyr se tornou modelo para muitas escolas mantidas pelas irmãs Ursulinas.[41]

Embora os princípios educacionais de Fénelon refletissem ideias aristocráticas e monarquistas, o movimento conhecido como Iluminismo iniciou uma revolução intelectual. Os pensadores iluministas, conhecidos como *filósofos*, colocaram a ciência no lugar da religião e consideraram a mente a ferramenta mais poderosa do homem para entender a si mesmo, o mundo e o universo. O pensamento, de forma isolada, poderia ajudar o homem a compreender as leis da natureza e aqueles que governavam o mundo social. Ao rejeitar a revelação, a religião e a autoridade, os pensadores iluministas postularam um indivíduo autossuficiente que obtinha conhecimento com base na experiência. Com a educação apropriada, todos os indivíduos poderiam se tornar cidadãos úteis e produtivos em uma sociedade organizada, baseada em princípios racionais. O racionalismo de René Descartes teve um efeito libertador nas mulheres, pois pressupunha que a mente, e não o corpo, era o instrumento para as sensações e para o conhecimento, e que homens e mulheres tinham o mesmo potencial de entendimento. O cartesianismo negava que a educação formal fosse o caminho para o conhecimento mais elevado; qualquer pessoa poderia pensar e raciocinar logicamente. O efeito dessas ideias não apenas inspirou diversas mulheres, como Mary Astell, *lady* Damaris Masham e Marie de Gournay, a participarem de discussões filosóficas com os mais notáveis pensadores da época, mas também as ajudou a criar um novo formato para tais discussões, por meio de correspondências pessoais.[42]

John Locke (1632-1704), o principal teórico político da época, desenvolveu uma filosofia política otimista, racional e secular, que influenciou os criadores e autores da Constituição dos Estados Unidos, tornando-se a base para o liberalismo político.

Locke postulava um estado benigno da natureza, sem subordinação ou subjeção, no qual cada indivíduo é dotado de direitos inalienáveis de vida, liberdade e propriedade. Para proteger esses direitos, os homens celebram um contrato social e estabelecem um Estado. Mas esse Estado não tem o direito de privar os indivíduos de seus direitos naturais; desse modo, o Estado deve ser um governo constitucional com base no consentimento do governado.[43] Locke não ignorou as mulheres em seu modelo teórico, mas as separou do contrato social afirmando que a subordinação feminina ao homem dentro da família era natural e antecedia a sociedade organizada. Assim, os homens tinham pátrio poder sobre as mulheres, mas esse "direito natural" não estava, de acordo com Locke, relacionado à sociedade civil – o problema do *status* da mulher como cidadã simplesmente saiu de cena. E mais: a teoria do contrato e dos direitos naturais forneceu armas teóricas para todos os grupos subordinados.[44]

O filósofo francês Jean-Jacques Rousseau aplicou as ideias do Iluminismo à educação. Um dos pensadores mais radicais de sua época em relação à política, em seu livro *Émile*, Rousseau esboçou um esquema educacional para formar um cidadão do novo Estado idealizado. Émile seria educada para ser independente, autônoma e racional. Porém, em relação à educação feminina, Rousseau era totalmente conservador. Ao descrever a educação adequada para Sophie, futura esposa de Émile, Rousseau presumiu que o propósito da mulher na vida era "cuidar da masculinidade dele, aconselhar e consolar, tornar a vida dele prazerosa e feliz; estas são as obrigações da mulher". Rousseau concluiu: "A mulher é moldada em particular para o deleite e o prazer do homem".[45] Desse modo, o objetivo da educação feminina devia ser aprender a amar as obrigações em relação ao homem e realizá-las de modo inteligente e alegre.

Mary Astell desafiou Locke no livro de sua autoria, *The Christian Religion* [A Religião Cristã], do ponto de vista de uma monarquista e fiel na religião revelada.[46] Mary Wollstonecraft, forte defensora das ideias do Iluminismo, desafiou o descaso de Locke pelas mulheres e afirmou que tanto as mulheres quanto os homens tinham direitos naturais. Ao contrário de Astell, Wollstonecraft aceitou o argumento filosófico e político de Locke, mas expandiu as ideias dele para abranger a mulher. Do mesmo modo, Wollstonecraft aceitou as ideias de Rousseau sobre a educação de meninos, mas rejeitou as visões conservadoras dele a respeito da educação feminina.

Embora o trabalho de Wollstonecraft não possa mais ser considerado o *primeiro* trabalho teórico completo sobre o feminismo, é a primeira teoria feminista a fazer reivindicações pelos direitos e pela igualdade da mulher no contexto de uma teoria libertadora mais ampla para todos da sociedade, e a separar tais reivindicações de discussões religiosas que, até então, tinham sido centrais para o pensamento feminino. Em sua principal obra teórica, *Reivindicação dos Direitos da Mulher*, Wollstonecraft reiterou a maioria dos argumentos pela educação igualitária da mulher desde o século XVII, mas desafiou fortemente a definição de mulher feita por Rousseau como dependente permanente, com a afirmação direta, "Que insensatez! [...] Se as mulheres são naturalmente inferiores aos homens, suas virtudes devem ser as mesmas [...] ou a virtude é uma ideia relativa".[47]

Wollstonecraft definiu as mulheres como oprimidas tanto pela sociedade quanto pelos homens e argumentou explicitamente pela solidariedade das mulheres. Ainda, baseou suas demandas pelos direitos das mulheres em papéis femininos, como esposas e mães:

> Se as crianças devem ser educadas para compreender o verdadeiro princípio do patriotismo, as mães dessas crianças devem ser patriotas. [...]

Já que o cuidado das crianças na infância é uma das grandes obrigações relacionadas à característica feminina por natureza, essa obrigação permitiria muitos argumentos convincentes para fortalecer o entendimento feminino, se fosse considerado apropriadamente. [...] Para ser uma boa mãe – uma mulher deve ter bom senso e a independência da mente que poucas mulheres possuem, pois são ensinadas a dependerem inteiramente de seus maridos. Esposas submissas são, em geral, mães tolas. [...]

A conclusão a que desejo chegar é óbvia: fazer das mulheres criaturas racionais e cidadãs livres, e rapidamente elas se tornarão boas esposas e mães; isto é, se os homens não negligenciarem as obrigações de maridos e pais.[48]

O tema de mulheres instruídas como mães mais eficazes e mais virtuosas é alcançado com vigor. É esse tema que reaparecerá com grande força no fim do século XVIII e início do século XIX na França, na Alemanha e na América.

O DEBATE SOBRE a educação feminina no período inicial da república americana pode servir como um protótipo de debates semelhantes em países europeus. A participação ativa das mulheres na Revolução Americana por meio de arrecadação de fundos, boicotes e petições, serviços voluntários em apoio às tropas, seu papel econômico indispensável na retaguarda, todos esses fatores combinados deram às mulheres uma nova percepção de si mesmas, tanto nas funções domésticas quanto nas públicas. Os debates sobre o texto e a ratificação da Constituição e das constituições do Estado inspiraram a ideologia republicana radical, que inevitavelmente levou alguns membros de grupos omitidos dos debates políticos a desafiarem seus limites. Um exemplo é o debate entre John e Abigail Adams que discutimos antes (Capítulo 1). A dramaturga e primeira historiadora da Revolução Americana, Mercy Otis Warren, criou personagens femininas históricas cujas força e dedicação à liberdade visavam inspirar suas contemporâneas femininas. Porém, os líderes da Nova República não estavam dispostos a incluir mulheres na política ou conceder-lhes uma voz no debate político. Até mesmo o conceito de "mulher instruída" era visto como perigoso para a unidade do lar e na comunidade.

Nessas circunstâncias, a definição de "Maternidade Republicana" teve aspectos tanto conservadores como liberais. Essa definição alegava que uma educação liberal ampla da população era essencial para o funcionamento do governo republicano. Uma população informada garantiria que os direitos democráticos não seriam negligenciados nem desrespeitados. As mães instruiriam os filhos para a cidadania republicana e, assim, eles realizariam uma função apropriada como participantes no governo da república.[49]

O conceito foi lançado publicamente em um discurso de Benjamin Rush na inauguração da Young Ladies' Academy of Philadelphia [Escola para Moças da Filadélfia], em 1787. Rush pressupunha que homens e mulheres continuariam atuando em esferas separadas, mas que, em uma república, o papel das mulheres seria elevado a uma função semipública. Para desempenhar tal função, era inevitável que as mulheres precisassem ser bem instruídas.

A expansão considerável de colégios femininos entre 1790 e 1820 mostra que essa mensagem expressava uma tendência já estabelecida. A natureza da educação oferecida nesses colégios mostra com clareza o conceito limitado do alcance da educação feminina. Na escola da Filadélfia, por exemplo, que era avançada para a época, as meninas tinham uma grade curricular que incluía leitura, escrita, aritmética, gramática inglesa, composição, retórica e geografia, além das habilidades domésticas habituais. Não havia intenção de oferecer às meninas a mesma educação dos meninos; em vez disso, elas deveriam ser educadas como companhias agradáveis, ajudantes e apoiadoras dos homens de classe média. O conceito de mulher, definido pelo sexo masculino, de mães e educadoras das crianças que influenciavam o destino da nação, combinava cuidadosamente uma aceitação dos papéis femininos definidos pelo gênero com o reconhecimento de seu real e possível impacto na sociedade política. Isso foi observado em termos patriarcais: o impacto da mulher deveria ser indireto; deveria representar uma influência, e não um poder real, e deveria ser exercido por meio de outras pessoas e para outras pessoas. Acima de tudo, essa influência política era definida como uma consequência secundária do papel materno primário da mulher, um aprimoramento da situação feminina e um reconhecimento de sua função real, mas não um direito com base no qual se organizariam reivindicações adicionais por igualdade. Isso foi bem diferente do debate feminista realizado bem antes por homens como Heinrich Cornelius Agrippa von Nettesheim e François Poulain de la Barre, que defenderam a absoluta igualdade de homens e mulheres com base em direitos religiosos, morais e naturais.

Na maioria dos casos, as mulheres definiram a "Maternidade Republicana" de um modo um pouco diferente. Um exemplo é o discurso de despedida dado por Priscilla Mason na mesma Young Ladies' Academy of Philadelphia dois anos depois da palestra de Rush. Após se desculpar devidamente por abordar "um público promíscuo", o que poderia ser considerado "inovador", a senhorita Mason continuou conforme segue:

> Nossos nobres e poderosos Senhores (graças às suas constituições arbitrárias) nos negaram os meios de conhecimento e, depois, nos repreenderam por querer tal conhecimento. Sendo o lado mais forte, logo se apoderaram do cetro e da espada [...] negaram às mulheres a vantagem de uma educação liberal, proibiram-nas de exercer seus talentos. [...] Felizmente, uma forma mais liberal de pensamento começa a prevalecer.

Ela encorajou as mulheres da plateia a aproveitarem ao máximo as novas oportunidades educacionais e garantiu a elas o direito a uma ocupação em igrejas e cortes. Por fim, Mason solicitava a formação de um "senado de mulheres [...] designadas de cada parte da União" a ser constituído como parte do governo federal.[50]

Um debate semelhante foi realizado por Judith Sargent Murray em um panfleto que depois se ampliou em uma série de artigos. Murray alertava as jovens moças "contra uma baixa valorização de si mesmas", o que poderia levá-las a casamentos precipitados e imprudentes e, ao contrário, incentivava essas moças a se tornarem autoconfiantes e independentes.[51] Oito anos depois, após ter se tornado viúva e se casado de novo, Murray desenvolveu suas ideias para um debate feminista mais completo em uma série de artigos para revista. Murray destacava que as moças, ao serem ensinadas a menosprezarem as "solteironas", eram conduzidas a aceitar qualquer tipo de proposta de casamento. Em vez disso, incentivava as mulheres a "respeitar a vida de solteiro e até mesmo considerá-la a *mais admissível*. [...] Sei que a respeitabilidade, a utilidade [!], a tranquilidade, a independência, os prazeres sociais e a amizade sagrada podem ser encontrados na vida de solteiro; e sou racionalmente levada a concluir que, se as opiniões não são compatíveis [...], o estado celibatário é, sem dúvida, o mais admissível". Murray instigava as mulheres a se prepararem para a possível independência ao aprenderem "a administrar, pelos *próprios esforços, de acordo com as próprias vontades*".[52] Vale ressaltar que Judith Murray reinventou ideias e argumentos expressos antes por Mary Astell, cuja existência Murray desconhecia.

O conceito de "Maternidade Republicana" foi utilizado com grande vantagem por uma educadora perspicaz e determinada, que teve uma contribuição significativa para o avanço da educação feminina nos Estados Unidos. Quando, em 1819, Emma Willard (1787-1870) apresentou ao Parlamento do Estado de Nova York seu plano bem fundamentado para uma instituição com financiamento público de aprendizado avançado para mulheres, ela pretendia provar que as meninas eram capazes de absorver as mesmas matérias acadêmicas oferecidas aos meninos. Após detalhar as desigualdades e dificuldades educacionais sofridas pelas mulheres, ela argumentou:

> É obrigação do governo fazer tudo o que estiver ao seu alcance para promover a prosperidade presente e futura da nação. [...] Essa prosperidade dependerá do caráter de seus cidadãos. Os caráteres destes serão formados por suas mães. [...] Nossos legisladores atuais têm a obrigação de começarem agora a formar o caráter da próxima geração, controlando o das mulheres que são suas mães. [...][53]

Willard, que não era feminista e depois se oporia ao movimento organizado pelos direitos da mulher, enfatizou em sua obra *Address* [Discurso] que não recomendava uma "educação masculina" para as mulheres nem defendia o direito das mulheres pela educação como cidadãs. Seu plano, embora tenha ganhado certo apoio legislativo, não foi implementado, e ela prosseguiu, fundando e financiando a própria escola, a Troy Female Seminary, um modelo pioneiro que estabeleceu os padrões para uma educação de qualidade mais elevada para meninas. Willard administrou a instituição como uma escola preparatória para a faculdade, oferecendo instrução em todas as matérias, entre elas, matemática, ciências e filosofia. Os alunos cumpriam as exigências curriculares formais e passavam por provas públicas rigorosas. Willard educou mais de 12 mil alunas nesse seminário entre 1821 e 1870, muitas das quais se tornaram professoras em escolas públicas. Outras alunas se tornaram elas próprias fundadoras de outras escolas, enquanto Willard colaborava com o educador Henry Barnard na formulação de planos para escolas públicas. Apesar da posição conservadora de Willard, as alunas que se beneficiaram da formação rigorosa e da doutrinação moral se tornaram uma força propulsora para o feminismo norte-americano. Algumas delas, como Elizabeth Cady Stanton, assumiram a liderança direta e pessoal do movimento das mulheres; outras, como professoras profissionais, transformaram-se em modelos para uma nova definição da condição de mulher norte-americana.[54]

Outras pioneiras da educação feminina nos Estados Unidos utilizaram a mesma combinação da ideologia da Maternidade Republicana e do pragmatismo sagaz, como fez Emma Willard. Catharine Esther Beecher e Mary Lyon realizaram feitos semelhantes de construtoras de instituição e de doutrinação ideológica para criar novas carreiras para as mulheres e infundir nelas um entusiasmo missionário a fim de promover a educação do sexo feminino. Ambas, como a antecessora delas, declararam-se com firmeza contrárias à defesa dos direitos das mulheres, ainda que elas, como Emma Willard, tenham educado uma coorte significativa de líderes da comunidade, muitas das quais se tornaram feministas.

Embora as construtoras de instituição pragmáticas tenham educado milhares de profissionais mulheres e ajudado a desenvolver um novo modelo de feminilidade, alguns pensadores ampliaram o debate pela educação feminina e o desenvolveram a fim de estabelecer uma visão de mundo feminista. No contexto norte-americano, esse avanço intelectual foi feito por Frances Wright (1795-1852), uma escocesa abastada e bem instruída que chegou à América em 1824, determinada a apoiar e aprimorar a democracia norte-americana. Wright foi uma talentosa escritora, fundadora de uma comunidade utópica de curta duração, na qual tentou vários esquemas não ortodoxos para a melhoria da sociedade. Defendia um amplo espectro de reformas: a emancipação de escravos, o controle da natalidade, leis liberais de divórcio, liberdade sexual para ambos os sexos, educação pública gratuita para todas as crianças de 2 anos de idade em diante, em colégios internos financiados pelo Estado. Esta última demanda ganhou o apoio do primeiro partido político da classe trabalhadora norte-americana, a brevemente bem-sucedida Associação de Trabalhadores de

Nova York. Após 1829, Wright lecionou em Ohio, Pensilvânia e Nova York, obtendo certo apoio e despertando muita curiosidade, hostilidade e reprimenda. Uma verdadeira cria do Iluminismo, Frances Wright buscou promover o racionalismo e o espírito de questionamento livre por meio do acesso igualitário das mulheres à educação. Em uma de suas palestras, Wright disse:

> A respeito dos filhos, assim como das filhas [...] eles [os pais] precisam apenas considerá-los como *seres humanos*, e garantir a eles o desenvolvimento justo e aprofundado de todas as faculdades, física, mental e moral, que distingue a natureza deles. Do mesmo modo, no que diz respeito às filhas, elas não estão preocupadas com a injustiça das leis ou os absurdos da sociedade. A obrigação delas é simples, evidente, decidida. No comando das filhas há um ser humano, e do mesmo modo aos filhos. [...] Os homens jamais se erguerão ou cairão ao nível do outro sexo. [...] Deixe-os analisar a relação na qual os dois sexos se sustentam e sempre devem se sustentar, um em relação ao outro. [...] Até que o poder seja aniquilado de um lado, o medo e a obediência de outro, e ambos restaurados ao seu direito inato – a igualdade. E que ninguém pense que a afeição pode reinar sem isso, ou a amizade, ou a estima. [...] Vamos, então! E elimine o mal da mente das mulheres, depois da condição delas, e subsequentemente de suas leis.[55]

Frances Wright teve sua eficiência limitada por suas ideias sexuais radicais e pelo próprio estilo de vida, que eram vistos como escandalosos pelos contemporâneos. Foi pessoalmente devastada por um acordo de divórcio que a privou não apenas de toda a propriedade, mas também do único filho. Ainda dentro de uma década de seu surgimento no cenário norte-americano, ideias semelhantes às dela encontraram forte expressão nos textos e em aulas de Sarah e Angelina Grimké, assim como nos textos de Margaret Fuller. Nos anos 1840, a ligação entre a educação feminina e os direitos civis da mulher foi estabelecida com firmeza, tanto na teoria quanto na prática de milhares de mulheres na reforma social e em organizações abolicionistas.

O argumento de que as mulheres tinham direito a oportunidades educacionais igualitárias, assim como tinham direito à igualdade legal e social e ao direito de votar se tornou o conceito fundador do movimento recém-organizado pelos direitos das mulheres. Em 1848 e 1850, essa convicção foi incorporada ao estatuto básico do incipiente movimento feminino nas resoluções de Seneca Falls (1848) e nas convenções pelos Direitos das Mulheres em Ohio e Worcester (Massachusetts).

As resoluções da convenção de Ohio expressam a conexão com uma força em particular:

> Decide-se que todas as distinções entre homens e mulheres a respeito de costumes e instituições sociais, literárias, patrimoniais, religiosas ou políticas com base em uma diferenciação do sexo são contrárias às leis da Natureza, são injustas e destrutivas para a pureza, elevação e progresso no conhecimento e bondade da grande família humana, e devem ser abolidas imediatamente e para sempre. [...] Decide-se que a educação feminina deve estar de acordo com a responsabilidade na vida, que a mulher pode adquirir a autoconfiança e a verdadeira dignidade tão essenciais para o cumprimento apropriado das obrigações importantes delegadas a ela.[56]

O direito da mulher à educação deixava de ser justificado em fundamentos religiosos e morais ou em virtude de seu papel materno. Deixava de ter argumentos com base no apelo maior da mulher como esposa, uma companhia para o homem, ou como mãe. O direito da mulher à educação é um direito natural; é direito dela como ser humano, e ela pode usá-lo para realização pessoal ou em busca de outros objetivos, para independência ou a serviço de outras pessoas. A decisão é dela.

As OPORTUNIDADES EDUCACIONAIS para afro-americanos foram limitadas com tanta severidade no período anterior à Guerra Civil que a questão da educação própria para meninas não surgiu. Meninos e meninas negros geralmente compartilhavam qualquer tipo de instituição educacional inadequada que estivesse disponível. Mesmo assim, havia algumas professoras negras no período inicial da nação que fundaram e mantiveram escolas para crianças negras. Em 1820, Maria Becraft inaugurou, aos 15 anos de idade, o primeiro colégio interno para meninas negras em Washington, D.C. Vinte anos depois, o Institute for Colored Youth [Instituto para Jovens de Cor], na Filadélfia, tornou-se o local de treinamento para um núcleo de professoras que afetou significativamente o desenvolvimento de escolas para negros e cuja educação era comparável à de alunas formadas em seminários para meninas brancas. Fannie Jackson Coppin (1837-1913), ex-escravizada que, em 1860, se formou na Oberlin College, liderou o Institute's Female Department [Departamento Feminino do Instituto] de 1869 em diante, por mais de três décadas. Assim como as outras grandes professoras e fundadoras de instituições educacionais que seguiram seus passos, a meta educacional de Coppin era, sobretudo, o progresso de sua etnia e o de suas antecessoras.[57] Em uma adaptação da ideologia da Maternidade Republicana, as educadoras pioneiras afro-americanas desenvolveram uma ideologia que exaltava as mães negras como emancipadoras da etnia.

Em um dos maiores experimentos sociais da história, quase 250 mil crianças negras, que permaneciam analfabetas em razão da escravidão, puderam estudar em mais de 4.300 escolas em cinco anos ao fim da Guerra Civil. Aproximadamente 45% dos professores dos libertos eram mulheres, e muitas eram afro-americanas. O movimento do qual fizeram parte estabeleceu a base para a fundação de escolas públicas no Sul.[58]

A importante educadora negra Anna Julia Cooper, ao escrever a primeira argumentação feminista completa na América elaborada por uma mulher afro-americana, apelou aos homens negros para "darem uma oportunidade às meninas. [...] Ensinem a elas que há uma etnia com necessidades especiais à qual somente elas podem ajudar; que o mundo precisa e já está pedindo pelas forças treinadas e eficientes delas". E descreveu, com grande antecipação, o resultado da hegemonia masculina em relação às ideias, conceitos e teorias:

> Enquanto as mulheres se sentavam com os olhos vendados e mãos atadas, rapidamente presas às garras da ignorância e da inação, o mundo do pensamento movia em sua órbita como as rotações da Lua, com uma face (a face do homem) sempre voltada para fora, de modo que o espectador não conseguisse distinguir se era um disco ou uma esfera. [...] Eu afirmo [...] que há um lado feminino e um lado masculino para a verdade, e que tais lados estão relacionados não como inferior e superior, não como melhor ou pior, não como mais fraco ou mais forte, mas como complementos – complementos em um necessário e simétrico todo.[59]

Com o começo do movimento organizado pelos direitos das mulheres, a dominância masculina sobre definições e conceitos estava sendo sempre desafiada. Os Estados Unidos levariam outros cem anos antes que as mulheres tivessem acesso igualitário a todas as instituições de ensino superior, mas a tendência e o desfecho eram inevitáveis. O mundo do pensamento não mais refletiria apenas a face masculina. A outra metade da raça humana, depois de dois milênios de luta, tinha encontrado sua voz e feito suas reivindicações. Enfim, um edifício verdadeiramente humano de pensamento poderia ser e seria construído, combinando as visões masculina e feminina e mudando em definitivo nossa visão de totalidade. A partir dali, nós, mulheres e homens, saberíamos se a Lua era um disco ou uma esfera.

DEZ

GRUPOS FEMININOS, REDES FEMININAS, ESPAÇOS SOCIAIS

O LONGO E LENTO PROGRESSO de mulheres intelectuais rumo à consciência de grupo e a uma análise libertadora de sua situação prosseguiu de modo esporádico, desigual e não raro repetitivo. Marginalizadas da tradição masculina e, sobretudo, privadas do conhecimento da tradição feminina, as mulheres tiveram que buscar, cada uma por si só, fugir das definições de gênero patriarcais e seus impactos repressivos como se cada uma delas fosse um Robinson Crusoé solitário em uma ilha deserta reinventando a civilização. Negada a elas estavam a história sistemática do progresso, a construção metódica de tese, antítese e síntese por meio da qual sucessivas gerações de pensadores homens cresceram se apoiando "nos ombros de gigantes", cada um fazendo sua pequena ou grande contribuição para a construção de um legado comum. Como vimos, as criações femininas desmoronaram em silêncio, mal causando um ruído, e as gerações sucessoras foram deixadas para lidar com o mesmo trabalho com o qual outras já tinham lidado antes. Tantas gerações tiveram que "provar" que eram capazes de desfrutar de uma educação completa e rigorosa, como a de seus irmãos, somente para que a seguinte empreendesse mais uma vez essa demonstração inútil e constante, tudo de novo. [...]

No entanto, as mulheres driblaram o patriarcado; com obstinação e persistência, como gotas de água erodindo rochas, elas desafiaram as definições, prescrições e explicações patriarcais. Elas insistiram em sua capacidade para a escolarização e, quando a discussão parecia ter sido vencida, insistiram no direito à educação. Mas seus argumentos e conceitos permaneciam abstratos e utópicos por não se fundamentarem em ação para a transformação social. Apenas mulheres se organizando em nome das mulheres poderiam produzir pensamentos verdadeiramente libertadores.

Nesse quesito, as mulheres como grupo não eram nem um pouco diferentes de outros grupos subalternos. O pensamento libertador está sempre conectado à ação libertadora na arena pública; pensamento e ação representam dois aspectos do mesmo processo pelo qual é gerada a mudança social, com teoria e prática sempre em tensão e interação complexas.

O diálogo das mulheres místicas com Deus provou a igualdade essencial de seres humanos diante dele, mas não conduziu nem pôde conduzir à mudança social mais do que pôde a autoemancipação artística de mulheres de talento ao longo dos séculos. Foi diferente com as visões utópicas das sectárias religiosas, cujas experiências pessoais e expressões comunais fundiram-se nas suas vidas. As vítimas martirizadas na perseguição, testemunhas e pessoas redefinidoras da visão de mundo religiosa tinham em comum a capacidade de fazer sua jubilosa experiência privada, parte da experiência coletiva. Conforme transformavam sua consciência, elas foram da esfera privada à pública e nela agiram, isto é, tornaram políticas as suas vidas.

Mulheres pensadoras, assim como homens, não apenas precisavam de outros pensadores com quem debater com o intuito de testar suas ideias, mas também de plateia, fosse ela privada ou pública. Muitas das mulheres das quais este livro trata estavam em diálogo com um mentor ou antagonista masculino. As mulheres engajadas nas várias fases da *querelle des femmes* discutiram com predecessores masculinos misóginos, com frequência aprimorando os próprios pensamentos e argumentos em rodadas de refutações. As mulheres em grupos religiosos sectários definiram suas próprias posições de encontro ao direcionamento dado pelos líderes masculinos e, às vezes, como no exemplo de Margaret Fell e Johanna Petersen, tornavam-se lideranças femininas que trabalhavam em colaboração com as masculinas em pé de igualdade. Um belo exemplo de tal colaboração e apoio mútuo pode ser encontrado no lar do humanista da Reforma Konrad Peutinger, que escrevia em uma mesa no quarto enquanto a esposa Margarete trabalhava em outra. O marido descreveu a cena a seu amigo Erasmo:

> Minha esposa e eu estávamos trabalhando em mesas separadas. Ela tinha diante de si sua tradução latina do Novo Testamento e, ao lado, uma versão antiga em alemão. Ela me disse: "Estou lendo Mateus 20. Vejo que Erasmo acrescentou algo que não está na tradução alemã". [...] [Era uma passagem referente ao batismo.] Então, procuramos na Vulgata de São Jerônimo e descobrimos que ela não está lá. Olhamos então suas *Anotações [do Novo Testamento]*, onde você menciona Orígenes e Crisóstomo. Minha esposa disse: "Vamos lê-las". Lemos e encontramos lá o que você adicionou.[1]

Margarete Peutinger (1481-1552) foi celebrada pelos humanistas alemães como uma esposa erudita, *uxor docta*. Ela também deve ter sido uma mãe exemplar, pois sua primeira filha, Juliana, era versada em latim aos 3 anos, e, um ano depois, deu um discurso de boas-vindas em latim ao imperador Maximiliano do Sacro Império Romano-Germânico. Margarete Peutinger também escrevia em conjunto com o marido e era defensora fervorosa de um novo tipo de casamento, em que, segundo ela, a mulher já não segurava a vela para o marido, mas, à luz de velas, escrevia ou estudava a seu lado.[2]

Um relacionamento esclarecido e de apoio mútuo semelhante permitiu a Olimpia Morata (1526-1555) conseguir mais do que a maioria das mulheres instruídas do Renascimento. Embora outras, tais como Isotta Nogarola e Laura Cereta, dependessem de aconselhamento e orientação intelectual de homens esclarecidos, ela trabalhou com um marido que apreciava por completo seus talentos. Ela deixou a Itália após seu casamento com Andreas Grundler, um médico protestante alemão, e compartilhou as dificuldades de sua nascente vida profissional num período de guerra religiosa. No entanto, ao contrário da maioria das mulheres eruditas do Renascimento, ela continuou escrevendo sobre teologia, filosofia e educação de mulheres mesmo depois de casada. Sua reputação era tamanha, que ela estava na fila de uma nomeação para uma cadeira na Universidade de Heidelberg, onde o marido havia garantido uma cátedra. Tragicamente, o casal morreu vítima de uma epidemia de cólera; assim, o potencial completo de tal relacionamento não pôde se desenvolver. Olimpia

Morata tinha apenas 29 anos na época de sua morte, no entanto, era conhecida entre humanistas como a *docta poeta*, uma mulher poeta erudita.[3] É preciso observar que tais relacionamentos heterossexuais com apoio mútuo, embora ocorram, são raros na documentação histórica.

Há um padrão de agrupamento no surgimento de intelectuais europeias e norte-americanas que me parece ser mais do que mero acaso. Deduzo que todo o trabalho intelectual fosse promovido e incentivado por apoio institucional e, apesar da aparente dispersão aleatória de gênios talentosos de ambos os sexos através das linhas do tempo, que houve uma aglomeração notável dos intelectuais masculinos em torno de determinadas instituições e lugares. Para os homens, essas instituições foram cortes feudais e, o mais importante, universidades. Do século XVII em diante, as redes de apoio de intelectuais masculinas consistiram também em ex-alunos de universidades, unidos em associações, clubes ou grupos informais, nos movimentos políticos e religiosos urbanos e em salões. O fato de que as mulheres estarem excluídas das universidades desde a fundação delas no século XI até fins do século XIX afetou significativa e desfavoravelmente a produtividade e o desenvolvimento intelectual, pois não somente eram excluídas da instrução que tais instituições forneciam, mas também eram privadas das redes informais de profissionais que surgiam de tais instituições de ensino superior.

O "empurrãozinho cultural" dado por grupos de leitores formais ou informais, ouvintes ou debatedores é um elemento essencial no desenvolvimento de pensadores importantes. Sem dúvida, é possível para indivíduos talentosos escrever em isolamento e sem a resposta do público, mas o desenvolvimento intelectual depende da resposta, do incentivo, da capacidade de melhorar o trabalho de alguém pela crítica e de testar ideias na interação social. Nesta, como em outras áreas, as mulheres foram muito prejudicadas ao longo de séculos de discriminação educacional.

Elas tentaram de várias maneiras compensar essas desvantagens, e nós tentaremos descrever algumas delas neste capítulo. A maioria das mulheres intelectualmente produtivas tinha algum homem para proporcionar orientação ou encorajamento. Já mencionamos as muitas mulheres eruditas que dependiam de pais solidários para sua autonomia intelectual. Elizabeth Elstob foi orientada intelectualmente e recebeu o apoio do irmão. Nos círculos protestantes, os maridos, às vezes, cumpriam esse papel de apoio intelectual, como no caso de Margarete Peutinger e das esposas dos pietistas alemães Zinsendorf e Petersen. Existem os exemplos do tolerante duque de Newcastle, dos maridos *quaker* e daqueles evangélicos nos Estados Unidos, cujas esposas se voltaram para os direitos da mulher. "Como é ser conhecido como o marido de Mary Livermore?", foi a pergunta sarcástica feita por um repórter ao reverendo sr. Livermore, cuja esposa, uma famosa e popular escritora, reformista e professora, muitas vezes o ajudava a encher seu púlpito e coeditava um periódico com ele. O sr. Livermore respondeu com um sorriso encantador: "Como? Tenho muito orgulho disso. Veja, sou o único homem no mundo que tem essa distinção". Sua resposta é tão notável por sua boa disposição quanto por sua raridade.

Paradoxalmente, homens mentores, pais, irmãos ou maridos, também dificultavam a independência mental de suas pupilas, ao mesmo tempo que ajudavam a fomentar seu crescimento intelectual. Há pouquíssimas mulheres felizes em seu casamento ou relacionamento que ajudaram no avanço do pensamento feminista, e isso não deveria surpreender. É impressionante quando se olha as listas de mulheres de diferentes países, ao longo de 1.300 anos, que desenvolveram alguns aspectos do pensamento feminista, quantas delas viveram o que hoje chamaríamos de vidas voltadas para a mulher. Por opção ou falta de alternativa, elas se retiraram do mercado matrimonial e concentraram sua atividade mais intensa em pensamento abstrato. A maioria delas fez seu trabalho relevante na condição de solteira, seja antes do casamento, durante a viuvez ou como mulheres que, por opção, permaneceram solteiras. E, além disso, para grande parte delas, o que mais importava era a existência de algum público feminino ou rede de apoio. Isso é verdadeiro também para casos excepcionais de mulheres casadas, como a duquesa de Newcastle ou Mary Wollstonecraft, que, além de terem maridos solidários, tiveram ainda amigas e leitoras.

As histórias de terror eram mais frequentes, como a de Louise Adelgunde Victorie Gottsched, nascida Kulmus (1713-1762), conhecida depois apenas na versão feminina do nome do marido como "*die Gottschedin*", mulher muito inteligente e bem-educada. Ela se casou com Johann Christoph Gottsched, um homem considerado o líder do Iluminismo alemão e defensor da educação feminina. Além de seus principais trabalhos como crítico teatral e cultural, editou diversas revistas de mulheres, nas quais escreveu a maior parte dos artigos, usando pseudônimos femininos. Sua primeira pupila, Christiana Mariana von Ziegler, foi coroada *poeta laureada* na Universidade de Leipzig, e fez muito para ajudar a promover a reputação de Gottsched como escritor e crítico. Ele utilizou os talentos consideráveis e a erudição da esposa para se servir da dramaturgia e filosofia francesas e inglesas de sua época.

Embora Louise Gottsched não tivesse filhos, ela desempenhou o papel tradicional de esposa. De acordo com o testemunho de seu marido: "ela continuou com todo o trabalho doméstico na cozinha, lavando e passando meticulosamente. E respondia com frequência à correspondência literária em meu nome, solucionando várias investigações científicas quando eu estava ocupado demais para lidar com essas coisas...".[4]

Louise Gottsched parece ter sido uma mulher dotada de energia prodigiosa, o que é possível observar com um breve exame de suas atividades literárias. Entre 1731 e 1759, ela traduziu oito peças do francês e do inglês, entre elas, *O Misantropo*, de Molière, e seis ou mais volumes de filosofia e literatura. Em um período de três anos, traduziu do francês 330 artigos do dicionário histórico de Pierre Bayle, assim como vários artigos e relatórios científicos de interesse de seu marido. Sua própria produção de poemas, alguns artigos e peças de teatro estão distribuídos ao longo de três décadas e, como é óbvio, teve de se encaixar nos raros períodos em que ela não estava ocupada com o trabalho do marido. Suas oito peças de teatro, a maior parte publicada anonimamente, revelaram seu talento para a comédia e a criação inteligente de personagens. Após sua morte, seu marido publicou uma coleção de seus poemas, e, dois anos depois, Dorothea von Runckel, uma amiga próxima, publicou sua correspondência. Essa mulher, que poderia ter sido uma importante dramaturga, mas que em vez disso passou a maior parte de sua vida ativa fazendo enfadonhos trabalhos letrados para o marido, tinha uma carreira de trinta anos quando, aos 49, afirmou que sua vida tinha sido um fracasso.[5]

Há vários exemplos históricos conhecidos de amantes que também eram parceiros intelectuais e trabalhavam conjuntamente, que, por uma ou outra razão, publicaram sob o nome do homem. Um dos menos controvertidos desses exemplos é o de William Thompson e Anna Wheeler, ambos socialistas owenistas britânicos, cuja publicação de *Appeal of One-Half the Human Race* [Apelo à Metade da Raça Humana] foi um tratado feminista primordial importante e influente.[6] Thompson, em uma carta, contou como seus argumentos foram concebidos e desenvolvidos por ele e por Anna Wheeler. Ele fazia referência a si mesmo como "o intérprete e o escrevente" de seus sentimentos, e chamou o livro de "propriedade comum de ambos". No entanto, foi publicado apenas sob seu nome.[7]

Do mesmo modo, o escritor e organizador antiescravagista norte-americano Theodore Weld produziu um estudo documental da escravidão como uma instituição, baseando-se principalmente na evidência das testemunhas oculares. O livro é considerado o mais importante documento antiescravagista antes da publicação de *A Cabana do Pai Tomás* e vendeu cerca de 100 mil cópias no primeiro ano.[8] Foi publicado anonimamente em 1839 pela Sociedade Americana Antiescravagista, mas uma nota introdutória indicou que Theodore Dwight Weld era o editor, e as edições subsequentes atribuíram o trabalho somente a ele. Contudo, o próprio Weld declarou em uma carta confidencial que, por seis meses, sua esposa Angelina Grimké e a irmã dela, Sarah, haviam procurado em 20 mil jornais do sul por fatos a serem incluídos no trabalho.[9] Esses fatos referidos, sem nenhum comentário, compõem a metade do panfleto. Também está claro e evidente que as irmãs contribuíram para a edição da outra metade, que consistia em relatos de testemunho ocular, e ainda com dois artigos de autoria própria. Weld era um forte defensor dos direitos das mulheres, e a supressão do trabalho editorial das duas foi sem dúvida motivada por seu desejo de dar à obra uma autoridade e um prestígio maiores ao ser atribuída a um homem.

Uma motivação semelhante pode ter influenciado Caroline Schlegel a insistir que seu nome não fosse incluído como tradutora das peças de Shakespeare para o alemão. As traduções das peças, uma realização da academia literária alemã muito anunciada, foram então atribuídas por completo ao marido, August Wilhelm Schlegel, mesmo sabendo-se que ela tinha colaborado com a maioria delas, e traduzido uma peça inteira sozinha.

Como um último exemplo, a célebre parceria intelectual entre John Stuart Mill e Harriet Taylor Mill, que foi considerada frequentemente um modelo exemplar da igualdade dos sexos, resultou na publicação de diversos trabalhos em que eles colaboraram com autorias separadas. Porém restou sua primeira colaboração, *Princípios de Economia Política* e, depois, Sobre a *Liberdade*.

Ambos sendo reconhecidos por Mill como resultado da colaboração, ambos creditados a ele como autor. Segundo a carta que ele escreveu: "[Era] mais direta e literalmente nossa produção conjunta do que qualquer outra coisa que me é creditada, porque não havia uma sentença que não era diversas vezes examinada por nós dois juntos".[10] Nesse caso, uma das razões para que seu nome aparecesse no livro era para evitar rumores a respeito da relação dos dois enquanto ela ainda era casada com John Taylor. O que vale a pena notar em todos os exemplos anteriores é que o contexto social em que as mulheres se encontram, sua situação na vida, faz com que sua autoria seja obliterada, mesmo quando seus coautores são homens compreensivos e benevolentes.

Vamos agora observar algumas das redes de apoio feitas de, para e por mulheres com mais detalhes em sequência histórica. Por causa de seu isolamento da vida intelectual e da reprovação social de mulheres instruídas, tais mulheres eram particularmente dependentes de encontrar indivíduos solidários ou redes de apoio. Observei os grupos de mulheres instruídas conforme eles aparecem nos registros históricos e tentei descobrir o que apoiava sua existência. Até a Reforma, as mulheres eruditas apareciam em conventos, nas famílias que apoiavam o aprendizado e entre famílias nobres nas quais as mulheres eram treinadas para uma administração compartilhada. Também apareciam em certas cortes, em geral aquelas em que uma mulher erudita criava um espaço social de apoio à expressão cultural. Movimentos religiosos dissidentes ou heréticos também proporcionaram apoio e público para mulheres instruídas ou inspiradas. No mundo moderno, os grupos de mulheres instruídas continuaram em algumas cortes, aparecendo em forma de redes de apoio de amigas, que chamarei "grupos de afinidade". Nos séculos XVII e XVIII, a liderança feminina cria tais grupos de afinidade. Discutirei o desenvolvimento de "espaços sociais" e de "espaços feministas" mais adiante neste capítulo.

Os primeiros escritos históricos femininos surgiram de abadias e conventos, e assumiram a forma de biografias de abadessas escritas por freiras e biografias coletivas das várias ordens, conhecidas como *sisterbooks* (livros de irmãs), dos quais falaremos no próximo capítulo. Rosvita de Gandersheim homenageou a abadessa Gerberga como uma grande influência em seu desenvolvimento. A abadia de Helfta proporcionou o desenvolvimento de várias mulheres eruditas. Essas abadias propiciavam a elas não apenas poderosos modelos femininos, mas também um espaço protegido onde o diálogo entre as mulheres podia florescer sem ter sua validade questionada.

Houve grupos de mulheres eruditas em torno de certas cortes ou famílias do Renascimento. Lucrécia Bórgia, duquesa de Ferrara, criou um centro cultural em sua corte. Da mesma forma, Isabel d'Este atraiu para sua corte homens e mulheres cultos de toda a Europa. Um exemplo de erudição feminina como parte da tradição familiar é o da família de Battista da Montefeltro Malatesta (1383-1450), filha de António, conde de Urbino. Muito bem-educada antes do casamento, ela estudou a literatura da Antiguidade Clássica e se correspondeu com homens humanistas. Em 1433, cumprimentou o imperador Sigismundo, do Sacro Império Romano-Germânico, quando ele passou por Urbino, com uma oração em latim. Em sua viuvez, tornou-se irmã da Ordem Franciscana de Santa Clara. Suas netas, Cecilia Gonzaga e Constanza Varano, para cuja educação ela contribuiu, foram conhecidas como mulheres eruditas. Cecilia Gonzaga (1425-1451) foi educada com os irmãos no colégio de Vittorino da Feltre, em Mântua. Dominou o grego aos 8 anos. Resistiu aos esforços do pai para casá-la e, após a morte dele, Cecilia e a mãe entraram para a Ordem Franciscana. Constanza Varano (1426-1447) foi uma talentosa latinista que escreveu discursos, poemas e cartas. Todo o seu trabalho cessou após o casamento com Alessandro Sforza, senhor de Pesaro. Ela morreu logo após dar à luz seu segundo filho. O descendente mais famoso dessa família foi uma bisneta, Vittoria Colonna (1490-1547). Ela se tornou uma poeta famosa e, após a morte do marido, uma figura central de um círculo literário que incluía Michelangelo. Esse é um dos casos raros em que podemos traçar a tradição literária da família seguindo o rastro de suas mulheres.[11]

A partir do início do século XV, um grupo notável de mulheres no trono dos reis da França, ou próximo a ele, serviu como modelo de mulheres fortes, como paradigmas de educação de mulheres e como mulheres de poder. A figura de transição, uma mulher de poder analfabeta que obteve sua autoridade por revelação divina e pela tradição de mulheres guerreiras e místicas medievais, era a camponesa Joana d'Arc. Em 1429, ela impediu a derrota do letárgico rei Carlos VII da França conduzindo um exército em seu nome para livrar Orleans dos ingleses e burgúndios. Ela assistiu à coroação triunfante do rei em Reims, tal como suas visões tinham antecipado. Capturada pelos burgúndios, foi entregue aos ingleses, com Carlos VII abandonando-a a seu destino. Foi queimada como herege, mas sua vida e seus feitos se tornaram uma lenda e um símbolo de orgulho nacional na França. Inspirado mais tarde pela amante Agnes Sorel, o rei completou a expulsão dos ingleses do solo francês.

A tradição de mulheres fortes, próximo ou sentadas ao trono da França, continuou nas gerações seguintes. Após a morte do herdeiro de Carlos VII, sua filha mais velha, Ana de Beaujeu (1441-1522), governou a França como regente de seu irmão, menor de idade até então. Ela esmagou uma rebelião de nobres em 1485 e garantiu a anexação da Bretanha à França, forçando a herdeira da Bretanha, Ana, a se casar com seu irmão Carlos VIII. Ele chegou à maioridade em 1491 e governou até sua morte em 1498, tendo fracassado em suas várias aventuras militares na Itália. Em contrapartida, sua competente irmã ajudou a desenvolver a vida intelectual da corte. Ela também influenciou a educação de Ana da Bretanha (1477-1514) e de Luísa de Saboia (1476-1531), que mais tarde se tornou a mãe de Margarida de Navarra e Francisco I, futuro rei da França.

Ana da Bretanha exerceu o poder principalmente em seu papel de rainha por meio de seus sucessivos casamentos com Maximiliano da Áustria, Carlos VIII da França e seu sucessor Luís XII. Seu impacto sobre a filha e neta aqui são de igual interesse. Sua filha, Cláudia da França, casou-se com Francisco I, que sucedeu Luís XII no trono. Desse modo, Francisco I (1494-1547) foi cercado por um número de mulheres poderosas, muito bem-educadas, que o influenciaram, e a sua política: sua mãe, Luísa de Saboia, sua esposa Cláudia e sua irmã Margarida de Navarra.

Por sua vez, Margarida de Navarra (1492-1549), que discutimos anteriormente como autora e teóloga, educou e influenciou Catarina de Médici, esposa de Henrique II, rainha-mãe e regente de seu filho Carlos IX. Durante seu primeiro casamento com o duque de Alençon, seu irmão, rei Francisco I, deu a Margarida o Ducado de Berry, onde ela fez da corte real um centro de educação e humanismo e ajudou a promover o crescimento da Universidade de Burges. Após a morte do marido, ela se casou com Henrique de Albret, rei de Navarra. Em Navarra, ela mais uma vez atraiu estudiosos humanistas e artistas para sua corte. Como protestante casada com um católico em um momento de violenta guerra religiosa, seu papel era de apaziguadora entre católicos e protestantes.

E ela protegeu os reformistas protestantes em sua corte, não raro abrigando-os contra a vontade do marido.

A filha de Margarida de Navarra, Joana, em sua ascensão ao trono de Navarra, anunciou sua adesão ao protestantismo e fez de seu reino um refúgio para os huguenotes.

Além de educar a própria filha, Margarida de Navarra supervisionou a instrução de Renée da França (1528-1575), duquesa de Ferrara, e da sobrinha, Margarida da França (1523-1574). Esta última se casou com o duque de Saboia e se tornou uma reconhecida letrada e patrocinadora dos poetas. Tanto Renée da França quanto Margarida da França eram solidárias com o protestantismo, mas permaneceram católicas, assim como os maridos.

Vemos nesse "agrupamento" uma imposição de mãos intergeracional, pela qual a transmissão de conhecimento às mulheres se torna uma tradição familiar. Vemos também três gerações de mulheres instruídas e politicamente ativas ao redor do trono francês. Grupos bastante semelhantes de mulheres poderosas e cultas podem ser encontrados seguindo as várias rainhas Habsburgo e Tudor dos séculos XV e XVI.

No século XVII, encontramos os primeiros grupos de afinidade, grupos de mulheres que tinham em comum o interesse por literatura, religião, filosofia e educação de mulheres. Dois exemplos notáveis de tais grupos podem ser encontrados em torno de Anna Maria von Schurman, e outro em torno de Elizabeth Elstob.

A acadêmica holandesa Anna Maria von Schurman tinha um amplo círculo de amigos e correspondentes, que incluía alguns dos mais importantes intelectuais de seu tempo. Ela se correspondeu e foi admirada por Descartes, pelo cardeal de Richelieu e pelos teólogos Friedrich Spanheim e Andre Rivet, ambos da Universidade de Leyden. Entre as mulheres que inspirou e influenciou estavam Bathsua Makin, Dorothea Christiane Leporin, vigorosa defensora da educação para as mulheres, a rainha Cristina da Suécia, Marie de Gournay e Lucretia Marinella. Ela era amiga íntima da princesa Isabel da Boêmia, importante intelectual pelos próprios méritos.[12] Diferentemente das primeiras pensadoras pioneiras, Schurman foi admirada e reconhecida por mulheres das gerações seguintes.

Um grupo de afinidade semelhante surgiu em apoio a Elizabeth Elstob. Dos 260 assinantes que possibilitaram a publicação de seu primeiro trabalho acadêmico, quase metade eram mulheres.[13] Mais tarde, quando ela estava na miséria e sem conexões nem apoio acadêmico, foi por meio dos esforços de uma integrante da associação *bluestocking* local e esposa de clérigo, sra. Sarah Chapone, que George Ballard soube pela primeira vez de sua situação. A sra. Chapone escreveu uma carta para as mulheres da nobreza rural local pedindo apoio para Elstob. Entre as mulheres que a ajudaram a encontrar meios de subsistência, estava a escritora sra. Delaney [Mary Pendarves], *lady* Elizabeth Hastings, a rainha Caroline e a duquesa de Portland.[14] Inspirado pela sugestão de Elizabeth Elstob e pelo exemplo de sua vida, George Ballard aditaria posteriormente a importante enciclopédia biográfica, *Memoirs of Several Ladies of Great Britan* [Memórias de Diversas Damas da Grã-Bretanha]...[15]

Já mencionamos o círculo de amigas que deu apoio intelectual, moral e financeiro a Mary Astell, o que lhe possibilitou ter uma vida independente e seguir sua carreira literária. Ela, por sua vez, ao praticamente criar a função de *bluestocking*, influenciou integrantes desse grupo, como *lady* Mary Chudleigh, *lady* Mary Wortley Montagu, a sra. Delaney e a sra. Anne Dewes.[16]

As *bluestockings* representam outro grupo de afinidade ou rede de apoio para duas gerações de mulheres educadas – um grupo de mulheres unidas por amizade, parceria íntima e encontros frequentes em várias propriedades rurais e residências londrinas. Elas proporcionavam, em seus salões, um espaço social onde homens e mulheres com interesses intelectuais podiam se encontrar socialmente.[17] Assim como no caso dos salões franceses e alemães, essas reuniões fomentavam amizades intelectuais respeitosas entre homens e mulheres instruídos, sobretudo da nobreza. Eles estabeleceram padrões de comportamento e de gosto para a alta sociedade e serviram como espaços informais de reunião para possíveis noivos da nobreza e alta burguesia. Os integrantes do primeiro grupo de *bluestockings* foram Elizabeth Carter, Elizabeth Montagu, Catherine Talbot, Hester Chapone, Samuel Johnson, Samuel Pepys, George Berkeley, o reverendo Thomas Birch e Samuel Richardson. As mulheres desse círculo não apenas encontraram encorajamento para sua escrita na troca de cartas e no sério reconhecimento de seu trabalho por leituras em suas reuniões, mas foram incentivadas também a publicar. Por exemplo, a tradução de Elizabeth Carter das obras do filósofo estoico Epiteto foi publicada em 1758, depois que 1.031 assinaturas antecipadas foram obtidas do círculo de *bluestockings* e seus amigos. Uma geração depois, o terceiro romance de Fanny Burney, *Camilla, or Female Difficulties* [Camilla, ou Dificuldades Femininas], foi publicado em 1796 se baseando em uma lista de assinaturas reunidas por integrantes do círculo de *bluestockings*, ao qual Hester Thrale e Hannah More também pertenciam.[18] Embora a primeira geração de *bluestockings* desconhecesse o trabalho das feministas do século XVII, elas estavam familiarizadas com algumas de suas equivalentes na França, como a marquesa de Sevigne, cujo trabalho foi amplamente divulgado na Inglaterra.[19] A segunda geração de *bluestockings* se beneficiou da vida e experiências da primeira, conhecendo-a pessoalmente ou pela leitura de suas obras.

Uma manifestação dos benefícios de uma tradição intergeracional é a criação de públicos femininos para o trabalho de escritoras. Isso aconteceu por meio da fundação de bibliotecas e revistas populares dirigidas às mulheres, o que criou uma tradição de leitoras.

Outra maneira em que podemos identificar a existência de públicos femininos para a obra de escritoras é olhar as pessoas a quem elas dedicaram seus trabalhos. Estes, em geral, cabem em duas categorias: os trabalhos dedicados às monarcas reinantes ou às poderosas aristocratas que puderam exercer a função de protetoras da autora; e aqueles trabalhos dedicados às mulheres que a autora admirou. Na primeira categoria está a dedicatória de Elizabeth Elstob na obra *Homilia sobre o Nascimento de São Gregório*... Ela reconheceu e agradeceu suas "incentivadoras [...] tantas mulheres", depois nos deu uma lista notável de *exemplos* de mulheres da Alta Idade Média que contribuíram para o desenvolvimento da cultura inglesa, terminando sua dedicatória "às duas maiores monarcas que o mundo conheceu: pela sabedoria e piedade, e sucesso constante em seus negócios, RAINHA ELIZABETH e RAINHA ANA DA GRÃ-BRETANHA".[20] De caráter semelhante, Marie de Gournay dedicou seus ensaios *Égaliteé des Femmes* [Igualdade das Mulheres] à "rainha Ana da Áustria", a esposa do rei Luís XIII da França. Bathsua Makin combinou os dois tipos de dedicatórias quando dedicou seu ensaio a "todas as damas engenhosas e virtuosas" e em particular à *lady* Mary, filha do duque de York.[21]

Críticas literárias feministas mostraram de que maneira, século XIX, escritoras começaram a reconhecer mulheres como suas musas e modelos. Assim, George Eliot admirou Harriet Beecher Stowe e foi definitivamente influenciada em seu trabalho pela leitura completa da obra de Jane Austen; Elizabeth Barrett Browning admirou o trabalho de George Sand e Madame de Staël, ao mesmo tempo que seu trabalho, por sua vez, foi uma inspiração para Emily Dickinson. Margaret Fuller e Sarah Orne Jewett reconheceram sua dívida para com Madame de Staël, autora de *Corinne*; e todos as líderes norte-americanas dos movimentos por direitos das mulheres do século XIX consideraram *Aurora Leigh*, de Elizabeth Barrett Browning, uma inspiração. A lista poderia se estender indefinidamente para mostrar a busca quase desesperada de escritoras por antecessoras femininas fidedignas.[22]

A criação de público feminino para o trabalho de autoras dependeu, naturalmente, do desenvolvimento de revistas femininas e de romances impressos a baixo custo, radicalmente acessíveis. Esse desenvolvimento ocorreu a partir do início do século XVIII na Inglaterra e no continente europeu. Na América, apenas na primeira metade do século XIX. A formação de grupo de escritoras existe em relação direta com o desenvolvimento de um público leitor feminino. Por outro lado, a existência de leitoras não levou necessariamente ao desenvolvimento ou à disseminação da consciência feminista. A relação é complexa: a existência de um público de leitoras permitiu no fim das contas que algumas escritoras vivessem de modo independente.[23] Algumas delas também desenvolveram um estilo de vida autossuficiente, o que pode tê-las levado a uma consciência cada vez mais feminista. Os exemplos disso seriam Aphra Behn, Mary Astell e Mary Wollstonecraft. Por outro lado, há incontáveis exemplos de escritoras com vasto público feminino que nunca desenvolveram nenhum tipo de consciência feminista; pelo contrário, muitas ganharam a vida celebrando as tradicionais funções femininas de maternidade e cuidado, ou estimulando o foco romântico de mulheres no amor e no casamento.

O desenvolvimento da consciência feminista dependeu de uma variedade de fatores, a maioria já discutida: a capacidade de um grupo de tamanho considerável de mulheres de viver fora do casamento com independência econômica; as mudanças demográficas e médicas que permitiram a grupos maiores de mulheres renunciar à atividade reprodutiva ou limitar o número de filhos;

acesso das mulheres à igualdade de educação; e, por último, a possibilidade de criar "espaços para mulheres". É o último fator que precisamos discutir em detalhe antes de delinear o desenvolvimento da consciência feminista. A historiadora Sara Evans chamou a atenção para esse fenômeno em seu estudo do desenvolvimento do movimento feminista moderno nos Estados Unidos. Ela listou entre os pré-requisitos para o desenvolvimento de uma "identidade coletiva insurgente [...] 1) espaços sociais nos quais integrantes de um grupo oprimido podem desenvolver um senso de valor independente em contraste com as definições de cidadãos inferiores ou de segunda classe; 2) exemplos a ser seguidos de pessoas quebrando padrões de passividade; 3) uma ideologia que pode explicar as fontes da opressão [...]; 4) uma continuidade no recém-descoberto sentido de identidade que força um confronto com as definições culturais legadas [...]; e, por fim, 5) uma rede de comunicação ou de amizades pela qual uma nova interpretação pode ser disseminada, fazendo da consciência insurgente um movimento social".[24]

A primeira e a quinta condições são particularmente interessantes. O espaço social provou ter, em termos históricos, uma importância especial em permitir às mulheres a mudança de um estado de consciência a outro. É difícil dizer se isso não se dá por causa do efeito dominante que a doutrinação de gênero negativa tem sobre a autoestima e a coragem das mulheres, o que torna um ambiente amigável uma precondição para sua libertação interior. Historicamente, os homens necessitaram também de tais espaços sociais para formular ideologias libertadoras, mas sua institucionalização nas universidades, sindicatos ou partidos políticos já era palpável. Para as mulheres, confinadas por restrições de gênero ao círculo doméstico e desencorajadas da participação na esfera pública, esses espaços sociais tiveram de ser criados de forma privada. Uma vez que o local da doutrinação de gênero sobre as mulheres não raro era a família, o espaço social necessário para libertá-las teria que ser um espaço exterior a ela.

Discutimos ao longo deste livro a importância de modelos para as mulheres e os efeitos deletérios da falta na consciência deles. Por conta da criação de espaços sociais para mulheres sempre envolverem a participação e mesmo a liderança feminina, o processo em si estabelece modelos seguir.

Na França do século XVII e na Inglaterra do século XVIII, os salões liderados por mulheres criaram espaços para trocas de ideias. Um dos principais tópicos de conversação durante todo o século era a definição da natureza das mulheres e do seu papel na sociedade, essencialmente uma continuação da antiga *querelle des femmes*. Nesses espaços, onde intelectuais homens e mulheres se tratavam como iguais, a tendência era responder, em favor da igualdade para as mulheres, às perguntas feitas pelo velho debate no mínimo em um nível abstrato, teórico. O resultado prático desses debates era muito mais ambíguo em seu efeito sobre as mulheres.

O primeiro dos salões franceses foi o de Madame de Rambouillet em 1617, que exerceu grande influência na vida cultural do país e se tornou alvo da amarga sátira de Molière em *As Preciosas Ridículas*. O salão de Madame Madeleine de Scudery surgiu não muito depois; nele, se continuou a discussão dos papéis de homens e mulheres e dos prós e contras do matrimônio como instituição. Nesses salões, mulheres genuinamente instruídas reuniam-se com *précieuses* [preciosas], cujo conhecimento superficial era mera afetação, mas é certo que a existência desses salões promoveu o desenvolvimento intelectual das mulheres. Em 1760, os salões franceses mudaram sua função de representar intelectualmente ideais corteses para se tornar o que um historiador chamou de "uma comunidade de discurso muito desenvolvida" para os pensadores do Iluminismo.[25] Sob a liderança de Madame de Geoffrin, mademoiselle de Lespinasse e Madame Necker, os salões se tornaram democráticos, um local de trabalho onde as pessoas da nobreza e da burguesia socializavam de igual para igual, desenvolvendo e disseminando as ideias do Iluminismo. As mulheres que estavam à frente dos salões de Paris passavam por um período de aprendizagem no salão de alguma mulher mais velha antes de estabelecer o próprio. Madame de Geoffrin "estagiou" no salão do Madame de Tencin por quase vinte anos. Julie de Lespinasse, antes de abrir o próprio salão, serviu ao de Madame de Geoffrin e de Madame du Deffand por doze anos. As anfitriãs nos salões se preparavam com seriedade para as discussões da noite, às vezes escrevendo temas e assuntos com antecedência.[26] Em outro nível, os salões franceses do século XVII continuaram a ser locais onde potenciais casais de diferentes posições sociais podiam se conhecer de modo informal. Os salões eram, sobretudo, espaços sociais onde cada mulher poderia desenvolver amizades com homens e mulheres baseadas em interesses culturais em comum.[27]

Na Inglaterra, o mais antigo salão conhecido é o mantido no século XVI por Mary Herbert, condessa de Pembroke, irmã de *sir* Philip Sidney, onde poetas como Spenser, Shakespeare e John Donne socializavam com mulheres cultas, aristocratas e artistas. Nos salões britânicos do século XVIII, as *bluestockings* continuaram com o patrocínio das mulheres às artes e à literatura, mas também proporcionaram um espaço para as mulheres interagirem e apoiarem o trabalho de outras, como já discutimos.

No início do século XVIII, surgiu um grupo de mulheres intelectuais alemãs que se motivavam a ler o trabalho uma da outra. Christiana Mariana von Ziegler (1695-1760) esteve à frente de um salão musical e literário em Leipzig. Seu exemplo inspirou Sidonia Hedwig Zaunemann (1714-1740) a seguir carreira literária. Cinquenta anos depois, círculos semelhantes existiam em Darmstadt, Weimar e Berlim, como parte do período inicial do Romantismo, e continuaram a florescer até meados do século XIX.

Seria necessário um volume à parte para estudar em detalhes o efeito dos salões nas mulheres que deles participaram. Aqui, me concentrarei em apenas um exemplo, o dos primeiros românticos da Alemanha. Johanna Schopenhauer (1766-1838), mãe do filósofo Arthur Schopenhauer, mudou-se com os filhos para Weimar após o suicídio do marido e lá formou um dos primeiros salões burgueses em 1806. Como era pobre, fazia refeições simples, servindo apenas chá, motivo pelo qual a sociedade de corte a ridicularizava. Mesmo assim, Goethe e seu círculo de amigos frequentavam o salão dela em vez dos mais aristocráticos.[28] Os salões importantes que estavam intimamente ligados ao movimento romântico inicial eram os de Sophie Mereau e Caroline Schlegel em Jena, e de Henriette Herz e Rahel Varnhagen em Berlim. Para poetas, filósofos, escritores e historiadores do início do Romantismo, esses salões não eram apenas centros intelectuais e de socialização, mas uma comunidade solidária e bastante interativa que se tornou um laboratório para testar suas ideias filosóficas e políticas. Os integrantes do círculo de Jena, um grupo formado em torno da publicação do jornal literário *Das Athenaeum* (1798-1800), eram: o filósofo Fichte; Ludwig Tieck e sua esposa Amalie; o poeta Heinrich von Hardenberg, conhecido como Novalis, e sua noiva Julie von Charpentier; August Wilhelm

Schlegel e a esposa Caroline; seu irmão Freidrich Schlegel e sua amante e futura esposa Dorothea. Esse círculo foi caracterizado por sua íntima afinidade intelectual, trabalho compartilhado, relações familiares e disposição para vivenciar arranjos sexuais e familiares incomuns.

Os primeiros românticos questionavam não apenas as restrições e opressões da sociedade burguesa, mas estudavam o gênero em minúcias. Diversos deles foram influenciados pela leitura de filosofias orientais, pelo estudo de religiões e por mitologias pré-cristãs. Eles redefiniram o conceito de "feminino" de um modo que glorificou e romantizou as mulheres. Friedrich Schlegel, em seu ensaio "Über die Diotima" [Sobre a Diotima] (1795) e em seu romance *Lucinda* (1799), criou o ideal de uma nova androginia, que seria a combinação de uma masculinidade doce e uma feminilidade independente. As mulheres foram acolhidas como parceiras, autoras e amantes nesse novo mundo de pensamento.[29] Mas, como veremos, a noção patriarcal da mulher como musa e ajudante do artista acabaria por prevalecer.

As mulheres desse círculo eram todas bem-educadas, algumas delas muito eruditas, encantadoras, eloquentes, escritoras e pensadoras sérias por si sós, além de precursoras dos movimentos de "amor livre" do fim do século XIX na Grã-Bretanha e nos Estados Unidos.[30] Assim como as praticantes modernas do amor livre, essas mulheres eram dedicadas a expressar suas ideias filosóficas e certezas libertadoras em estilos de vida incomuns. Várias delas se divorciaram uma ou mais vezes, e algumas viveram com os futuros maridos (ou com outros homens) em uniões livres antes do casamento. Caroline Schlegel-Schelling teve uma filha ilegítima; Sophie Mereau, que depois se casou com Clemens Brentano, viveu como mãe solteira por muitos anos depois do divórcio. A divorciada Dorothea Veit, aos 39 anos, casou-se com Friedrich Schlegel, que era nove anos mais jovem que ela, depois de viver com ele por muitos anos. Rahel Levin casou-se com Carl Varnhagen von Ense, um homem doze anos mais novo, quando ela tinha 48 anos. Quase todas as mulheres desse círculo tinham alguns casos amorosos ardentes fora do casamento. Elas mantiveram amizades duradouras com ex-namorados e cultivaram amizades intelectuais com homens fora do casamento. Algumas, em especial Bettina Brentano e Rahel Varnhagen, tinham inflamadas ligações eróticas e intelectuais com mulheres.

Caroline Schlegel-Schelling (1763-1809) teve a vida mais notável de todas as mulheres desse círculo. Filha de um famoso orientalista e teólogo, obteve a mais sofisticada educação então disponível. Aos 19 anos, teve um casamento arranjado com um médico e viveu quatro anos infelizes em uma pequena cidade. Estava grávida do terceiro filho quando o marido morreu de repente. Um dos filhos tinha morrido ainda pequeno, e a viúva com suas duas crianças pequenas voltou para a casa da família. Foi nessa época que conheceu August Wilhelm Schlegel, que se apaixonou por ela, mas foi rejeitado. Então, outra tragédia afetou sua vida: a morte da filha de 3 anos. Caroline foi morar com uma amiga de infância em Mainz, que também era infeliz no casamento. Quando a cidade foi tomada e ocupada pelos exércitos de Napoleão, a amiga deixou o marido e os filhos e foi embora com um amante. Caroline permaneceu com o marido abandonado, cuidando dele e de suas crianças, mas teve um breve caso com um jovem oficial francês do exército de ocupação, que a deixou grávida. As afinidades de seu anfitrião com os jacobinos e o boato de que ela era sua amante a levaram à prisão. Lá, conseguiu esconder a gravidez, mas o desespero de ser descoberta a levou a pensar em suicídio. Foi libertada pela intervenção do irmão, e, logo depois, August Wilhelm Schlegel ofereceu-lhe abrigo e uma história de fachada até o nascimento do filho. Ela deixou o filho em um orfanato, e ele morreu com dois meses de vida. Assim, Caroline perdeu três crianças pequenas, restando-lhe apenas sua filha Auguste.

August Wilhelm Schlegel provou ser um amigo leal e pouco exigente. Seu irmão mais novo, Friedrich, se apaixonou perdidamente por Caroline, mas não a pediu em casamento, já que a considerava noiva do irmão. Caroline, que não estava apaixonada por August Wilhelm, mas era muito grata por sua amizade e apoio, concordou com um casamento que parecia ser sua única saída do ostracismo social e da pobreza. Mudou-se com o marido para Jena, onde se tornou a figura central no círculo de Jena, cujos integrantes se reuniam, na maior parte do tempo, na casa dela. Sua posição de liderança social entre os românticos da cidade foi prejudicada apenas pela amarga rivalidade e conflito com a mulher com a qual Friedrich Schlegel havia se casado, Dorothea Veit.

Alguns anos depois, o filósofo Friedrich Wilhelm Schelling, então com 24 anos, adentrou o círculo deles. Ele teve uma amizade próxima com Caroline, então com quase 40 anos, e se apaixonou por sua filha de 14 anos. Caroline, já ciente de seu amor por ele, concordou com o noivado de Schelling com a filha, mas a jovem menina morreu inesperadamente em 1800. Schelling e Caroline ficaram arrasados de tanta tristeza e culpa, e tentaram renegar um ao outro. Mas o relacionamento deles foi retomado após um ano de separação. Em 1803, Caroline conseguiu o divórcio de August Wilhelm Schlegel e se casou com Schelling. A partir de então, toda a sua existência se concentrou no marido, com quem teve uma vida feliz até a morte.

Essa extraordinária existência feminina tornou-se paradigmática para os românticos e seus seguidores como a autoexpressão de uma mulher por meio do amor. Entretanto, ela também revelou as limitações da busca dos românticos por uma nova ordem sexual. Caroline Schlegel-Schelling deixou apenas um pequeno legado literário – alguns ensaios, algumas resenhas, muitas cartas e o início de uma autobiografia. Entretanto, ela teve uma vida literária plena como colaboradora de August Wilhelm Schlegel nas traduções dele de todas as peças de Shakespeare. Como já mencionado, por insistência dela, seu nome não recebeu crédito nas publicações, que se tornaram por mais de um século a referência de tradução disponível de Shakespeare para o alemão. Durante seu casamento com Schelling, dedicou-se por completo a promover a carreira do marido. O preço que Caroline Schlegel-Schelling pagou por sua autoexpressão pelo amor foi abandonar sua existência como escritora.[31]

Os limites da autonomia das mulheres do Romantismo são ilustrados com mais severidade no exemplo de Sophie Mereau Brentano (1770-1806). Em um casamento infeliz com o professor F. E. K. Mereau, em Jena, ela começou a escrever romances e poemas. Dois romances foram publicados, um por Friedrich Schiller, por ele muito elogiado, assim como dois volumes de sua poesia. Ela estava bem estabelecida em sua carreira literária quando se divorciou do marido. O poeta Clemens Brentano, oito anos mais novo, apaixonou-se por ela e a pediu em casamento repetidas vezes. Ela resistiu a ele por dois anos, enquanto ganhava a vida como editora. Depois de um namoro tempestuoso, ela foi morar com ele e estava grávida de seu filho quando, em 1803, concordou em se casar. Nos dois anos seguintes, teve mais duas gestações e morreu em 1806, após dar à luz o terceiro filho.

Durante o namoro, Brentano escreveu a ela uma longa e sarcástica carta em que revelava sua paixão e sua raiva por ela tê-lo recusado. Ele expressou isso na forma de um ataque selvagem às mulheres escritoras. Sophie-Mereau respondeu ironicamente que a opinião das escritoras a afetou muito:

> Obviamente, esta [escritora] não é apropriada ao nosso sexo, e mesmo assim a magnanimidade extraordinária dos homens tolera esse abuso por tanto tempo. [...] No futuro, não perderei meu tempo fazendo versos e, se sentir vontade de escrever, tentarei escrever somente tratados bons e morais ou livros de receita. [...][32]

No entanto, depois de se casarem, ela parou de escrever e limitou seu trabalho literário a fazer traduções do inglês e do italiano.

Entre as mulheres desses círculos, talvez a mente mais notável e o talento mais promissor fosse Karoline von Günderrode (1780-1806). Com excelente educação, ela ficou órfã cedo e, depois dos 17 anos, viveu em um lar para mulheres protestantes. Asceta, autocontrolada e brilhante, teve uma personalidade carismática e um círculo grande de amigos cultos. Era uma estudiosa séria de teologia, filosofia e história, e poeta muito talentosa. Em 1804, publicou um volume de prosa e poesia sob o pseudônimo masculino de Tian. Seus poemas foram elogiados e atribuídos a vários escritores homens conhecidos. Quando Clemens Brentano a desafiou a admitir sua autoria e questionou o motivo, ela respondeu:

> Sempre mantive vivo e puro dentro de mim o desejo de expressar minha vida de maneira permanente, de dar-lhe a forma que a dignificasse de estar diante das pessoas mais nobres, de saudá-las e compartilhar em sua comunidade. Sim, sempre busquei essa coletividade, esta é a igreja à qual meu espírito faz sua peregrinação aqui na terra.[33]

Brentano, pelas costas, condenou seus poemas. Ela continuou escrevendo poesia, ensaios e peças curtas. Suas inclinações feministas eram parte essencial de sua consciência, apesar das contradições em sua vida. Ela teve duas paixões não realizadas na vida. O escritor e futuro estadista Friedrich Carl von Savigny, com quem manteve uma amizade intelectual ao longo da vida, após cortejá-la por muito tempo, casou-se com a irmã de Brentano, Kunigunde (Gunda), porque temia o "espírito viril" de Karoline. Savigny, depois de se casar, ofereceu a Karoline uma amizade próxima e platônica, que ela aceitou. Isso funcionou muito a favor de Savigny, pois agora ele tinha uma esposa convencional e uma amiga íntima intelectual brilhante; para Karoline, isso só aumentava sua miséria, frustração e sensação de ser uma aberração. De forma curiosa, foi a Gunda Brentano que ela expressou seus anseios mais secretos:

> Tive com frequência o desejo nada feminino de vivenciar a morte de um herói, de me jogar na vastidão da batalha, de morrer – por que não nasci homem? Não tenho gosto pelas virtudes e alegrias femininas. Só o que é selvagem, grande, brilhante me atrai. Esse é um equívoco infeliz, mas incorrigível, de minha alma; assim permanecerá e deve permanecer, porque eu sou uma mulher e tenho desejos de um homem, sem a força de um homem.[34]

Sua segunda paixão foi pelo filólogo clássico Friedrich Creuzer, que já era casado quando ela o conheceu. Ele a amou, mas foi relutante em deixar a esposa ou se divorciar dela. Karoline foi muito influenciada intelectualmente pelos estudos dele a respeito da mitologia oriental e nutriu grande interesse pelo estudo das sociedades pré-patriarcais. A principal obra de Creuzer influenciou Johann J. Bachofen e, por intermédio dele, futuros defensores de teorias matriarcais feministas.[35] Günderrode escreveu um volume de poemas e ensaios no qual ela descrevia seu grande amor por ele. Creuzer encontrou uma editora para o livro, mas antes da publicação propriamente dita, decidiu romper o relacionamento. No dia em que recebeu essa notícia, Karoline von Günderrode cometeu suicídio apunhalando-se no peito às margens do rio Reno. Creuzer então concluiu que a publicação poderia afetar negativamente sua reputação e retirou o manuscrito da editora. Foi publicado pela primeira vez quase cem anos mais tarde, em 1906, em uma tiragem de quatrocentas cópias. Günderrode foi redescoberta somente há pouco tempo pela crítica literária feminista.

Os esforços feministas de Günderrode terminaram em desespero e suicídio, no entanto, de uma forma estranha, tiveram um impacto formativo em outra escritora do círculo romântico. Bettina Brentano, irmã de Clemens, tornou-se amiga próxima de Günderrode poucos anos antes de sua morte, em um relacionamento ardentemente erótico da parte de Bettina, mas de mentora e pupila da parte de Karoline. Bettina comparou a amizade entre elas com a de Platão e Dião de Siracusa. A correspondência entre as duas é fascinante em sua riqueza, intensidade intelectual e emocional, e na maneira como esses dois aspectos do eu eram fundidos para ambas. Bettina, que leu vários filósofos sugeridos por Karoline e os considerou intragáveis por completo, concluiu que elas deveriam desenvolver a própria religião como primeiro passo para fundar a própria cultura. Bettina queria combinar autodesenvolvimento e disciplina mental rigorosa com "as energias do desejo" (*Sehnsuchtsenergien*), um conceito que queria dizer algo semelhante ao conceito feminista do século XX de poder erótico.[36] Bettina propôs que chamassem seu novo sistema de "religião flutuante" (*Schwebereligion*) para indicar sua fluidez multiforme e sem estrutura. Seu primeiro princípio é, em essência, a rejeição à educação formal:

> Isso significa nada de indivíduos instruídos, todos deveriam ser curiosos a respeito de si mesmos e deveriam tentar garimpar o eu como se fosse um metal a ser buscado nas profundezas do solo ou de um rio. Toda educação deveria se concentrar em deixar o espírito vir à luz.[37]

Essa passagem representa o pensamento delas em termos de unidade quanto ao conhecimento, intuição e desejo, e à ideia de que um espírito interior, à própria maneira, é imanente em cada pessoa e pode ser encontrado somente pela intuição e pela receptividade aos sentimentos. Em outra de suas cartas para Günderrode, graças a quem Bettina tinha lido as obras de Fichte, Kant e Schelling, ela propôs uma penetrante crítica do modo masculino de pensar e suas pretensões acadêmicas:

> Você sabe como eu me sinto? Desnorteada. [...] Eu me sinto constrangida por ter que atacar a língua com martelo e um machado a fim penetrá-la. [...] Você não acha que os filósofos são terrivelmente arrogantes? [...] A sabedoria tem que ser natural. Por que ela necessitaria de tal parafernália repugnante a fim de entrar em movimento? Afinal, ela está viva? [...] Não me parece muito que o filósofo mora no seio [da natureza] e nela confia [...] mas em vez disso, que ele se presta a roubar para ver o que pode arrancar dela para processar em sua fábrica secreta. [...] e, então, mostra a seus pupilos

como seu *perpetuum mobile* funciona, e ele está muito preocupado, e os alunos estão impressionados e acabam se sentindo burros.[38]

Se a colaboração e o intercâmbio intelectual entre essas duas mulheres tivessem continuado, a consequência poderia ter sido um verdadeiro progresso na consciência feminista. Pelo contrário, Günderrode cessou sua intimidade com Bettina por insistência de Creuzer, que antipatizava com Bettina e seu irmão. Mesmo assim, Bettina ficou arrasada com o suicídio de Günderrode e por conta de sua incapacidade em perceber os primeiros sinais de desespero e depressão em sua amiga. Muitos anos depois, ela manteve sua memória viva em um romance epistolar, *Die Günderode* [A Günderode], no qual resgatou do esquecimento muitas das cartas de sua amiga.[39]

Bettina Brentano von Arnim (1785-1859) é a mais interessante das mulheres do Romantismo alemão, tendo sido a única capaz de concretizar por completo seu potencial. Após a morte de seus pais, foi morar com a avó, Sophie de la Roche, uma escritora famosa, que incentivou o desenvolvimento intelectual de Bettina e sua independência. Ela nunca se sentiu reprimida e, desde a infância, cultivou uma "personalidade" distinta, espontânea, direta, impetuosa e encantadora. Sua família e seus amigos a consideravam alguém "singular" e preocuparam-se com sua relutância em se conformar aos padrões sociais apropriados à sua posição social. Ela era inquieta, tanto mental quanto fisicamente, e mesmo em sua velhice os amigos podiam notar que nunca ficava parada, mas mudava do assento de uma cadeira para os braços ou sentava-se de pernas cruzadas no chão.

Após ser rejeitada por Günderrode, Bettina começou uma amizade com a mãe de Goethe, que, anos mais tarde, ela usaria como base para seu livro muito bem-sucedido, *Goethe's Briefwechsel mit einem Kinde* [Correspondência de Goethe com uma Criança]. Ela conheceu Achim von Arnim por intermédio de seu irmão Clemens, de quem Arnim era melhor amigo e colaborador, e se casaram em 1811.[40] Nos vinte anos seguintes, ela teve uma vida convencional de convivência rural, lutando para administrar uma propriedade rural, manter vivos seus interesses literários e intelectuais e criar sete crianças. Diferentemente de outras mulheres de seu círculo, nunca sentiu a necessidade de ocultar seus talentos para promover um homem genial; ao contrário, incentivou o trabalho de Arnim ao ser inteiramente consciente das limitações dele e ao continuar com o próprio crescimento intelectual.

Foi só depois de ficar viúva que começou uma carreira literária próspera. Mudou-se para Berlim, onde não apenas passou a fazer parte do círculo literário de Rahel Varnhagen, mas fundou o próprio salão, que tinha orientações mais políticas que literárias. Seu primeiro livro, mencionado antes, publicado em 1835, era um relato livre e imaginativo de seus contatos e correspondência com Goethe, no qual ela se representava como a "criança" admiradora desse grande homem. É nesse livro, ainda hoje tido como menos importante que outras de suas obras, que sua reputação literária reside. Sua segunda publicação, o livro de memórias de Günderrode (publicado em 1840), seguiu a forma epistolar do primeiro e estabeleceu um precedente para a escrita confessional e autobiográfica. Seu terceiro livro foi uma adaptação da correspondência com o irmão Clemens, publicado em 1844.

Bettina von Arnim se interessou bastante por questões sociais e políticas e, durante um período em que os homens de seu círculo começaram a abraçar causas conservadoras e reacionárias, ela se tornou mais radical que nunca. Tudo começou durante a epidemia de cólera em Berlim, em 1831, quando cuidou pessoalmente dos pobres e organizou uma grande ação de ajuda humanitária. Quando Clemens Brentano se converteu ao catolicismo e foi morar ao lado de uma freira estigmatizada a fim de compartilhar de sua santidade, e seu cunhado, Carl von Sevigny, tornou-se um sacerdote católico conservador, Bettina coletou, nos bairros degradados de Berlim, evidências da condição dos pobres. Então publicou um tratado político persuasivo, *Dies Buch Gehört dem Köning* [Este Livro Pertence ao Rei] (1843), lançado em forma de um diálogo socrático entre uma mulher mais velha (é provável que seja a muito respeitada *Frau* Rath, mãe de Goethe) e vários interlocutores. Os livros também tinham seções de pura descrição documental da condição dos pobres na cidade, coletadas por um suíço conhecido de Bettina. Ela defendeu com vigor uma mudança na política social, dirigindo-se ao rei Frederico Guilherme IV, da Prússia, como se ele fosse rei do povo. Sua dedicatória ao rei foi um desafio público e provou ser uma estratégia inteligente para evitar a censura. O livro foi bastante lido e resenhado, ganhando outra edição.[41]

Bettina também apoiou a causa dos famintos tecelões da Silésia, cuja condição ela registrou em *Das Armenbuch* [O Livro dos Pobres]. O livro estava na oficina tipográfica quando a revolta dos tecelões foi brutalmente suprimida. Brentano-Arnim, que já havia se tornado politicamente suspeita com seu livro anterior, temeu perseguições e retirou o manuscrito da oficina tipográfica. Não obstante, foi perseguida pelo governo, o que tomou a forma de um processo por calúnia movido contra ela por um juiz de Berlim em 1846. Essa foi uma resposta à publicação do livro *Dies Buch Gehört dem Köning* em uma empreitada editorial privada. O magistrado exigiu que ela solicitasse direitos civis e políticos (*Bürgerrecht*), aparentemente o direito, como pessoa da nobreza, de se envolver em um processo burguês. Brentano-Arnim respondeu que estaria satisfeita em aceitar esse direito como um emblema de honra, mas que não o solicitaria. Explicou que considerava os direitos civis e políticos superiores aos da nobreza, mas que colocava acima dos dois "os direitos da classe proletária, sem cuja força de caráter, habilidades para sobreviver na miséria, abnegação e frugalidade, o mundo inteiro não poderia existir".[42] Essas palavras serviram de base para o processo de calúnia, pelo qual o tribunal a condenou à mais longa pena de prisão que era possível dar a uma pessoa da nobreza: dois meses. Foi apenas por meio da intervenção de Savigny que a sentença foi suspensa.

Todavia, Bettina von Arnim continuou até o fim da vida a abraçar a causa de vários grupos oprimidos: os pobres, os criminosos, os loucos. Escreveu apelos públicos em nome do povo polonês, dos judeus do gueto de Frankfurt e dos prisioneiros políticos da Revolução de 1848. Seu feminismo incipiente e reprimido levou-a a se tornar voz ativa contra todas formas de opressão. Sua forte defesa dos interesses judaicos, tanto em seus ensaios quanto em seus escritos políticos, é ainda mais notável em contraste com o antissemitismo latente do irmão.[43]

Era característico dos homens do Romantismo, muitos deles integrantes da nobreza, socializarem livremente com mulheres judias e ricas nos salões. De certo modo, ambos os lados eram integrantes de grupos marginalizados no período da ascensão do capitalismo, e os encontros intelectuais foram repletos de tensões e inspiração mútua. Mas as relações eram unilaterais em seu efeito: todas as mulheres judias desse círculo se converteram ao cristianismo, algumas por conversão real, outras por ser a única condição de se casarem com homens de sua escolha. Dorothea Veit-Schlegel era filha do famoso filósofo judeu Moses Mendelssohn. Sua união com Friedrich Schlegel ocorreu somente após sua conversão ao protestantismo, mas sua conversão posterior ao catolicismo foi resultado de uma séria busca espiritual. Mesmo assim, algumas mulheres judias que se converteram foram rejeitadas por seus aristocráticos admiradores cristãos. Desse modo, Rebecca Friedländer se divorciou do marido judeu, mas o homem que amava, Graf Egloffstein, não tinha intenção de se casar com uma judia convertida. De modo semelhante, Rahel Levin, apesar da conversão, foi rejeitada por Karl von Finkelstein. Seu segundo admirador aristocrático, Karl Varnhagen von Ense, esperou anos para superar os preconceitos de sua família antes de se casar com ela em 1814. A historiadora Deborah Hertz sugeriu que o predomínio de mulheres judias frequentadoras de salões que se convertiam ao cristianismo se devesse ao desejo delas de terem casamentos hipergâmicos. Mas ela também mostra que isso representa uma revolta contra a educação judaica, em que lhes foi negada a instrução. A maioria das mulheres judias dos salões, em comparação às nobres, era autodidata.[44]

Rahel Levin Varnhagen von Ense (1771-1833) é a última mulher do Romantismo em cuja vida e carreira nos concentraremos. Nascida em Berlim em uma rica família de comerciantes, viveu em condições financeiras difíceis após a morte do pai. Embora fosse uma escritora prolífica na maior parte de suas cartas, publicou pouco durante a vida. Ela morava em um quarto no sótão da casa de sua mãe em Berlim, onde dirigiu seu célebre salão a partir de 1806. Seu maior impacto sobre os contemporâneos foi como pessoa eloquente, cuja capacidade de atrair homens notáveis do reino da literatura, filosofia, vida na corte, arte e política para seu círculo a transformou em líder cultural. Seu salão era frequentado por poetas românticos, os filósofos Hegel e Schleiermacher, o filólogo Wilhelm von Humboldt e os irmãos Jacob e Wilhelm Grimm. Sua reputação literária se estabeleceu apenas quando o marido publicou sua correspondência após sua morte. Suas cartas, que revelaram uma mente profundamente perscrutadora e bastante individualista, tiveram enorme impacto em gerações femininas. Fanny Lewald, uma das primeiras feministas alemãs, encontrou em Rahel uma precursora de sua busca por independência e autonomia. Ellen Key, que escreveu a biografia de Rahel em 1907, considerou suas cartas literatura indispensável para mulheres. No século XX, seu papel como feminista de vanguarda foi reconhecido, embora sua biógrafa mais famosa, Hannah Arendt, tenha ignorado esse aspecto de seu pensamento.[45]

Rahel Levin foi isolada cedo de sua religião e cultura judaicas, provavelmente devido ao amargo conflito com o pai severo e autoritário. Ela sofreu durante toda a vida com o desdém, o desprezo e a discriminação que vivenciou como judia, mas nunca sentiu ou expressou um senso de solidariedade para com outros judeus. Para ela, a decisão de ser batizada foi um esforço para encontrar aceitação na comunidade de intelectuais na qual vivia; no entanto, uma vez realizada, sua conversão não diminuiu a sensação de isolamento.

Pode-se apenas supor que sua sensação de ser desviante, diferente e, apesar das inúmeras afirmações que lhe foram feitas sobre sua popularidade, de não ser amada, esteja mais fundamentada no fato de ser uma mulher excepcionalmente talentosa do que em ser judia. Ela escreveu sobre si mesma: "Que pode uma mulher fazer se ela é também humana?",[46] e, em outra parte:

> Eu sou tão única quanto a maior aparição sobre terra. O maior artista, filósofo ou poeta não está acima de mim. Nós somos feitos do mesmo elemento. Quem busca excluir o outro, exclui apenas a si mesmo. Mas fui relegada a viver; e permaneci sem sucesso até agora e estou, portanto, vista apenas de fora, submersa.[47]

Essa percepção de ser reprimida, sufocada e incompreendida costuma ser expressa em suas cartas. Como as outras mulheres do Romantismo, ela amou intensamente vários homens que não a apreciaram e a rejeitaram. Apenas Varnhagen a admirou e a aceitou por completo. Assim como Bettina, Rahel também teve amizades veementes com mulheres, uma com Regina Friedlander, que durou seis anos, outra com Pauline Wiesel, que foi muito intensa e duradoura. Rahel escreveu para ela: "Querida e amada amiga [usando tanto a versão feminina quanto a masculina da palavra 'amigo' em alemão] [...] Você está sozinha, separada de mim, e eu estou sozinha, separada de você. Somente uma vez a natureza poderia ter possibilitado que duas criaturas como nós vivessem ao mesmo tempo. Nos dias de hoje [...]". Isso é apenas solidão e uma sensação geral de isolamento ou é uma expressão de um amor homoerótico que a assustava? Nunca saberemos, pois Karl Varnhagen removeu da edição a maior parte da correspondência dessas amigas.

Em comparação com outros grupos de escritoras, as mulheres do início do Romantismo eram particularmente privilegiadas. O espaço social no qual circulavam ou onde criavam era baseado em aceitação da igualdade intelectual e até de liderança feminina. Os homens em sua vida eram profunda e sinceramente devotados a desconstruir as definições tradicionais de gênero, e vários deles fizeram contribuições teóricas para esse esforço. Todas essas mulheres eram privilegiadas em termos econômicos, mesmo quando não eram ricas. E a maioria delas não era sobrecarregada com responsabilidades domésticas. Assim como as eruditas do Renascimento, foram precoces, e a maioria teve carreira literária cedo na vida. Diferentemente da maioria das antecessoras, desfrutavam da aceitação e do debate intelectual com os homens de seu círculo, que eram também de grandes talentos e realizações. No entanto, visto de uma perspectiva de longo prazo, aonde tudo isso leva?

As mulheres levaram vidas incrivelmente autônomas e autodeterminadas, quebrando muitas convenções e tabus sexuais. Elas anteciparam o estilo de vida dos amantes livres de um período muito posterior; em fragmentos e expressões isoladas, revelaram suas altas ambições e sua autoridade como pensadoras. Das dez ou doze mulheres desse círculo, seis eram escritoras. Delas, uma suicidou-se aos 26 anos; uma teve um casamento feliz e morreu no parto aos 36, tendo desistido de escrever após casar-se; duas se dedicaram por completo à carreira dos maridos e desistiram do próprio trabalho; Rahel quase não publicou durante a vida. Somente Bettina Brentano conseguiu o sonho impossível: combinar a vida de uma mulher – amor, amizade e crianças – com a vida intelectual. Contudo, suas conquistas como escritora se deram somente durante sua viuvez e velhice.

O AGRUPAMENTO DE pensadoras e a criação de público para seu trabalho não conduziram necessariamente ao desenvolvimento do pensamento feminista. Isso pode ser visto, também, ao se estudar a vida e a obra de mulheres ativas nas revoluções de 1848, na Alemanha e na França, das socialistas e anarquistas norte-americanas da virada do século e das mulheres em comunidades utópicas. Como mostra o exemplo das mulheres do início do Romantismo, mesmo a disponibilidade de espaços sociais nos quais homens e mulheres tentaram viver com certa aparência de igualdade e respeito mútuo não motivou as mulheres a fazer a consciência feminista progredir. Pode até mesmo ter resultado em efeito contrário sobre elas, porque as encorajou voluntariamente a submergir sua vida intelectual nas dos homens com quem viviam.

Dos ingredientes essenciais para o desenvolvimento do pensamento e da teoria feministas, o que faltava em todos esses espaços sociais eram o conhecimento da História das Mulheres e uma organização autônoma que pudesse testar o pensamento e a experiência femininos. As mulheres precisariam se organizar por si sós, segundo os próprios interesses, antes que pudessem encontrar uma saída para deixar o patriarcado.

ONZE

A BUSCA PELA HISTÓRIA DAS MULHERES

A HISTÓRIA DA CIVILIZAÇÃO ocidental, como em geral se acredita, começou na Suméria, no início do segundo milênio antes de Cristo, como consequência direta da evolução da escrita, que data de quase mil anos antes. A História, a preservação e a coleta de documentos escritos e sua constante reinterpretação por sucessivas gerações de especialistas dependem da alfabetização de pelo menos um grupo de elite e, durante a maior parte desses quatro mil anos de civilização ocidental, serviu aos interesses das elites dominantes. Isso distingue a evolução da escrita do processo de evolução histórica, que ocorre independentemente da existência de alfabetização ou interpretação, e no qual participam grupos não pertencentes à elite de forma igual ou, talvez, até mais significativa do que as elites. O que me preocupa aqui é a História escrita das sociedades letradas e a maneira como ela afetou e tratou homens e mulheres de modo diferente.

Os primeiros documentos produzidos com o propósito de preservação e interpretação histórica foram as modernas "listas de reis" sumérias. A primeira lista começa com dez reis que provavelmente tiveram seu reinado antes do Dilúvio; a lista seguinte, com dezenove reis que governaram após o Dilúvio; outras, até a Terceira Dinastia de Ur. A duração do reinado de cada rei é citada, totalizando períodos fantasticamente longos, como 1.500 ou 1.200 anos cada, um fato que, presume-se, tem o objetivo de aumentar a importância do rei. No entanto, apesar de tais elementos não científicos, as listas de reis sumérios foram pelo menos parcialmente validadas por evidências arqueológicas e outras, de modo que possam servir de fato como base para documentação histórica.[1] Essas listas de governantes – muitas vezes incluindo figuras mitológicas, bem como pessoas reais do passado – foram usadas para legitimar as reivindicações de autoridade de governantes existentes, muitos deles usurpadores. Em virtude dessas listas, um rei de autoridade questionável poderia reivindicar descendência de um deus ou deusa, ou traçar sua linhagem até um governante reconhecido do passado. Os incluídos nas listas tendiam a se tornar figuras heroicas, muitas vezes mitológicas, dotando a coletividade que os reivindicava, na maioria dos casos, cidades-Estado recém-estabelecidas, de um passado legítimo e reconhecível. Dessa forma, as funções de registro, historicização e legitimação dessas primeiras manifestações de atividade histórica não podem ser separadas de sua função ideológica e seu impacto psicológico. Por meio das listas de reis, grupos de tribos, clãs ou aldeias díspares puderam se conectar por intermédio de um passado comum e a promessa de um futuro em comum dentro de um estado ainda não existente. O impacto psicológico de ser capaz de se identificar com tais antecessores ilustres e, talvez, heroicos funcionou para dar orgulho pela adesão ao grupo, identidade regional, e orgulho pessoal até mesmo para os membros mais humildes do grupo. Isso se mostra com força particular na "lista de reis" representada pela lista "genealógica" no livro de Gênesis. As gerações de israelitas ali listadas vão desde o tempo do reino de Davi até o passado obscuro e atemporal dos patriarcas, cujas alianças com Deus legitimaram as reivindicações de domínio e autoridade dos herdeiros para as gerações futuras. Nesse caso, o homem gerou o homem sem a intervenção das mulheres, e a comunidade da aliança dos homens se estendeu até o início dos tempos.

O próximo passo na evolução da História escrita acontece quando os governantes gravam e preservam, em estelas ou monumentos, um registro de suas vitórias ou das leis que promulgaram. Os primeiros registros desse tipo no Antigo Oriente Próximo datam do segundo milênio antes de Cristo. Daquele período em diante, as sociedades geraram um vasto estoque de "documentos" de todo tipo, desde transações comerciais e listas de inventário a listas de racionamento, contratos, decisões judiciais e acordos entre estados e seus governantes.

A História por meio da interpretação por um indivíduo, que baseia suas conclusões em observações próprias ou na leitura de documentos escritos, não evolui pelos próximos mil anos.

Por quase 3.800 dos quatro mil anos da História da civilização ocidental registrada, o registro diz respeito sobretudo a atividades, experiências e realizações dos homens. Não de todos os homens, mas de um grupo estrito de elites poderosas. As mulheres participaram da construção da civilização em igualdade com os homens, em um mundo dominado e definido por eles. No período em que a História escrita estava sendo criada, as mulheres já viviam em condições de patriarcado, seus papéis, seu comportamento público e vidas sexuais e reprodutivas eram definidas por homens ou instituições dominadas por eles. As mulheres, então, já estavam em desvantagem educacional e não participaram de forma significativa na criação do sistema de símbolos pelo qual o mundo era explicado e ordenado. Os estudos atuais afirmam que elas não tiveram nenhum impacto significativo na escrita da História até o fim do século XVIII. A única exceção, frequentemente citada, é Cristina de Pisano, cuja tentativa solitária de criar uma História das Mulheres caiu no esquecimento. Mostrarei que, embora essa generalização seja real em seu perfil mais amplo, há um esforço significativo e quase constante por parte das mulheres para criar a História das Mulheres a partir do século VII d.C.

O esforço das mulheres na escrita da História seguiu o mesmo padrão que os homens tinham criado havia muito tempo: a elaboração de listas de mulheres notáveis e heroínas; a documentação de vidas particulares e façanhas; a documentação da história de comunidades; a interpretação da documentação passada a partir de um determinado ponto de vista e, por fim, nos séculos XIX e XX, a "História científica".

Por causa das condições peculiares sob as quais ocorreu a evolução intelectual das mulheres, a progressão de um estágio para outro nesse processo não aconteceu de modo suave nem em um padrão no qual uma geração pudesse se construir sobre as realizações de outra. Muito pelo contrário, ocorreu em um padrão repetitivo e circular, com geração após geração de mulheres repetindo o que as outras haviam feito antes delas. Desse modo, o progresso das mulheres na consciência histórica foi duplamente atrasado – por desvantagem educacional e por falta de conhecimento do trabalho das antecessoras. Como vimos, no caso da crítica bíblica realizada por mulheres, elas tiveram que redescobrir sua história de forma contínua.

A documentação de vidas privadas por mulheres escritoras aconteceu pela primeira vez em claustros. Um dos primeiros exemplos conhecidos desse tipo de biografia histórica é *Vida de Santa Radegunda*, da freira Baudovinia, obra escrita no século VII. Baudovinia se identificou em seu trabalho como mulher e freira, porém, sua biografia foi menosprezada por estudiosos nos séculos posteriores em comparação com a biografia anterior de Santa Radegunda pelo bispo Venâncio Fortunato. Baudovinia, tendo escrito na abadia de Chelles, no período entre 609 e 614, pretendia complementar a obra do antecessor e criar na *persona* de Santa Radegunda uma figura heroica que suas companheiras irmãs pudessem emular. Radegunda – a princesa da Turíngia que discutimos no Capítulo 2 – foi forçada a se casar com o rei merovíngio Chlotar, suportou um casamento infeliz e fugiu para a vida monástica. Baudovinia se concentrou na segunda metade da vida de Radegunda, quando ela morava em uma cela perto do claustro que construíra em Poitiers. Baudovinia descreveu Radegunda como uma mulher extrovertida, afável e solícita com suas freiras, além de muito preocupada com seu papel de pacificadora entre reis em guerra.[2]

Outra biógrafa histórica foi uma freira de Chelles que escreveu a versão mais antiga da *vita* de Santa Batilda logo após a morte da abadessa, em 670. Naquela época, Chelles ainda era uma comunidade de mulheres, porém, durante o reinado da sucessora de Santa Batilda, Bertila (705), foi transformada em um mosteiro duplo. A biógrafa de Santa Batilda deve tê-la conhecido bem, pois a história é abundante em evidências da bondade maternal da abadessa, tanto em seu papel anterior como rainha governante quanto em seu papel posterior como abadessa de Chelles. A medievalista Suzanne Wemple conclui que o aparecimento dos mesmos temas de maternidade e tranquilidade em ambas as biografias não se deveu à imitação, mas representou o ponto de vista das mulheres em relação aos dois assuntos.[3] Hugeburc (762), uma freira saxã bem-educada que veio para a Alemanha com seu parente Wynnebald, um colega de trabalho de São Bonifácio, ingressou no convento de Heidenheim, que Wynnebald fundara dez anos antes, e se tornou sua abadessa. Escreveu duas biografias, uma do bispo Wynnebald e outra de seu irmão Willibald, descrevendo a peregrinação de sete anos deste último à Terra Santa. Esse não é apenas um livro de viagens, mas um relato da conversão de alemães e francos ao cristianismo, portanto, de modo rudimentar, um relato histórico. Ela indicou sua autoria por um criptograma de seu nome no manuscrito mais antigo.[4] O Renascimento Carolíngio, que expandiu as oportunidades educacionais principalmente para os homens, mas também para mulheres da família real, não levou à promoção da autoria feminina. Enquanto as mulheres continuavam a ser bem-educadas nos conventos como escribas, bibliotecárias e professoras, o renascimento do aprendizado carolingiano foi institucionalizado na corte e nas escolas monásticas. Somente no século XX outra escritora traria uma considerável contribuição ao desenvolvimento da História das Mulheres.

A freira Rosvita de Gandersheim (932-1002) veio da alta nobreza e é bem possível que fosse membro da família real. Ela pode ter entrado jovem no convento, onde recebeu uma excelente educação, que incluía não apenas assuntos religiosos, mas prosódia latina, matemática, astronomia e música. A rica biblioteca do convento pode ter ajudado a fomentar sua educação. Na época em que estava em Gandersheim, essa poderosa abadia foi libertada tanto da Igreja quanto do governo real, com a abadessa tendo autoridade suprema. A abadessa de Gandersheim tinha o próprio tribunal, enviava os nobres de suas terras para a batalha e tinha um assento na *Reichstag*. Algumas das freiras, e é bem provável que Rosvita estivesse entre elas, eram, na verdade, cânones. Tinham que fazer apenas votos de castidade e obediência, não votos de pobreza, e, com permissão, eram livres para entrar e sair do claustro. Podiam ter livros e algumas propriedades, e também ter criados e receber visitantes.[5]

Rosvita deixou uma vasta obra, que consiste em oito lendas em versos, seis peças rimadas, um poema que descreve cenas do Apocalipse e dois poemas históricos. Ela escreveu duas *vitae* dos maiores patronos de Gandersheim, Anastácio e Inocêncio, mas os manuscritos se perderam.[6] O estudioso mais recente a analisar extensivamente seu trabalho, Peter Dronke, acredita que haja boas evidências de que suas peças foram encenadas ou, pelo menos, tenham ganhado leituras dramáticas na corte durante sua vida.[7] O que é de maior interesse nesse caso não é somente seu talento como escritora e ser a primeira dramaturga europeia conhecida, mas o fato de que todo o seu trabalho se preocupa com a História, e, em particular, a História das Mulheres. As lendas eram todas históricas, seja no sentido de coletar versões do passado e do presente de lendas sobre certa figura, ou no sentido de lidar com um santo heroico do passado. O poema "Maria" faz parte da primeira categoria, todos os outros pertencem à última. Cinco poemas lidam com santos cristãos do passado e fazem uma dramatização de sua salvação milagrosa por meio da intercessão de Cristo ou da Virgem. Um poema, "Gondolf", descreve o assassinato do santo rei franco cometido pelo amante da esposa e a rápida punição do casal pecador. Enquanto os temas recorrentes das peças de Rosvita dizem respeito à salvação milagrosa, aos triunfos dos fiéis martirizados até mesmo sobre a morte e aos poderes da virgindade, é interessante notar que, mesmo nessas obras mais antigas, a autora parece ter perspectiva e consciência históricas. Em seu "Prefácio", ela explica a autenticidade de cada conto citando sua proveniência, a maioria deles vinda de livros que ela tinha disponíveis na biblioteca de Gandersheim. Com a única exceção de um poema sobre um contemporâneo, o poema "Pelagius" [Pelágio], que descreve o martírio de um jovem cristão que repeliu os avanços lascivos de um tirano mouro e foi salvo da morte por milagre, a poetisa nos conta que ouviu a história de uma testemunha ocular. "Portanto, se em qualquer um dos livros incluí uma informação falsa em meus escritos, não me desviei de meu próprio relato", explica ela, "mas apenas imitei com descuido fontes enganosas."[8] Esse afã rudimentar na documentação e na análise crítica das fontes é bastante notável em uma época em que a literatura fundia livremente histórias reais, eventos fabulosos e milagrosos, lendas, fontes bíblicas e fantasia sem distinção.

As seis peças seguem o modelo do poeta romano Terêncio, mas são transformadas em peças de moral cristã. Uma das principais mudanças que a dramaturga medieval faz é que, em suas peças, as mulheres estão no centro da ação e sua atuação decide o resultado da trama.[9] Embora as tramas possam parecer absurdas para leitores contemporâneos, as peças são bem elaboradas, o diálogo é animado e, em algumas peças, a tragédia e o humor burlesco se misturam com eficácia. Para nossos objetivos, as peças *Dulcitius* [Dulcídio], *Callimachus* [Calímaco] e *Sapientia* [Sabedoria] são as mais interessantes, pois, nelas, Rosvita chega mais perto de expor seus pontos de vista sobre o poder das mulheres.

Dulcitius trata do martírio de três virgens que são levadas ao imperador Diocleciano, o qual ordena que elas se casem. No entanto, as jovens resistem, justificando que fizeram votos de castidade. Elas são entregues ao governador

Dulcitius e aprisionadas por ele. Ameaçadas de estupro pelo governador, são salvas por um milagre; ele confunde as panelas e frigideiras da cozinha com objetos de prazer e as ataca até que seu rosto e corpo fiquem cobertos de fuligem, enquanto as garotas o observam por uma fenda na parede e riem dele. Então, entrega as donzelas a Sisinnius, responsável por puni-las por se recusarem a adorar os deuses romanos; mas ele também se torna vítima de delírios. Mesmo assim, consegue fazer com que duas delas sejam queimadas e a terceira, morta a flechadas. Neste caso, Rosvita enfatiza dois de seus principais temas: o poder da castidade sobre o poder dos homens e a salvação por meio do martírio. No entanto, a origem de sua peça é histórica; a peça é baseada em éditos do imperador Diocleciano, retirados de *The Acts of Christian Martyrs* [Os Atos dos Mártires Cristãos].

A peça *Callimachus* também aborda o estupro. Calímaco diz a Drusiana que a ama, contudo ela o rejeita não só porque já é casada, mas também porque fez voto de castidade. Ele a ameaça de estupro, e ela pede a Cristo que a ajude a morrer. Seu desejo é atendido, criando assim outra representação do tema do poder das mulheres a ser santificadas por meio do martírio. Porém, Calímaco entra em seu túmulo para estuprar seu cadáver. Antes que ele pudesse executar esse plano maligno, é morto por uma cobra. Ele e Drusiana são ressuscitados mais tarde, e ele se converte às crenças dela. Mais uma vez, o tema é o poder da mulher, não apenas de petição e resistência inabalável, mas também de efetuar conversões milagrosas. A descrição de Rosvita do estuprador em uma peça como um idiota ridículo, cujo poder é ilusório, e, na outra, como um monstro perverso sem dúvida é uma evidência notável da consciência feminista nesse período inicial.

A peça *Sapientia* também aborda o martírio de três virgens sagradas mortas na presença de sua mãe Sapientia. A mãe as encoraja a suportar seus sofrimentos e, após a morte delas, as embalsama e enterra. Quarenta dias depois, enquanto ela ora sobre o túmulo das filhas, seu espírito é levado ao céu. A moral aqui é a força da castidade, que dá às mulheres piedosas uma maneira de vencer o poder terreno dos homens, até mesmo de imperadores, e conduzir as mulheres à salvação.

A primeira das obras puramente históricas de Rosvita, *Gesta Ottonis* [A História de Otão], foi realizada sob o comando de sua abadessa Gerberga.

Aparentemente, a autora estava um tanto relutante em se comprometer com essa obra, como explica em sua "Dedicatória" a Gerberga:

> De fato, tu me impuseste a difícil tarefa de narrar em verso a façanha de um majestoso imperador, que tu bem sabes que era impossível colher abundantemente de boatos. [...] Há coisas das quais não consegui encontrar nenhum registro escrito, nem consegui obter informações de alguém suficientemente confiável. Eu era como uma estranha errante sem uma orientação pelas profundezas de uma floresta desconhecida onde todos os caminhos estavam cobertos e envoltos por neve pesada.[10]

O fato de Rosvita ter recebido a missão de celebrar a vida e os feitos de seu soberano Otão I, que também era tio de sua superiora, a abadessa Gerberga, demonstra a grande reputação que havia conquistado aos 30 anos de idade, como resultado de suas peças e poemas. Tal missão era esperada de poetas da corte ou laureados; Rosvita ficou, no entanto, bastante desconfortável com isso e interrompeu seu relato sobre a guerra civil entre os membros da família real saxã. O poema, que foi escrito entre 965 e 968, termina quando Otão I estava no auge de seu poder como rei, mas antes de se tornar imperador. Como ela declara na citação anterior, ela encurtou seu relato porque se sentiu desconfortável com a disponibilidade de fontes neutras e confiáveis, o que diz bastante sobre sua autoconsciência como historiadora obrigada a fornecer um relato equilibrado. No entanto, a tarefa também era difícil para ela em razão de seu sexo. "Não creio que seja apropriado para uma mulher frágil que mora no recinto de um mosteiro pacífico falar de guerra, com a qual ela nem deveria estar familiarizada. Esses assuntos deveriam ser reservados aos homens qualificados. [...]."[11] Essa concessão à fraqueza de gênero e feminina, o "*topos* da humildade", pode, na verdade, não ser mais do que uma desculpa conveniente pela qual uma autora então autoconfiante diante de uma tarefa desagradável reservou-se o direito de controlar o próprio material.

Rosvita reagiu de modo bem diferente diante do pedido de escrever a história da abadia de Gandersheim, que considerou um trabalho de amor. Ela compôs esse poema, o último de seus trabalhos conhecidos, em 973, ou pouco depois. É a única de suas criações que não conta com um prefácio. O poema abre com duas linhas repletas de serenidade:

> Vide, meu espírito, humilde e submisso,
> irrompe para contar as origens da abençoada Gandersheim[12]

Ela fala sobre um evento milagroso que fez com que o duque Liudolf, o monarca vigente, e sua esposa Oda fundassem o mosteiro em 856. Um grupo de pastores de porcos alojado em uma pequena fazenda em meio à floresta escura viu muitas luzes brilhantes raiando na floresta "com um estranho esplendor". A visão se repetiu para o dono da fazenda e para o duque, que a interpretaram como uma ordem para construir um santuário. "Todos afirmaram que este lugar deveria ser santificado, / no serviço daquele que o encheu de tal luz."[13] O paralelo dessa visão com a dos pastores no nascimento de Cristo é notável. Em uma interpretação perspicaz, Peter Dronke sugere que Rosvita, que sempre se referiu a si mesma como a mais humilde das que viviam em Gandersheim, também pretendia celebrar a visão singular dos humildes, dos pegureiros, dos pastores de porcos e de si mesma, "a voz forte de Gandersheim", como ela se autodenominava em outros lugares.[14] As referências cada vez mais seguras que faz ao seu trabalho na progressão dos prefácios pendem para tal interpretação. Em seu relato histórico sobre seu claustro, *Primordia Coenobii Gandeshemensis* [As Origens da Abadia de Gandersheim], ela não hesita em trazer a história para seu próprio tempo. Também, e talvez não por acaso, celebra a vida de três grandes mulheres que admirava, as abadessas sucessoras, entre elas, sua mentora e amiga Gerberga.

Embora o trabalho de Rosvita tenha caído no esquecimento por vários séculos após sua morte, ele ressurgiu no fim do século XV, quando o humanista renascentista, Conrad Celtis, encontrou um antigo manuscrito incompleto de seus trabalhos e o publicou em 1501, referindo-se a ela como a "Safo alemã". Desde então, seu dom para poesia e dramaturgia tem sido reconhecido e celebrado, embora o papel como historiadora pioneira das mulheres devesse também ser reconhecido.

A narração da vida de religiosas por outras freiras continuou por muitos séculos. Uma categoria especial e posterior, desse trabalho histórico compreende as autobiografias de místicas e santas, muitas das quais discuti em capítulos anteriores. Tais escritos autobiográficos, embora possam ter sido inspirados a princípio pelo desejo de espalhar uma mensagem religiosa ou de dar crédito às visões de uma mística, colocando-as no contexto de sua vida, também devem ser vistos como empenho sobre a documentação histórica. Mulheres como Hildegarda de Bingen, Doroteia de Montau, Margery Kempe e, mais tarde, Santa Catarina de Siena e Santa Teresa de Ávila podem ter tido uma noção sólida do significado de sua excepcional vida como modelo para as futuras gerações de mulheres. O fato de algumas dessas santas se referirem a outras santas como suas antecessoras tende a essa interpretação.

Os "livros de irmãs", que representam uma categoria especial de escritos históricos de freiras, aparecem nos domínios de língua alemã nos séculos XIV e XV nos conventos dominicanos. A freira Katherine von Gebersweiler foi a autora da mais antiga dessas histórias, uma que documenta a história do convento de Unterlinden. Seu trabalho consiste em oito capítulos que descrevem o cotidiano do convento, e 47 *vitae*, das quais somente cinco são suas contemporâneas.[15] Uma contemporânea próxima, a freira Elisabeth von Kirchberg, escreveu uma obra do mesmo gênero, o *Kirchberger Schwesternbuch* [Livro de Enfermagem de Kirchberger], que documentava a vida das freiras do convento. Também escreveu o chamado *Irmegard-Vita* [A Vida de Irmegard], que descreve a vida e as visões extáticas da irmã Irmegard. Essa *vita* foi a princípio escrita em segredo por Elisabeth, mas, quando Irmegard descobriu, ajudou na formulação, o que resultou em duas versões adicionais. No mesmo convento, outro trabalho semelhante foi descoberto, que pode ser de autoria da mesma freira, sobre o claustro dominicano em Ulm. É interessante notar que ela se identifica como "irmã Elisabeth [...] a quem Deus tomou dos judeus". Como ela ingressou no convento aos 4 anos, não pôde ser convertida ao judaísmo. Mais provavelmente, ela foi dada ao convento por seus pais para escapar de um dos massacres de judeus que ocorreram na área durante os séculos XIII e XIV.[16]

Anna von Munzingen, prioresa do convento dominicano em Adelshausen, escreveu uma crônica desse convento em 1318, descrevendo a vida e as experiências místicas de 34 freiras. Outras histórias de conventos foram escritas e preservadas no convento de Santa Catarina em Turgóvia, Suíça, e nos conventos em Toss, Otenbach e Weiler.[17] Como a maioria dos "livros de irmãs" foram escritos por mulheres sobre mulheres, esse pode ser considerado um dos primeiros momentos da escrita da História das Mulheres.

A tradição de histórias de conventos ou histórias de religiosas de destaque continuou por muitos séculos. No século XVI, Caritas Pirckheimer – irmã do humanista Willibald Pirckheimer –, mulher famosa por seu conhecimento, escreveu a história de seu convento de Santa Clara em Nuremberg. Outras histórias de conventos foram escritas no século XVII para as Ursulinas da Ordem da Visitação na França.[18]

A ELABORAÇÃO DE LISTAS de mulheres famosas como heroínas, modelos e argumentos para o potencial feminino de conquista manteve homens e mulheres ocupados por seis séculos. Ela desponta com proeminência nas várias *querelles des femmes*, nas quais tanto escritoras feministas quanto antifeministas construíram seus argumentos em torno do *exempla*. Escritoras antifeministas fizeram listas de mulheres com características negativas ou que seguiam estereótipos de gênero. As escritoras feministas eram mais inclusivas e tendiam a enfatizar mulheres bem-sucedidas ou heroicas. Visto que a prática é tão difundida e a listagem de mulheres ilustres ocorre com tanta regularidade por parte de escritoras feministas, talvez se possa ver isso como um esforço repetido para neutralizar os efeitos nocivos sobre as mulheres da negação da existência da História das Mulheres. Como veremos, algumas autoras são bastante explícitas com relação a tal objetivo, outras o insinuam ou nada dizem sobre ele. Examinarei essas listas de maneira comparativa, primeiro, quanto à sua abrangência e aos critérios de seleção usados e, segundo, para ver o que podem nos dizer sobre a transmissão de ideias acerca do passado das mulheres.

Uma das primeiras listas de mulheres famosas foi compilada por um homem, Giovanni Boccaccio, entre 1355 e 1359, e publicada durante esse período.[19] Boccaccio, célebre humanista da Renascença que já havia feito a antologia das biografias de homens famosos, coletou informações sobre a vida de 104 mulheres da Antiguidade com um propósito didático específico. Ele desejava mostrar que a sabedoria secular das ancestrais era de igual importância para os escritos cristãos e mitos, e que, entre as ancestrais, seria possível encontrar pessoas de força moral suficiente para a realização de atos heroicos. Ele já havia mostrado isso em suas biografias de homens famosos, partindo do pressuposto de que atos ilustres mereciam ser preservados para a posteridade. Porém, como afirmou no "Prefácio" de *De Claris Mulieribus* [Mulheres Famosas]:

> Tenho ficado bastante admirado de que as mulheres tenham recebido tão pouca atenção dos escritores [...] que elas não tenham recebido nenhum reconhecimento em qualquer trabalho dedicado especialmente a elas, embora possa ser visto claramente [...] que algumas delas agiram com tanta força quanto valentia. Se os homens devem ser elogiados sempre que realizam grandes feitos (com a força que a Natureza lhes deu), quanto as mulheres devem ser mais exaltadas (quase todas as quais são dotadas de ternura, corpos frágeis e mentes vagarosas por Natureza), se elas têm adquirido um espírito viril, e se com aguda inteligência e notável fortaleza elas ousaram se afirmar e realizaram até mesmo as ações mais difíceis?[20]

Aqui, Boccacio expressa os conceitos renascentistas das mulheres como sendo de natureza mais frágil, mais gentil e de intelecto inferior, o que coexiste com o estereótipo de "mulher viril", a mulher com força e valentia. Ao elaborar esse conjunto contraditório de definições para as mulheres, foi possível explicar a heroica, "a excepcional", a mulher erudita, sem ver as definições patriarcais de gênero como problemáticas. Já vimos que muitas mulheres também aceitaram esse conjunto de definições e tentaram encaixar seus argumentos nele.

A lista de Boccaccio inclui figuras mitológicas e alegóricas, tais como as Musas, Ceres, Circe, Ísis. A lista também inclui mulheres cruéis, como Medeia, Medusa e Semprônia. Boccacio explica em seu prefácio que ele desejava incluir não somente aquelas que eram famosas por suas virtudes, mas também aquelas "que se tornaram renomadas para o mundo por meio de qualquer tipo de ato".[21] Ele comenta que, na maioria dos relatos históricos sobre os homens, aqueles que eram renomados devido a atos esplendorosos com frequência eram incluídos com figuras como Graco, Aníbal e Crasso, homens de mau-caráter e conhecidos por seus atos malignos. Ele também excluiu de forma deliberada todas as mulheres cristãs, porque eram quase sempre honradas, e seus atos de virtude, virgindade e santidade foram bem celebrados, enquanto os atos das mulheres pagãs não foram previamente registrados nem celebrados.

As descrições de Boccacio sobre essas mulheres não são precisas, nem do ponto de vista histórico, nem do mitológico. As fontes usadas por ele eram, na maioria, de autores latinos da Antiguidade, e ele as usa sem respeito especial, descartando informações e acrescentando material inventado. Ele pretende contar uma história agradável e incluir "alguns sermões agradáveis à virtude, e adicionar incentivos para evitar e detestar a perversidade, de modo que, ao adicionar prazer a essas histórias, seu valor entraria na mente furtivamente".[22] O desejo de entreter e, ao mesmo tempo, servir a uma finalidade didática moralista ficou evidente também em outras obras de Boccaccio, como o *Decamerão*, mas essa característica pode ter predominado em *De Claris Mulieribus* [Mulheres Famosas] porque falava para um público de mulheres que acreditava ele, e merecia tanto saber de suas famosas antecessoras quanto ser moralmente instruído no processo.

A lista de Boccaccio foi o ponto de partida e modelo para outros por muitos séculos. A primeira mulher a seguir esse modelo foi Cristina de Pisano, que, em 1405, publicou *Le Livre de la Cité des Dames* [A *Cidade das Damas*], uma tentativa corajosa e abrangente de defesa das mulheres e de uma História das Mulheres universal.[23] Cristina usou Boccaccio como referência para quase três quartos de sua lista de mulheres. Porém, não utilizou a lista inteira dele, e, de modo significativo, afastou-se de seu texto ao tecer comentários sobre as mulheres. Ela também impôs uma ordem totalmente diferente em sua lista, que flui de sua estrutura conceitual e seus objetivos diferentes.

Cristina tinha experiência em realizar trabalhos históricos por ter escrito antes sobre a história do reinado de Carlos V da França, que havia sido encomendada pelo irmão do rei, com base em evidências escritas e no testemunho de informantes.[24] Embora o livro tenha sido escrito inteiramente em consagração ao rei, abrangeu suas façanhas militares, políticas domésticas e liderança moral. Na época em que ela começou seu trabalho com *A Cidade das Damas*, havia escrito e publicado vários livros de versos e desenvolvido suas observações sobre as mulheres em uma troca de cartas a respeito de *O Romance da Rosa*. Ela escreveu ainda uma obra em prosa com mais de uma centena de narrativas curtas. Portanto, estava bem preparada como escritora e historiadora para seu principal trabalho.

—317—

Ela iniciou o livro com um relato admirável da transformação de sua própria consciência. Debruçada em seus estudos lendo um dos muitos folhetos misóginos da época, ela começa a se perguntar "como é possível tantos homens diferentes [...] estarem tão propensos a expressar [...] tantos insultos perversos sobre as mulheres [...] Parece que todos eles falam pela mesma boca". Ela analisou sua experiência e a si mesma, e não conseguiu encontrar nenhuma evidência para embasar as afirmações desses homens. No entanto, se curvou à autoridade de homens especialistas. "E, então, eu confiei mais no julgamento dos outros do que no que eu mesma sentia e sabia."[25] Aqui, pela primeira vez no registro escrito, temos uma mulher definindo a tensão que toda pensadora vivenciava – entre a autoridade dos homens, que lhe negavam igualdade como pessoa, e a própria experiência. Cristina estava profundamente depressiva devido a essa percepção, quando, como em uma visão, três mulheres apareceram para confortá-la e tirá-la da ignorância que havia enganado seu intelecto. A Senhora Razão explicou a ela que havia sido escolhida para "derrotar o mesmo erro em que você caiu do mundo" e que foi dada a ela a tarefa de construir uma cidade de senhoras em que todas as mulheres valentes pudessem encontrar refúgio de ataques e calúnias.[26] As outras duas senhoras, Retidão e Justiça, a ajudariam nessa tarefa. Maravilhada e em êxtase, Cristina pediu às três mulheres que explicassem por que os homens atacavam e caluniavam as mulheres de forma tão universal. As senhoras deram várias explicações: os homens eram motivados por ganância, inveja, impotência e desejo frustrado. O longo diálogo que se seguiu com as três guias espirituais permitiu a Cristina de Pisano desenvolver seu argumento histórico e ilustrar por *exempla* as virtudes das mulheres.

Essa passagem alegórica, que pressupõe que o sistema explicativo patriarcal se baseia no erro, estrutura o livro. Isso determina também o modo como usa suas fontes. Enquanto Boccaccio, com algumas exceções, seguiu um esboço quase cronológico, Cristina de Pisano organizou sua lista para seguir uma série de temas e argumentos. Ela também usou diferentes critérios de seleção. Desejava escrever a História das Mulheres universal, e de suas conquistas, por isso incluiu mulheres da Antiguidade, da Era Cristã e até suas contemporâneas. Reinterpretou a vida das mulheres de sua lista de maneira significativa, já que seu objetivo era diferente do de Boccaccio, que queria provar apenas que existiram mulheres ilustres na Antiguidade. Cristina de Pisano escreveu em defesa das mulheres contra o que ela considerava ataques misóginos dos homens, e escreveu de um ponto de vista inteiramente centrado na mulher. Ao revisar a lista de Boccaccio, portanto, não só excluiu todas as mulheres más, mas, muitas vezes, reinterpretou as histórias de mulheres com má reputação para apresentá-las sob uma perspectiva positiva. Isso é mais óbvio em sua abordagem sobre Medeia, que é citada sob o título "The Faithfulness of Women in Love" ["A Fidelidade das Mulheres Apaixonadas"], sem nenhuma referência ao assassinato dos filhos. A história de Medeia escrita por Boccaccio insiste na condenação de sua traição, seu encanto, sua crueldade. Ele descreveu o assassinato do irmão de Medeia, o roubo da riqueza do pai, a conquista de Jasão pela feitiçaria e, por fim, o assassinato dos filhos por ciúme. Cristina ignorou todos esses crimes. Em vez disso, ela deu crédito a Medeia pela sabedoria e habilidade mágica que ela usou para ajudar Jasão a ganhar o velo de ouro com a condição de que ele a tornasse sua esposa e fosse fiel a ela. "No entanto, Jasão mentiu sobre sua promessa, dado que, depois que tudo correu como ele queria, ele trocou Medeia por outra mulher."[27] Com isso, Cristina nos conta, Medeia ficou abatida e, assim, terminou sua história.

Outro exemplo semelhante é o tratamento da romana Semprônia. Primeiro, Boccacio elencou suas realizações notáveis, sua beleza extraordinária, a excelente memória, a capacidade de aprender latim e grego e escrever poesia, seu charme, a eloquência e o bom humor. Dedicou dois parágrafos às virtudes dela, depois, continuou por mais quatro parágrafos listando seus vícios, sexualidade excessiva e aberta, a ganância por dinheiro, sua falta de moderação e, por fim, sua participação na conspiração catilinária. Cristina pegou os primeiros dois parágrafos, elaborou-os bem e apresentou Semprônia como um modelo de inteligência e engenhosidade; então, ignorou o restante.[28]

Nem Boccacio nem Cristina conseguiram atender aos padrões de objetividade exigidos dos historiadores profissionais quase seiscentos anos depois, e não é possível esperar que pudessem fazê-lo. A alteração de evidências para fazer uma observação ou transmitir uma mensagem didática era uma convenção bem consagrada na Idade Média. O que é notável é a insistência consistente de Cristina sobre seu direito, como mulher, de interpretar o passado de um ponto de vista complacente com as mulheres, e de falar como defensora delas.

Após questionar a veracidade da tradição histórica ao apontar a tendência de seleção aos homens, Cristina tentou responder a todos os preconceitos banais voltados contra as mulheres. Os homens acusavam as mulheres de governar com imprudência quando tinham poder. Cristina refutou essa colocação citando uma longa lista de *exempla* de mulheres que governaram bem e com sabedoria. Ela respondeu à acusação de inferioridade intelectual das mulheres citando uma longa lista de mulheres que se destacaram na erudição, poesia, ciência e filosofia. Aqui, como em outros lugares, ela misturou com liberdade figuras históricas com personagens alegóricas e mitológicas. Também tentou mostrar a superioridade das mulheres em relação à sensibilidade e ao cuidado, citando uma longa lista de esposas e mães virtuosas, virgens castas e mulheres abnegadas. Todas essas evidências materiais construíram alegoricamente a Cidade das Damas. Quando foi concluído, a Rainha do Céu foi convidada para ser sua primeira habitante, com a presença de um grande número de santas.

Assim que concluída a Cidade, Cristina dedicou-a às "mulheres do passado, bem como do presente e do futuro", incitando todas elas a se refugiarem nela, defendê-la e guardá-la de inimigos e agressores. Ela definiu explicitamente os homens "que acusam você de tantos vícios em tudo" como os inimigos, e impeliu as mulheres a fugir das calúnias e armadilhas dos homens, "para cultivar a virtude, para aumentar e multiplicar nossa Cidade, e para se alegrar e agir bem".[29]

A cidade alegórica das mulheres, repleta de heroínas de valor e valentia, representa o primeiro empenho consistente de uma mulher para consolidar a História das Mulheres como um meio de criar consciência coletiva. Sua tentativa de forjar uma ideologia unificadora tem uma base deliberadamente ampla; ela fala em vários pontos de "todas as mulheres – sejam nobres, burguesas ou de classe mais baixa", e mesmo sua aparente distinção entre as virtuosas e as outras não deve ser levada muito a sério, já que, nas várias listas, consegue incluir mulheres perversas e até mesmo as pecadoras.[30] Sua contribuição essencial não foi apenas para tentar refutar os argumentos misóginos por meio de evidências históricas, mas insistir que generalizações e ditames patriarcais deveriam ser avaliados e testados à luz da experiência feminina, do passado e do presente. O que Cristina de Pisano tinha a oferecer às mulheres era a percepção de que deviam olhar para outras mulheres a fim de se defenderem, e que o passado coletivo delas poderia ser uma fonte de força em sua luta por justiça.

Cristina de Pisano foi uma das poucas mulheres medievais cujas obras foram amplamente lidas, traduzidas e distribuídas durante sua vida e em séculos posteriores. Dois escritores feministas, que publicaram um século após sua morte, mostraram conhecimento de seu trabalho. O alemão Heinrich Cornelius Agrippa von Nettesheim (1529), em seu argumento amplo e explicitamente feminista, usou a mesma explicação de Cristina para a superioridade das mulheres, isto é, que foram criadas no paraíso como os anjos e feitas de matéria superior. Ele não deu crédito a Cristina como sua fonte. Por outro lado, François de Billon, em um ensaio semelhante proclamando a superioridade das mulheres e usando os argumentos de Cristina a seu favor, listou-a como um dos *exempla* femininos mais destacados, junto com Hélisenne de Crenne.[31]

Ainda assim, os *insights* feministas mais importantes de Cristina de Pisano não reverberaram entre as mulheres por muitos séculos. Na ausência de organização social e de comunidades de mulheres que pudessem levar adiante suas ideias, essas ideias, novas e revolucionárias para a época, foram profundamente negligenciadas. Como veremos, ao analisar as listas de mulheres notáveis feitas por feministas nos séculos seguintes, a maioria delas nem sabia da obra ou da "existência" de Cristina. A História das Mulheres não poderia ser criada como busca intelectual na ausência de um movimento social feminino.

Algumas décadas após a morte de Cristina de Pisano, os primeiros grupos de mulheres eruditas que viviam fora dos claustros surgiram nas cortes renascentistas da Itália. Alguns deles se relacionavam por parentesco ou casamento; outros haviam conhecido pela reputação a existência de tais mulheres. Não se pode caracterizar esse tipo mínimo de contato como uma rede feminina, mas essa é a primeira época em que podemos traçar uma transmissão rudimentar de conhecimento entre as mulheres. Laura Cereta (1469-1499) estudou com o pai, Silvestro Cereta, um membro da elite governante de Bréscia, e consolidou sua carreira literária antes do casamento, aos 15 anos. Ao contrário da maioria das mulheres de sua época, ela conseguiu manter os estudos durante os três anos de casamento e nos anos de viuvez. No entanto, como a maioria das mulheres instruídas de seu tempo, era suspeita de ter copiado e apresentado como seu o trabalho de um homem da família, nesse caso, seu pai. Ao escrever para se defender dessa falsa acusação, Cereta afirmou que deveria defender toda as outras mulheres e citou uma lista de eruditas desde a Antiguidade até sua época. Elas derivaram principalmente de Boccaccio, com algumas adições de Diógenes Laércio. O que mais interessa aqui é a inclusão de várias contemporâneas, como Isotta Nogarola, Cassandre Fedele e Nicolosa Sanuti de Bolonha. Em uma carta a um detrator, Cereta também ressaltou um argumento bíblico desenvolvido por Isotta Nogarola. Claramente, então, ela sabia e tinha lido pelo menos algumas das obras de suas contemporâneas.[32]

Outra defesa corajosa das capacidades intelectuais das mulheres e de sua longa história de realizações surgiu na Itália, em 1600, na escrita de Lucrezia Marinella.[33] Sua longa lista de mulheres notáveis incluía muitas das citadas por seus antecessores, mas claramente não foi o caso de ser apenas uma cópia de Boccaccio. Marinella citou uma ampla gama de autores além de Boccaccio que considerava autoridades, mesmo para as mulheres da lista de Boccaccio. Ela parece ter sido bem culta, e permeou com habilidade os nomes habituais listados na Antiguidade e por fontes cristãs com nomes de governantes e religiosas medievais. Também citou Isabel de Schönau, Rosvita de Gandersheim, Hildegarda de Bingen e várias mulheres eruditas da Renascença. No entanto, seu principal apelo é para a autoridade dos homens pró-feministas. Tem-se a impressão de que ela era muito versada em fontes masculinas, mas conhecia as fontes femininas apenas pela reputação. Tal como Cristina de Pisano fizera antes dela, Marinella defendeu a superioridade das mulheres, mas também dedicou grande parte de seu argumento a dar *exempla* aos defeitos e falhas dos homens.

Na primeira metade do século XVII, as mulheres eruditas na Inglaterra estavam envolvidas na guerra de panfletos que discutimos anteriormente como a *querelle des femmes*. Uma das panfletárias feministas, que escrevia sob o pseudônimo de Ester Sowernam, reforçou seu argumento com uma lista de "mulheres dignas" que, em alguns aspectos, vai além das primeiras defensoras do sexo. Sua lista de mulheres bíblicas não derivou de Boccaccio, mas mostra claramente o próprio estudo bíblico, pois ela citou um capítulo e versículo para cada registro. Além da lista habitual de esposas de patriarcas bíblicos, a profetisa Débora, as heroicas Jael e Judite, ela citou as mulheres anônimas que realizaram atos dignos, Mical e Abigail como sábias conselheiras, e a casta Susana. As descrições dos feitos dessas heroínas são originais e idiossincráticas. Ela fez uma leitura atenta análoga do Novo Testamento para chegar à própria lista de heroínas. Ela também acrescentou a uma pequena lista de mulheres da Antiguidade nomes de rainhas inglesas, chegando a incluir Elizabeth I.[34] Embora saibamos que Rachel Speght conhecia o panfleto de Sowernam, não há referência a Speght na obra de Sowernam. E nenhuma delas se referiu a qualquer escritora antecessora.[35]

O debate na Europa sobre a educação das mulheres levou a uma série de panfletos nos quais listas de "mulheres dignas" foram usadas para consolidar o argumento principal. Um dos primeiros e mais citados defensores das mulheres foi Heinrich Cornelius Agrippa von Nettesheim, cujo livro apareceu pela primeira vez em 1529 na Antuérpia e, depois, em cinco edições em outras línguas durante cinquenta anos. Foi sucedido na defesa das mulheres por François Poulain de la Barre, em 1555. Ambos foram citados com frequência como autoridades por escritores sucessores sobre o mesmo assunto.[36] Na Alemanha, Johann Frauenlob, em 1631, publicou uma longa lista comentada de mulheres distintas, que ele tirou não apenas de Boccaccio, mas de Coelius, Angelo Poliziano e uma série de referências romanas.[37] Mesmo citando Cristina de Pisano, ele não usou sua lista de *A Cidade das Damas*. É interessante notar que a lista de Johann não só contribuiu com um grande número de nomes de mulheres alemãs para os notáveis, mas que ele listou com precisão a maioria das mulheres eruditas importantes do Renascimento italiano. Pode-se supor que, em meados do século XVII, a lista de mulheres eruditas famosas da Europa era conhecida por homens europeus instruídos. O fato surpreendente e desanimador é que não era tão conhecida pelas mulheres.

A discussão a favor da educação das mulheres foi fomentada depois por um panfleto escrito por um professor em Coburgo, Johannes Sauerbrei, em colaboração com um certo Jacob Thomasius, professor em Leibniz. O panfleto, que apareceu em 1671, foi muito citado e reimpresso em 1676.[38] Seu argumento para a educação das mulheres é sustentado por uma longa lista de "mulheres dignas" que inclui a maioria das mulheres citadas por Frauenlob.[39] No entanto, Thomasius e Sauerbrei citaram muitas autoridades do sexo masculino pelas informações que listaram, entre eles, cinco humanistas, começando por Boccaccio e incluindo Agrippa von Nettesheim. Mais uma vez, nenhuma mulher foi usada como fonte ou autoridade.

O alemão Christian Franz Paullini listou 270 mulheres eruditas alemãs em sua defesa da educação das mulheres, publicada em 1705.[40] A lista inclui "curiosidades", como mulheres deformadas e deficientes. Um trabalho mais acadêmico, que forneceu fontes para sua grande lista de mulheres eruditas, foi publicado um ano depois por Johann Eberti.[41]

O costume de listar mulheres de sucesso evoluiu, assim, para um gênero literário distinto. Representou uma tentativa rudimentar de criar a História das Mulheres e foi, como vimos, um subproduto dos debates sobre o lugar das mulheres na sociedade e a educação delas. A prática ganhou nova vida e significado, sobretudo nos séculos XVIII e XIX, quando mulheres e homens criaram grandes obras, às vezes, em vários volumes, celebrando as conquistas femininas como entretenimento literário para um público cada vez maior de mulheres. Um precursor desse tipo na Inglaterra foi o trabalho de Thomas Heywood, que se empenhou na representatividade ao incluir três judias e três gentias em sua obra *The Exemplary Lives and Memorable Acts of the Most Worthy Women of the World* [Vidas Exemplares e Atos Memoráveis das Mulheres Mais Dignas do Mundo].[42] Uma orientação mais feminista impregnou o trabalho de George Ballard, um fabricante de espartilhos e antiquário amador, que não apenas elencou mulheres célebres por seus escritos e habilidades na linguagem, mas tentou registrar biografias e listagens bastante abrangentes das obras delas. Seu trabalho foi baseado em pesquisas originais, e as informações que ele forneceu em geral são precisas.[43] Vale a pena notar que Ballard foi inspirado nesse trabalho por Elizabeth Elstob, que lhe sugeriu o projeto. A própria Elstob havia começado, muito antes, a pesquisar mulheres notáveis e feito anotações sobre quarenta delas em seus cadernos, mas não fez mais nada.[44]

Volumes semelhantes de compilação biográfica apareceram na França e em outros países europeus. Citarei apenas um exemplo devido à forma incomum: *Les Femmes Ilustres* [Mulheres Ilustres], de Madeleine de Scudéry. A autora, mais conhecida como *salonnière* e uma das romancistas mais prolíficas do século XVII, combinou na obra discursos ficcionais, supostamente falados pelas mulheres em destaque, e biografia. Ela apresentou quarenta mulheres, sobretudo da Antiguidade, mas destacou como sua heroína a poetisa Safo, que declarou que a única maneira de uma mulher ser conhecida na posteridade é por meio de seus escritos.[45]

Na Inglaterra, o trabalho dos compiladores continuou com a publicação de obras de várias mulheres. Em resposta à publicação do poema "The Feminead" [O Caráter Feminino] (1754), de John Duncombe, Mary Scott, contestando o fato de ele ter incluído apenas 25 poetisas em sua lista, publicou um poema chamado "The Female Advocate..." [A Defensora...], no qual listou 49 poetisas inglesas.[46] Curiosamente, sua lista inclui Phillis Wheatley, poetisa afro-americana na condição de escravizada cujo livro de poesia chegara havia pouco à Inglaterra. *Female Biography or Memoirs of Illustrious and Celebrated Women of All Ages and Countries* [Biografia de Mulheres ou Memórias de Mulheres Ilustres e Celebradas de Todas as Idades e Países], de Mary Hays, que é baseado em Ballard, tentou ser abrangente e totalizou seis volumes, enquanto Mary Roberts, em *Select Female Biography: Comprising Memoirs of Eminent British Ladies* [Seleta Biografia de Mulheres: Memórias Abrangentes de Mulheres Britânicas Notáveis], optou por ser muito seletiva.[47]

As biografias de mulheres eminentes destinadas a atrair leitoras alfabetizadas tornaram-se um gênero popular no século XIX, na Inglaterra e em outros países da Europa.[48]

Nos Estados Unidos, esse gênero é representado por *History of Women* [História das Mulheres] em dois volumes de Lydia Maria Child.[49] O primeiro volume é uma coleção de informações etnográficas, anedóticas e culturais sobre mulheres de outros continentes além da Europa e da América do Norte. No segundo volume, Child, cronologicamente e por região, lista mulheres de sucesso e renome. Ela usa compilações anteriores, incluindo Boccaccio e outros autores como fontes. As únicas fontes femininas que utiliza são de escritoras de viagens e Phillis Wheatley. Suas omissões são mais interessantes do que as inclusões; por exemplo, em "Vindications of Women" ["Reivindicações das Mulheres", ela lista Margarida de Angolema, mas não menciona nem Cristina de Pisano nem Mary Wollstonecraft. Frances Wright, que, pouco antes da publicação do livro de Child, deu palestras públicas bastante divulgadas e muito polêmicas nas cidades costeiras orientais, defendendo os direitos das mulheres e a liberdade sexual, foi rejeitada por Child em uma referência passageira como uma discípula moderna dos "infiéis da Revolução Francesa".[50] A tentativa de Child de uma discussão cultural e social da "condição" das mulheres é inovadora, mas sua lista é bastante tradicional.

Outro exemplo do gênero é uma seleção de biografias de Harriet Beecher Stowe, *Woman in Sacred History: A Series of Sketches Drawn from Scriptural, Historical and Legendary Sources* [Mulher na História Sagrada: uma Série de Esboços Extraídos de Fontes Bíblicas, Históricas e Lendárias, que usa o Antigo e o Novo Testamentos como fonte.[51] Os esboços são versões literárias ornamentadas de contos bíblicos, sendo a única característica interpretativa da convicção da autora de que o cristianismo foi uma força libertadora para as mulheres. A mesma convicção motivou Phebe A. Hanaford em sua publicação *Daughters of America, or Women of the Century* [Filhas da América, ou Mulheres do Século].[52] Em sua discussão sobre as mulheres do Antigo Testamento, ela enfatizou que os "pagãos" tratavam mal suas mulheres. Combinou o conceito de superioridade cristã com a afirmação de que o maior potencial das mulheres seria realizado na América. Um tom de celebração e patriotismo similar a esse é evidente em uma série de outras antologias impressas nas últimas décadas do século XIX, todas caracterizadas por um forte viés protestante, branco e anglo-saxão.[53]

Sarah J. Hale, editora de *Godey's Lady's Book* [Livro de Godey para Mulheres], em sua "Introdução", refere-se a uma dúzia de livros que apareceram apenas três anos antes da própria publicação. Ela considerou seu trabalho um apoio e incentivo para o progresso educacional das mulheres e afirmou ter reunido "dos registros do mundo, os nomes e as histórias de todas as mulheres ilustres", totalizando 2.500 nomes. Alinhada com seu propósito, dedicou o trabalho aos "Homens da América que mostram, em suas leis e costumes a respeito das mulheres, ideias mais justas e sentimentos mais nobres do que jamais foram manifestados por homens de qualquer outra nação. [...]".[54] Hale afirmou com veemência que não simpatizava com os que defendiam os direitos da mulher, e considerava a igualdade para as mulheres um objetivo tolo. Porém, ela considerava a mulher "a agente da *moralidade* designada por Deus, a professora e inspiradora das [...] virtudes da humanidade".[55] Sua lista é muito mais abrangente do que qualquer outra publicada antes. Mesmo assim, ela omitiu qualquer mulher que considerasse não muito respeitável, como Wollstonecraft ou Frances Wright; não incluiu abolicionistas e nenhuma outra relacionada com a defesa dos direitos da mulher. Sua posição privilegiada revela ainda mais seu preconceito: a primeira e a segunda "era" de sua história contêm 53 nomes, distribuídos em 149 páginas de texto. A terceira era, de 1500 a 1820, ela considera notável por apresentar a genialidade e o desenvolvimento das mulheres anglo-saxãs. Essa seção contém 104 nomes em 412 páginas. A última seção abrange apenas 30 anos, de 1820 a 1850, mas contém 57 nomes em 266 páginas. Hale considerava seus contemporâneos tão importantes que, nesta seção, publicava com frequência seleções de escritos femininos. Como é de esperar, o registro de Hale sobre Cristina de Pisano contém uma biografia completa, com longa ênfase nos homens de sua vida, uma lista de seus escritos históricos e nenhuma menção de *A Cidade das Damas*.

As compiladoras feministas não eram menos presentes. O trabalho mais ambicioso de sua categoria foi publicado em 1893 por Frances E. Willard, presidente da União de Temperança Cristã das Mulheres, e Mary A. Livermore, reformista e líder dos direitos da mulher. *A Woman of the Century...* [Mulher do Século...] consiste em 1.470 esboços biográficos com fotografias das "Principais mulheres norte-americanas em todas as posições sociais".[56] Os editores consideraram o século XIX o século das oportunidades para as mulheres, propondo-se a compilar "esse rosário de conquistas do século XIX".[57] Organizaram seus registros em ordem alfabética, com biografias de tamanho padrão e citações de títulos de autores. O livro tem aparência profissional e segue o padrão da *National Cyclopedia* e outros dicionários biográficos. Ainda assim, o tom autoconsciente de celebração dos ensaios e a seleção das pessoas a serem incluídas revelam a intenção didática dos autores. Esse volume celebra as mulheres ativas no trabalho religioso, na saúde e educação, o tipo de mulher homenageada em programas culturais dos clubes femininos que surgiam em todas as comunidades dos Estados Unidos na época. As omissões são igualmente reveladoras: não há nenhuma mulher afro-americana na lista, e todas as mulheres famosas a quem qualquer sinal de "escândalo" estivesse atrelado, como um divórcio, foram excluídas. Frances Wright, Ernestine Rose, Frances Kemble, Margaret Fuller não passaram no teste de "respeitabilidade" e foram omitidas.

As listas de mulheres bem-sucedidas, como todas as tentativas de História compensatória, revelam os preconceitos dos compiladores e servem a seus propósitos educacionais. Isso não é surpreendente nem diminui o significado dos trabalhos nem da necessidade de heroínas que eles expressam. Em uma escala mais local, encontramos inúmeras compilações dessas mulheres, feitas com base em sua significância regional ou em seus papéis especiais como educadoras, missionárias ou pioneiras em algumas das profissões.[58] Um trabalho especial desse tipo foi a lista pioneira de mulheres afro-americanas bem-sucedidas reunida em um livro de ensaios e poemas de Gertrude E. H. Mossell. Ela nomeava e celebrava o trabalho dessas mulheres na educação, em igrejas, missões e organizações de saúde.[59] Como as contrapartidas escritas por mulheres brancas, esse livro foi inspirado e dirigido pelo movimento do clube de mulheres negras e alimentou os interesses de um círculo de leitoras cada vez mais amplo.

Enquanto as mulheres lutavam para ter acesso ao ensino superior, elas rebatiam os argumentos acerca de sua incapacidade de aprender, mostrando as conquistas de mulheres instruídas do passado. Pode-se dizer que deram continuidade à centenária *querelle des femmes* de uma forma mais concentrada e intensa, mas sempre sem conhecimento da obra e dos argumentos de suas antecessoras. Nenhum dos compiladores que vi e citei tinha algum conhecimento sobre as mulheres dos séculos passados que discutiram e lutaram pelos direitos das mulheres, exceto por alguns dos pioneiros da educação das mulheres. Como vimos, os autores de listas se baseavam em fontes masculinas e não conheciam ou não usavam o trabalho de mulheres que tinham publicado antes deles. Assim, o impulso para criar a História das Mulheres assumiu a forma que discutimos antes em relação à crítica bíblica feminista: as mulheres, sem conhecimento de sua história, tiveram que reinventar a roda continuamente.

Outro aspecto da História das Mulheres deu continuidade à tradição medieval: a escrita por mulheres de biografias de mulheres. Essa atividade está presente em todos os países, a partir do século XVIII. Embora haja alguns exemplos isolados de escritos biográficos anteriores, há um aumento dramático de tais escritos após 1850, quando um grande número de leitoras pôde proporcionar sucesso financeiro para esse trabalho.[60]

Porém, no fim do século XIX, podemos discernir uma nova abordagem no empenho em se fazer História pelas mulheres norte-americanas. Elas não estão preocupadas somente em criar listas de referência de mulheres que elas e as filhas possam tentar imitar. Agora, estão preocupadas em coletar a matéria-prima para a História das Mulheres e em registrar e preservar o registro das próprias realizações em instituições educacionais e de reforma, em igrejas, em clubes de mulheres e em comunidades específicas. É desse período que podemos datar as volumosas coleções de fontes da História das Mulheres, hoje listadas no anuário de todos os estados nos acervos de arquivos sobre o assunto, a *Women's History Sources Survey* [Pesquisa de Fontes de História das Mulheres].[61] A autoconsciência das mulheres como grupo, a consciência do valor de seu trabalho em comunidades e organizações, encontrou expressão em uma atitude nova e diferente em relação à documentação. As mulheres não estão se concentrando apenas em figuras "destacadas" e na celebração da liderança. O que preservam agora é o registro de atividades diárias, o imenso trabalho de construção comunitária de mulheres comuns.[62] Quer saibam ou não, esse trabalho as conecta às freiras anônimas que escreveram "livros de irmãs" para registrar a história de suas ordens e à longa fila de autores de listas que tentaram forjar a existência da História das Mulheres dos escombros disponíveis da história dos homens bem-educados.

O trabalho feminista mais autoconsciente desse tipo foi representado nos seis volumes de *History of Women Suffrage* (*HWS*) [História do Sufrágio da Mulher], compilado por Elizabeth Cady Stanton, Susan B. Anthony e Matilda Joslyn Gage, com contribuições de mulheres de todos os estados.[63] As feministas engajadas nesse trabalho já tinham consciência do que a ausência da História das Mulheres significava para as mulheres como grupo e perceberam, ainda que de modo vago, que a primeira necessidade de quem faz História é a existência de fontes. Elas estavam cientes do risco de seu movimento – que, combinado com o movimento dos clubes femininos, era a maior organização de massa e a maior coalizão construída naquele século – cair no esquecimento se os registros delas se perdessem. O empenho para preservar os registros estava em primeiro lugar na mente das editoras. A organização um tanto desordenada dos documentos que puderam encontrar e preservar foi uma contribuição imensa, apesar de falhas óbvias e ostensivas.

O *HWS* é um conjunto de fontes incompleto, falho e bastante tendencioso. Ele distorce as origens do movimento ao ignorar ou minimizar o papel de muitos ativistas e ativistas antecessores em favor de enfatizar a liderança de algumas mulheres. O viés fortemente secular de suas editoras e seu desencanto com as igrejas organizadas em relação à luta das mulheres por emancipação se refletem na forma como definiram o movimento como predominantemente político e constitucional, desconsiderando as importantes lutas feministas nas várias igrejas durante o século.[64] Ele também é tendencioso ao minimizar o papel das mulheres que, em 1869, se separaram de Stanton e Anthony, uma distorção que é particularmente surpreendente em relação ao papel de Lucy Stone. No entanto, esses volumes deram a base para mais de cem anos de historiografia sobre o assunto e, no que Mary Beard chamou de "a longa história das mulheres", representam um marco.

As defensoras dos direitos da mulher e do sufrágio se preocupavam com seu lugar na História, e demonstravam essa preocupação escrevendo as biografias umas das outras, escrevendo autobiografias e preservando suas trocas.[65] O impulso representado por *HWS* também se manifestou nos primeiros esforços para escrever a narrativa da História das Mulheres, a história das atividades organizacionais das mulheres e em uma tentativa inicial de uma exploração teórica do *status* das mulheres em diferentes sociedades ao longo do período histórico.[66]

No entanto, no fim do século XIX, na mesma época em que o movimento em massa das mulheres lançou as bases para coletar e interpretar as fontes da História das Mulheres, a academia, em seus livros, monografias e ensino, negou a existência de tal história. Na década de 1880, a evolução das modernas universidades norte-americanas e a profissionalização da História como disciplina convergiram. A discriminação sexual foi institucionalizada de forma mais sólida com o desenvolvimento de escolas de pós-graduação, das quais as mulheres eram, de modo geral, excluídas, e cujo acesso tiveram que conquistar por meio de um longo embate. A História Acadêmica produzida por historiadores com formação acadêmica confirmou e solidificou a já existente marginalização das mulheres na escrita histórica. E isso tornou cada vez mais ampla a distância entre as tentativas informais de criação da História das Mulheres e a História desenvolvida e ensinada por historiadores profissionais.

O pequeno grupo de historiadoras profissionais ativas na época participou da profissionalização da História, mas suas oportunidades de emprego eram marginais, a maioria delas restrita a trabalhos em faculdades femininas. Apenas uma das nove historiadoras com formação acadêmica na era progressista estudada por Kathryn Sklar lecionou em uma faculdade mista – Mary Barnes, em Stanford, nos últimos cinco anos da carreira.[67] Mesmo quando essas historiadoras com formação profissional ganharam uma posição na academia, isso foi conquistado por se destacarem em campos tradicionais. Somente duas delas escreveram sobre a História das Mulheres. A dra. Kate Hurd-Mead, uma médica que se tornou historiadora no fim de sua ilustre carreira, escreveu sobre a História das Mulheres na ciência. Helen Sumner, historiadora do trabalho, focou na História das Mulheres trabalhadoras em um estudo pioneiro que foi bem distribuído em panfletos do governo, e continua sendo uma fonte confiável sobre o assunto.[68]

Mesmo no século XX, quando mulheres instruídas e plenamente qualificadas em conhecimentos históricos começaram a levantar a questão da marginalização das mulheres na produção cultural, seu próprio trabalho foi marginalizado ou ignorado. Assim como suas antecessoras, a segunda geração de historiadoras profissionalmente instruídas teve que lutar, milimetricamente e passo a passo, pelo acesso a oportunidades iguais de trabalho, por apoio à pesquisa e pela representação em periódicos e convenções profissionais. O pequeno grupo de pioneiras que, em 1929, formou a primeira associação profissional de mulheres historiadoras e, a partir de 1934, se reunia todo ano no *Berkshire History Conference* [Congresso de Berkshire sobre a História das Mulheres], a fim de dar voz e oferecer apoio às mulheres na profissão, entendeu que, sem a existência de uma rede de apoio feminino, elas não seriam capazes de sobreviver dentro dos limites da secular tradição acadêmica masculina.

Dessa geração de historiadoras, surgiu o pequeno punhado que, no fim dos anos 1930, produziu monografias sobre a História das Mulheres Coloniais e do Sul e a História da Educação das Mulheres, que apontavam o caminho para a evolução futura dessa área.[69] Enquanto isso, as mulheres intelectuais não acadêmicas continuaram a busca pelo estabelecimento da História das Mulheres. As poucas obras de História das Mulheres produzidas na primeira metade do século XX foram escritas, em sua maioria, por mulheres que não pertenciam à academia, em geral passando despercebidas pelos historiadores profissionais.[70]

A mais importante dessas obras, *Woman as Force in History* [A Mulher como Força na História], de Mary Beard, foi ridicularizada por revisores acadêmicos, ou mesmo ignorada.[71] Contudo, foi Mary Beard que, retomando o século XV, abordou o tema que Cristina de Pisano havia levantado e que por tanto tempo, aparentemente, desapareceu da consciência das mulheres. Escrevendo como uma historiadora bem instruída que deliberadamente escolheu não fazer parte da academia, Beard audaciosamente afirmou que as mulheres são e sempre foram uma força na história. As mulheres foram fundamentais para o processo histórico e a História, e para ser fiel à vida, teria de ser escrita de modo que sua perspectiva, seu ponto de vista, estivesse tão plenamente representada nela quanto a dos homens. "A mulher é e *faz* história", ela afirmou, dedicando a vida a ser reconhecida por esse fato.[72]

A própria Mary Beard foi uma ativista do movimento trabalhista e feminista dos anos 1920. Com um grupo notável de sufragistas mais velhas, lutou durante anos para criar um Centro Mundial de Arquivos de Mulheres, que serviria como um repositório das fontes da História das Mulheres e "encorajaria o reconhecimento das mulheres como coprodutoras da história".[73] Seu trabalho fracassou por falta de apoio na década de 1940, mas não por completo, pois, dessa luta, surgiu um dos principais arquivos da História das Mulheres nos Estados Unidos: os Arquivos da Biblioteca Schlesinger na Radcliffe College, bem como, por fim, a coleção Miriam Holden, agora abrigada na Universidade de Princeton.[74] Mary Beard não só conceituou a História das Mulheres como um tópico acadêmico, como também escreveu quatro trabalhos pioneiros sobre o assunto, mostrando em seus trabalhos em colaboração com o marido, o historiador Charles Beard, de que maneira a mudança de foco provocada pela atenção às mulheres transformaria a narrativa histórica.[75]

> Quando alguém lê obras históricas que abordam longos períodos de tempo, encontra tantos vestígios dos nossos nomes [de mulheres] quanto encontra vestígios de um navio cruzando o oceano.[76]

Assim, Anna Maria von Schurman, em uma carta escrita em 1638, criticou as restrições ao desenvolvimento intelectual das mulheres e o efeito que isso teve na escrita da História. Por 1.200 anos, de forma esporádica, intermitente e muitas vezes pateticamente ineficaz, as mulheres lutaram para neutralizar essa tendência e deixar, como os homens, traços de seus nomes e ações no registro histórico. Porém, diante da hegemonia patriarcal sobre a cultura, deixar "vestígios" e até mesmo coletar fontes foi insuficiente para afetar a maneira como a História estava sendo escrita e ensinada. Obras autobiográficas e biográficas, embora produzidas com frequência crescente, enriqueceram o registro de fontes, mas não conceituaram de maneira coerente o passado das mulheres. E, como pôde ser observado com as pioneiras da História das Mulheres do século XX nos Estados Unidos, que tinham um conceito coerente de sua forma e escopo, mesmo seus esforços resultaram apenas em decepção e fracasso. Isso acontecia porque lhes faltava o mesmo que faltava a suas antecessoras na maior parte do tempo: o apoio de um movimento de mulheres forte e viável.

A História mostra que, para as mulheres, o direito de aprender, lecionar e explicar sempre foi fruto de luta política. A estruturação da sociedade – feita de tal modo que as mulheres foram, durante milênios, excluídas da criação de produtos culturais – tem prejudicado mais as mulheres sem dúvida em seus direitos econômicos e políticos do que em qualquer outro fator. Ao contrário dos homens, cujo avanço intelectual daqueles considerados geniais foi apoiado e promovido por instituições, os avanços feitos por mulheres de grande talento, mesmo nos casos em que não foram totalmente frustrados e enterrados sem deixar vestígios, não se traduziram em avanços para todo o sexo. As mulheres, como grupo, fizeram progressos intelectuais e educacionais somente como resultado da luta organizada.

Assim, apesar dos séculos de trabalho pioneiro por parte de mulheres instruídas de pequenos grupos e individualmente, foi somente com o surgimento da segunda onda do movimento moderno das mulheres na década de 1960 que começou a última fase da luta pela História das Mulheres. Então, pela primeira vez na História, a existência de grupos de mulheres muito instruídas situadas estrategicamente em instituições de educação superior coincidiu com a emersão de um dinâmico movimento feminino. Em 1969, quando a recém-formada convenção política de historiadoras, a Coordinating Committee of Women in the Historical Profession [Comissão Coordenadora das Mulheres na Profissão Histórica], foi organizada com o propósito declarado de fazer avançar o *status* das mulheres na profissão e desenvolver o campo da História das Mulheres, os dois propósitos se fundiram.[77] O novo grupo fazia parte de um movimento intelectual para redefinir o conteúdo das grandes áreas do conhecimento de modo a tornar as mulheres tão fundamentais para a definição do campo quanto os homens.

Essa nova movimentação pelos Estudos das Mulheres e a integração de mulheres no currículo conquistou avanços espetaculares nos Estados Unidos e no mundo nos últimos vinte anos. Embora o desenvolvimento seja desigual, por depender da existência de movimentos feministas, é também irreversível. Uma vez que a falácia básica do pensamento patriarcal – a presunção de que metade da humanidade pode representar o todo de maneira adequada – tenha sido exposta e explicada, não há mais volta, assim como ocorreu com o *insight* de que a Terra é redonda, e não plana.

DOZE

CONCLUSÃO

A CONSCIÊNCIA FEMINISTA consiste (1) na compreensão das mulheres de que elas pertencem a um grupo subordinado e que, como parte desse grupo, sofreram injustiças; (2) no reconhecimento de que essa subordinação não é natural, mas determinada pela sociedade; (3) no desenvolvimento de um senso de irmandade; (4) na definição autônoma, por parte das mulheres, de suas metas e estratégias para mudar essa condição; e (5) no desenvolvimento de uma visão alternativa do futuro.

Devido ao modo como as mulheres foram estruturadas dentro de instituições patriarcais, ao longo histórico de privação educacional e da dependência econômica de homens, as mulheres precisaram superar muitos obstáculos antes que pudessem realizar esse processo de tomada de consciência. Como vimos, primeiro elas precisaram superar os sentimentos internalizados de inferioridade mental e espiritual. Para que pudessem tão somente pensar e escrever, precisaram provar a si mesmas, e umas às outras, que eram criaturas iguais perante Deus, que eram capazes de se comunicar com Deus sem mediação masculina e conceituar o Divino do próprio modo. Essa foi a maior contribuição para o pensamento das mulheres dado pela longa linhagem de mulheres místicas cujo trabalho estudamos. Outros grupos de mulheres autorizaram a si mesmas a escrever porque eram mães. Durante séculos, mulheres conceituaram sua coerência de grupo com base na real ou possível experiência da maternidade. O pensamento e a responsabilidade maternas deram a elas um papel especial na sociedade e permitiram que resistissem a certos aspectos do pensamento e da prática patriarcais. A experiência da maternidade como algo que empodera e incorpora conhecimento especializado possibilitou que subvertessem ideias religiosas patriarcais ao insistir em um aspecto feminino do Divino. Isso podia ser manifestado pela atribuição de características femininas a Jesus ou pela elevação da Virgem Maria à quase igualdade com a Trindade. Podia resultar nos vários esforços que observamos pelos quais mulheres reescreveram a história da Redenção para tornar o papel delas essencial. A "glorificação da maternidade" patriarcal, que começou no século XVIII e culminou no século XIX com a glorificação do papel da mulher na esfera doméstica, levou números crescentes de mulheres ao reconhecimento de que sua coletividade precisava ser definida não pelo papel materno, mas pela condição de pessoa. Esse tipo de raciocínio contribuiu para a definição de "irmandade" como entidade coletiva de mulheres.

Por mais de mil anos, mulheres reinterpretaram os textos bíblicos em uma crítica feminista massiva, mas sua marginalização na formação do pensamento religioso e filosófico impediu que essa crítica sequer chamasse a atenção dos homens autodesignados definidores da verdade divina e da revelação. A crítica de mulheres à Bíblia não só não mudou o paradigma patriarcal, mas também falhou em estimular o avanço do pensamento das mulheres em uma direção feminista, pois elas não sabiam que outras antes delas haviam tido essa iniciativa de repensar e revisar. Isso ajudou as mulheres, individualmente, a se legitimarem e, em alguns casos, criarem obras importantes de impacto duradouro. Mas o que precisamos observar é a descontinuidade na história do esforço intelectual feminino. De modo contínuo, geração após geração de Penélopes teceram o tecido desfiado apenas para desfiá-lo de novo.

Um grupo diferente de mulheres se legitimou a pensar e escrever por confiar em seus talentos especiais. A criatividade se tornou o instrumento pelo qual essas mulheres se emanciparam intelectualmente a um patamar no qual podiam pensar em como escapar do patriarcado. Existe um longo histórico dessas mulheres extraordinárias, o qual investigamos neste livro. Suas conquistas individuais são incríveis e inspiram respeito, mas devemos notar que o esforço individual não pôde resultar em um avanço coletivo de consciência. Mulheres de talento existiram. Lutaram com coragem, conquistaram – e foram esquecidas. As que vieram depois tiveram de começar tudo de novo, repetindo o processo.

A compreensão da injustiça, como vimos, é algo que as mulheres desenvolveram ao longo de 1.500 anos fazendo parte da educação e cultura patriarcais. Muitas delas argumentaram e chegaram ao entendimento de que sua condição era determinada pela sociedade. Esse ponto, aliás, foi o principal *insight* proporcionado pelas gerações de críticas feministas da Bíblia. O estágio seguinte de compreensão – a saber, que deveriam se juntar a outras mulheres para reparar as injustiças sofridas – foi muito mais difícil de ser conquistado.

Cruciais para o desenvolvimento da consciência feminista são mudanças na sociedade que permitam a um grande número de mulheres viver em independência econômica. Discutimos antes essas precondições, a maioria delas relacionadas à industrialização, tais como o declínio das taxas de mortalidade infantil e mortalidade materna e o aumento da expectativa de vida. Esses são os desdobramentos que permitem a um grande número de mulheres escolher não ser reprodutoras ou, pelo menos, limitar o número de anos de vida dedicados ao trabalho materno. A consciência feminista completamente desenvolvida depende da precondição de que as mulheres tenham uma alternativa econômica ao casamento para a sobrevivência e que existam grandes grupos de mulheres solteiras autossuficientes. Apenas com tais precondições as mulheres podem conceituar alternativas ao estado patriarcal; apenas com tais precondições elas podem elevar a irmandade a um ideal unificador. Para que as mulheres verificassem a adequação, e até o poder, dos próprios pensamentos, elas precisavam de afirmação cultural, exatamente como os homens. Mulheres místicas e religiosas encontraram essa afirmação em suas comunidades reais ou espirituais. Mulheres seculares tentaram e às vezes conseguiram encontrá-la em agrupamentos ou redes de contatos femininas. A partir do século XVII, elas puderam encontrá-la na resposta de leitoras a seus livros e nas plateias de suas peças.

Mas, enquanto a grande maioria das mulheres e seus filhos dependia economicamente do sustento de um homem, a formação dessas redes de apoio femininas era privilégio de uma pequena minoria de mulheres de classe alta. Todas as posições de poder econômico, legal e político estavam nas mãos de homens, de modo que mesmo as mulheres mais emancipadas intelectualmente, aquelas que esperavam promover mudanças na sociedade, não podiam conceber o processo de outra forma que não com a ajuda de homens poderosos. As mulheres instruídas da Reforma não almejavam mais do que conseguir um diálogo respeitoso com os homens de seus círculos. As de esquerda da Reforma Protestante viam-se, na melhor das hipóteses, como iguais aos homens na redefinição de crença e prática religiosas.

Do século XVII em diante, a principal questão nas quais mulheres religiosas e seculares concentraram seus esforços por igualdade foi a educação. De Astell a Wollstonecraft a Catharine Beecher, as mulheres definiram corretamente a injustiça que sofreram como discriminação educacional e colocaram como objetivo o acesso igualitário. Mas os argumentos que usaram durante muito tempo eram focados em ganhar apoio dos homens, assim, delinearam a questão de um modo ainda baseado em grande medida nas definições de gênero patriarcais. Por serem mães e terem a responsabilidade de educar a juventude, precisavam receber uma educação melhor. Por serem as mães da República, a cidadania delas podia ser mais bem manifestada pela criação de cidadãos [homens] leais, e, para isso, elas mesmas precisavam de uma educação melhor.

Mas, de novo começando no século XVII, a mesma defesa pela educação igualitária para mulheres tomou outra forma, frequentemente oriunda de mulheres que também haviam usado os argumentos iniciais. Bathsua Makin, com o apoio de uma rede de mulheres, fundou escolas para mulheres. Mary Astell defendeu uma instituição segregada por sexo para a educação de mulheres, novamente com o apoio de outras mulheres. Nos Estados Unidos do século XIX, Emma Willard, Mary Lyon e Catharine Beecher, usando os argumentos mais tradicionais pelo direito das mulheres à educação, fundaram instituições educacionais segregadas por sexo. Para isso, criaram redes de contatos de mulheres que logo cresceram e ganharam vida própria. Patrocinadoras e ex-alunas dessas instituições passaram a enxergar o próprio papel na sociedade de outra maneira, e muitas delas formaram o núcleo de ativistas que criaram o movimento pelos direitos da mulher do século XIX. O desenvolvimento dos movimentos britânicos, franceses e alemães pelos direitos da mulher também estava conectado ao crescimento e desenvolvimento da educação das mulheres.

De maneira semelhante à situação nas décadas de 1840 e 1850 nos Estados Unidos, quando os direitos de voto para homens brancos estavam sendo expandidos, as mulheres da Grã-Bretanha peticionaram para que os direitos de voto femininos fossem incluídos na legislação da reforma eleitoral de 1832. As petições foram ignoradas, e as mulheres concentraram as energias em outros canais. Nos anos 1850, elas formaram organizações para pressionar por reformas educacionais, o direito ao divórcio, um Projeto de Lei de Propriedade de Mulheres Casadas (aprovado em 1855) e mais oportunidades de trabalho para mulheres. Desses agrupamentos femininos ativos em reformas *para mulheres*, surgiu a primeira organização pelos direitos da mulher, a National Society for Women's Suffrage [Sociedade Nacional para o Sufrágio Feminino], em 1867.[1]

Na França, as mulheres haviam participado ativamente dos grandes movimentos revolucionários de 1792, 1848 e 1870, formando em cada caso organizações segregadas por sexo que fizeram demandas feministas bem avançadas. Essas organizações duraram pouco e foram ineficazes, sendo destruídas por regimes repressores e uma reação conservadora. O Código Napoleônico, apoiado pela Igreja Católica e promulgado em 1804, classificava mulheres casadas e com filhos, assim como doentes mentais e criminosos, como politicamente incompetentes; restringia os direitos legais e civis das mulheres; tornava mulheres casadas econômica e legalmente dependentes do marido e declarava que elas pertenciam à família, não à vida pública. O Código proibia que mulheres participassem de assembleias políticas ou usassem calças.

Na Revolução de 1848 contra a monarquia, as mulheres tiveram papel ativo. Estabeleceram diversos clubes e jornais feministas, participaram de batalhas revolucionárias e ações de rua, peticionaram o governo provisório pelo voto e até tentaram lançar candidaturas femininas. Mulheres da classe trabalhadora fizeram demandas específicas aos próprios interesses. Mas todos esses esforços foram inúteis. O sufrágio universal masculino, que entrou em vigor em 1848, excluiu mulheres; um projeto de lei de reforma escolar estabelecendo educação primária para meninas colocou essas escolas sob o controle da Igreja Católica. Diversas mulheres que haviam participado da Revolução foram mandadas para a prisão ou o exílio. As organizações feministas definharam após a repressão geral.

Uma sequência de eventos semelhante ocorreu durante e após a Comuna de Paris, em 1871. Sua derrota devastou um minúsculo movimento feminista e as poucas mulheres radicais que haviam participado da comuna. Apenas em 1883 foi formada uma organização feminista, a Société du Suffrage des Femmes [Sociedade do Sufrágio Feminino]. Mulheres francesas não receberam reconhecimento legal como pessoas nem direitos de voto até 1938.[2]

Na Alemanha, a consciência feminista das mulheres foi afetada pelo desenvolvimento do nacionalismo alemão. A jornalista Louise Otto editou um jornal feminista de 1849 a 1850 na Saxônia como resultado de sua frustração com os debates sobre uma constituição para a futura nação unificada. "Em suas deliberações, eles pensam apenas em metade da raça humana, apenas em homens", ela comentou. "Quando eles falam do povo, não incluem as mulheres."[3] Ela e outras mulheres que participaram das Revoluções de 1848 tiveram esse *insight* diversas vezes. Como lutadoras nas barricadas, estavam sujeitas à mesma perseguição e às mesmas sentenças de prisão que os revolucionários homens, mas, quando promoveram um programa para a igualdade total das mulheres, se depararam com indiferença e resistência dos homens.[4] A reação após a derrota da revolução retardou todos os esforços organizacionais. Na maioria dos estados alemães, a legislação promulgada em 1850 proibia mulheres e menores de idade de participar de qualquer assembleia política ou entrar para organizações políticas. Ainda assim, na década de 1850, organizações autônomas de mulheres surgiram em muitas cidades alemãs a partir de organizações de assistência social para vítimas da revolução derrotada. Em Hamburgo, uma organização de mulheres criada para melhorar a discussão entre mulheres protestantes e judias foi bem-sucedida em desenvolver planos para o estabelecimento de uma universidade para mulheres, mas seus esforços, assim como os de outros grupos feministas, sucumbiu à repressão de todas as organizações de base após 1850. Adaptando-se a esse clima de repressão, a Allgemeiner Deutscher Frauenverein [Associação Geral de Mulheres Alemãs], liderada por Louise Otto nas décadas de 1860 e 1870, limitou-se a demandas e táticas conservadoras. A unificação nacional e a constituição do estado alemão em 1870 sob a liderança da Prússia não promoveram a democracia. O nacionalismo, o militarismo e a ênfase mais tradicionalista no papel doméstico das mulheres continuaram incontestados. Apenas em 1902, as mulheres alemãs puderam formar uma grande associação pelo sufrágio feminino.

O que tiramos desse breve resumo é que a participação de mulheres em movimentos revolucionários gerais não fez com que seus direitos e interesses progredissem. Repetidas vezes, seus sacrifícios e contribuições foram apreciados, mas colegas e camaradas homens consideraram essas demandas no máximo marginais e secundárias, não tomando nenhuma atitude em relação a elas. De modo interessante, grupos políticos conservadores sempre consideraram a ameaça do feminismo uma questão central e tornaram a repressão de organizações de mulheres uma característica inevitável e essencial de seus programas políticos. O que também fica claro é a conexão necessária entre o trabalho de mulheres em grupos segregados por sexo sob a própria liderança e o avanço de organizações feministas.

O espaço social segregado por sexo se tornou o terreno no qual mulheres podiam confirmar as próprias ideias e compará-las com o conhecimento e a experiência de outras mulheres. Ali elas também puderam, pela primeira vez na história, testar suas teorias na prática social. Diferentemente de espaços sociais onde mulheres podiam desempenhar papéis de liderança igualitários ou quase, mas nos quais a hegemonia masculina permanecia incontestada – tais como os salões, as comunidades utópicas, os partidos socialista e anarquista –, esses espaços exclusivamente femininos puderam ajudar as mulheres a avançar de uma simples análise da própria condição ao nível de formação de teoria. Ou, em outras palavras, ao nível de oferecer não apenas as próprias definições autônomas de seus objetivos, mas uma visão alternativa de organização da sociedade – uma visão de mundo feminista.

As instituições segregadas por sexo formadas no século XIX nos Estados Unidos, na Inglaterra e no continente europeu foram fruto, de modo geral, da necessidade. Mulheres fundaram instituições acadêmicas para meninas porque a sociedade não oferecia educação adequada para elas. Mulheres formaram associações médicas, hospitais, instituições de ensino de enfermagem para mulheres porque as escolas e instituições dominadas por homens as excluíam. Os primeiros clubes de mulheres da América, tanto de brancas quanto de afro--americanas, foram formados para antagonizar práticas discriminatórias de clubes masculinos. As fundadoras pretendiam apenas corrigir um erro, reparar uma injustiça, ganhar equidade e/ou acesso limitado. Mas o processo de atingir esse objetivo, a resistência que encontraram, o empenho em superar essa resistência, tudo isso acentuou o processo de formação de consciência. Foi essa dinâmica que lhes permitiu desenvolver uma noção de irmandade e formas independentes de cultura, instituições e modos de vida de mulheres.

Um desenvolvimento semelhante ocorreu na assistência social e em organizações religiosas. Nos Estados Unidos, ao longo do século XIX, encontramos mulheres se organizando primeiro para ajudar os outros, depois para ajudar a si mesmas. Em suas lutas sociais, elas vivenciaram resistência a seus esforços por homens e instituições dominadas por homens, desde universidades até o Estado. Foi só quando elas começaram não apenas a pensar em si mesmas como um grupo coeso, mas também a atuar na sociedade como grupo, que o conceito de irmandade pôde ser mais do que um termo retórico.

Ao longo do período histórico, as mulheres foram discriminadas e prejudicadas econômica, política, legal e sexualmente. Dependendo das associações étnicas, de raça e de classe com homens, elas também discriminaram, prejudicaram e exploraram homens e mulheres diferentes delas em razão de raça, classe e religião. Em resumo, enquanto eram vitimadas pelo patriarcado, continuaram a apoiar o sistema e ajudaram a perpetuá-lo. Fizeram isso porque a consciência que tinham da própria situação não pôde ser desenvolvida proporcionalmente ao avanço em outros aspectos da vida delas. Assim, a desvantagem educacional sistemática de mulheres e a definição delas como pessoas "fora da história" foram na verdade o aspecto mais opressivo da condição feminina sob o patriarcado.

Discuti neste livro que a marginalização de mulheres no processo de criação da História atrasou-as em termos intelectuais, impedindo-as por muito mais tempo do que o necessário de desenvolver uma consciência de coletividade na irmandade, não na maternidade. A repetição cruel pela qual as mulheres lutaram individualmente para atingir um nível mais alto de consciência, repetindo um esforço feito inúmeras vezes por outras mulheres em séculos anteriores, não apenas é um símbolo da opressão feminina, mas sua verdadeira manifestação. Assim, mesmo as pensadoras feministas mais avançadas, até e incluindo as do século XX, dialogavam com os "grandes homens" que vieram antes delas e não podiam verificar, testar e melhorar suas ideias dialogando com pensadoras anteriores a elas. Mary Wollstonecraft debateu com Burke e Rousseau, quando debater com Makin, Astell e Margaret Fell poderia ter estimulado seu pensamento e a radicalizado. Emma Goldman defendeu o amor livre e uma nova forma de vida comum em comparação com os modelos de Marx e Bakunin; um diálogo com as feministas owenistas Anna Wheeler e Emma Martin poderia ter redirecionado seu pensamento e a impedido de inventar "soluções" que já haviam se provado inviáveis cinquenta anos antes. Simone de Beauvoir, em um diálogo intenso com Marx, Freud, Sartre e Camus, avançou tanto quanto possível em uma crítica feminista dos valores e instituições patriarcais, quando o pensamento era centrado nos homens. Se tivesse se engajado genuinamente no pensamento de Mary Wollstonecraft, nas obras de Mary Astell, nas feministas *quakers* do início do século XIX, nas revisionistas místicas entre espiritualistas negras e no feminismo de Anna Cooper, sua análise poderia ter sido centrada nas mulheres e, portanto, capaz de projetar alternativas aos conceitos do pensamento patriarcal. Sua afirmação errônea de que "Elas [mulheres] não têm passado, história e religião próprios" não foi apenas um descuido e uma falha, mas uma manifestação das limitações básicas que, durante milênios, restringiram o poder e a efetividade do pensamento feminino.[5]

Seres humanos sempre usaram a história para encontrar sua direção rumo ao futuro: repetir o passado ou se afastar dele. Sem conhecimento da própria história, pensadoras mulheres não tinham o autoconhecimento sobre onde projetar o futuro desejado. Portanto, as mulheres, até muito pouco tempo atrás, não tinham como criar uma teoria social adequada às suas necessidades. A consciência feminista é um pré-requisito para a formulação do tipo de pensamento abstrato necessário para conceituar uma sociedade na qual as diferenças não impliquem dominância.

A hegemonia do pensamento patriarcal na civilização ocidental não ocorre por superioridade em conteúdo, forma e realização em relação a todos os outros pensamentos; ela é construída sobre o silenciamento sistemático de outras vozes. Mulheres de todas as classes, homens de raças ou crenças religiosas diferentes das dominantes, pessoas definidas como desviantes por eles – tudo isso tinha que ser desencorajado, ridicularizado, silenciado. Acima de tudo, essas pessoas precisavam ser impedidas de fazer parte do discurso intelectual. Pensadores patriarcais construíram seu edifício como estadistas patriarcais construíram seus estados: definindo quem ficaria de fora. A definição de quem ficaria de fora em geral sequer era explicitada, pois tê-lo feito teria significado reconhecer que ocorria um processo de exclusão. Aquelas pessoas deixadas de fora eram simplesmente tiradas de vista, marginalizadas da existência. Quando o grande sistema de universidades europeias secularizou a aprendizagem e tornou-a mais amplamente acessível, a própria natureza da universidade foi definida a fim de excluir dela todas as mulheres. No século XIX, por toda a Europa e nos Estados Unidos, categorias profissionais redefiniram seus propósitos, reestruturaram suas organizações, licenciaram e melhoraram seus serviços e aumentaram seu *status* nas sociedades onde operavam. Tudo isso foi embasado na suposição de que mulheres seriam excluídas dessas profissões. Foram quase 150 anos de luta organizada para que as mulheres tornassem essa suposição visível e, ao menos de modo parcial, revertessem-na.

Um padrão igualmente devastador pode ser visto na conexão entre os avanços na democracia política e o retraimento dos direitos políticos e legais das mulheres. Comecei este livro chamando a atenção para essa conexão no caso da pólis democrática da Grécia Antiga e da constituição democrática dos Estados Unidos da América. O padrão fica óbvio quando contemplamos as restrições sobre as liberdades de mulheres nobres como resultado do Renascimento; o aumento da caça às bruxas e da perseguição de hereges combinado ao progresso das mulheres após a Reforma; a reação que resultou em uma legislação misógina após o ativismo de mulheres nas revoluções dos séculos XVIII e XIX, como o Código Napoleônico após a Revolução Francesa, as restrições dos direitos legais de mulheres após as revoluções na Alemanha e na França em 1848; a inclusão da palavra "homem" como qualificação para votar nas constituições "liberalizadas" dos Estados Unidos, Países Baixos e França no século XIX. O padrão muda e começa a rachar no fim do século XIX, como resultado direto do aumento da consciência feminista das mulheres e sua organização combativa. Vale a pena lembrar, mesmo como artefato histórico, porque as conquistas das mulheres como pensadoras e criadoras de ideias não podem ser de fato apreciadas a não ser que conheçamos os obstáculos contra os quais elas tiveram que lutar.

Conclui-se, então, que havia mulheres tão grandiosas quanto os mais grandiosos pensadores e escritores, mas sua significância e obra foram marginalizadas e obscurecidas. Também conclui-se que havia muitas outras de igual potencial que foram silenciadas por completo e permanecem esquecidas na longa marcha adiante da dominância masculina sobre a civilização ocidental. Mais importante, as questões femininas, o ponto de vista da mulher, o paradigma que incluiria a experiência feminina, até pouquíssimo tempo atrás, nunca entravam no discurso comum.

Mas agora o período de hegemonia patriarcal sobre a cultura chegou ao fim. Ainda que na maioria dos lugares do mundo, e até mesmo nas democracias ocidentais, a dominância masculina nas principais instituições culturais persista, a emancipação intelectual de mulheres abalou o sólido monopólio que os homens mantiveram por tanto tempo sobre a teoria e a definição. As mulheres ainda não têm poder sobre instituições, sobre o Estado, sobre a lei. Mas os *insights* teóricos que a erudição feminista moderna já conquistou têm o poder de abalar o paradigma patriarcal. A marginalização, o escárnio, os insultos, o corte de verbas e outros artifícios criados para impedir o processo de redefinição dos conceitos da civilização ocidental vão todos, no longo prazo, ter que chegar ao fim. Eles podem retardar temporariamente o processo de transformação intelectual em curso, mas não podem detê-lo. Como disse Galileu em seu leito de morte, muito tempo depois de o poder da Inquisição tê-lo forçado a renegar suas teorias heréticas: "*E pur si muove*" (No entanto, ela se move).

Mais de 1.300 anos de esforços individuais, decepções e persistência conduziram as mulheres ao momento histórico em que podemos reivindicar a liberdade de nossa mente assim como reivindicamos nosso passado. Os milênios de pré-história feminina acabaram. Estamos no início de uma nova era na história do pensamento da humanidade, conforme reconhecemos que o sexo é irrelevante para o pensamento, que gênero é um construto social e que a mulher, assim como o homem, faz e define a História.

NOTAS

UM   Introdução

1. Uma excelente discussão das inadequações filosóficas do sistema de ideias patriarcal, as quais corroboram meu pensamento, pode ser encontrada em *Transforming Knowledge* (Filadélfia: Temple University Press, 1990).

2. Aristóteles, *Politica* (trad. Benjamin Jowett), citado por W. D. Ross (org.) em *The Works of Aristotle* (Oxford: Clarendon Press, 1921), I, 2, 1254b, 4-6, 12-16.

3. *Ibid.*, 1254b, 24-6; 1255a, 2-5.

4. J. A. Smith e W. D. Ross (trads.), *The Works of Aristotle* (Oxford: Clarendon Press, 1912), "De Generatione Animalium", II, 3, 729a, pp. 26-31.

5. Linda K. Kerber, *Women of the Republic: Intellect and Ideology in Revolutionary America* (Chapel Hill: University of North Carolina Press, 1980); Mary Beth Norton, *Liberty's Daughters: The Revolutionary Experience of American Women,* 1750-1800 (Boston: Little, Brown, 1980).

6. Linda K. Kerber, *Women of the Republic: Intellect and Ideology in Revolutionary America* (Chapel Hill: University of North Carolina Press, 1980), p. 82.

7. L. H. Butterfield *et al.* (orgs.), *The Book of Abigail and John: Sellected Letters of the Adams Family,* 1762-1784 (Cambridge: Harvard University Press, 1975). Primeira citação, Abigail Adams para John Adams, Braintree, 31 de março de 1776, p. 121; segunda citação, John Adams para Abigail Adams, 14 de abril de 1776, p. 123.

8. *Ibid.*

9. O conceito de "consciência feminista" deriva e permeia o conceito de "consciência de classe" como meio de definir a consciência de um grupo sobre sua própria opressão e sua luta contra essa opressão. Uma vez derivado de um panorama conceitual marxista, o conceito assume um modelo de "opressão", o que, no caso de mulheres, não descreve de forma adequada o modo complexo como funcionam em sociedade e estão nela estruturadas. O uso dessa expressão tende a ofuscar o modo como as mulheres são simultaneamente "oprimidas" e podem ser elas mesmas opressoras de outros grupos.

Outra limitação intrínseca da expressão é que ela não se propõe de maneira adequada à definição positiva de valores femininos que eram, para muitas mulheres, implícitos em seu reconhecimento de pertencimento a um grupo com características e interesses distintos. O que chamamos em geral de "cultura das mulheres" era parte de uma consciência feminista, ao menos para algumas mulheres. Espero ser capaz de mostrar a complexidade e riqueza da consciência feminista tal qual se desenvolveu historicamente, bem como discutir seus sentidos específicos para casos específicos. Simplesmente não existe um termo melhor disponível.

10. Para as feministas do século XVII, ver *First Feminists: British Women Writers*, 1578-1799, organizado e com uma introdução de Moira Ferguson, (Bloomington: Indiana University Press, 1985); Hilda Smith, *Reason's Disciples: Seventeenth-Century English Feminists* (Urbana: University of Illinois Press, 1982). Para textos de Cristina de Pisano como precursora do feminismo, ver "Early Feminist Theory and the *Querelle des Femmes*", em *Women, History and Theory*, de Joan Kelly (Chicago: University of Chicago Press, 1984), pp. 65-109.

DOIS   A Desvantagem Educacional das Mulheres

1. O argumento para a emancipação das mulheres encontra-se em *Letters on the Equality of the Sexes and the Condition of Woman; Adressed to Mary Parker, President of the Boston Female Anti-Slavery Society* (Boston: Isaac Knapp, 1838). A citação é da carta escrita por Sarah Grimké para Harriot Hunt, em 31 de dezembro de 1852, Theodore Dwight Weld Collection, William L. Clements Library, University of Michigan, Ann Arbor.

2. Sarah Moore Grimké (Caderno de Anotações), "Education of Women", Weld Papers, Box 21. A frase que inicia com "Se eu tivesse recebido a educação" e que termina com "dos desamparados" aparece nesse fragmento do caderno. É, ainda, citada como trecho do Diário de Sarah Grimké em *The Grimké Sisters: Sarah and Angelina Grimké; The First American Women Advocates of Abolition and Woman's Rights* (Boston: Lee & Shepard, 1885), p. 38. Isso sugere que Sarah Grimké incorporou essa citação do diário anterior ao ensaio sobre educação que tentava escrever nos anos 1850.

3. Minhas generalizações sobre as mulheres da Idade Média foram motivadas por minhas leituras de fontes primárias em outras anotações de rodapé, bem como tais fontes secundárias: Angela M. Lucas, *Women in the Middle Ages: Religion, Marriage and*

Letters (Brighton, Sussex: Harvester Press, 1983); Shulamith Shahar, *Die Frau in Mittelalter* (Königstein: Athenaeum Verlag, 1981); Peter Dronke, *Women Writers of the Middle Ages: A Critical Study of Texts from Perpetua (202) to Marguerite Porète (1310)* (Cambridge: Cambridge University Press, 1984); Douglas Radcliff-Umstead (org.), *The Roles and Images of Women in the Middle Ages and the Renaissance* (Pittsburgh: K&S Enterprises for the Center of Medieval and Renaissance Studies, University of Pittsburgh, 1975); Doris Mary Stenton, *The English Woman in History* (Londres: George Allen & Unwin, 1957); Phyllis H. Stock, *Better Than Rubies: A History of Women's Education* (Nova York: G. P. Putman's Sons, 1978); Patricia H. Labalme (org.), *Beyond Their Sex: Learned Women of the European Past* (Nova York: New York University Press, 1980); Penny Schine Gold, *The Lady and the Virgin: Image, Attitude and Experience in Twelfth-Century France* (Chicago: University of Chicago Press, 1985); Suzanne Fonay Wemple, *Women in Frankish Society: Marriage and the Cloister; 500-900* (Filadélfia: University of Pennsylvania Press, 1985).

4. Jane Tibbetts Schulenburg, "Women's Monastic Communities, 500-1000: Patterns of Expansion and Decline", em *SIGNS: Journal of Women in Culture and Society*, 14, nº 2 (inverno de 1989), pp. 261-92, 266.

5. Suzanne Fonay Wemple, *Women in Frankish Society: Marriage and the Cloister; 500-900* (Filadélfia: University of Pennsylvania Press, 1985), pp. 158-67.

6. *Ibid.*, p. 182.

7. Sr. Mary P. Heinrich, *The Canonesses and Education in the Early Middle Ages* (Washington, D.C.: Catholic University, 1924), pp. 82-3.

8. *Ibid.*, pp. 45, 146.

9. Joan M. Ferrante, "The Education of Women in the Middle Ages in Theory, Fact and Fantasy", citado por Labalme (org.), em *Beyond Their Sex*, pp. 13-4.

10. *Ibid.*, p. 11.

11. William Harrison, Woodward, *Studies in Education During the Age of the Renaissance; 1400-1600* (Cambridge: Cambridge University Press, 1924), p. 207.

12. Ursula Liebertz-Grün, "Höfische Autorinnen von der karolingischen Kulturre-form bis zum Humanismus", citado por Gisela Brinker-Gabler (org.), em *Deutsche Literatur von Frauen*, Erster Band: *Vom Mittelalter bis zum Ende des 18. Jahrhunderts* (Munique: Verlag C. H. Beck, 1988), p. 39. Ver também Susan Groag Bell, "Medieval Women Book Owners: Arbiters of Lay Piety and Ambassadors of Culture", em *SIGNS*, 7, nº 4 (verão de 1982), pp. 742-68.

13. O material sobre mulheres judias está descrito em *Written Out of History: Our Jewish Foremothers* de Sandra Henry e Emily Taitz (Sunnyside, NY: Biblio Press, 1988), pp. 88-101.

14. Em comparação com homens que são considerados "estudados" apenas por sua produtividade extraordinária ou qualidade de pensamento, as mulheres são consideradas "estudadas" apenas por alcançarem níveis máximos de habilidade em assuntos vistos como apropriados para homens, tais como latim, grego, hebraico e conhecimento de literatura antiga. Caso alguém examine com atenção as habilidades pelas quais a maioria das mulheres do Renascimento era exaltada, encontrará apenas um pequeno número que produzia trabalhos originais. Em grande parte, a habilidade de compor um poema em latim ou grego ou de traduzir a partir de línguas antigas era celebrada como um feito impressionante. Isso é conhecido hoje como efeito *poodle*. Tal efeito evidencia a desvantagem educacional de mulheres de forma consideravelmente dramática.

15. Baseio essas informações nos números de mulheres instruídas que pude identificar com base em fontes usadas ao escrever este livro. Incluí qualquer mulher mencionada como "estudada" pelos autores que as citaram, não importando o que consistia de fato esse estudo. Enquanto essas informações são necessariamente impressionistas e provavelmente não tão confiáveis, uma vez que poucos historiadores estudaram o assunto em detalhes, elas ilustram a extensão da desvantagem educacional das mulheres. Não tenho dúvidas de que existia muito mais mulheres do que as identificadas pelos historiadores, porém esse é exatamente o ponto.

   Acho particularmente digno de nota que o fato do progresso das mulheres, citado com frequência como ilustrativo, a saber, a existência das mulheres instruídas do Renascimento, baseia-se nessa evidência superficial. Faz-se extremamente necessária uma história da educação das mulheres que compreenda ao menos a Europa Ocidental, Grã-Bretanha e os Estados Unidos de modo a melhor corroborar o que sabemos hoje, grande parte a partir de evidências negativas.

   Ver Margaret L. King e Albert Rabil, Jr. *Her Immaculate Hand: Selected Work By and About the Women Humanists of Quattrocento Italy* (Binghamton, NY: Medieval e Renaissance Texts and Studies, 1983), pp. 16-25; Roland H. Bainton, *Women of the Reformation in Germany and Italy* (Minneapolis: Augsburg Publishing House, 1971); Roland H. Bainton, *Women of the Reformation in France and England* (Minneapolis: Augsburg Publishing House, 1973); Roland H. Bainton, *Women of the Reformation: From Spain to Scandinavia* (Minneapolis: Augsburg Publishing House, 1977).

16. R. S. Schofield, "The Measurement of Literacy in Pre-industrial England", conforme citado em Jack Goody, *Literacy in Traditional Society* (Cambridge: Cambridge University Press, 1968), pp. 310-25; citado na nota 1, p. 313.

17. Conforme citado em Liebertz-Grün, em Brinker-Gabler (ver nota 12 acima), p. 48.

18. Citação de Eugenius Abel, *Isotae Nogarolae veronensis opera quae supersunt omnia*, 2 vols. (Vienna: *apud Gerold et socios*; Budapest: *apud* Fridericum Kilian, 1886), vol. I, pp. 79-82 (trad. M. King), conforme citado em "Book-Lined Cells: Women and Humanism in the Early Italian Renaissance", de Margaret King, em *Beyond Their Sex*, Labalme (org.), pp. 72-3.

Uma biografia completa sobre Isotta Nogarola pode ser encontrada no "Apêndice" de Margaret L. King, "The Religious Retreat of Isotta Nogarola (1418-1466): Sexism and Its Consequences in the Fifteenth Century", em *SIGNS*, 3, nº 4 (verão de 1978), pp. 807-22, Apêndice, pp. 820-22. Ver também Margaret L. King, "Thwarted Ambitions: Six Learned Women of the Italian Renaissance", em *Soundings: An Interdisciplinary Journal*, 59 (1976), pp. 280-304.

19. Citado por King, em *SIGNS* (1978), p. 809.

20. A única exceção a essa generalização pode ser Olimpia Morata (1526-1555), caso ela não tivesse morrido prematuramente como resultado da privação consequente de guerra. Morata foi casada e feliz com um homem que a apoiava, e produziu um trabalho significativo após seu casamento. Porém, tornou-se protestante e, como tal, se adequou melhor ao grupo de mulheres pensadoras protestantes do que ao grupo de mulheres instruídas do Renascimento.

21. Lowell, Green, "The Education of Women in the Reformation", *in History of Education Quarterly*, 19 (primavera de 1979), pp. 93-116; referência p. 106.

22. Elfrieda, T. Dubois, "The Education of Women in Seventeenth-Century France", em *French Studies*, 32, nº 1 (jan. 1978), pp. 1-19.

23. Conforme citado por A. A. Ward e A. R. Waller (orgs.) em *Cambridge History of English Literature* (Nova York: G. P. Putnam & Sons, 1908), vol. IX, p. 449.

24. Quanto à Irmã Juana, eu obtive as seguintes fontes: Alan S. Trueblood (trad.), *A Sor Juana Anthology* (Cambridge: Harvards University Press, 1988); [Sor Juana Ines de La Cruz], Margaret Sayers Peden (org. e introd.), *A Woman of Genius: The Intellectual Autobiography of Sor Juana Ines de La Cruz* (Salisbury, Conn.: Lime Rock Press, 1982); Octavio Paz, *Sor Juana: or the Traps of Faith*, trad. Margaret Peden (Cambridge Harvard University Press, 1988); Janis L. Pallister, "A Note on Sor Juana de la Cruz), *Women and Literature*, VII, nº 2 (primavera de 1979), pp. 42-6; Marilynn I. Ward, "The Feminist Crisis of Sor Juana Ines de La Cruz, em *International Journal of Women's Studies*, I (1978), pp. 475-81; citação p. 477.

25. Nina M. Scott, "'Se você não faz questão de me atender, tire-me de sua cabeça...': Gender and Authority in Sor Juana Ines de La Cruz", em *Women's Studies International Forum*, II, nº 5 (1988), pp. 429-37; citação pp. 435-36.

A autenticidade dessa carta escrita por irmã Juana a seu confessor, redigida dez anos antes de sua "Resposta à Irmã Philotea", foi aceita pela maioria dos estudiosos sobre irmã Juana, entre eles, Octavio Paz. O artigo antecipa muitos dos argumentos que irmã Juana faz dez anos mais tarde na "Resposta".

26. Conforme citado por Peden, em *A Woman of Genius*, p. 3.

27. Ver Paz, *Sor Juana*, pp. 400-63.

28. Gerard Flynn, "Sor Juana Ines de La Cruz: Mexico's Tenth Muse", em J. R. Brink *Female Scholars: A Tradition of Learned Women Before 1800* (Montreal: Eden Press, Women's Publications, 1980), pp. 119-36.

29. Esta pequena história é traçada a partir de Leslie Stephen, "Elstob, Elizabeth", *Dictionary of National Biography*, Leslie Stephen (org.), 63 vols. (Londres: Smith, Elder, 1889-1900), vol. 17 (1889), pp. 334-35; e a partir de notas biográficas de Ada Wallas, em *Before the Bluestockings* (Londres: Allen & Unwin, 1929), pp. 134-35.

    Para informações sobre Elstob, consultei o seguinte material: George Ballard, *Memoirs of Several Ladies of Great Britain* (Oxford: W. Jackson, 1752); Ruth Perry, "Introduction" em R. Perry (org.), George Ballard, *Memoirs of Several Ladies of Great Britain who have been Celebrated for Their Writings or Skill in the Learned Languages, Arts and Sciences* (Detroit: Wayne State University Press, 1985), pp. 12-48; Myra Reynolds, *The Learned Lady in England, 1650-1760* (Boston: Houghton Mifflin, 1920), pp. 173-85; e "Elizabeth Elstob, the Saxon Nymph", por J. R. Brink (org.), em *Female Scholars*, pp. 137-60.

30. Elizabeth Elstob, *An Anglo-Saxon Homily, on the birth-day of St. Gregory: Anciently used in the English Saxon Church Giving an Account of the Conversion of the English from Paganism to Christianity*. Traduzido para o inglês, com notas etc. (Londres: W. Bowyer, 1709). Também Perry, "Introduction", p. 22.

31. Elstob, *Homily*, Prefácio, conforme citado por Reynolds, em *The Learned Lady in England*, p. 175. Mantida a ortografia do autor.

32. Elizabeth Elstob, *The Rudiments of Grammar for the English-Saxon Tongue, first given in English, with an Apology for the Study of Northern Antiquities* (Londres: W. Bowyer and C. King, 1715).

33. Para discussão adicional sobre o trabalho de Ballard, ver Capítulo 11 a seguir.

34. Conforme citado por Reynolds, em *The Learned Lady in England*, p. 184.

35. Helen Sullivan, "Literacy and Illiteracy", citado por Edwing R. Seligman (org.), em *Encyclopedia of the Social Sciences* (Nova York: Macmillan, 1935), vol. IX, pp. 511-23; referência na p. 513.

    Para informações gerais sobre a alfabetização, eu li: Hilda H. Golden, "Literacy" por David L. Sills (org.), em *International Encyclopedia of the Social Sciences* (Nova York: Macmillan, 1968), vol. IX, pp. 412-17; Jack Goody (org.), *Literacy in Traditional Societies* (Cambridge: Cambridge University Press, 1968); Harvey J. Graff (org.), *Literacy and Social Development in the West* (Cambridge: Cambridge University Press, 1982); Carl M. Cipolla, *Literacy and Development in the West* (Harmondsworth: Penguin Books, 1969); M. T. Clanchy, *From Memory to Written Record: England, 1066-1307* (Cambridge: Harvard University Press, 1979); Lawrence Stone, "Literacy and Education in England, 1640-1900", em *Past & Present*, XLII (fev. 1969), pp. 69-139; D. P. Resnick e L. B. Resnick, "The Nature of Literacy: An Historical Exploration", em *Harvard Educational Review*,

XLVII, nº 3 (ago. 1977), pp. 370-85; Carl F. Kaestle, "The History of Literacy and the History of Readers", por Edmund W. Gordon, em *Review of Research in Education,* XII (Washington, D.C.: American Educational Research Association, 1985).

36. Clanchy, *Written Record,* pp. 175-91; Herbert Grundmann, *"Litteratus-illiteratus:* Der Wandel einer Bildungsnorm vom Altertum zum Mittelalter", em *Archiv für Kulturge-schichte,* volume 40, nº 1, pp. 1-65.

37. Sullivan em Seligman, *Encyclopedia of the Social Sciences,* volume IX, p. 515.

38. O significado de analfabetismo em sociedades predominantemente rurais era, sem dúvida, bem diferente do que em sociedades urbanas e industrializadas posteriormente. Até o século XVIII, uma forte tradição oral continuou lado a lado com uma tradição de alfabetização, e a pessoa comum poderia levar uma vida satisfatória e bem-sucedida sem ser capaz de ler e escrever. Ainda assim, mesmo nessa época, a alfabetização era um pré-requisito para a aquisição de educação superior formal. É por essa razão que a difusão do analfabetismo feminino é um bom indício de discriminação educacional contra mulheres. David Cressy, "The Environment for Literacy: Accomplishment and Context in 17th-Century England and New England", por D. P. Resnick, em *Literacy in Historical Perspective* (Washington, D.C.: Library of Congress, 1983), pp. 23-42.

39. David Cressy, "Levels of Illiteracy in England, 1530-1730", em *The Historical Journal,* 20, nº 1 (1977), pp. 1-24.

40. Rab Houston, "Illiteracy in Scotland, 1630-1760", em *Past & Present,* nº 96 (ago. 1982), pp. 81-102; referência p. 93. Também, do mesmo autor, "Literacy and Society in the West, 1500-1850", em *Social History,* VIII, nº 3 (out. 1983), pp. 269-89.

41. Conforme citação de Margaret Spufford, "First Steps in Literacy: The Reading and Writing Experiences of the Humblest 17th-century Spiritual Autobiographers, em *Journal of Social History,* IV, nº 3 (out. 1979), pp. 407-54. Este estudo ilustra uma das dificuldades metodológicas ao se discutir a alfabetização – por conta de uma maior disponibilidade de tais fontes, a maior parte dos estudos baseia-se na habilidade de executar gestos, o que pode subestimar a capacidade das pessoas de ler. Um autor afirma que evidências do início do século XIX sugerem que 50% a mais de pessoas que tinham capacidade de gesticular podiam ter capacidade básica de leitura. Além disso, que a capacidade de gesticular podia corresponder à habilidade de ler com fluência. Ver R. S. Schofield, "Dimension of Illiteracy, 1750-1850", em *Explorations in Economic History,* X, nº 4, 2ª série (verão de 1973), pp. 437-54; referência p. 40.

42. T. C. Smout, "Born Again at Cambuslang: New Evidence on Popular Religion and Literacy in 18th-Century Scotland, em *Past & Present: A Journal of Historical Studies,* nº 97 (nov. 1982), pp. 114-27; referência p. 127.

43. Sullivan em Seligman, *Encyclopedia of the Social Sciences,* vol. IX, p. 517.

44. Schofield, "Dimensions of Illiteracy, 1750-1850", 437-54, referência pp. 445-47.

45. *Ibid.,* pp. 443-53.

46. Os números são de Sullivan em Seligman, *Encyclopedia of the Social Sciences,* vol. IX, p. 521. Uma vez que se baseiam em um grupo pequeno e jovem, esses números mostram uma taxa de alfabetização consideravelmente maior do que a existente em toda a população.

Os números da Unesco de 1979 mostram uma taxa de analfabetismo geral de 0,2%, o mesmo para homens e mulheres. *Livro de Estatísticas da Unesco de 1986* (Impresso na Bélgica, 1986), pp. 1-27.

47. *Ibid.,* Tabela 1.2, "Illiteracy population 15 years of age and over and percentage of illiteracy, by age group and sex", pp. 1-15 a 1-29.

48. Para informações gerais sobre o desenvolvimento da educação e alfabetização nos Estados Unidos, eu li o seguinte material: Thomas Woody, *History of Women's Education in the United States* (Nova York: Octagon Books, 1966, reimpressão da edição de 1929), 2 vols.; Bernard Bailyn, *Education in the Forming of the American Society* (Chapel Hill: University of North Carolina Press, 1970; reimpressão da edição de 1960); Lawrence A. Cremin, *American Education: The National Experience, 1738-1876* (Nova York: Harper & Row, 1980); Barbara Cross, *The Educated Woman in America* (Nova York: Teachers College Press, 1965); Willystine Goodsell, *The Education of Women: Its Social Background and Its Problems* (Nova York: Macmillan, 1923); Mabel Newcomer, *A Century of Higher Education for American Women* (Washington, D.C.: Zenger Pub., 1976, reimpressão da edição de 1959); Nancy Hoffman, *Women's True Profession* (Nova York: Feminist Press, 1981); Anne Louise Kuhn, *The Mother's Role in Childhood Education: New England Concepts, 1830-1860* (New Haven: Yale University Press, 1947); Barbara Miller Solomon, *In The Company of Educated Women: A History of Women and Higher Education in America* (New Haven: Yale University Press, 1985); U. S. Congress, House Special Subcommittee on Education, *Hearings in Discrimination Against Women* (Washington, D.C.: U.S. Government Printing Office, 1970), 2 vols.; Carl F. Kaestle, *Pillars of the Republic: Common Schools and American Society, 1780-1860* (Nova York: Hill & Wang, 1983); L. Soltow e E. Stevens, *The Rise of the Literacy and the Common School in the United States: A Socio-economic Analysis to 1870* (Chicago: University of Chicago Press, 1981).

49. Kenneth A. Lockridge, *Literacy in Colonial New England: An Enquiry into the Social Context of Literacy in the Early Modern West* (Nova York: W. W. Norton, 1974), p. 128, nº 4, pp. 13, 38-42.

A amostra de mulheres de Lockridge era consideravelmente pequena, representando menos do que 15% do total da amostra. Como foi apontado por muitos especialistas no assunto, em uma época em que as pessoas não eram forçadas a assinar, porém poderiam fazer uma marca, pode ter havido muitos motivos psicológicos (ou outros) para a ausência de assinatura. Mulheres mais velhas, ao fazer seu testamento, mesmo sabendo escrever, poderiam estar impossibilitadas de fazê-lo. Além disso, conforme discutido antes, várias pessoas que faziam marcas em vez de assinar podiam ser capazes de ler.

50. Esses números, sem dúvida alguma, refletem a autosseleção de um grupo de pessoas que assinaram documentos, muito provavelmente provenientes de um grupo de propriedade residencial, e, dessa forma, exclui mulheres mais pobres e empregados. Devemos, portanto, presumir que esses números do estudo de Auwers mostram uma maior taxa de habilidade de assinatura do que aqueles para a população geral.

51. Linda Auwers, "Reading the Marks of the Past: Exploring Female Literacy in Colonial Windson, Connecticut", em *Historical Methods,* XIII (1980), 204-14; números a partir das pp. 204-05.

52. E. Jennifer Monaghan, "Literacy Instruction and Gender in Colonial New England", em *American Quarterly,* 40, nº 1 (mar. 1988), 18-41; citações nas pp. 26, 27.

53. As informações sobre Dedham foram retiradas de Nancy Cott, *The Bonds of Womanhood: "Woman's Sphere" in New England, 1780-1835* (New Haven: Yale University Press, 1977), p. 103, nº 5. As informações sobre outras cidades foram retiradas de Kaestle, *Pillars of the Republic,* p. 28.

54. Linda Kerber, *Women of the Republic: Intellect and Ideology in Revolucionary America* (Chapel Hill: University of North Carolina Press, 1980), cap. 7; Mary Beth Norton, *Liberty's Daughters: The Revolutionary Experience of American Women,* 1750-1800 (Boston: Little Brown, 1980), cap. 9.

55. Keith Melder, "Mask of Oppresion: The Female Seminary Movement in the United States", em *New York History,* LV (jul. 1974), pp. 261-79.

56. Alma Lutz, *Emma Willard: Pioneer Educator of American Women* (Boston: Beacon Press, 1964). Ver também Anne Firor Scott, "What, Then Is the American: This New Woman?" e "The Ever-Widening Circle: The Diffusion of Feminist Values from the Troy Female Seminary, 1822-1872", ambos na obra da mesma autora *Making the Invisible Woman Visible* (Urbana: University of Illinois Press, 1984), pp. 37-88; A. W. Fairbanks (org.), *Mrs. Emma Willard and Her Pupils, or Fifty Years of Troy Female Seminary, 1822-1872* (Nova York, 1898).

57. Mae Harveson, *Catharine Beecher: Pioneer Educator* (Filadélfia: Science Press, 1932); Kathryn Kish Sklar, *Catharine Beecher: A Study in American Domesticity* (New Haven: Yale University Press, 1973); Mary Lyon, *The Power of Christian Benevolence Illustrated in the Life and Labors of Mary Lyon* (Nova York: American Tract Society, 1858). Ver também Eleanor Flexner, *Century of Struggle: The Woman's Rights Movement in the United States* (Cambridge: Belknap Press, 1975, edição revisada de 1959).

58. Mary Beth Norton usa as biografias de *Notable American Women, 1670-1950: A Biographical Dictionary,* org. por Edward James, Janet James e Paul Boyer (Cambridge: Harvard University Press, 1971), para mensurar o impacto da reforma educacional para as mulheres. A porcentagem de mulheres norte-americanas que receberam educação

avançada permaneceu consideravelmente constante em 22% até cerca de 1775, e então decaiu bastante, para 63% daquelas nascidas na década de 1780-1790, estabilizando-se em 74% das nascidas em 1800-1809. Educação avançada, nesse caso, significa nível acadêmico, tanto em escolas como via tutores. O grupo a partir do qual essa generalização é feita, claro, é excepcional, uma vez que representa mulheres de alcance extraordinário, porém o aumento na oportunidade educacional é evidente. Ver Norton, *Liberty's Daughters*, pp. 287-89.

59. L. Soltow e Stevens, *The Rise of Literacy...*, pp. 156, 189.

60. Patricia Albjerg Graham, "Expansion and Exclusion: A History of Women in American Higher Education", em *SIGNS; Journal of Women in Culture and Society*, III, nº 4 (verão de 1978), pp. 759-72; citações das pp. 764-66.

61. Ver E. Wilbur Bock, "'Farmer's Daughter Effect': The Case of the Negro Female Professionals", em *Phylon*, XXX (primavera de 1969), pp.17-26. Bock primeiro observou esse fenômeno e cunhou a expressão "brecha sexual na discriminação racial" para descrevê-lo. Ver Gerda Lerner, "Black Women in the United States", em Lerner, *The Majority Finds Its Past: Placing Women in History* (Nova York: Oxford University Press, 1979), cap. 5.

TRÊS   Autolegitimação

1. Suzanne Fonay Wemple, *Women in Frankish Society: Marriage and the Cloister: 500-900* (Filadélfia: University of Pennsylvania Press, 1985), pp. 19-26, 75-88. A referência à execução da freira Gerberga, ao que parecia acusada falsamente de bruxaria, aparece na p. 95. Wemble chama isso de "o primeiro exemplo conhecido no Oeste Latino de bruxaria sendo usada como argumentação jurídica para a execução de uma mulher".

2. Há considerável quantidade de trabalho acadêmico na literatura sobre esse assunto. Particularmente, me direcionei ao trabalho de Sandra M. Gilbert e Susan Gubar, *The Madwoman in the Attic: The Woman Writer and the Nineteenth-Century Literary Imagination* (New Haven: Yale University Press, 1979); Ellen Moers, *Literary Women* (Garden City, NY: Doubleday, 1976); Elaine Showalter, *A Literature of Their Own* (Princeton: Princeton University Press, 1977); Catharine R. Stimpson, "Ad/d Feminam: Women, Literature, and Society", em *Where the Meanings Are: Feminism and Cultural Spaces* (Nova York: Methuen, 1988), pp. 84-96; Mary G. Mason, "The Other Voice: Autobiographies of Women Writers", em *Autobiography: Essays Theoretical and Critical*, org. por James Olney (Princeton: Princeton University Press, 1980).

3. Conforme citado por Peter Dronke, em *Women Writers of the Middle Ages: A Critical Study of Texts from Perpetua (d. 203) to Marguerite Porète (d. 1310)* (Cambridge: Cambridge University Press, 1984), p. 65. Tr. P. Dronke. Estilo mantido de acordo com Dronke.

4. Conforme citado em *ibid*, pp. 73-4.

5. *Ibid.*, pp. 74.

6. A controvérsia sobre a autenticidade dos escritos médicos de Hildegarda é discutida em Joan Cadden, "It Takes All Kinds: Sexuality and Gender Differences in Hildegard of Bingen's Book of Compound Medicine", em *Traditio,* 40 (1984), pp. 149-74; nota 1, p. 149.

7. J. F. Benton, "A Reconsideration of the Authenticity of the Correspondence of Abelard and Héloïse", em *Trier 1980,* p. 50, e sua refutação em Dronke, *Women Writers,* pp. 108, 140-43.

8. Meg Bogin, *The Women Troubadours* (Scarborough Paddington Press, 1976) é o trabalho mais recente e mais completo sobre o assunto, contendo 23 poemas por *trobairitzes.* Para referência às autorias masculinas, ver Dronke, *Women Writers,* pp. 97-8.

9. Conforme citado e traduzido por Harriet Spiegel, Marie de France, em *Fables* (Toronto: University of Toronto Press, 1987), p. 4.

10. Cristina de Pisano, *L'Avision,* conforme citado por Charity Cannon Willard, em *Christine de Pizan: Her Life and Works* (Nova York: Persea Books, 1984), p. 160.

11. Margaret L. King e Albert Rabil, Jr. (orgs.), *Her Immaculate Hand: Selected Works By and About the Women Humanists of Quattrocento Italy* (Binghamton, NY: Medieval & Renaissance Texts and Studies, 1983), pp. 23-5, 77-86.

12. [Margaret Cavendish, duquesa de Newcastle] *A True Relation of the Birth, Breeding, and Life of Margaret Cevendish written by herself with critical Preface by sir Egerton Brydges, M. P.* (Kent: Johnson and Warwick, 1814), pp. 8-9.

13. *Ibid.*, p. 178.

14. [Sem autor] *Poems by Eminent Ladies...,* vol. 1 (Londres: R. Baldwin, 1755), sem número de páginas.

15. Wolfgang Riehle, *Studien zur englischen Mystik des Mittelalters unter besonderer Berücksichtigung ihrer Metaphorik* (Heidelberg: Carl Winter Universitätsverlag, 1977), p. 52.

16. Conforme citado por Dronke, em *Women Writers,* p. 34.

17. Para informações biográficas, eu me direcionei ao seguinte: Adelgundis Führkötter, *Hildegard von Bingen* (Salzburgo: Otto Müller Verlag, 1972); J. Schmelzeis, *Das Leben und Wirken der heiligen Hildegardis nach den Quellen dargestellt... nebst einem Anhang Hildegardischer Lieder mit ihrem Melodien* (Friburgo, 1879); Walter Pagel, "Hildegard von Bingen", em *Dictionary of Scientific Biography,* edição de Charles Coulston Gillespie (Nova York: Charles Scribner's Sons, 1972), vol. VI, pp. 396-98; Dronke, *Women Writers,* cap. 6. Marianne Schrader, *Die Herkinft der heiligen Hildegard, neu bearbeitet by Adelgundis Führkötter* (Mainz: Selbstverlag d. Gesellschaft für Mittelrrheinische Kirchengeschichte, 1981). Barbara Newman, *Sister of Wisdom: St. Hildegard's Theology of the Feminine* (Berkeley: University of California Press, 1987) é o estudo mais recente e mais definitivo de Hildegarda.

18. Sempre que Hildegarda reforçava suas visões e falhava em conduzir um comando contido em cada uma delas, adoecia gravemente, em geral com um tipo de paralisia de uma parte do corpo. Ela também descreve os estados de cegueira e afasia. Essas doenças desapareciam quando ela obedecia às instruções da voz divina.

19. Führkötter, *Hildegard von Bingen,* pp. 14-5; trad. Gerda Lerner. Também Sarah Roche--Mahdi, "The Sybil of the Rhine" (revisão de Hildegard von Bingen, em *Scivias/Know the Ways,* trad. Bruce Hozeski, em *Women's Review of Books,* 4, nº 2 (nov. 1986), pp. 14-5; trad. Roche-Mahdi).

20. Maria David-Windstosser (org.), *Deutsche Mystiker,* Band V, *Frauenmystik im Mittelalter* (Kempten und München: Verlag Kösleschen Buchhandlung, 1919); Donald Weinstein e Rudolph Bell, *Saints and Society: The Two Worlds of Western Christen dom, 1000-1700* (Chicago: University of Chicago Press, 1982).

21. Essa visão de seu conhecimento é sustentada por um número de autores que escreveu sobre ela e seu trabalho, dentre outras, Barbara Newman, *Sister of Wisdom,* pp. 43-37, e Hans Liebeschütz, *Das allegorische Weltbild der Heiligen Hildegard von Bingen* (Leipzig: Studien der Bibliothek Warburg 16, 1930), pp. 6, 8, 167.

22. Carta, Hildegard de Bingen para Guibert de Gembloux (1175), conforme citado por Katharina Wilson, em *Medieval Women Writers* (Atenas: University of Georgia Press, 1984).

23. Entre 1158 e 1161, ela viajou para Mainz, Würzburg, Bamberg e várias cidades menores, onde foi pregar. Sua segunda turnê como pregadora a trouxe para Trier e Rhineland, em 1160. Uma terceira turnê de pregação em Rhineland (1161-1163) incluiu um sermão público para o clero e uma grande multidão de seguidores em Colônia. Em 1163, ela viajou para Mainz a fim de frequentar a Imperial Diet (*Hoftaf*). Na ocasião, o imperador Frederick Barbarossa emitiu um edital para a proteção de seu convento em Rupertsberg. Sua última turnê de pregação em 1170-1171 levou-a a Rhineland e Swabia.

    Adelgundis Führkötter, O. S. B., *Das Leben der Heiligen Hildegard von Bingen* (Düseldorf: Patmos Verlag, 1968), pp. 132-34. Ver também Bernhard W. Scholz, "Hildegard von Bingen on the Nature of Woman", em *American Benedictine Review,* 31 (1980), pp. 361-83; as informações sobre suas viagens e pregações constam na p. 363.

24. Eu li as seguintes edições de seus trabalhos: *Scivias,* Manuscrito Iluminado, cópia de Rupertsberg Codex, Abbey St. Hildegard, Rüdesheim-Eibingen. Também em Hildegard von Bingen, *Wisse die Wege: Scivias* (Salzburgo: Otto Müller Verlag, 1954); Hildegard von Bingen, *Wisse die Wege: Scivias,* trad. e org. Maura Böckeler (Salzburgo: Otto Müller Verlag, 1954); *Scivias by Hildegard of Bingen,* trad. Bruce Hozeski (Santa Fé, NM: Bear & Co., 1986); Hildegard von Bingen, *Heilkunde,* org. Heinrich Schipperges (Salzburgo: Otto Müller Verlag, 1957); *Hildegard von Bingen: Welt und Mensch, Das Buch De Operatione Dei,* org. Heinrich Schipperges (Salzburgo: Otto Müller Verlag, 1965); *Hildegard von Bingen, Naturkunde: Das Buch von dem innerem Wesen der verschiedenen Naturen in der Schoepfung,* trad. Peter Riethe (Salzburgo: Otto Müller Verlag, 1959);

Peter Riethe, trad., Hildegard von Bingen, *Illuminations of Hildegard von Bingen* com comentários de Matthew Fox (Santa Fé, NM: Bear & Co., 1985); Hildegard von Bingen, *Briefwechsel,* trad. Adelgundis Führkötter (Salzburgo: Otto Müller Verlag, 1965). Ver também M. Schrader e A. Führkötter, *Die Echtheit des Schrifttums der hl. Hildegard von Bingen* (Köln, 1956); Werner Lauter, *Hildegard-Bibliography: Wegweiser zur Hildegard--Literatur* (Alzey: Verlag der Rheinischen Druckwerkstütte, 1970).

25. Führkötter (trad.) [H. Von Bingen] *Briefwechsel;* Bertha Widmer, *Heilsordnung und Zeitgeschehen in the Mystik Hildegards von Bingen* (Basler Beitraege zur Geschichtswissenschaft, Band 52) (Basileia: Verlag von Helbing und Lichtenhahn, 1955), discute a autenticidade das cartas e conclui que, enquanto algumas são cópias feitas por editores posteriores e outras são falsamente assinadas, as respostas para Hildegard são autênticas. Portanto, confirma-se sua grande quantidade de correspondências com pessoas proeminentes.

26. Conforme citado por Dronke, em *Women Writers,* p. 154; trad. Dronke.

27. Conforme citado, *ibid.,* p. 197.

28. *Ibid.,* p. 144.

29. Pagel, "Hildegard of Bingen".

30. Ambas as citações, trechos de *Vita,* conforme citado por Dronke, em *Women Writers,* pp. 150-51.

31. A historiadora Sara Evans discute esse conceito em *Personal Politics: The Roots of Women's Liberation in the Civil Rights Movement and the New Left* (Nova York: Knopt, 1979), pp. 219-20. Ver também minha discussão no Capítulo 10.

32. Dronke, *Women Writers,* pp. 165-67.

33. Ver referência em Hildegard, *Vita Sanctae Hildegardis, autores Godefrido e Teodorico, o Monge,* Lib. II, 19. Faltam-me informações nesse parágrafo quanto à sra. Angela Carvelaris, O. S. B., Abbey St. Hildegard, Rüdesheim-Eibingen, que conduziu um estudo de uma vida sobre os manuscritos de Hildegard. Conversa pessoal de novembro de 1991.

34. Böckeler, *Wisse die Wege,* pp. 15-87, para ilustrações; pp. 390-91, para discussão de fontes. Ver também Fox, *Illuminations, passim.*

35. Heinrich Schipperges, *Heilkunde,* VI, p. 124.

36. Hildegard von Bingen, *Causae et curae,* org. Paul Kaiser (Leipzig, 1903), p. 46, conforme citado por Cadden, em "It takes all kinds...", p. 153.

37. *Ibid.,* pp. 154-55, para um resumo das ideias de Hildegard. Eu li o texto original na tradução para o alemão de Schipperges, *Heilkunde,* VI, pp. 124-27, e XII, 204-09. Nota por comparação à doutrina sexual de Tomas de Aquino na qual a esposa é um mero "adjunto" ao papel principal do homem na procriação. Ela é uma coisa (*res*), uma posse

(*possesio*) e um instrumento (*instrumentum*). O bem-estar da criança depende inteiramente da contribuição física do pai.

38. Heinrich Schipperges, *Heilkunde*, XII, p. 204 (trad. Gerda Lerner).

39. *Scivias*, I, 2. Para uma interpretação semelhante à minha, ver Margaret R. Miles, *Carnal Knowledge: Female Nakedness and Religious Meaning in the Christian West* (Nova York: Vintage Books, 1991), pp. 99-101.

40. Ernest W. McDonnell, *The Beguines and Begherds in Medieval Culture, with Special Emphasis on the Belgian Scene* (New Brunswick: Rutgers University Press, 1954), pp. 575-86. O autor descreve particularmente a Sofia-mística de Heinrich Seuse, Jacob Böhme e Johann George Gichtel. Para uma interpretação feminista mais recente da ideia cultural da mulher virginal, incorporando tanto Sofia quanto Maria, ver Rosemary Radford Ruether, "Misogynism and Virginal Feminism in the Fathers of the Church", em *Religion and Sexism: Images of Woman in the Jewish and Christian Traditions*, org. Rosemary Radford Ruether (Nova York: Simon & Schuster, 1974), pp. 178-79; Rosemary Radford Ruether, *Sexism and God-Talk: Toward a Feminist Theology* (Boston: Beacon Press, 1983), cap. 2; para uma análise definitiva da teologia sapiencial de Hildegarda, ver Newman, *Sister of Wisdom*.

41. Böckeler, *Wisse die Wege*, II, nº 3, p. 160.

42. *Ibid.*, pp. 162-63.

43. *Ibid.*, II, 5ª visão, p. 175 (trad. Gerda Lerner).

44. Newman, *Sister of Wisdom*, pp. 47, 58.

45. *Ibid.*, p. 64.

46. Quanto ao *design*, a semelhança de suas iluminações a *mandalas* e outros símbolos da iconografia oriental é impactante. Uma possível explicação para as origens dessas influências culturais orientais é seu contato com membros das escolas rabínicas em Rhineland. Estudiosos judeus conectados com centros judaicos de aprendizagem do mundo islâmico trouxeram o conhecimento de religiões orientais e até mesmo conceitos e *designs* orientais mais distantes para a Europa. Por meio desses contatos, Hildegard pode ter visto e ouvido sobre esses trabalhos e tradições. Estou devendo essas sugestões à sra. Angela Carlevaris, O. S. B., Abbey St. Hildegard, Rüdesheim-Eibingen. Conversa e correspondência pessoais.

   Para referência às escolas rabínicas em Rhineland, ver Ismas Elbogen e Eleonore Sterling, *Die Geschinchte der Juden in Deutshland* (Frankfurt am Main: Athenaeum Verlag, 1988), p. 24.

47. Para a minha interpretação de seus escritos médicos e científicos, direcionei-me a Dronke, em *Women Writers;* Cadden, "It Takes All Kinds...", pp. 149-74; e Lynn Thorndike, *A History of Magic and Experimental Science I-II: During the First Thirteen Centuries of Our Era* (Nova York: Columbia University Press, 1929), vol. II.

48. Hildegard, *De Operatione Dei*, visão 2; visões 3 e 4 conforme reproduzido em Fox, *Illuminations*, pp. 39, 42, 46. Três séculos depois, Cristina de Pisano aparecerá em uma pose semelhante nas ilustrações de um de seus livros.

QUATRO   O Caminho das Místicas – 1

1. Minhas generalizações sobre o misticismo baseiam-se nas seguintes fontes: Ernst Benz, *Die Vision: Erfahrungensformen und Bilderwelt* (Stuttgart: Ernst Klett, 1969); Walter Holden Capps e Wendy M. Wright, *Silent Fire: An Invitation to Western Mysticism* (Nova York: Harper & Row, 1978); Richard Kieckhefer, *Unquiet Souls: Fourteenth--Century Saints and Their Religious Milieu* (Chicago: University of Chicago Press, 1984); Ernest W. McDonnel, *The Beguines and Begherds in Medieval Culture, with Special Emphasis on the Belgian Scene* (New Brunswick: Rutgers University Press, 1954); Elizabeth Alvilda Petroff, *Medieval Women's Visionary Literature* (Nova York: Oxford University Press, 1986); Wolfgang Riehle, *Studien zur englischen Mystik des Mittelalters unter besonderer Berücksichtigung ihrer Metaphorik* (Heidelberg: Carl Winter Universitätsverlag, 1977); Gershom G. Scholem, *Major Trends in Jewish Mysticism* (1941; Nova York: Schocken Books, 1978); Gordon S. Wakefield, *The Westminster Dictionary of Spirituality* (Filadélfia: Westminster Press, 1983); Donald Weinstein e Rudolph Bell, *Saints and Society: The Two Worlds of Western Chistendom*, 1000-1700 (Chicago: University of Chicago Press, 1982); Maria David Windstösser (org.), *Deutsche Mystiker, Band V: Frauenmystik im Mittelalter* (Verlag Köselschen Buchhandlung, 1919). Ver também John Chapman, O.S.B., "Mysticism", em *Encyclopedia of Religion and Ethics*, James Hastings (org.), 13 vols. (Nova York: Charles Scribner's Sons, 1955-58), vol. IX (1955), pp. 90-101.

2. A primeira citação (Hildegarda) é de Adelgundis Führkötter (trad.) [Hildegard von Bingen] *Briefwechsel* (Salzburgo: Otto Müller Verlag, 1965), Carta "Hildegard an Wibert von Gembloux", pp. 226-28, citação na p. 227. A versão em inglês é de Peter Dronke, *Women Writers of the Middle Ages: A Critical Study of Texts from Perpetua (d. 203) to Marguerite Porète (d. 1310)* (Cambridge: Cambridge University Press, 1984), p. 168. Segunda citação: J. O. Plassmann (org. e trad.), *Die Werke der Hadewych* (Hannover: Orient-Buchhandlung Heinz Lafaire, 1923), Carta 20, pp. 41-2; traduzida do alemão para o inglês por Gerda Lerner. Para uma versão em inglês dessa carta, ver também sr. M. Columba Hart, O. S. B.: "Hadewijch of Brabant", *American Benedictine Review*, vol. 13, nº 1 (1962), pp. 1-24.

3. Dr. Wilhelm Öhl (trad.), *Metchthild von Magdeburg, Das fliessende Licht der Gottheit, Deutsche Mystiker*, Band 2 (Kempten und München: Verlag der Jos. Köselschen Buchhandlund, 1922), p. 87 (trad. Gerda Lerner). Visto também: Gall Morel (org.), *Offenbarungen der Schwester Mechtild of Magdeburg oder Das Fliessende Licht der Gottheit* (Darmstadt: Wissenschaftliche Buchgesellschaft, 1963); e Lucy Menzies (trad.), *The*

Revelations of Mechthild of Magdeburg (1210-1297) or The Flowing Light of the Godhead (Londres: Longmans, Green, 1953).

4. Carta 17 em sr. M. Columba Hart, p. 14.

5. Mechthild, *Licht,* p. 89.

6. Sanford B. Meech e Hope Emily Allen (orgs.), *The Book of Margery Kempe* (Londres: Oxford University Press, 1961), p. 77.

7. Gottfried Arnold, *Unparteyische Kirchen- und Ketzerhistorie, vom Anfang des Neuen Testaments bis auf das jahr Christi 1688* (Frankfurt am Main: T. Fritschens Erben, 1729), vol. 3, pp. 150-57.

8. Para uma mente do século XX, especialmente de inclinação racionalista e materialista, o alcance do misticismo é difícil de compreender e mais ainda de apreciar. A tendência de considerá-lo patológico, psicopático ou fraudulento obstrui a habilidade de qualquer um compreendê-lo com base no próprio tempo e espaço. Descobri ser útil observá-lo por meio de critérios historicamente verificáveis, ou seja, considero merecedores de serem incluídos na narrativa aqueles que tinham a habilidade de fazer, pelo menos alguns de seus contemporâneos, acreditarem na veracidade e adequabilidade de suas visões. Na perspectiva histórica, a factualidade do que reportam não é nem importante nem veri-ficável. O que é importante é o fato de transformarem suas visões em ação pública.

9. Lucy Menzies (trad.), *Flowing Light of the Godhead,* pp. 58-9.

10. *Ibid.,* Quinta Parte: 12, pp. 135-36.

11. Caroline Walker Bynum, *Jesus as Mother: Studies in the Spirituality of the High Middle Ages* (Berkeley: University of Carolina Press, 1982), pp. 247-54; citação p. 250.

12. O tema "não eu, Senhor" é recorrente na história cristã, em particular no que diz res-peito à *vitae* de homens e mulheres místicos. Parece que, antes que os místicos possam aceitar o empoderamento e a responsabilidade dados a eles por suas visões, eles preci-sam de reforço divino de sua capacidade e valor.

13. Sra. Julia A. J. Foote, "A Brand Plucked from the Fire: An Autobiographical Sketch" (Cleveland: impresso para o autor por W. F. Schneider, 1879), por William L. Andrews (org.), em *Sisters of the Spirit: Three Black Women's Autobiographies of the Nineteenth Century* (Bloomington: Indiana University Press, 1986), primeira citação pp. 200-01; segunda pp. 202-3. Todas as referências à história da sra. Foote baseiam-se nessa fonte.

14. Ambas as citações, *ibid.,* p. 209.

15. Weinstein e Bell, *Saints and Society,* p. 220. No século XI, apenas um de doze santos era uma mulher, mas essa proporção aumentou para mais de um em dez no século XII. No século XIII, santas somavam 22% do total (1 em 5), enquanto nos séculos XIV e XV os números aumentaram para 23% e 28% (1 em 4), apesar de o número total de santos no século XV ter decaído para quase a metade.

16. *Ibid.,* pp. 220-21, 229.

17. O movimento das beguinas floresceu nos séculos XII e XIII, especialmente na Europa do Norte. Foi um movimento de mulheres leigas que viviam em comunidades somente de mulheres e praticavam a pobreza, a castidade e trabalho voluntário. Ver o texto, p. 106 ss.

18. Carolyn Walker Bynum, *Holy Feast and Holy Fast: The Religious Significance of Food to Medieval Women* (Berkeley: University of California Press, 1987), p. 83.

19. Minhas generalizações sobre as mulheres em escopos religiosos do século XII baseiam--se nas seguintes fontes: Bynum, *Jesus as Mother;* J. B. Bury (org.), *The Cambridge Medieval History*, 8 vols. (Cambridge: Cambridge University Press, 1924-1936), vol. 6; P. Dinzelbacher e Dieter R. Bauer (orgs.), *Religiöse Frauenbewegung und mystische Frömmigkeit im Mittelalter* (Viena: Böhlau Verlag, 1988); Friedrich Heer, *The Medieval World: Europe, 1100-1350* (Londres: Weidenfeld & Nicolson, 1962), trad. George Weidenfeld and Nicolson, Ltd.; Robert E. Lerner, Standish Meacham, Edward McNall Burns, *Western Civilizations: Their History and Their Culture* (Nova York: W. W. Norton, 1988, 11ª ed.); R. W. Southern, *The Making of the Middle Ages* (New Haven: Yale University Press, 1953); Petroff, *Medieval Women's Visionary Literature;* Eileen Power, *Medieval Women* (Cambridge: Cambridge University Press, 1975); Shulamith Shahar, *Die Frau im Mettelalter* (Königstein: Athenaeum Verlag, 1981).

20. Heer, *The Medieval World*, pp. 43.

21. Adicione a isso o crescimento de ordens femininas. Por volta de 1250, havia mais de quinhentas fundações religiosas femininas apenas na Alemanha. Lionel Rothkrug, "Religious Practices and Collective Perceptions: Hidden Homologies in the Renaissance and Reformation", em *Historical Reflections*, 7, nº 1 (primavera de 1980), pp. 3-264; referências pp. 52, 91-2.

22. Para informações sobre os cátaros, direcionei-me a James Hastings (org.), *Encyclopedia of Religion and Ethics* (Nova York: Charles Scribner's Sons, 1955), vol. 6, pp. 618-22. Também Norman Cohn, *The Pursuit of the Millennium: Revolutionary Millenarians and Mystical Anarchists of the Middle Ages* (Nova York: Oxford University Press, 1957); Dronke, *Women Writers;* Gottfried Koch, *Frauenfrage und Ketzertum im Mittelalter: Die Frauenbewegung im Rahmen des Katharismus und des Waldensertums und ihre sozialen Wurzeln (12-14. Jahhundert)* (Berlim: Akademie-Verlag, 1962); Emmanuel Leroy Ladurie, *Montaillou, the Promised Land of Error* (Nova York: Vintage Books, 1979).

Koch, *Frauenfrage,* cap. 2, traça semelhanças entre a heresia de bogomilianos do século XX e de cátaros. Ele aponta que mulheres bogomilianas eram ativas, tratadas como iguais e até exerciam funções de ministério como diaconisas.

23. Em uma discussão sobre o papel das mulheres entre os cátaros, Richard Abels e Ellen Harrison chegaram à conclusão de que poucas *perfectea* realizavam as funções ministeriais teoricamente abertas a elas. Seu estudo se baseia em uma análise estatística de três manuscritos da Inquisição em Languedoc. Suas descobertas, ao menos nessa amostra, parecem contradizer as generalizações de Koch. Ver Richard Abels e Ellen Harrison,

"The Participation of Women in Languedocian Chatarism", em *Medieval Studies*, XLI (1979), pp. 215-51.

24. Gottfried Koch, *Frauenfrage und Ketzertum im Mittelalter: Die Frauenbewegung im Rahmen des Katharismus und des Waldensertums und ihre sozialen Wurzeln (12.-14. Jahrhundert)*. Akademie-Verlag, 1962, pp. 25, 52.

25. *Ibid.*, pp. 56-7.

26. *Ibid.*, pp. 56, 64-70.

27. *Ibid.*, pp. 22-3.

28. A explicação econômica é aceita por Weinstein e Bell. Carolyn Bynum defende uma explicação que combina motivações religiosas e econômicas. Ver Bynum, *Holy Feast*, pp. 18-22. Por volta de 1250, havia milhares de comunidades beguinas em Rhineland, Bélgica e região de Hansa. Ver Petroff, *Medieval Women's Visionary Literature*, cap. 4.

29. As beguinas foram associadas por seus detratores com a heresia do Espírito Livre, o que as sujeitou à investigação por parte da Inquisição. Ver Robert E. Lerner, *The Heresy of the Free Spirit in the Later Middle Ages* (Berkeley: University of California Press, 1972).

30. Para informações sobre os assuntos místicos discutidos, eu me direcionei às seguintes fontes: Kieckhefer, *Unquiet Souls, passim;* Mircea Eliade (org.), *The Encyclopedia of Religion* (Nova York: Macmillan, 1987), entradas biográficas; Philipp Strauch, *Margaretha Ebner und Heinrich von Nördlingen; Ein Beitrag zur Geschichte der Deutschen Mystik* (Friburgo: Akademische Verlagsbuchhandlung von J. C. B. Mohr, 1882); Margaretha Ebner, *Die Offenbarungen der Margaretha Ebner und der Adelheid Langmann* (trad. para o alemão por Joseph Prestel) (Weimar: Verlag H. Böhlaus Nachfolger, 1939); *Ebner Christine, Der Nonne von Engelthal Büchlein von der Gnaden Überlast*, org. Karl Schröder (Tübingen, 1871); Clarissa W. Atkinson, *The Oldest Vocation: Christian Motherhood in the Middle Ages* (Ithaca: Cornell University Press, 1991).

31. Marguerite Porète, *Le Miroir des simples âmes anienties et qui seulement demourent en vouloir et dèsir d'amour* (aqui referido como *Miroir*). Esse manuscrito está disponível apenas em italiano. Ver R. Guarnieri (org.), "Il 'Miroir des simples âmes' di Margherita Porete", em *Archivio italiano per la storia dela pietà IV* (1965), pp. 501-635. Ver também Petroff, *Medieval Women's Visionary Literature*, Introdução e cap. 7, pp. 276-83.

32. Ambas as citações, Marguerite Porète, conforme citado por Lerner, em *Heresy of the Free Spirit*, p. 77; informações preliminares sobre Porète, pp. 68-78.

33. Marguerite Porète, *Miroir*, conforme citado por Dronke, em *Women Writers*, p. 222.

34. Marguerite Porète, conforme citado por Lerner, em *Heresy of the Free Spirit*, p. 77.

35. Peter Dronke, *Women Writers of the Middle Ages: A Critical Study of Texts from Perpetua (d. 203) to Marguerite Porète (d. 1310)*, p. 217.

36. Ambas as passagens citadas de *Miroir*, conforme citado por Dronke, em *Women Writers*, pp. 224, 227.

37. Ulrich Heid, "Studien zu Marguerite Porète und ihrem 'Miroir des simples âmes'", citado por Dinzelbacher e Bauer (orgs.), em *Religiöse Frauenbewegung*, pp. 185-214; referência às cópias restantes de seu livro, p. 189. Heid diz que nenhum outro texto medieval foi amplamente distribuído na Europa Ocidental.

38. Para uma discussão completa da historiografia de Margery Kempe, ver Clarissa W. Atkinson, *Mystic and Pilgrim: The Book and the World of Margery Kempe* (Ithaca: Cornell University Press, 1983), cap. 7. Ainda preciso me referir a esse trabalho para algumas de minhas interpretações. Também usei a tradução de Meech/Allen da autobiografia de Kempe; ver nota 6 acima.

39. W. Butler-Bowdon (org.), *The Book of Margery Kempe, 1436: A Modern Version* (Londres: Johnathan Cape, 1936), p. 31. Todas as citações subsequentes de Kempe são desse livro.

40. *Ibid.*, pp. 47-8.

41. *Ibid.*, pp. 67-9.

42. *Ibid.*, p. 107.

43. *Ibid.*, p. 108.

44. *Ibid.*, p. 189.

45. Julian de Norwich, conforme citado por Atkinson, em *Mystik and Pilgrim*, p. 124.

CINCO   O Caminho das Místicas – 2

1. Caroline Bynum, "... 'And Woman her Humanity': Female Imagery in the Religious Writings of the Later Middle Ages", citado por Caroline Walker Bynum, Stevan Harrell e Paula Richman (orgs.), em *Gender and Religion: On the Complexity of Symbols* (Boston: Beacon Press, 1986), pp. 250-79. Ver também Caroline Walker Bynum, *Holy Feast and Holy Fast: The Religious Significance of Food to Medieval Women* (Berkeley: University of California Press, 1987), caps. 9 e 10.

   Um exemplo do uso de imagens maternais para Cristo está em Adelheid von Lindau, freira no convento de Töss, que escreveu: "Ah, Santo Senhor, você é meu pai e minha Mãe e minha irmã e meu irmão; ah, Senhor, você é tudo o que eu desejo e sua Mãe é minha amiga de brincadeiras". Conforme citado por Anne Marie Heiler (org. e trad.), em *Mystik deutscher Frauen im Mittelalter* (Berlim: Hochweg-Verlag, 1929), p. 186.

2. Caroline Walker Bynum, *Jesus as Mother: Studies in the Spirituality of the High Middle Ages* (Berkeley: University of California Press, 1982), pp. 147-52; e cap. 4, pp. 110-35. Ver também Eleanor McLaughling, "Women, Power and the Pursuit of Holiness in Medieval Christianity", citado por Rosemary Ruether e Eleanor McLaughling, em *Women of Spirit: Female Leadership in the Jewish and Christian Traditions* (Nova York: Simon & Schuster, 1979), pp. 100-30; Kari Elisabeth Børresen, "God's Image, Man's

Image? Female Metaphors Describing God in the Christian Tradition", em *Temenos, 19* (1983), pp. 17-32.

Conforme discutiremos abaixo, o culto da Virgem Maria desenvolveu-se mais completamente nos séculos XII e XIII, quando o papel das mulheres na Igreja era mais estritamente confinado do que havia sido na Idade Média.

3. *The Works of Hadewych* (trad. J. O. Plassmann) (Hannover: Orient-Buchhandlung Heinz Lafaire, 1923), parte II, pp. 85-7. Traduzido do alemão por Gerda Lerner. Ver também sr. M. Columba Hart, O. S. B. "Hadewijch of Brabant", *American Benectine Review*, 13, nº 1 (1962), pp. 1-24.

4. Caroline Walker Bynum, *Holy Feast and Holy Fast*, pp. 57-69. Ver também "'Christ My Mother': Feminine Naming and Metaphor in Medieval Spirituality", por Eleanor McLaughling, em *Nashota Review*, 15, nº 3 (out. 1975), pp. 228-48.

5. A "teologia do feminino", conforme desenvolvida por Hildegard, é discutida na íntegra por Barbara Newman, em *Sister of Wisdom: St. Hildegard's Teology of the Feminine*, (Berkeley: University of California Press, 1987), esp. cap. 2, citação p. xviii.

6. Edmund Colledge e James Walsh (orgs.), *A Book of Showings to the Anchoress Julian of Norwich* (Toronto: Pontifical Institute of Medieval Studies, 1978), O Texto Longo, cap. 58, Revelação 14, linhas 14-6, 55-9, 62-3, pp. 583-88. Eu usei a tradução para o inglês moderno nessa passagem encontrada em Katharina M. Wilson (org.), *Medieval Women Writers* (Atenas: University of Georgia Press, 1984), pp. 286-87. Também usei o texto de Dom Roger Huddleston (org.), *Revelations of Divine Love Shewed to a devout Ankress, by name Julian of Norwich* (Londres: Burns Oates e Washbourne, 1927).

Ver também James McIlwain, "The 'bodelye syekness' of Julian of Norwich", em *Journal of Medieval History*, 10, nº 3 (set. 1984), pp. 167-80; Kari Elisabeth Børresen, "Christ Notre Mère, La Theologie de Julienne de Norwich", em *Mitteilungen und Forschungsbeiträge der Cusanus-Gesellschaft*, XIII (1978), pp. 320-29.

7. Colledge e Walsh, *A Book of Showings*, cap. 60, Revelação 14, linhas 47-51; 58-9, pp. 598-600. Wilson, *Medieval Women Writers*, p. 289.

8. Luisa Muraro, *Vilemina and Manfreda: Die Geschichte einer feministischen Häresie*, trad. Martina Kemper (Freiburg im Breisgau: Kore, 1987). Esse volume contém o texto do jugamento da Inquisição. Stephen E. Wessley, "The Thirteenth-Century Guglielmites: Salvation Through Women", citado por Derek Baker (org.), em *Medieval Women* (Oxford: Blackwell, 1978). Eu preciso ainda me referir a Kari Børresen para confirmação das fontes e dados adicionais sobre Manfreda.

9. Minhas informações sobre Prous Boneta baseiam-se em comunicações pessoais com Kari Børresen e em William Harold May, "The Confession on Prous Boneta: Heretic and Heresiarch", citado por John H. Mundy, Richard W. Emery, Benjamin N. Nelson (orgs.), em *Essays in Medieval Life and Thought* (Columbia University Press, 1955), pp. 3-10; Petroff, *Medieval Women's Visionary Literature*, pp. 276-77, 284-90.

10. Georg Wolfgang Karl Lochner (org.), *Leben und Gesichte der Christina Ebnerin, Klortefrau zu Engelthal* (Nürenberg: Schmid, 1872), p. 15.

11. O modelo radical de *huiskerk* foi desenvolvido por Anna Maria von Schurman, uma mulher instruída e celebrada na Renascença e que passou as últimas décadas da vida como pietista ativa. As informações sobre mulheres pietistas deriva de Jeannine Blackwell, "Heartfelt Conversations with God: Confessions of German Pietist Women in the 17th and 18th Centuries", de Gisela Brinker-Gabler (org.), em *Deutsche Literatur von Frauen*, Erster Band: *Vom Mittelalter bis zum Ende des 18. Jahrhunderts* (Munique: C. H. Beck Verlag, 1988), pp. 264-89; e em Gottfried Arnold, *Unparteyische Kirchen- und Ketzerhistorie, vom Anfang des Neuen Testaments bis auf das Jahr Christi 1688* (Frankfurt am Main: T. Fritschen's Erben, 1729), vol. 3.

12. Gottfried Arnold, conforme citado por Werner Mahrholz (org.), em *Der Deutsche Pietismus* (Berlin: Furche-Verlag, 1921), p. 78.

13. Arnold, *Unparteyische Kirchen- und Ketzerhistoire*, p. 273.

14. Arnold, conforme citado em Merholz, pp. 80-4.

15. Arnold, *Unparteyische...*, Livro III, pp. 275-76; trad. Gerda Lerner.

16. *Ibid.*, p. 161; trad. Gerda Lerner.

17. *Ibid.*, p. 113.

18. Para Beate Sturm, vide Blackwell, "Heatfelt Conversations...", p. 289.

19. A autobiografia de Johana Eleonora Petersen foi reimpressa em alemão por Marhrholz, em *Der Deutsche Pietismus*, pp. 201-45; citações p. 245; trad. Gerda Lerner. Uma versão resumida em inglês de Jeannine Blackwell e Susanne Zantop, *Bitter Healing; German Women Writers, 1700-1830*, está disponível atualmente; *An Anthology* (Lincoln: University of Nebraska Press, 1990), pp. 51-84. Introdução, bibliografia e tradução por Cornelia Niekus Moore.

20. Quando seu marido foi banido da Alemanha por dez anos e viajou para fora, Erdmuth von Zizendorf lidou com todos os assuntos da comunidade de Herrnhut e fez um trabalho missionário na Dinamarca.

21. Minhas informações sobre esses conflitos de gênero entre pietistas baseiam-se no texto de Richard Critchfield, "Prophetin, Führerin, Organisatorin: Zur Rolle der Frau im Pietismus", organizado por Barbara Becker-Cantarino, em *Die Frau von der Reformation zur Romantik* (Bonn: Bouvier Verlag Herbert Grundmann 1980), pp. 112-37.

22. Mary Dyer e suas companhias desafiaram deliberadamente a lei do estado de Massachusetts proibindo *quakers*, como um "grupo de hereges amaldiçoados", de entrarem na colônia sob pena de morte. Ela se recusou à clemência que a corte havia preparado para ela – caso se mantivesse longe e sob a "proteção" do marido – e foi executada. Tanto na Inglaterra como nos Estados Unidos, a longa tradição *quaker* de liderança

feminina manifestou-se nos recentes movimentos de direitos das mulheres, nos quais as mulheres *quaker* foram representadas em números desproporcionalmente altos.

23. Hester Biddle se dirigiu à cidade de Oxford em um panfleto escrito em primeira pessoa, no qual o "Eu" identificou-a com Deus. *"Woe to thee city of Oxford. [...] repent whilst thou has time, lest I consume thee with fire, as I have done... Remember you are warned in your lifetime, and all left without excuse. Hester Bibble"* ("Ai de ti cidade de Oxford. [...] arrependa-se enquanto tem tempo, para que eu não te consuma com fogo, como fiz [...]. Lembre-se de que você foi avisado em vida, e tudo deixado sem desculpa. Hester Biddle"). Texto da Bíblia, conforme citado por Elaine Hobby, em *Virtue of Necessity: English Women's Writing, 1649-1688* (Ann: University of Michigan, 1992), p. 41.

24. Margaret Fell, *Women's Speaking Justified, Proved and Allowed by Scripture...* (Londres, 1667).

25. *Ibid.*, pp. 5 e 12.

26. As citações são de Edward Deming Andrews, *The People Called Shakers: A Search for the Perfect Society* (Nova York: Oxford University Press, 1953), pp. 8, 10. Sem atribuição de fonte nesse texto.

27. *Ibid.*, p. 11.

28. Calvin Green e Seth Y. Wells (orgs.), *Summary View of the Millenial Church or United Society of Believers, Commonly Called Shakers...* (Albany: C. Van Bentuysen, 1848), pp. 17-8.

29. Ver também Alice Felt Tyler, *Freedom's Ferment: Phases of American Social History from the Colonial Period to the Outbreak of the Civil War* (Nova York: Harper & Brothers, 1944), pp. 140-66; [sem autor], *Testimonies of the Life, Character, Revelations and Doctrines of Mother Ann Lee and the Elders with Her...* (Albany, NY: Weed, Parsons & Co., 1888).

30. Minhas informações sobre Jemima Wilkinson baseiam-se em Tyler, *Freedom's Ferment*, pp. 115-21; Herbert A. Wisbey, Jr., "Jemima Wilkinson", em *Notable American Women* (Cambridge, MA: Belknap Press, 1971), vol. 3, pp. 609-610; Herbert A. Wisbey, Jr., *Pioneer Prophetess: Jemima Wilkinson, the Publick Universal Friend* (Ithaca: Cornell University Press, 1964); Rev. John Quincy Adams, "Jemima Wilkinson, the Universal Friend", em *Journal of American History*, IX, nº 2 (abr.-jul. 1915), pp. 249-63.

31. Para informações sobre Joanna Southcott, eu me direcionei às seguintes fontes: Alice Seymour, *The Express: Life and Divine Writings of Joanna Southcott*, 2 vols. (Londres: Simpkin, Marshall, Hamilton, Kent, 1909); James K. Hopkings, *A Woman to Deliver Her People: Joanna Southcott and English Millenarianism in an Era of Revolution* (Austin: University of Texas Press, 1982); James Hastins (org.), *Encyclopedia of Religion and Ethics*, vol. 11 (Nova York: Scribner's, s.d.), p. 756; registro por W. T. Whitley, "Southcottians". A citação é Southcott, conforme citado em Hopkins, *A Woman to Deliver*, p. xi.

32. Hopkins, *A Woman to Deliver*, pp. 83-4.

33. Southcott em Seymour, *The Express,* vol. 1, p. 231.

34. Southcott em Hopkins, *A Woman to Deliver,* p. 199.

35. [Sojourner Truth] *Narrative of Sojourner Truth, a Northern Slave...* (Boston: impresso para o autor, 1850), pp. 60-70.

36. Frances D. Gage, "Reminiscences; Sojourner Truth", de Elizabeth Cady Staton, Susan B. Anthony, Matilda Joslyn Gage, em *History of Woman Suffrage,* 6 vols. (Nova York: Fowler & Wells, 1881-1922), vol. 1, pp. 115-17; citação p. 116. Eu omiti o esforço feito por Frances Gage para entregar o discurso de Sojourner em dialeto e restaurei a ortografia para o inglês padrão (G. L.).

37. Outra mulher negra palestrante, que se definiu como feminista negra, foi Maria W. Stewart, que palestrou brevemente em Boston nos anos 1830. Sua carreira como palestrante pública durou apenas três anos; ela desistiu devido ao escândalo direcionado a ela bem como à falta de apoio. Seguiu como escritora política e religiosa e, em 1834, publicou um volume de sua coleção. Ver Marilyn Richardson (org.), *Maria W. Stewart, America's First Black Woman Political Writer: Essays and Speeches* (Bloomington: Indiana University Press, 1987).

38. *Ibid.,* vol. 2, pp. 193-94.

39. Sou grata ao professor Nell Irvin Painter por compartilhar comigo o manuscrito de seu trabalho em andamento sobre Sojourner Truth. Uma parte de tal trabalho está no texto de N. Painter, "Sojourner Truth in Feminist Abolitionism: Difference, Slavery and Memory", organizado por Jean Fagan Yellin e John C. Van Horne, em *An Untrodden Path: Antislavery and Women's Political Culture* (Ithaca: Cornell University Press, 1992).

40. Para informações gerais sobre autores autobiográficos relacionados à espiritualidade negra ver: William L. Andrews, *Sisters of the Spirit: Three Black Women's Autobiographies in the Nineteenth Century* (Bloomington: Indiana University Press, 1986); Nellie Y. McKay, "Nineteenth-Century Black Women's Spiritual Autobiographies: Religious Faith and Self-empowerment", Grupo de Narrativas Pessoais, Joy Webster Barbre *et al., Interpreting Women's Lives: Feminist Theory and Personal Narratives* (Bloomington: Indiana University Press, 1989), pp. 139-54; Jean M. Humez, "'My Spirit Eye': Some Functions of Spiritual and Visionary Experience in the Lives of Five Black Women Preachers, 1810-1880", por Barbara J. Harris e JoAnne McNamara (orgs.), em *Women and the Structure of Society* (Durham: Duke University Press, 1984), pp. 129-43.

Ver também Cheryl Townsend Gilkes, "'Together and in Harness': Women's Traditions in the Sanctified Church", por Darlene Clark Hine (org.), em *Black Women in United States History,* 4 vols. (Brooklyn, NY: Carlson Publishing Co., 1990), vol. 2, pp. 377-98. Todas as minhas referências à história de Rebecca e todas as citações derivam de Jean M. Humez, *Gifts of Power: The Writings of Rebecca Jackson, Black Visionary, Shaker Eldress* (s.p.: The University of Massachusetts Press, 1981), pp. 85-8.

41. *Ibid.*

— 369 —

42. *Ibid.;* os sonhos estão nas pp. 99, 100, 119-21.

43. *Ibid.*, pp. 107-08.

44. *Ibid.*, p. 145.

45. *Ibid.*, pp. 21-2.

46. *Ibid.*, p. 203.

47. *Ibid.*, pp. 174-75.

48. *Ibid.*, pp. 29-37, 39-41.

49. Minhas generalizações sobre mulheres judias baseiam-se nas seguintes fontes: Charlotte Baum, Paula Hyman e Sonya Michel, *The Jewish Woman in America* (Nova York: Dial Press, 1976); Jacob R. Marcus, *The American Jewish Woman: A Documentary History* (Nova York: Ktec Publ. Co., 1981); Sondra Henry e Emily Taitz, *Written Out of History; Our Jewish Foremothers* (Fresh Meadows, NY: Biblio Press, 1983); Chava Weissler, "Women in Paradise", Tikkun, II, nº 2 (abr.-maio 1987), pp. 43-6, 117-20.

    Ver também Isidore Singer (org.), *The Jewish Encyclopeda,* 12 vols. (Nova York: Funk & Wagnalls, 1901); Geoffrey Wigoder (org.), *The New Standard Jewish Encyclopedia* (Nova York: Doubleday, 1977); Aviva Cantor, *The Jewish Woman: 1900-1980: Bibliography* (Fresh Meadows, NY: Biblio Press, 1981).

50. Chava Weissler, "The Traditional Piety of Ashkenazic Women", por Arthur Green (org.), em *Jewish Spirituality: From the Sixteenth-Century Revival to the Present; An Encyclopedic History of the Religious Quest* (Nova York: Crossroads, 1987), vol. 14, pp. 245-75; referência pp. 255-56.

51. *Ibid.*, p. 256.

52. Chava Weissler, "Images of the Matriarchs in Yiddish Suppplicatory Prayers", em *Bulletin of the Center for the Study of World Religions*, Harvard University, 14, nº 1 (1988), 44-51.

53. *Ibid.;* referência a Serel, pp. 47-50.

54. As referências à oração de Horowitz baseiam-se em um manuscrito da professora Chava Weissler em minha posse. Estou em grande débito para com a professora Weissler por compartilhar seu trabalho em andamento comigo, especialmente o capítulo dedicado a Lea Horowitz. Sua análise e sua comparação cuidadosas das três partes da oração de Horowitz influenciaram minha interpretação. Citada com permissão. Ver também Weissler, "Images of Matriarchs", pp. 45-6.

55. "Kabbalah", Wigoder (org.), *The New Standard Jewish Encyclopedia,* pp. 1093-098.

56. Gershom G. Scholem, *Major Trends in Jewish Mysticism* (Nova York: Schocken Books, 1941); ambas as citações pp. 37-8.

57. Henry e Taitz, *Written Out of History,* p. 253.

58. Ambos os exemplos citados em Henry M. Rabinowicz, *The World of Judaism* (Londres: Vallentine, Mitchel & Co, 1970), pp. 205-06.

59. Ada Rapoport-Albert, "On Women in Hasidism: S. A. Horodecky and the Maid of Ludomir Tradition", por Ada Rapoport-Albert e Steven J. Zipperstein (orgs.), em *Jewish History: Essays in Honour of Chimen Abramsky* (Londres: Peter Halban, 1988), p. 518, nota 10.

60. Henry e Taitz, *Written Out of History*, pp. 182-83; Ada Rapoport-Albert, em *Jewish History*, p. 503. Horodecky alegava que mulheres gostavam da posição de relativa igualdade no Chassidismo, mas Rapoport-Albert contesta tal ideia. Ela faz distinção entre influência informal, que essas mulheres tinham por meio de homens distintos aos quais se associavam, e liderança e poder reais. Ela também afirma que a maior parte das fontes com relação às mulheres *tsaddiks* são informações apócrifas dadas por terceiros.

61. Todas as três citações são do Diário de Marian Louise Moore. MSS em Western Reserve Historical Society, Cleveland, Ohio.

SEIS   Legitimação por Meio da Maternidade

1. O conceito de maternidade está historicamente conectado ao conceito de infância. Philippe Aries, em seu grande trabalho *Centuries of Childhood: A Social History of Family Life* (Nova York: Random House, 1962), discute que a infância não veio a ser considerada uma categoria separada até o século XVII.

   Para uma discussão de mulheres religiosas que abandonaram seus filhos, ver Clarissa W. Atkinson, *The Oldest Vocation: Christian Motherhood in the Middle Ages* (Ithaca: Cornell University Press, 1991), cap. 5.

   Para uma discussão de atitudes rumo à ideologia da amamentação, ver Ruth Perry, "Colonizing the Breast: Sexuality and Maternity in Eighteenth Century England", em *Journal of the History of Sexuality*, 2, nº 2 (1991), pp. 204-34; Dorothy McLaren, "Marital Fertility and Lactation, 1570-1720", por Mary Prior (org.), em *Women in English Society, 1500-1800* (Londres: Methuen, 1985), pp. 22-53.

2. Ver Adrienne Rich, *Of Woman Born: Motherhood as Experience and Institution* (Nova York: W. W. Norton, 1976).

3. A sugestão de que isso ocorreu devido ao envolvimento de Bernard com outra mulher é feita por Atkinson, *The Oldest Vocation*, p. 96.

4. Peter Dronke, *Women Writers of the Middle Ages: A Critical Study of Texts from Perpetua (d. 203) to Marguerite Porète (d. 1310)* (Cambridge: Cambridge University Press, 1984), conforme citado na p. 40.

5. *Ibid.*, p. 42.

6. Friedrich Maurer (org.), *Die Dichtungen der Frau Ava* (Tübingen: Max Niemyer Verlag, 1966). Ver também Edgar Papp, "Ava", por Wolfgang Stammler *et al.*, em *Die deutsche Literatur des Mittelalters: Verfasserlexikon,* vol. 1 (Berlim: Walter de Gruyter, 1978), pp. 560-65.

7. A obra de Cristina de Pisano será discutida na íntegra no Capítulo 7.

8. Christine de Pisan, *Les Enseignments moraux, str. 47,* por M. Roy (org.), em *Oeuvres poètiques de Christine de Pisan* (Paris: Soc. Anc. Textes (Paris), 33, 1886), vol. III, p. 34.

9. Ver David Herlihy, "Life Expectancies for Women in the Medieval Society", por Rosemarie Three Morewedge (org.), em *The Role of Woman in the Middle Ages* (Albany: State University of New York Press, 1975), pp. 1-22, referência p. 5.

   Dentre os germânicos, o *wergeld*, dinheiro a ser pago no caso de morte, para uma serva era três vezes o de uma mulher comum. *Ibid.,* p. 7, Suzanne Wemple relata que, em geral, o *wergeld* para mulheres era duas vezes o de homens na mesma classe social. Ver Suzanne Fonay Wemple, *Women in Frankish Society: Marriage and the Cloister, 500 to 900* (Filadélfia: University of Pennsylvania Press, 1985), p. 70.

10. As linhas de distinção entre escravos, servos e camponeses livres variam de acordo com o tempo e o espaço, e nem sempre podem ser precisamente definidas. Porém, as obrigações devidas ao senhor feudal eram, em geral, as mesmas para todos os membros da classe comum. Escravos eram posse física; servos eram mantidos anexos às terras e camponeses, enquanto fisicamente livres, eram mantidos na terra por obrigações contratuais.

11. Em muitos países, o direito da primeira noite do senhor – o privilégio de dormir com a noiva de seus servos na noite de seu casamento – foi reconhecido por lei e padrões no século XIX. Ver Bonnie S. Anderson e Judith P. Zinsser, *A History of Their Own: Women in Europe from Prehistory to the Present,* 2 vols. (Nova York: Harper & Row, 1988), vol. I, pp. 120-21.

12. Para uma descrição completa da vida de mulheres medievais, ver Wemple, *Women in Frankish Society,* caps. 2 e 3.

13. Mulheres na Europa medieval e na Renascença viviam em constante guerra, o que, para elas, significava não apenas possível perda de seus maridos, mas também estupro e roubo por exércitos invasores. Mesmo freiras enclausuradas foram ameaçadas e sujeitas a estupros. Ver Jane Schulenburg, "The Heroics of Virginity: Brides of Christ and Sacrificial Mutilation", por Mary Beth Rose (org.), em *Women in the Middle Ages and the Renaissance: Literary and Historical Perspectives* (Syracuse: Syracuse University Press, 1988), pp. 29-72, *passim.*

14. Minhas generalizações sobre mulheres camponesas baseiam-se amplamente no excelente tratamento do assunto por Anderson e Zinsser em *A History of Their Own,* vol. I, seção II. Uma das melhores maneiras de exercitar o controle de natalidade era

postergar a idade do casamento; os números de mulheres solteiras variavam consideravelmente em diferentes períodos e locais.

15. Herlihy, "Life Expectancies...", p. 13. O autor é cuidadoso ao mencionar esses números como "cálculo bruto". Cálculos mais precisos não se encontram disponíveis, porém, para nossos propósitos, segue aqui uma pequena troca de proporções homem-mulher implicada por esses números e a baixa expectativa de ambos os gêneros, em comparação ao mundo moderno.

16. E. A. Wrigley, *Population and History* (Nova York: McGraw-Hill, 1973). Ver também Anderson e Zinsser, *A History of Their Own,* vol. I, p. 111.

17. Uma maneira de controlar a natalidade foi a amamentação, que pode de alguma forma ter inibido a concepção. Dorothy McLaren pensa que essa é uma das razões pelas quais mulheres pobres engravidaram menos do que mulheres ricas. McLaren, "Marital Fertility and Lactation".

18. Dados demográficos basearam-se em *A History of Their Own,* de Anderson e Zinsser, vol. I, pp. 134-40.

19. Stephan Beissel, *Geschicte der Verehrung Marias in Deutschland während des Mittelalters, Ein Beitrag zur Religion, Wissenschaft und Kunstgeschichte* (Freiburg im Breisgau: Herder, 1909), pp. 46-52, 151.

20. Pamela Berger, *The Goddess Obscured: Transformation of the Grain Protectress from Goddess to Saint* (Boston: Beacon Press, 1985) documenta essa transição. A referência à conta de Gregory of Tours, pp. 33-4; a referência ao milagre do grão, pp. 90-6.

21. Referências a Hrosvitha, p. 93-5; citação de Rosvith, p. 93 (trad. Gerda Lerner). Ver também A. Phillips, *Eve: The History of an Idea* (Nova York: Harper & Row, 1984).

22. Iraneus, conforme citado *ibid.,* p. 133.

23. Jerome, "Letter 22 to Eustochium", por Charles C. Mierow (trad.), em *The Letters of St. Jerome* (Westminster, Md.: Newman Press, 1963), vol. I, p. 154.

24. Ver Atkinson, *Oldest Vocation,* p. 124; e Barbara Newman, *Sister of Wisdom: St. Hildegard's Theology of the Feminine* (Berkeley: University of California Press, 1987), cap. 5.

25. Penny Schine Gold, *The Lady and the Virgin: Image, Attitude and Experience in 12th-Century France* (Chicago: University of Chicago Press, 1985), pp. 45-55.

26. Minha discussão do desenvolvimento do culto de Mary baseia-se em Geoffrey Ashe, *The Virgin* (Londres: Routledge & Kegan Paul, 1976); Marina Warner, *Alone of All Her Sex: The Myth and the Cult of the Virgin Mary* (Nova York: Vintage Books, 1983); Ann Matter, "Mary: A Goddess?", por Carl Olson (org.), em *The Book of the Goddess, Past and Present: An Introduction to Her Religion* (Nova York: Crossroad Publ. Co., 1985), pp. 80-96; citação p. 86; e Phillips, *Eve*. Ver também Atkison, *The Oldest Vocation,* cap. 4.

27. A anedota sobre Chartres e o Véu da Virgem Maria aparece em Matter, "Mary", p. 86.

28. Warner, *Alone of All Her Sex*, p. 276.

29. *Ibid.*, p. 280.

30. Marina Warner resumiu essas práticas e tradições relacionadas a Maria: "Existe, portanto, uma contradição no centro da imagem da virgem imaculadamente concebida porque [...] ela é, no exato momento de seu mais completo triunfo sobre a carnalidade, uma deusa da fertilidade humana e da vegetação". *Ibid.*, p. 269.

31. *Ibid.*, p. 262. A realeza de Maria foi glorificada nos hinos populares do século XII "Regina Coeli" e "Salve Regina", que expressam o seu triunfo sobre o mal humano por meio de sua virgindade. O papa Pio XIII oficialmente proclamou-a Rainha dos Céus em 1954.

32. Warner, *Alone of All Her Sex*, p. 304.

33. Atkinson, *The Oldest Vocation*, pp. 137-40.

34. Em 1235, um moinho em Fulda pegou fogo, matando duas crianças que ficaram presas lá dentro. Um grupo de Cruzados na cidade fez circular a história de que judeus haviam matado as crianças para coletar seu sangue para uso medicinal. No consequente massacre, 32 homens e mulheres judeus foram mortos. Ver Ismar Elbogen e Leonore Sterling, *Die Geschichte der Juden in Deutschland* (Frankfurt am Main: Athenaeum Verlag, 1988), p. 39.

35. Lionel Rothkrug, "Religious Practices and Collective Perceptions: Hidden Homologies in the Renaissance and Reformation", *Historical Reflections*, 7, nº 1 (primavera, 1980), 3-263; referência a *"bleeding host"*, pp. 85-91.

36. Warner, *Alone of All Her Sex*, pp. 305, 314.

37. De acordo com a doutrina da Igreja, o termo "Imaculada Conceição" se refere à concepção da Virgem Maria por sua mãe. Promulgou-se como dogma pelo papa Pio IX em 1854. Essa doutrina levou um longo tempo para se desenvolver e foi assunto de muita controvérsia. Ver S. G. F. Brandon, "Mary", por Richard Cavendish (org.), em *Man, Myth and Magic. The Illustrated Encyclopedia of Mythology, Religion and the Unknown* (Nova York: Marshall Cavendish, 1985), vol. VII, pp. 1747-52.

Duns Scotus (d. 1308) discutia que Maria foi preservada do pecado no momento da sua concepção e que, então, foi salva como todos os seres humanos através de Cristo. A batalha doutrinal entre franciscanos, que acreditavam nessa interpretação, e os dominicanos que, seguindo Santo Agostinho, acreditavam que Maria foi humana e concebeu em pecado, de fato ajudou a promover o culto a Maria. Os dominicanos introduziram e espalharam a organização de Confrarias do Rosário, organizações de leigos, predominantemente mulheres, que regularmente recitavam o rosário para receber a remissão de pecados. Ao menos um historiador discutiu que o esforço dominicano foi organizado para "controlar a vida religiosa da mulher e destruir formas não supervisionadas de piedade leiga organizada". Ver Rothkrug, "Religious Practices", p. 82.

O fato de o principal responsável por promover a Confraria do Rosário na Alemanha ter sido o dominicano Jacob Sprenger, autor do misoginista *Maleus Maleficarum,* publicado em 1486, corrobora essa interpretação.

38. C. P. Ceroke, "Mary, Blessed Virgin, I", em [Catholic University] *New Catholic Encyclopedia* (Nova York: McGraw-Hill, 1967), vol. 9, pp. 335-47.

39. Constantia Munda, "The Worming of a Mad Dogge..." (Londres: Lawrence Hayes, 1617). Eu usei o texto reimpresso de Katherine Usher Henderson e Barbara F. McManus, *Half Humankind: Contexts and Texts of the Controversy About Women in England, 1540-1640* (Urbana: University of Illinois Press, 1985), pp. 244-63.

40. Barbara Becker-Cantarino (org.), *Anna Ovena Hoyers, Geistliche und Weltliche Poemata* (Tübingen: Niemeyer, 1986; reimpressão de Amsterdam: Elsevier, 1650), p. 245 (trad. Gerda Lerner).

41. *Ibid.,* pp. 216-19.

42. Ela segue o tradicional formulário de pergunta e resposta do catecismo, um diálogo entre um ministro e uma criança, mas substitui a mãe pelo ministro.

43. Becker-Cantarino, *Anna Hoyers,* pp. 3-39.

44. *The Memoirs of Glückel of Hameln,* trad. por Marvin Lowenthal (Nova York: Schoken Books, 1932; reimpressão da ed. de 1932, publicado por Harper). O livro, escrito em 1690-1691, só foi publicado em 1896, quando apareceu em iídiche em Frankfurt am Main, editado a partir de uma cópia manuscrita de David Kaufmann.

45. *Ibid.,* p. 36.

46. *Ibid.,* p. 38.

47. Ver acima, Capítulo 3, nota 12.

48. Conforme citado em *Poems by Eminent Ladies...,* vol. 1 (Londres: R. Balwin, 1755), pp. 22-5.

49. Gisela Brinker-Gabler (org.), *Deutsche Dichterinnen vom 16. Jahrhundert bis zur Gegenwart* (Frankfurt am Main: Fischer Taschenbuch, 1978), pp. 104-05 (trad. Gerda Lerner).

50. Historiadores ofereceram interpretações divergentes das causas e efeitos dessas tendências. Para algumas visões representativas, ver Lawrence Stone, *The Family, Sex and Marriage in England: 1500-1800* (Nova York: Harper & Row, 1977); Carl Degler, *At Odds: Women and the Family in America: 1776 to the Present* (Nova York: Oxford University Press, 1980); Perry, "Colonizing the Breast..."; Anna Davin, "Imperialism and Motherhood", *History Workshop,* nº 5 (1978), pp. 9-65.

51. Mary Wollstonecraft, *A Vindication of the Rights of Woman with Strictures on Political and Moral Subjects* (1792; reimpresso em Nova York: Garland, 1974), p. 51.

52. *Ibid.,* p. 254.

53. Citação de Mary Wollstonecraft, *Mary: A Fiction,* reimpressão da edição de 1788 (Nova York: Scoken Books, 1977), p. 111. Fui influenciada em minha interpretação da ficção de Wollstonecraft pela dissertação de mestrado não publicada de Kathleen Brown, Universidade de Wisconsin-Madison.

SETE   Mil Anos de Crítica Bíblica Feminista

1. Madrid, Escorial MS, a II 9, f. 90 v., conforme citado por Joyce E. Salisbury, em "Fruitful in Singleness", no *Journal of Medieval History*, 8, nº 2 (jun. 1982), 97-106, p. 102.

2. Helmust Koester, *Einführung in das Neue Testament im Rahmen der Religions-geschichte und Kulturgeschichte der hellenistischen und römischen Zeit* (Berlim: Walter de Gruyter, 1980), pp. 485-89.

   Para uma ampla discussão sobre as questões de atribuição e interpretação dos escritos de Paulo, ver Wm. O. Walker, Jr., "The 'Theology of Woman's Place' and the 'Paulinist' Tradition", em *Semeia: An Experimental Journal for Biblical Criticism,* 28 (1983), pp. 101-12. A maioria dos estudiosos concorda que Paulo escreveu apenas oito das cartas creditadas a ele, e que não escreveu Timóteo 1 e 2 ou Tito.

3. Tertuliano, *De Cultu Feminarum,* I, 1, conforme citado em Rosemary Radford Ruether, "Misogynism and Virginal Feminism in the Fathers of the Church", por R. R. Ruether (org.), em *Religions and Sexism: Images of Women in the Jewish and Christian Traditions* (Nova York: Simon & Schuster, 1974), pp. 150-83; citação p. 157.

4. Ambrose, "Paradise", 6.34, em *Fathers of the Church, 312,* conforme citado em Margaret R. Miles, *Carnal Knowing: Female Nakedness and Religious Meaning in the Christian West* (Nova York: Vintage Books, 1991), p. 91.

5. Santo Agostinho, "The Literal Meaning of Genesis 11.37", em *Ancient Christian Writers,* 42, 171, conforme citado por Miles, em *Carnal Knowing,* p. 96.

6. Agostinho, *De Trinitate,* 12.7.10 (PL 42.1003), conforme citado na p. 202. Em Maryanne Cline Horowitz, "The Image of God in Man – Is Woman Included?", em *Harvard Theological Review,* 72, nº 3-4 (jul.-out. 1979), pp. 175-206.

7. A interpretação de que as visões de Santo Agostinho eram androcêntricas e contribuíram para as interpretações misóginas da Igreja é mantida por, dentre outros, Ruether, "Misogynism". Horowitz, "The Image of God in Man", discute fortemente a leitura alegórica do texto e afirma que "A noção de que a mulher não foi feita à imagem de Deus" era uma visão rara tanto nas tradições judaicas quanto nas cristãs" (p. 204).

8. Tomás de Aquino, *Summa Theologica*, 3ª, qu. 31, art. 4. Sou grato à professora Nancy Isenberg por me indicar essa citação.

9. Minha síntese foi influenciada pela leitura das seguintes fontes secundárias: John A. Phillips, *Eve: The History of an Idea* (San Francisco: Harper & Row, 1984); Phyllis Bird,

"Images of Women in the Old Testament", por Ruether (org.), em *Religion and Sexism,* pp. 41-88; Bernard P. Prusak, "Woman: Seductive Siren and Source of Sin?", *ibid.,* pp. 89-116; Ruether, "Misogynism", *ibid.,* pp. 150-83; Eleanor Commo McLaughlin, "Equality of Souls, Inequality of Sexes: Woman in Medieval Theology", *ibid.,* pp. 213-66; Ian Maclean, *Woman Triumphant: Feminism in French Literature: 1610-1652* (Oxford: Clarendon Press, 1977), cap. 1; Elaine Pagels, *Adam and Eve and the Serpent* (Nova York: Random House, 1988). Para uma interpretação inovadora da passagem de Gênesis da Criação e Queda com base em uma tradução moderna do texto hebraico antigo, ver Carol Meyers, *Discovering Eve: Ancient Israelite Women in Context* (Nova York: Oxford University Press, 1988). Meyers acredita que todas as interpretações misóginas de Eva são de origem cristã.

10. Conforme citado em David Greene e Frank O'Connor (orgs. e trads.), *A Golden Treasury of Irish Poetry: 600-1200* (Londres: Macmillan 1967), p. 158.

11. Hildegarda de Bingen, *De Operatione Dei,* I. 4. 100 PL 197:885 bc, conforme citado por Barbara Newman, em *Sister of Wisdom: St. Hildegard's Theology of the Feminine* (Berkeley: University of California Press, 1987), p. 96.

12. Ver Hildegarda, *Causae et Curae,* 136, conforme citado por Newman, em *Sister of Wisdom,* p. 98.

13. *Ibid.*

14. Joan Cadden, "It Takes All Kinds: Sexuality and Gender Differences in Hildegard of Bingen's 'Book of Compound Medicine'", em *Traditio, 40* (1984), pp. 149-74, citação pp. 154-55.

15. Para informações sobre Cristina de Pisano, ver Charity Cannon Willard, *Christine de Pizan: Her Life and Works* (Nova York: Persea Books, 1984); Susan Groag Bell, "Christine de Pizan (1364-1430): Humanism and the Problem of a Studious Woman", em *Feminist Studies,* III, nº 3/4 (primavera/verão, 1976), pp. 173-84; Astrik L. Gabriel, "The Educational Ideas of Christine de Pisan", em *Journal of the History of Ideas,* XIII, nº 1 (jan. 1955), pp. 3-21; Sandra L. Hindman, *Christine de Pizan's "Epistre d'Othea": Paintings and Politics at the Court of Charles VI* (Toronto: Pontifical Institute of Medieval Studies, 1986); S. Hindman, "With Ink and Mortar: Christine de Pizan's *Cité des Dames* (An Art Essay), em *Feminist Studies,* X, nº 3 (out. 1984), pp. 457-77; Mary A. Ignatius, "A Look at the Feminism of Christine de Pizan", em *Proceedings of the Pacific Nothwest Conference on Foreign Languages,* p. 29, parte 2 (1978), pp. 18-21; Therese Ballet Lynn, "The 'Ditie de Jeanne d'Arc": Its Political, Feminist and Aesthetic Significance", em *Fifteenth Century Studies,* I (1978), 149-57; Christine M. Reno, "Feminist Aspects" of Christine de Pizan's *Epistre d'Othea à Hector*", em *Studi Francesi,* 71 (1980), 271-76.

16. Cristina de Pisano, *The Book of the City of Ladies,* trad. Earl Jeffrey Richards (Nova York: Persea Books, 1982), I. 9. 2, pp. 23-4.

17. Hugo de São Vítor, *De Sacramentis Christianae Fidei*, Libri II, PL. CLXXVI, conforme citado por Angela M. Lucas, em *Women in the Middle Ages: Religion, Marriage, and Letters* (Brighton, Sussex: Harvester Press, 1983), p. 8.

18. Apesar de esse argumento parecer ser originalmente de Cristina de Pisano, historiadores o creditam ao escritor do século XVI Heinrich Cornelius Agrippa von Nettesheim, cujo importante trabalho *Declamatio de nobilitate et praecellentia foemine sexus* [Discurso sobre a nobreza e preeminência do sexo feminino] (1529) influenciou tanto escritores quanto escritoras depois dele. Trata-se de um estudo sobre como as contribuições intelectuais femininas são perdidas e esquecidas. Ver Maclean, *Women Triumphant*, pp. 25-6.

19. Christine de Pisano, *City*, I. 9. 3; p. 24.

20. *Ibid.*, I. 10. 3, p. 27.

21. *Ibid.*, I. 10. 5, pp. 29-30.

22. O tratamento mais recente desse aspecto do trabalho de Cristina de Pisano está em "Early Feminist Theory and the *Querelle des Femmes*", por Joan Kelly, em *Women, History and Theory: The Essays of Joan Kelly* (Chicago: University of Chicago Press, 1984), pp. 65-109.

23. Isotta Nogarola em Margaret L. King e Albert Rabil, Jr. (orgs.), *Her Immaculate Hand: Selected Works By and About the Women Humanists of Quattrocento Italy* (Binghamton, NY: Medieval & Renaissance Texts & Studies,1983), pp. 57-68.

    Para leitura informativa sobre Nogarola e outras mulheres instruídas, ver também Margaret L. King, "The Religious Retreat of Isotta Nogarola (1418-1466): Sexism and Its Consequences in the Fifteenth Century", *SIGNS*, 3, nº 4 (verão de 1978), pp. 807-22; King, "Thwarted Ambitions: Six Learned Women of the Italian Renaissance", em *Soundings 59* (1976), pp. 280-304; Patricia H. Labalme, *Beyond Their Sex: Learned Women of the European Past* (Nova York: New York University Press, 1980); Roland Bainton, *Women of the Reformation in Germany and Italy* (Minneapolis: Augsburg Publishing House, 1971); Bainton, *Women of the Reformation from Spain to Scandinavia* (Minneapolis: Augsburg Publishing House, 1977); Mary Agnes Cannon, *The Education of Women During the Renaissance* (Washington, D.C.: National Capitol Press, 1916; reimpressão Hyperion, 1958).

24. Nogarola, conforme citado por King e Rabil, em *Her Immaculate Hand*, pp. 59-60.

25. *Ibid.*, pp. 64, 66.

26. *Ibid.*, p. 78.

27. Laura Cereta para Augustinius Aemilius, "Curse against the Ornamentation of Women", conforme citado em *Her Immaculate Hand*, pp. 77-80; citação p. 80.

28. Renja Salminen (org.), *Le Miroir de l'âme pecheresse de Marguerite de Navarre* (Helsinki: Suomaleinen Tiedeaketemia, 1979), v. 10-12 (trad. Paula Sommers e citado em "The Mirror and Its Reflections: Marguerite de Navarre's Biblical Feminism", de Sommers,

em *Tulsa Studies in Women's Literature*, V, nº 1 (primavera de 1986), p. 31. Ver também J. R. Brink (org.), *Female Scholars: A Tradition of Learned Women Before 1800* (Montreal: Eden Press, Women's Publications, 1980), pp. 39-50.

29. Marguerite de Navarre, *Miroir*, v. 941-42, 953-56, conforme citado por Sommers, em "The Mirror...", p. 33.

30. *Ibid.*, v. 248-50, 261-68, conforme citado por Sommers, pp. 32-33. Ver também [Marguerite de Navarre] *Marguerites de la Marguerite des Princesses, Trèsillustre Rayne de Navarre* (Nova York: Johnson Reprint Corp., 1970), da edição de Jean de Tournes (Lyon, 1547), p. 25.

31. Elaine V. Beilin, "Anne Askew's Self-portrait in Examinations 77-91", citado por Margaret Patterson Hannay (org.), em *Silent but for the Word: Tudor Women as Patrons, Translators and Writers of Religious Works* (Kent, Ohio: Kent State University Press, 1985), p. 85.

32. *Ibid.*, pp. 87, 86.

33. O principal tratado antifeminista da França foi o *Alphabet de l'imperfection et malice des femmes,* de Alexis Trousset (1617). Ele foi reimpresso na íntegra dezoito vezes entre 1617 e 1650.

Na Inglaterra, a controvérsia começou com a publicação de um panfleto que satirizava mulheres e elencava os vícios delas. [Anon] *Here begynneth a litle boke named the Schole house of women: wherin every man rede a goodly prays of the condicyons of women* (sem localização: T. Peyt, 1541). O livro teve quatro edições nas décadas seguintes. Isso foi acompanhado pelo puritano exilado John Knox, em *The First Blast against the monstruous regiment of Women* (Geneva: J. Crespin, 1558), que foi um ataque contra a rainha católica Maria, mas também um ataque geral às mulheres. Muitas novas tiragens do panfleto que defendia, mas em grande parte ia contra, as mulheres apareceram nas três décadas seguintes. Uma grande guerra de panfletos, nas quais as mulheres estavam envolvidas, surgiu com a publicação do panfleto misógino de Joseph Swetnam, *The Araignment of lewd, idle, froward and unconstant women: Or the vanitie of them, choose you whether* (sem localização: E. Allde for T. Archer, 1615), British Library. Esse panfleto foi reimpresso com frequência nos cinquenta anos a seguir, enquanto os panfletos em defesa de mulheres não foram reimpressos. Ver Katherine Usher Henderson e Barbara F. McManus (orgs.), *Half Humankind: Contexts and Texts of the Controversy About Women in England,* 1540-1640 (Urbana: University of Illinois Press, 1985), parte 1.

Ver também Maclean, *Woman Triumphant,* pp. 30-5; Lula McDowell Richardson, "The Forerunners of Feminism in French Literature of the Renaissance from Christine of Pisa to Marie de Gournay", em *The Johns Hopkins Studies in Romance Literatures and Languages,* XII (Baltimore: Johns Hopkins University Press, 1929).

34. *Jane Anger, her Protection for Women. To defend them against the Scandalous Reportes of a late Surfeiting Lover, and all other Venerians that Compaine so to be overcloyed with womens kindnesse* (sem localização: R. Jones e T. Orwin, 1589), reimpresso em *Half Humankind*, de Handerson e MacManus, pp. 172-88. Também me direcionei a Simon Shepherd (org.), *The Women's Sharp Revenge: Five Women's Pamphlets from the Renaissance* (Londres: Fourth Estate, 1985), p. 30. Shepher discute convincentemente que Jane Anger não é um pseudônimo, apesar de sua identidade não ser definida com certeza.

35. Anger, conforme citado por Handerson e McManus, em *Half Humankind*, pp. 180-81.

36. *Ibid.*

37. Swetnam [pseud.], *Araignment*. Swetnam plagiado amplamente a partir de um panfleto misógino por John Lyly, *Euphues his censure to Philautus*, que foi o panfleto ao qual Jane Anger respondeu. Ver Shepherd, *Women's Sharp Revenge*, pp. 53-5. O panfleto de Swetnam provocou respostas a partir de Rachel Speght, Constantia Munda e Ester Sowernam. Também provocou uma peça em defesa das mulheres, *Swetnam the Women-hater arraigned by Women* (Londres: Richard Meighen, 1620), que foi apresentada no Red Bull Theatre em 1619. Ver Coryl Crandall, "The Cultural Implications of the Swetman Anti-Feminist Controvery in the Seventeeth Century", em *Journal of Popular Culture*, 2, nº 1 (verão de 1968), pp. 136-48.

38. Rachel Speght, *Mortalities Memorandum with a Dreame Prefixed...* (Londres: Edward Griffin, 1621).

39. Rachel Speght, "A Mouzell for Melastomus, The Cynical Bayter of, and foule mouthed Barker against Evah's Sex..." (Londres: Thomas Arches, 1617), British Library, p. 10.

40. *Ibid.*, conforme citado por Shepherd, em *Women's Sharp Revenge*, p. 66.

41. *Ibid.*, p. 67.

42. St. Paul, I. Cor. 7. Speght, *ibid.*, pp. 67-8.

43. *Ibid.*, citação p. 69; pp. 69-73.

44. Ester Sowernam, *Esther hath hang'd Haman....*, citado por Handerson e MacManus, em *Half Humankind*, citação pp. 224-25.

Não há informações bibliográficas disponíveis sobre a pessoa que usava o pseudônimo Ester Sowernam, e historiadores sugeriram que a autora pode ter sido um homem. O mesmo assunto foi levantado sobre Constantia Munda. Shepherd, em um argumento convincente, considera que as duas eram mulheres, citando o fato de que Rachel Speght, uma contemporânea, se refere às duas como mulheres. Ver Shepherd, *Women's Sharp Revenge*, pp. 86-7, 126.

Em outro lugar, Shepherd argumenta convincentemente, em especial com evidência interna e textual, que a autora de *The Women's Sharp Revenge*, outro panfleto satírico escrito em defesa das mulheres, é um homem, John Taylor. Ele escreveu o panfleto em 1639, criticando a repreensão às mulheres, e depois redigiu a resposta a si mesmo, sob os pseudônimos "Mary Tattlewell e Joan Hit-him-home, solteironas". Esse tipo de fraude literária evidencia a popularidade do debate sobre mulheres e dos lucros esperados a serem obtidos da escrita de tais panfletos, tanto pró quanto contra. Aceitei a posição de Shepherd e, portanto, omiti o panfleto de "Mary Tattle-well..." a partir da consideração nessa conexão. *Ibid.*, pp. 160-61.

45. Sowernam em Handerson e MacManus, *Half Humankind*, p. 225.

46. Sarah Fyge [Field Egerton], *The Female Advocate, or, An Answer to a Late Satyr against the Pride, Lust, and Inconstancy, &c. of Woman,* conforme citado por Moira Ferguson (org.), em *First Feminists: British Women Writers, 1578-1799* (Bloomington: Indiana University Press, 1985), pp. 154-67; citação p. 157.

47. Aemilia Lanyer, *Salve Deus Rex Judaeorum,* sig. f3v, conforme citado por Hannay, em *Silent But for the Word,* p. 213.

48. Lanyer, sts. 94.5-96, 102.6-105, conforme citado *ibid.*

49. Lanyer, st. 121, conforme citado *ibid.*

50. Anna Maria von Schurman, conforme citado por Joyce Irwin, em "Anna Maria von Schurman: From Feminism to Pietism", em *Church History,* 46 (1977), pp. 48-62; citações pp. 53, 54. Ver também Brink, *Female Scholars,* pp. 77-9.

51. Ute Brandes, "Studierstude, Dichterklub, Hofgesellschaft: Kreativität und kultureller Rahmen weiblicher Erzählkunst im Barock", citado por Gisela Brinker-Galber (org.), em *Deutsche Literatur von Frauen;* Erster Band: *Vom Mittelalter bis zum Ende des 18. Jahrhunderts* (Munique: C. H. Beck Verlag, 1988), pp. 222-64.

52. Jeannine Blackwell, "Heartfelt Conversations with God: Confessions of German Pietist Women in the 17th and 18th Centuries", *ibid.,* pp. 264-89. Ver também F. Ernest Stöffler, "Pietism", em Mircea Eliade (org.), em *The Encyclopedia of Religion,* 16 vols. (Nova York: Macmillan, 1987), vol. 11, pp. 324-26.

53. Antoinette Bourignon, conforme citado por Gottfried Arnold, em *Unparteyische Kirchen-und Ketzer-historie, vom Anfang des Neuen Testaments bis auf das Jahr Christi 1688* (Frankfurt am Main: T. Frischens Erben, 1729), vol. 3, pp. 150-57 (trad. Gerda Lerner).

54. Margaret Fell, *Woman's Speaking Justified, Proved and Allowed of by the Scriptures...* (Londres, 1667). Reimpresso por Augustan Reprint Society, Publ. nº 194 (Los Angeles: William A. Clark Memorial Library, University of California, 1979), p. 11.

55. O trabalho de Mary Astell será discutido de modo mais completo no Capítulo 9.

56. Mary Astell, *Some Reflections upon Marriage* (Nova York: Source Book Press, 1970, reimpresso da edição de 1730; a edição mais recente desse trabalho é de 1700), p. 115.

57. *Ibid.*, pp. 103-04.

58. Judith Sargent Murray, "On the Equality of the Sexes (1790), conforme citado por Alice S. Rossi (org.), em *The Feminists Papers from Adams to Beauvoir* (Nova York: Bantam Books, 1974), p. 23.

59. Veja os argumentos sobre a tradução da Bíblia feitos por Sarah Grimké em seu *Letters on the Equality of the Sexes and the Condition of Woman* (Boston: Isaac Knapp, 1838). Sarah Grimké afirma que "quase tudo o que foi escrito sobre esse assunto [a esfera de mulheres] foi resultado de uma má concepção de verdades simples reveladas nas Escrituras em consequência da falsa tradução de muitas passagens da Escritura Sagrada" (p. 4). As duas cituações de Julia Smith foram extraídas de [Julia Smith] *The Holy Bible containing the Old and New Testaments: Translated literally from the original Tongues* (Hartford, Conn.: American Publishing Co., 1876), Prefácio.

   Para ter acesso a uma biografia de Julia Smith, veja o registro "Smith, Abby Hadassah and Julia Evelina", por Elizabeth George Speare em Edward T. James, Janet Wilson James e Paul Boyer (orgs.), em *Notable American Women, 1607-1950: A Biographical Dictionary*, 3 vols. (Cambridge: Harvard University Press, 1971), volume III, pp. 302-04. Ver também Addie Standcliffe Hale, "The Five Amazing Smith Sisters", em *Hartford Daily Courant*, 15 de maio de 1932.

60. Ver Nancy Isenberg, *The Co-Equality of Women...*, Dissertação, University of Wisconsin-Madison, 1990, para uma discussão dos antecendentes complexos ideológicos, em grande parte religiosos, dos movimentos pelos direitos das mulheres.

61. Sarah Morre Grimké, *Letters on the Equality of the Sexes and the Condition of Woman, Addressed to Mary Parker, President of the Boston Female Anti-Slavery Society* (Boston: Isaac Knapp, 1838). Sarah Grimké fez seu trabalho em estreita colaboração com a irmã, Angelina Grimké, porém, este foi impresso sob seu nome e leva a impressão de seu estilo. Seu panfleto mais recente, o qual tem um apelo antiescravatura ao clero com base em textos bíblicos, é *An Epistle to the Clergy of the Southern States* (Nova York, 1836). Margaret Fuller, *Woman in the Nineteenth Century* (Nova York: W. W. Norton, 1971; reimpressão da ed. de 1855).

62. Ver Catherine Birney, *The Grimké Sisters: Sarah and Angelina Grimké: The First Women Advocates of Abolition and Woman's Rights* (Boston: Lee and Shepard, 1885); Gerda Lerner, *The Grimké Sisters from South Carolina: Rebels Against Slavery* (Boston: Houghton Mifflin, 1967).

63. Sarah Grimké, *Letters*, p. 4; ênfase do autor.

64. A afirmação de Luther segue *"Gott helfe mir. Hier stehe ich; ich kann nicht anders"* (Deus me ajude. Aqui fico. Não consigo fazer diferente).

65. Sarah Grimké, *Letters*, p. 5; ênfase do autor.

66. *Ibid.*, p. 7; ênfase do autor.

67. *Ibid.*, pp. 10, 11.

68. O argumento de Sarah Grimké refletiu um debate dentre dissidentes nos estados do Nordeste norte-americano com relação à autoridade presumida da Igreja sobre a conduta espiritual de seus membros. Esse debate encontrou máxima expressão nos anos 1840 e 1850, na formação de um grande número de seitas religiosas dissidentes. Para uma discussão completa dessas seitas e de seu impacto, ver Isenberg, *The Co-Equality of Women,* caps. 2 e 4.

Minhas generalizações sobre o movimento de direitos das mulheres baseiam-se no estudo extensivo de fontes primárias relevantes, especialmente os Procedimentos de todas as Convenções dos Direitos das Mulheres antes de 1860, cartas e diários de suas participantes e registros organizacionais de sociedades antiescravagistas femininas.

69. *Ibid.,* pp. 118-19; ênfase do autor.

70. *Ibid.,* p. 60.

71. *Free Thought Magazine,* XVI, nº 6 (jun. 1898), da pasta MC 377 (49) documentos de Matilda Gage, Schlesinger Library, Radcliffe College, Cambridge, Massachusetts.

72. Carta de Elizabeth Cady Stanton para Matilda J. Gage, reimpresso em *The Liberal Thinker* (Syracuse, NY, 1890).

73. Programa da Women's National Liberal Union Convention [Convenção da União Liberal Nacional de Mulheres], 24-25 de fev., 1890, Washington, D.C.

74. Elizabeth Cady Staton e Matilda J. Gage (orgs.), *The Woman's Bible* (Nova York: European Publishing Co., 1895).

75. Grimké, *Letters,* p. 3.

76. Para o aforismo de Newton, ver Robert K. Merton, *On the Shoulders of Giants: A Shandean Postcript* (San Diego: Harcourt Brace Jovanovich, 1985). Nesta brilhante e espirituosa paródia sobre o bolsista pedante, Merton discute com bastante seriedade que as descobertas científicas "emergem a partir de uma base cultural existente e, em decorrência, se tornam, sob condições que podem ser razoavelmente bem definidas, quase inevitáveis". Enquanto a previsibilidade e inevitabilidade do pensamento não científico não puderem ser discutidas de maneira semelhante, a origem social da geração de ideias e conhecimento torna-se semelhante à do pensamento científico. É aqui que eu percebo mais fortemente as diferenças no desenvolvimento intelectual de homens e mulheres.

OITO   Legitimação por Meio da Criatividade

1. [Anon.], "Wife's Lament", conforme citado por Carol Cosman, Joan Keefe, Kathleen Weaver (orgs.), em *The Penguin Book of Women Poets* (Middlesex: Penguin Books, 1979), pp. 63-4.

2. Conforme citado por Meg Bogin, em *The Women Troubadours* (Scarborough: Paddington Press, 1976), p. 89; trad. Meg Bogin.

—383—

3. Louise Labé, Sonnet VIII, conforme citado por Aliki Barnstone e Willis Barnstone (orgs.), em *A Book of Women Poets from Antiquity to Now* (Nova York: Schoken Books, 1980), p. 209 (trad. Willis Barnstone). Eu também consultei a versão em francês moderno por Gerard Guillot, em *Louise Labé* (s.p.: Edition Seghers, 1962), p. 129.

4. Labé, Sonnet XXIII, citado por Barnstone e Barnstone, p. 216 (trad. Willis Barnstone). Ver versão em francês, por Guillot, em *Louise Labé*, p. 138.

5. Cristina de Pisano, [sem título], por Barnstone e Barnstone, p. 203 (trad. Willis Barnstone).

6. [Anne Brastreet], *Correspondence from the Tenth Muse, Lately sprung up in America in Several Poems, compiled with great variety of Wit...* por uma mulher distinta (Gentlewoman) nessas partes (Londres: Stephen Botwell, 1650). The memorial Libraries, University of Wisconsin-Madison.

7. Adrienne Rich, "The Tensions of Anne Brastreet", por Adrienne Rich, em *On Lies, Secrets, and Silence: Selected Prose, 1966-1978* (Nova York: W. W. Norton, 1979), pp. 21-32; citação p. 31.

8. Alice Walker, "In Search of our Mother's Garden", por A. Walker, em *Search of Our Mother's Garden: Womanist Prose* (San Diego: Harcourt Brace Jovanovich, 1983), pp. 232-43.

9. "Epilogue", Marie de France, *Fables*, org. e trad. por Harriet Spiegel (Toronto: University of Toronto Press, 1987), p. 257. Seu reconhecimento por contemporâneos pode ser julgado pelo fato de que 23 manuscritos de *Fables* de Marie de France datados dos séculos XIII a XV, sobreviveram, bem como cinco manuscritos de *Lais, ibid.*, p. 3.

10. Conforme citado em *ibid.*, p. 4.

11. Margaret Cavendish, *A True Relation of My Birth, Breeding and Life*, originalmente publicado em *Poems and Fancies: Written by the Right Honourable, the Lady Margaret Countesse of Newcastle* (Londres: J. Martin, 1653). Reimpresso por Margaret Cavendish, em *The Life of William Cavendish* (Londres, 1667); as citações são da edição de 1667.

12. *Ibid.*, p. 178.

13. *Ibid.*, p. 178, ambas as citações.

14. Sibylla Schwarz, "A Song Against Envy" (trad. Gerda Lerner), conforme citado por Gisela Brinker-Gabler (org.), em *Deutsche Dichterinnen vom 16ten Jahrhundert bis zu Gegenwart* (Frankfut am Main: Fischer Taschenbuch Verlag, 1978), pp. 87-9.

15. Christiana Mariana von Ziegler, por Brinker-Gabler, *ibid.*, p. 119 (trad. Gerda Lerner).

16. Morpurgo, conforme citado por Cosman, Keefe, Weaver (orgs.), em *The Penguin Book of Women Poets*, pp. 164-65.

17. Mary Collier, *Poems on Several Ocasions.... with some remarks on her life* (Winchester: impresso para a autora, 1762), conforme citado por Moira Ferguson (org.), em *First*

Feminists: British Women Writers: 1578-1799 (Bloomington: Indiana University Press, 1985), p. 262.

18. E. L. V. Klenke, geb. Karschin (org.), *Gedichte von Anna Louisa Karsch (in), geb. Dürbach* (Berlim: Friedrich Maurer, 1797), p. 313 (trad. Gerda Lerner).

19. Elizabeth Inchbald, que também escreveu peças, foi outra escritora que se autoapoiou. Os outros dois romances de Mary Wollstonecraft não contribuíram para seus ganhos durante a sua vida.

20. Paula Bennett, *Emily Dickinson: Woman Poet* (Iowa City: University of Iowa Press, 1990), p. 22.

21. A crítica literária feminista de Sandra M. Gilbert discute com *insight* esse aspecto da *persona* autocriada por Dickinson com ênfase nos significados simbólicos de sua escolha do vestido branco pelo período de sua vida autoescolhida como reclusa. Ver Sandra M. Gilbert, "The Wayward Nun Beneath the Hill: Emily Dickinson and the Mysteries of Womanhood", por Suzanne Juhasz (org.), em *Feminist Critics Read Emily Dickinson* (Bloomington: Indiana University Press, 1983), pp. 22-66. O assunto foi explorado anteriormente (1960) em Louise Bogan, "A Mystical Poet", por Richard B. Sewall (org.), em *Emily Dickinson: A Collection of Critical Essays* (Englewood Cliffs, NJ: Prentice-Hall, 1963), pp. 137-43.

22. Para informações biográficas, eu me apoiei em Richard B. Sewall, *The Life of Emily Dickinson* (Nova York: Farrar, Straus and Giroux, 1974, 1980) e Cynthia Griffin Wolff, *Emily Dickinson* (Nova York: Knopf, 1987). Sandra M. Gilbert e Susan Gubar, *The Norton Anthology of Literature by Women: The Tradition in English* (Nova York: W. W. Norton, 1985), "Introduction", pp. 839-43. Os poemas citados são de Thomas H. Johnson (org.), *The Poems of Emily Dickinson* (Cambridge: Harvard University Press, 1955); aqui citado como *poemas*. As cartas são de Thomas Johnson e Theodora Ward, *The Letters of Emily Dickinson*, 3 vols. (Cambridge: Harvard University Press, 1958); aqui mencionado como *cartas*. Também li de Rebecca Patterson, *Emily Dickinson's Imagery*, com uma introdução e organizado por Margaret H. Freeman (Amherst: University of Massachusetts Press, 1979); Suzanne Juhasz, *The Undiscovered Continent: Emily Dickinson and the Space of the Mind* (Bloomington: Indiana University Press, 1983); Inder Nath Kerr, *The Landscape of Absence: Emily Dickinson's Poetry* (New Haven: Yale University Press, 1974); David Porter, *Dickinson: The Modern Idiom* (Cambridge: Harvard University Press, 1981).

23. Conforme citado em Sewall, *Life*, p. 74.

24. Carta para T. W. Higginson, 25 de abril de 1862, *Letters*, p. 404.

25. Wolff, *Dickinson*, Terceira Parte, "Pugilist and Poet", pp. 161-366.

26. Conforme citado por Sewall, em *Life*, p. 420.

27. *Ibid.*, p. 394.

28. Os vários homens que supostamente foram objetos do amor de Dickinson foram identificados como Willie Dickinson, Henry Emmons, o reverendo Charles Wadsworth, Samuel Bowles e Thomas Wentworth Higginson. Os últimos três parecem ser as primeiras escolhas de intérpretes mais recentes como objetos das cartas "Master". Por fim, o juiz Otis Lord.

A primeira crítica feminista a sugerir uma leitura homoerótica dos poemas direcionados a Sue Gilbert foi Rebecca Patterson em 1951. Ela foi tão criticada por sua interpretação, que ninguém a considerou capaz até 1971, quando o psiquiatra John Cody a apoiou em seu *After Great Pain: The Inner Life of Emily Dickinson* (Cambridge: Harvard University Press, 1971). Recentemente, críticas feministas abordaram esse tema mais a fundo. Além do trabalho de Patterson e Suzanne Juhasz mencionado anteriormente, ver também Lillian Faderman, "Emily Dickinson's Letters to Sue Gilbert", *The Massachusetts Review*, 18 (verão de 1977), pp. 197-225; Juhasz (org.), *Feminist Critics Read Emily Dickinson*; e Paula Bennett, *Dickinson*, esp. cap. 5. Eu achei o último trabalho particularmente persuasivo.

29. Edward Dickinson, "Female Education", *New England Inquirer*, 5 de janeiro de 1827, conforme citado por Wolff, em *Emily Dickinson*, p. 574. "Shakespeare", citação *ibid.*

30. Sua relação com Sue Gilbert durou 36 anos. Existem 153 cartas e bilhetes conhecidos e 276 poemas enviados e endereçados a ela. Isso é mais do que duas vezes o número enviado a qualquer outro correspondente. Provavelmente, há muito mais ainda, uma vez que existe uma lacuna não explicada na correspondência entre Dickinson e Gilbert nos dois anos que se seguem ao casamento de Sue e Austin Dickinson. Lillian Faderman explica essa lacuna como um indício de destruição de cartas após a morte de Emily Dickinson por insistência de Austin, possivelmente porque as cartas foram consideradas embaraçosas. Ver Faderman, "Emily Dickinson's Letters", pp. 216-25.

31. Bennett, *Dickinson*, cap. 5; Adelaide Morris, "'The Love of Thee – a Prism be': Men and Women in the Love Poetry of Emily Dickinson", por Juhasz, em *Feminist Critics Read Emily Dickinson*, pp. 98-113.

32. A possibilidade é discutida a partir de diferentes pontos de vista em Morris, "The Love of Thee", e Margaret Homans, "'Oh, Vision of Language!': Dickinson's Poems of Love and Death", ambos por Suzanne Juhasz, em *Feminist Critics*, pp. 98-133.

33. Para T. W. Higginson (ago. 1862), *Letters*, vol. II, p. 414.

34. Wolff, *Emily Dickinson*, p. 5.

35. Carta para T. W. Higginson (jul. 1862), *Letters*, vol. II, p. 411.

36. Allen Tate expressou uma visão semelhante: "Sua poesia é uma confissão pessoal magnífica, blasfêmica e, em sua autorrevelação, sua honestidade é quase obscena. Ela emerge de uma vida intelectual direcionada em relação à qual não sente nenhuma responsabilidade moral. Cotton Mather a teria mandado queimar por bruxaria". Allen Tate, por Sewall (org.), em *Emily Dickinson: A Collection of Critical Essays*, p. 27.

NOVE   **Direito de Aprender, Direito de Ensinar, Direito de Definir**

1. Cristina de Pisano, *The Book of the City of Ladies,* trad. Earl Jeffrey Richards (Nova York: Persea Books, 1982), p. 2. Ver também Mary Ann Ignatius, "A Look at the Feminism of Christine de Pizan", em *Proceedings of the Pacific Northwest Conference on Foreign Languages,* 29, parte 2 (1978), pp. 18-21; Astrik L. Gabriel, "The Educational Ideas of Christine de Pisan", em *Journal of the History of Ideas,* 13, nº 1 (jan. 1955), pp. 3-21.

2. Cristina de Pisano, *City of Ladies,* p. 63.

3. *Ibid.,* p. 64.

4. *Ibid.,* p. 81.

5. M. Laigle, *Le Livre des Trois Vertus de Christine de Pisan* (Paris: Campion, 1912), p. 321.

6. Cristina de Pisano, *Le Livre de la Mutacion de Fortune,* Suzanne Solente (org.), 4 vols.

7. A exceção é o caso de Isotta Nogarola, a qual eu discuti detalhadamente no Capítulo 2.

8. Enzo Giudici (org.), *Louise Labé: Oeuvres Complètes* (Genebra: Droz, 1981), Prefácio, p. 17 (trad. Gerda Lerner). Ver também M. Leon Feugère, *Les Femmes Poètes au XVI siècle...* (Paris: Didier, 1860), "Louise Labé", pp. 4-21; Anne R. Larsen, "Louise Labé's *Debát de Folie and d'Amour: Feminism and the Defense of Learning*", *Tulsa Studies in Women's Literature,* 2, nº 1 (primavera de 1983), pp. 43-5.

9. Anna Maria von Schurman, conforme citado em Barbara Becker-Cantarino, "Women in the Religious Wars: Official Letters, Sogs and Occasional Writings", por Gisela Brinker-Gabler (org.), em *Deutsche Literatur von Frauen; Erster Band: Vom Mittelalter bis zum Ende des 18.ten Jahrhunderts* (Munique: C. H. Beck Verlag, 1988); citação p. 195 (trad. Gerda Lerner).

10. Marie de Gournay, *Égalité des hommes et des femmes,* 1622 (Paris: Côte-femmes Editions, 1989); reimpressão em francês. Também contém o ensaio "Grief des dames"; M. L. Feugère, *Femmes Poètes,* "Mademoiselle de Gournay", pp. 127-232; Mario Schiff, *La Fille d'alliance de Montaigne, Marie de Gournay* (Paris: Champion, 1910); Marjorie Henry Ilsley, *A Daughter of the Renaissance: Marie le Jars de Gournay; Her Life and Works* (Haia: Mouton & Co., 1963). Ver também Cecil Insdorf, *Montaigne and Feminism* (Chapel Hill: North Carolina Studies in the Romance Languages and Literatures, 1977); Pierre Michel, "Un apôtre du feminism au XVIIᵉ siècle: Mademoiselle de Gournay" *Bulletin de la Société des Amis de Montaigne,* Quatrième Serie, nº 27 (out.-dez. 1971), pp. 55-8; e Jean Morand, "Marie le Jars de Gournay: 'La fille d'alliance' de Montaigne", *ibid,* pp. 45-54. Fui influenciada em minha interpretação de Gournay por Marianne Cline Horowitz, "Marie de Gournay, Editor of the *Essais* of Michel de Montaigne: A Case-Study in Mentor-Protégée Friendship", *The Sixteenth Century Journal,* XVII, nº 3 (out. 1986), pp. 271-84.

11. Primeira citação de *Egalité*, pp. 52-53 (trad. Gerda Lerner). Texto original: "Si donc les Dames arrivent moins souvent que les hommes aux degrés d'excellence; c'est merveille que ce defaut de bonne education...". Segunda e terceira citações, conforme citado por Ilsley, em *A Daughter of the Renaissance*, p. 205 e 207.

12. "Grief des dames", pp. 108-09 (trad. Gerda Lerner). Texto original: "Heureux es-tu, Lecteur, si tu n'es point de ce sexe, qu'on interdit de touts les biens, le privant de la liberté: qu'on interdit encore a peu près, de toutes les vertus, lui soustrayant des Chargés, les Offices et fonctions publiques: en un mot, lui retranchant le pouvoir, en la moderation duquel plupart des vertus se forment; afin de lui continuer pour seule félicité... l'ignorance, la servitude et la faculté de faire le sot si ce jeu lui plait".

13. Sr. Marion Norman, I. B. V. M., "A Woman for All Seasons: Mary Ward (1585-1645) Renaissance Pioneer of Women's Education", *Paedagogica Historia*, XXIII, nº 1 (1983), pp. 125-43.

14. Phyllis Stock, *Better Than Rubies: A History of Women's Education* (Nova York: G. P. Putnam's Sons, 1978), pp. 51-62.

15. [Bathsua Makin], *An Essay to Revive the Ancient Education of Gentlewomen*, Augustan Reprint Society, nº 202, 1973. Reimpressão (Los Angeles: Wm. Andrews Clark Memorial Library, 1980), p. 29. Ver também J. R. Brink, "Bathsua Makin: Scholar and Educator of the Seventeeth Century", em *International Journal of Women's Studies* (1978), pp. 717-26.

16. *Ibid.*, pp. 23, 27, 28.

17. [Makin], *An Essay*, p. 37.

18. Mitzi Myers, "Domesticating Minerva: Bathsua Makin's 'Curious' Argument for Women's Education", *Studies in Eighteenth Century Culture*, American Society for Eighteenth Century Studies (Madison: University of Wisconsin Press, 1985), pp. 173-92: citação p. 179: citação de [Makin], *Essay*, p. 42.

19. Myers oferece comentários interessantes sobre a significância da listagem de Makin; ver *ibid.*, pp. 181-85. Discutirei o assunto de maneira mais detalhada no Capítulo 11.

20. Hannah Woolley em *Gentlewoman's Companion*, p. 1, conforme citado por Ada Wallas, em *Before the Bluestockings* (Londres: Allen & Unwin, 1929), p. 44.

21. Margaret Cavendish, duquesa de Newscastle, por Hilda Smith, em *Reason's Disciples: Seventeenth-Century English Feminists* (Urbana: University of Illinois Press, 1982), p. 82.

22. Margaret Cavendish, duquesa de Newcastle, "The Convent of Pleasure", em *Playes Never Before Printed* (Londres: s.p., 1668), p. 7, conforme citado por Ruth Perry, em *The Celebrated Mary Astell: An Early English Feminist* (Chicago: University of Chicago Press, 1986), p. 143.

23. Mary Astell e John Norries, *Letters Concerning the Love of God, Between the Author of the Proposal to the Ladies and Mr. John Norris* (Londres: John Norris, 1695), pp. 2-3. Ver também Ruth Perry, *The Celebrated Mary Astell*, pp. 74-86.

24. Norris e Astell, *Letters Concerning the Love of God*, pp. 49-51.

25. *Ibid.*, p. 75.

26. Londres: R. Wilkin, 1694.

27. [Mary Astell] *Some Reflections upon Marriage* (Londres: Wm. Parker, 1730), pp. 172-73.

28. *Ibid.*, p. 122-23, 99.

29. Ambas as citações de [Eugenia], *The Female Advocate... Reflections on a late Rude and Disingenuous Discourse delivered by Mr. John Sprint in a Sermon at a Wedding May 11th at Sherburn in Dorsetshire, 1699* (Londres: Andrew Bell, 1700).

30. *Ibid.*, p. 53.

31. [Lady Mary Chuleigh], *The Ladies Defense: or, The Bride-Woman's Counsellor Answered: A Poem in a Dialogue Between sir John Brute, sir Wm. Loveall, Melissa and a Parson* (Londres: Bernard Lintott, 1709), pp. xxi, xix, xxix.

32. *Ibid.*, p. 40.

33. [Sophia] *Woman not Inferior...* (Londres: Impresso para John Hawkins, 1739), todas as citações pp. 23-4.

34. François Pulain de la Barre, *De l'égalité des deux sexes* (Paris, 1673), foi publicado em uma edição em inglês como *The Woman as Good as the Man* em 1677. É mais provável que tenha influenciado Mary Astell e certamente influenciou "Sofia". Outro trabalho, escrito pelo autor feminista Jacques Du Bosc, que exerceu certa influência na Inglaterra foi *The Compleat Woman*, traduzido para o inglês por N. N. de *L'Honneste Femme* (Londres: T. Harper e R. Hodgkinson, 1639).

35. [Sophia], *Woman not Inferior...*, pp. 23-4.

36. *Ibid.*, p. 40.

37. *Ibid.*, pp. 49-61.

38. Um panfleto ofensivo em resposta ao seu trabalho apareceu poucos anos depois, com autoria de "um Cavalheiro". Sofia respondeu em *Women's Superior Excellence over Man or a Reply by Sophia. A Person of Quality* (Londres: J. Robinson, 1743). Nessa resposta, ela adicionou a crítica a seus argumentos anteriores e comparou mulheres oferecidas no mercado de casamento a "*Negros* comprados e vendidos em uma feira no oeste da Índia" (p. 69).

39. Minhas generalizações sobre mulheres do século XVIII são baseadas em: Katherine M. Rogers, *Feminism in Eighteenth Century England* (Urbana: University of Illinois Press, 1982); Alice Brown, *The Eighteenth-Century Feminist Mind* (Brighton, Sussex: Harvester Press, 1987); Doris Mary Stenton, *The English Woman in History* (Ed. Brit., 1957; Nova

York: Schocken Books, 1977); Moira Ferguson, *British Women Writers, 1578-1799* (Bloomington: Indiana University Press, 1985); Sylvia Harcstark Myers, *The Bluestocking Circle: Women, Friendship, anf the Life of the Mind in Eighteenth-Century England* (Oxford: Clarendon Press, 1990).

40. Hannah More, *Strictures on the Modern System of Female Education with a View to the Principles and a Conduct Prevalent Among Women of Rank and Fortune* (Filadélfia: Thomas Dobson, 1800).

41. Stock, *Better Than Rubies*, pp. 72-7.

42. Isso é defendido por Ruth Perry em seu "Radical Doubt and the Liberation of Women", em *Eighteenth Century Studies*, 18, nº 4 (verão de 1985), pp. 472-93. Sou grata a Ruth Perry por chamar a minha atenção para esse artigo.

43. John Locke, *Two Treatises of Civil Government*, 2ª ed., org. por Peter Laslett (Cambridge: Cambridge University Press, 1967).

44. Para uma discussão completa e crítica feminista da teoria do contrato, ver Carole Patnam, *The Sexual Contract* (Stanford: Stanford University Press, 1988). Para uma discussão das implicações da filosofia da Iluminação para mulheres, ver Linda Kerber, *Women of the Republic: Intellect and Ideology in Revolutionary America* (Chapel Hill: University of North Carolina Press, 1980), pp. 15-32.

45. Jean-Jacques Rousseau, *Émile*, Barbara Foxley (trad.), 1763 (Londres: J. M. Dent, 1974), p. V, primeira citação, p. 328; segunda citação, p. 322.

46. Mary Astell, *The Christian Religion, As Profess'd by a Daughter of the Church of England* (Londres: R. Wilkin, 1705). Ver Perry, *Marry Astell*, pp. 90-7.

47. Mary Wollstonecraft, *A Vindication of the Rights of Woman with Strictures on Political and Moral Subjects*, 1792 (Nova York: Garland, 1974), p. 51. Eu me beneficiei amplamente da leitura do manuscrito de Virginia Sapiro, *A Vindication of Political Virtue: The Political Theory of Mary Wollstonecraft* (Chicago: University of Chicago Press, 1992).

48. *Ibid.,* Wollstonecraft, *Vindication*, p. viii (primeira parte da citação); p. 265 (segunda parte) e p. 312 (última parte).

49. O conceito e o desenvolvimento de "Maternidade Republicana" são discutidos em Kerber, *Women of the Republic*, caps. 7 e 8; L. Kerber, "The Republican Mother: Women and the Enlightenment – An American Perspective", em *American Quarterly*, 28 (verão de 1976), pp. 187-205; Mary Beth Norton, *Liberty's Daughters: The Revolutionary Experience of American Women, 1750-1800* (Boston: Little, Brown, 1980), pp. 243-55; Jeanne Boydston, *Home and Work: Housework, Wages, and the Ideology of Labor in the Early Republic* (Nova York: Oxford University Press, 1990), cap. 2.

50. *The Rise and Progress of the Young Ladie's Academy of Philadelphia...* (Filadélfia: Stewart and Cochran, 1794).

51. [Judith Sargent Murray] Constantia, "Desultory Thoughts upon the Utility of Encouraging a Degree of Self-Complacency, Especially in FEMALE BOSOMS", em *The Gentleman and Lady's Town and Country Magazine* (out. 1784), pp. 251-53.

52. [Judith Sargent Murray] Constantia, *The Gleaner: A Miscellaneous Production in Three Volumes* (Boston: I. Thomas and E. T. Andrews, 1798), vol. I, pp. 168-79.

53. Emma Willard, *An Address to the Public; Particularly to the Members of the Legislature of New York, Proposing a Plan for Improving Female Education*, 2ª ed. (Middlebury, VT: S. W. Copeland, 1819).

54. Sobre Emma Willard e o Seminário de Troy, ver Anne Firor Scott, "The Everywidening Circle: The Diffusion of Feminist Values from the Troy Female Seminary, 1822-72" e "Almira Lincoln Phelps: The Self-made Woman in the Nineteenth Century", por Anne Firor Scott (org.), em *Making the Invisible Woman Visible* (Urbana: University of Illinois Press, 1984), pp. 64-106. A principal fonte é a sra. A. W. Fairbanks (org.), em *Mrs. Emma Willard and Her Pupils, or Fifty Years of the Troy Female Seminary, 1822-1872* (Nova York: publicado por Sra. Russell Sage, 1898).

55. Frances Wright [d'Arusmont], *Course of Popular Lectures with 3 Addresses* (Londres: James Watson, 1834), pp. 24-32.

56. Resoluções, Ohio Woman's Rights Convention, apresentadas em 19 e 20 de abril de 1850.

57. Fannie Jackson Coppin, *Reminiscences of School Life* (Filadélfia: African Methodist Episcopal Book Concern, 1913). Ver também Linda M. Perkins, "Heed Life's Demands: The Educational Philosophy of Fanny Jackson Coppin", por Darlene Clark Hine, em *Black Women in United States History*, 4 vols. (Brooklyn, NY: Carlson Publ. Co., 1990), vol. 3, pp. 1039-048.

58. Para informações sobre professores afro-americanos, professores e fundadores de escola libertos, ver Gerda Lerner (org.), *Black Women in White America: A Documentary History* (Nova York: Pantheon, 1972), cap. 2. Ver também Linda M. Perkins, "The Black Female American Missionary Association Teacher in the South, 1861-1870", por Hine, em *Black Women*, vol. 3, p. 1049-063; Ellen N. Lawson e Marlene Merrell, "Antebellum Black Coeds at Oberlin College", *ibid.*, pp. 847-68.

59. [Anna Julia Cooper] *A Voice from the South by a Black Woman from the South* (Xenia, Ohio: Aldine Printing House, 1892), pp. 78, 56, 60.

DEZ   Grupos Femininos, Redes Femininas, Espaços Sociais

1. Desiderius Erasmus, *Opus Epistolarum Des. Erasmi Roterodami*, P.S. Allen (org.), vol. 4, carta 1247, pp. 608-09, conforme citado em "Learned Women in the Europe of the Sixteenth Century", de Roland H Bainton, por Patricia H. Labalme (org.), em *Beyond*

Their Sex: Learned Women of the European Past (Nova York: New York University Press, 1984), pp. 117-20; citação, p. 119.

2. Ursula Hess, "Latin Dialogue and Learned Partnership: Women as Humanist Models in Germany: 1500-1550", por Gisela Brinker-Gabler (org.), em *Deutsche Literatur von Frauen,* Erster Band: *Vom Mittelater bis zum Ende des 18ten Jahrhunderts* (Munique: C. H. Beck Verlag, 1988), pp. 113-48; citação, pp. 136-37.

3. *Ibid.,* p. 146.

4. Ruth H. Sanders, "A Little Detour: The Literary Creation of Luise Gottsched", por Barbara Becker-Cantarino (org.), em *Die Frau von der Reformation zur Romantik: Die Situation der Frau vor dem Hintergrund der Literatur_ und Socialgeschichte* (Bonn: Bouvier, 1981), pp. 170-94; citação de Johanna Gottsched, p. 176. Ver também Barbara Becker-Cantarino, *Der lange Weg zur Mündigkeit* (Munique: Deutscher Taschenbuch Verlag, 1989), pp. 259-76.

5. Sanders, "A Little Detour", pp. 170-82.

6. William Thompson, *Appeal of One-Half the Human Race, Women, against the Pretensions of the other Half, Men, to retain them in political and thence in civil and domestic Slavery: in Reply to a paragraph of Mr. Mill's celebrated "Article on Government"* (1825).

7. O historiador moderno que estudou o assunto mais a fundo conclui que ele, de fato, fez a maior parte do trabalho de transformar suas ideias compartilhadas em um livro. Para os comentários e a visão de Thompson, ver Barbara Taylor, *Eve and the New Jerusalem: Socialism and Feminism in the Nineteenth Century* (Nova York: Pantheon, 1983), pp. 22-3, nota 2, p. 22.

8. [Theodore Dwight Weld], *American Slavery as It Is: Testimony of a Thousand Witnesses* (Nova York: American Anti-Slavery Society, 1839).

9. Catherine H. Birney, *The Grimké Sisters, Sarah and Angelina Grimké: The First American Women Advocates of Abolition and Woman's Rights* (Boston: Lee e Shepard, 1885), pp. 258-59; Gerda Lerner, *The Grimké Sisters from South Carolina: Rebels Against Slavery* (Boston: Houghton Mifflin, 1967), pp. 261-68.

10. John Jacob Coss (org.), *The Autobiography of John Stuart Mill* (Nova York: Columbia University Press, 1924), p. 174. Para uma consideração estendida do problema da colaboração Mill/Taylor, ver Alice Rossi (org.), *Essays on Sex Equality: John Stuart Mill and Harriet Taylor Mill* (Chicago: University of Chicago Press, 1970), pp. 22-45.

11. Margaret L. King e Albert Rabil, Jr. (orgs.), *Her Immaculate Hand: Selected Works by and About Women Humanists of Quattrocento Italy* (Binghamton, NY: Medieval & Renaissance Texts & Studies, 1983), pp. 16-28.

12. Elisabeth Gössmann, *Das Wohlgelahrte Frauenzimmer,* Archiv für Philosophiegeschichtliche Frauenforschung [Arquivo da História da Filosofia das Mulheres], Fita 1 (Munique: Iudicium, 1984), cap. 3.

13. A própria assinatura foi organizada pelos homens que apoiavam e colegas de Elstob no campo dos estudos saxônicos no Queens College, Oxford. Ver "Introduction" de Ruth Perry (org.), por George Ballard, em *Memoirs of Several Ladies of Great Britain...* (Detroit: Wayne State University Press, 1985), pp. 21-5. Enquanto o apoio que Elstob recebeu de homens estudiosos foi excepcional para uma mulher instruída, o fato de que 121 mulheres deram sua assinatura para receber seu primeiro livro é um feito igualmente marcante. Ver Doris Stenton, *The English Woman in History, 1957* (Nova York: Schoken Books, 1977), p. 241.

14. Myra Reynolds, *The Learned Lady in England: 1650-1750* (Boston: Houghton Mifflin, 1920), pp. 174-85. Mary Astell era ativa em nome de Elstob, conforme pode ser visto em sua solicitação de contribuição a partir de *lady* Ann Coventry para a publicação de "Homily". Mary Astell para *lady* Ann Coventry, provavelmente junho ou julho de 1714, reimpresso em *The Celebrated Mary Astell: An Early English Feminist*, de Ruth Perry (Chicago: University of Chicago Press, 1986), pp. 366-67.

15. George Ballard, *Memoirs of Several Ladies of Great Britain Who Have Been Celebrated for Their Writings or Skills in the Learned Languages of Arts and Sciences* (Oxford: W. Jackson, 1752). Eu também usei a versão posterior (Londres: T. Evans, 1775).

16. Perry, *Mary Astell*, pp. 268-69.

17. Para o histórico das *bluestockings*, ver Sylvia Harcstark Myers, *The Bluestoking Circle: Women, Friendship, and the Life of the Mind in Eighteenth-Century England* (Oxford: Clarendon Press, 1990); Katherine M. Rogers, *Feminism in Eighteenth-Century England* (Urbana: University of Illinois Press, 1982); Alice Browne, *The Eighteenth Century Feminist Mind* (Brighton, Sussex: Harvester Press, 1987); Stenton, *The English Woman in History,* cap. 10; Elizabeth Fox-Genovese, "Women and the Enlightenment", por Renate Bridenthal, Claudia Koonz, Susan Stuard (orgs.), em *Becoming Visible: Women in European History* (Boston: Houghton Mifflin, 1987), pp. 251-77. O termo *blue-stocking* apareceu pela primeira vez em 1756 na correspondência de Elizabeth Montagu e foi, então, aplicada tanto para membros do sexo feminino quanto masculino do círculo. Ao fim dos anos 1770, o termo se referia apenas a mulheres e, aos poucos, tornou--se um termo de vergonha e ridicularização para todas as mulheres instruídas. Referência em Myers, *The Bluestocking Circle*, pp. 9-10 e nota 5.

18. Myers, *The Bluestocking Circle*, pp. 168, 260.

19. *Ibid.,* pp. 153-55.

20. Elizabeth Elstob, *An English-Saxon Homily on the Birth-day of St. Gregory* (1709), Landsdowne Manuscripts, British Library, "Preface", pp. xiii e ix. Uma edição impressa apareceu em 1839 (Leicester: Wm. Pickering).

21. Bathsua Makin, *An Essay to Revive the Ancient Education of Gentlewomen*, Augustan Reprint Society, nº 202 (1673). Reimpressão (Los Angeles: William Andrews Clark Memorial Library, 1980), p. 3.

22. Ellen Moers, *Literary Women* (Garden City, NY: Doubleday, 1976), pp. 43-4, 46-9 (G. Elliot); pp. 53-5, 172 (E. B. Browning); pp. 57-60 (E. Dickinson); p. 177 (M. Fuller). Elizabeth Barrett Browning, *Aurora Leigh: A Poem*, 1864 (Chicago: Academy Chicago Publishers, 1979).

23. Exemplos de mulheres britânicas ganhando a vida como escritoras emergiram no fim do século XVIII: Charlotte Smith (1749-1806), enquanto criava seus dez filhos, escreveu e publicou mais de vinte romances e coleções de poemas; Charlotte Lennox escreveu cinco romances e traduziu seis trabalhos do francês para manter a si mesma, o marido e os filhos. Também editou uma revista, *The Ladie's Museum* (1760-1761). Sarah (Robinson) Scott, emprobecida após um casamento e divórcio ruins, escreveu cinco romances entre 1750 e 1772. Outros escritores profissionais desse período são Elizabeth Inchbald, Eliza Haywood, Frances (Fanny) Burney.

24. Sara Evans, *Personal Politics: The Roots of Women's Liberation in the Civil Rights Movement and the New Left* (Nova York: A. Knopf, 1979), pp. 219-20.

25. Dena Goodman, "Enlightenment Salons: The Convergence of Female and Philosophic Ambitions", em *Enlightenment-Century Studies*, 22, nº 3 (primavera de 1989), pp. 329-50; referência, p. 329.

26. *Ibid.*, pp. 333, 335-36.

27. Carolyn C. Lougee, *Le Paradis des Femmes: Women, Salons and Social Stratification in Seventeenth-Century France* (Princeton: Princeton University Press, 1976). Em sua análise dos *salonières* como grupo, Carolyn Lougee usou as listas de mulheres ilustres como base de dados, as quais precisam se referir aos argumentos impressos de escritoras feministas que participaram em debates sobre os papéis das mulheres. Ela descobriu que, em Paris, mais de 250 mulheres estavam listadas como *salonières* e patronas do aprendizado. Ver também uma extensa lista mencionada por Lougee em Antoine Baudeau, *sieur de Somaize, Le Grande Dictionnaire des Prétieuses, historique, poetique, geographique, cosmographique chronologique et armoirique*. Ver também Angela McCourt Fritz, "The Novel Women: Origins of the Feminist Literary Tradition in England and France", por Dorothy McGuigan (org.), em *New Research on Women at the University of Michigan* (Ann Arbor: Centro de Educação Continuada, 1974), pp. 20-46; Fox-Genovese, "Women and the Enlightenment", pp. 256-57.

28. Günter Jäckel (org.), *Das Volk baucht Licht: Frauen zur Zeit des Aufbruchs, 1790-1948, em ihren Briefen* (Darmstadt: Agora, 1970), pp. 343-45.

29. Gisela Dischner, *Bettina von Arnim: Eine weibliche Sozialbiographie aus dem 19ten Jahrhundert kommentiert und zusammengestellt aus Briefromanen und Dokumenten* (Berlim: Verlag Klaus Wagenbach, 1977), p. 69 e *passim*.

30. Círculos mais recentes de "amantes livres" eram o grupo de simpatizantes e radicais do Iluminismo e Revolução Francesa, os quais incluíam Mary Wollstonecraft, Tom Paine, William Blake, William Godwin. Outros círculos como esse existiam ao redor de Robert

Owen na Inglaterra e Robert Dale Own nos Estados Unidos. Frances Wright era membro do círculo posterior.

31. Gisela Dischner, *Caroline und der Jenär Kreis: Ein Leben zwischen bürgerlicher Vereinzelung und romantischer Geselligkeit* (Berlim: Klaus Wagenbach, 1979). Para informações biográficas adicionais, ver Dischner, *Bettina...*; Jäckel, *Das Volk*, pp. 248-49; Elke Frederiksen, "Die Frau als Autorin zur Zeit der Romantik: Anfänge einer weiblichen literarischen Tradition", por Marianne Burkhard, em *Gestalt und Gestaltend: Frauen in der deutschen Literatur*, Amsterdamer Beiträge zur Neuren Germanistik, Band 10 (Amsterdam: Rodopi, 1980), pp. 83-153; Margarete Susman, *Frauen der Romantik* (Colônia: Joseph Melzer Verlag, 1960).

32. Sophie Mereau para Clemens Brentano, conforme citado por Dischner, em *Caroline...*, p. 87.

33. Karoline von Günderrode para Clemens Brentano, sem data, citado por Christa Wolf (org.), em *Karoline von Günderrode: Der Schatten eines Traumes; Gedichte, Prosa, Briefe, Zeugnisse von Zeitgenossen* (Darmstadt: Luchterhand, 1981), p. 193 (traduzido do alemão por Gerda Lerner).

34. Karoline von Günderrode para Gunda Brentano, 29 de agosto de 1801, conforme citado em *ibid.*, p. 138 (trad. Gerda Lerner).

35. Friedrich Creuzer, *Symbolik und Mythologie der Alten Völker*, 5 vols. (Leipzig, 1841). O trabalho foi publicado em 1810 após a morte de Günderrode, mas ele compartilhou sua pesquisa com ela. Johann J. Bachofen, *Das Mutterrecht, Eine Untersuchung ueber die Gynaikokratie der alten Welt nach ihrer religioesen und rechtlichen Natur* (Stuttgart, 1861). Esse trabalho, por sua vez, influenciou Friedrich Engels, *Der Ursprung der Familie, des Privateigentums und des Staates* (1884), reimpresso em *Werke*, vol. 21, de Karl Marx, Friedrich Engels (Berlim: Dietz Verlag, 1962) e Robert Briffault, *The Mothers: A Study of the Origins of Sentiments and Institutions*, 3 vols. (Nova York, 1927).

36. Ver, por exemplo, Audre Lorde, "Uses of the Erotic: The Erotic as Power", por Audre Lorde, em *Sister Outsider: Essays and Speeches* (Nova York: The Crossing Press, 1984), pp. 53-9.

37. Conforme citado por Dischner, em *Bettina...*, p. 76. A construção da frase em questão aparece no original e é típica do estudo da autora (trad. Gerda Lerner).

38. Bettina Brentano para Karoline von Günderrode, outubro de 1805, conforme citado por Dischner, em *Bettina...*, p. 93.

39. Gustav Konrad (org.), por Bettina von Arnim, em *Werke und Briefe* (Frechen/Colônia: Bartmann-Verlag, 1959-1961), 5 vols. *Die Günderode*, em vol. 1, pp. 215-536. Bettina von Arnim escreveu o nome de Günderrode com um r.

40. *Goethe's Briefwechsel mit einem Kinde*, por Bettina von Arnim, em *Werke und Briefe*, vol. 2 (1959). Clemens Brentano e Achim von Arnim (orgs.), *Des Knaben Wunderhorn* (1805). Essa é a coleção principal de poemas e canções folclóricas alemãs.

41. Bettina von Arnim, *Werke und Briefe*, vols. 3 e 4. Ver também "Anmerkungen" (considerações feitas pelo editor), pp. 445-76.

42. Dischner, *Bettina...*, conforme citado nas pp. 80-1.

43. Ver sua correspondência de 1802 com relação a sua amizade com uma bordadeira judia. Conforme citado em *ibid.*, pp. 165-66.

44. Minhas considerações sobre os salões de Berlim são influenciadas em "Salonières and Literary Women in Late Eighteenth-Century Berlin", de Deborah Hertz, em *New German Critique*, nº 14 (primavera de 1978), pp. 97-108. A referência a casamentos de mulheres judias está nas pp. 106-07. Das oito mulheres judias dos salões em Berlim, as sete que se converteram foram: Esther Gan, Rebecca Friedländer, Marianne Meyer, Sara Meyer, Dorothea Mendelsohn Veit-Schlegel, Henriette Herz, Rahel Levin Varnhagen. *Ibid.*, pp. 105, nota 32.

45. Minhas informações a respeito e minha interpretação de sua vida baseiam-se nas seguintes fontes: Karl Varnhagen von Ense, *Rahel: Ein Buch des Andenkens für ihre Freunde* (Berlim, 1833); Hannah Arendt, *Rahel Varnhagen: Lebensgeschichte einer deutschen Jüdin aus der Romantik* (Frankfurt: Ulstein, 1975, reimpressão); Susman, *Frauen der Romantik*, pp. 77-105; Kay Goodman, "The Impact of Rahel Varnhagen on Women in the 19th Century", por Burkhard, em *Gestalt und Gestaltend*, pp. 125-53; Deborah Hertz, "Hannah Arendt's Rahel Varnhagen", por John C. Fout (org.), em *German Women in the Nineteenth Century* (Nova York: Holmes and Meier, 1984), pp. 72-87; e Ruth-Ellen Joeres, "Selfconscious Histories: Biographies of German Women in the Nineteenth Century", *ibid.*, pp. 172-96.

46. Friedrich Kemp (org.), *Rahel Varnhagen im Umgang mit igren Freunden* (Munique: Kösel Verlag, 1967), p. 19, conforme citado por Frederiksen, em "Die Frau als Autorin...", p. 95.

47. *Rahel Varnhagen*, conforme citado na p. 266 (1972, ed. reimpressa).

ONZE   A Busca pela História das Mulheres

1. C. Leonard Woolley, *The Sumerians* (Nova York: W. W. Norton, 1965), pp. 21-34.

2. Minhas informações sobre as freiras merovíngias é direcionada a partir de Suzanne Foy Wemple, em *Women in Frankish Society: Marriage and the Cloister; 500-900* (Filadélfia: University of Pennsylvania Press, 1985), pp. 181-88.

3. *Ibid.*, p. 185.

4. *Ibid.*, p. 181. Ver também Rudolf Schieffer, "Hugeburc", por Wolfgang Stammler *et al.*, em *Die deutsche Literatur der Mittelalters: Verfasserlexicon*, 7 vols. (Berlim: Walter de Gruvter, 1978), vol. 4, p. 221; Peter Dronke, *Women Writers of the Middle Ages: A Critical Study of Texts form Perpetua (d. 203) to Marguerite Porète (d. 1310)* (Cambridge: Cambridge University Press, 1984), pp. 33-5; Elizabeth Alvilda Petroff, *Medieval*

Women's Visionary Literature (Nova York: Oxford University Press, 1986), pp. 86-9, 92-106.

5. As informações biográficas sobre Rosvita baseiam-se em Anne Lyon Haight (org.), *Hroswitha of Gandersheim: Her Life, Times and Works, and a Comprehensive Bibliography* (Nova York: The Hroswitha Club, 1965), pp. 3-12; Dronke, *Women Writers,* pp. 55-83; e Petroff, *Medieval Women's Visionary Literature,* pp. 89-90 e 114-35. A escrita do nome de Rosvita varia amplamente. Outras formas são Hroswitha, Hrotsvitha e Hrotsvit.

6. As informações sobre o manuscrito perdido vem de Fidel Rädel, "Hrotsvit von Gandersheim", por Stammler, em *Die deutsche Literatur,* volume 4, pp. 196-210.

7. Dronke, *Women Writers,* pp. 57-9.

8. Helena Homeyer (org.), *Hrotsvithae Opera* (Paderborn, 1970), p. 227, conforme citado por Dronke, em *Women Writers,* p. 68. Uma tradução moderna dessa peça feita por Katharina M. Wilson está disponível em *Medieval Women's Visionary Literature,* de Petroff, pp. 114-23. Ver também Katharina M. Wilson, "The Saxon Canoness: Hrotsvit of Gandersheim", em *Medieval Women Writers* (Athens: University of Georgia Press, 1983).

9. Eu devo esse *insight* a Sue-Ellen Case, "Re-Viewing Hrotsvit", *Theatre Journal,* 35, nº 4 (dez. 1983), pp. 533-42.

10. Conforme citado por Haight, em *Hroswitha of Gandersheim,* pp. 9-10.

11. *Ibid.,* conforme citado na p. 29.

12. Conforme citado por Dronke, em *Women Writers,* p. 80.

13. Conforme citado em *ibid.,* p. 81.

14. *Ibid.,* pp. 82-3.

15. Stammler, *Verfasserlexicon,* vol. 4, pp. 1073-075.

16. *Ibid.,* vol. 2, pp. 479-82.

17. Todos esses são mencionados por Stammler. Eu apenas estudei aqueles de domínio no idioma alemão. Pesquisa e compilações adicionais em outros países de tais importantes fontes para a vida de mulheres religiosas devem gerar bons resultados.

18. Natalie Zemon Davis, "Gender and Genre: Women as Historical Writers, 1400-1820", por Patricia H. Lablame (org.), em *Beyond Their Sex: Learned Women of the European Past* (Nova York: New York University Press, 1984), pp. 153-82; referência a histórias de conventos franceses, p. 161.

19. As primeiras edições eram parciais; a edição publicada por Mathias Apiarius em Berne, em 1539, continha todas as biografias de mulheres escritas por Boccaccio.

20. Conforme citado em Guido A. Guarino (trad.), por Giovanni Boccaccio, em *Concerning Famous Women* (New Brunswick: Rutgers University Press, 1963), p. 37.

21. *Ibid.*, p. 38.

22. *Ibid.*

23. Eu usei a seguinte edição desse livro para o meu trabalho: Earl Jeffrey Richards (trad.), Christine de Pizan, *The Book of the City of Ladies* (Nova York: Persea Books, 1982). As contribuições de Cristina de Pisano ao desenvolvimento do pensamento feminista foram brilhantemente exploradas no importante ensaio de Joan Kelly, "Early Feminist Theory and the *Querelle des Femmes*", por J. Kelly, *Women,* em *History and Theory: The Essays of Joan Kelly* (Chicago: University of Chicago Press, 1984), pp. 65-109.

    Outras referências às contribuições de Cristina de Pisano para a *querelle des femmes* são: Lula McDowell Richardson, "The Forerunners of Feminism in French Literature of the Renaissance from Christine of Pisa to Marie de Gournay", em *Johns Hopkins Studies in Romance Literatures and Languages,* XII (Baltimore: Johns Hopkins University Press, 1929); Astrik L. Gabriel, "The Educational Ideas of Christine de Pisan", em *Journal of the History of Ideas,* 16, nº 1 (jan. 1955), pp. 3-21; Mary Ann Ignatius, "A Look at the Feminism of Christine de Pizan", em *Proceedings of the Pacific Northwest Conference on Foreign Languages,* 29, parte 2 (1978), pp. 18-21.

24. Cristina de Pisano, *Le Livre des fais and bonnes moeurs du sage Roy Charles V,* orig. por Suzanne Solente (Paris: Société de l'Histoire de France, 1936-1940), 2 vols.

25. Ambas as citações são de Cristina de Pisano, I.1, conforme citado em *City of Ladies,* pp. 3-4.

26. *City of Ladies,* I.3.3. p. 10.

27. *Ibid.,* II.56.1, pp. 189-90.

28. Para Boccaccio sobre Semprônia, vide Boccaccio, *Concerning Famous Women,* pp. 173-75. Para Cristina de Pisano sobre o mesmo assunto, vide *City of Ladies,* I.42.1, p. 86.

29. *Ibid.,* III.19.1., pp. 254-55, e III.19.6., p. 256.

30. Citação, *ibid.,* III.19.6., p. 256.

31. Heinrich Cornelius Agrippa von Nettersheim, *The Glory of Women,* trad. E. Fleetwood (Londres: impresso para Robert Ibbitson, 1652), e François de Billon, *Le Fort inexpugnable de l'honneur du sexe feminin* (Paris: J. d'Allyer, 1555).

32. Laura Cereta para Bibulus Sempronius, conforme citado por Margaret L. King e Labert Rabil, Jr., em *Her Immaculate Hand: Selected Works By and About the Women Humanists of Quattrocento Italy* (Binghamton, NY: Medieval and Renaissance Texts and Studies, 1983), vol. 20, pp. 81-4. Segunda Referência à Carta de Laura Cereta para Augustinius Aemilius, conforme citado em *ibid.,* pp. 77-80.

33. Lucrecia Marinella, *La Nobilita et Excellenze delle Donne et I Diffetti e Mancamenti de gli Huomini* (1600/1608), conforme citado por Elisabeth Gössmann, em *Eva, Gottes Meisterwerk,* Archiv für Philosophiegeschichtliche Frauenforschung, vol. 2 (Munique: Iudicium, 1985), pp. 34-41.

34. Ester Sowernam, *Ester hath hang'd Haman...* (Londres: Nicholas Bourne, 1617). British Library.

35. Rachel Speght, *A Mousell for Melastomus, the Cynical Baiter of, and foule mouthed Barker against Evah Sex...* (Londres: N. Okes para T. Archer, 1617).

36. Ver nota 31 acima. O livro de Agrippa apareceu em francês, alemão, italiano, inglês e polonês. Ver também François Poulain de la Barre, *The Women as Good as the Men, or, the Equality of Both Sexes* (1673) (Detroit: Wayne State University Press, 1988).

37. Johann Frauenlob, "Die Lobwürdige Gesellschaft der Gelehrten Weiber", por Gössmann, vol. 2, em *Eva, Gottes Meisterwerk*. Pode-se assumir que o nome dele – louvor às mulheres – era um pseudônimo.

    Angelo Politiano (1453-1494) foi um poeta humanista e prolífico escritor que vivia sob a proteção de Lorenzo di Medici. Era admirado como um grande estudioso e poeta.

    Rhodiginua Lodovico Coelius (1450-1520) estudou Direito em Pádua, viveu por alguns anos em Paris e foi indicado como professor de Literatura Grega e Latina em Milão. Seu principal trabalho é *Lectionum Antiquarium* Libri XXX, uma enciclopédia sobre vários assuntos incluindo drama antigo, literatura, história e filosofia.

38. Jacobus Thomasius/Johannes Sauerbrei, *De foeminarum eruditione*, conforme citado por Gössmann, em *Eva*, vol. 1, cap. 7.

39. O termo "valores das mulheres" foi popularizado por Natalie Zemon Davis em seu ensaio influente "'Women History' in Transition: The European Case", em *Feminist Studies*, 3, nº 3/4 (1976), pp. 83-103.

40. Christian Franz Paullini, *Das Hoch-und Wohlgelahrte Teutsche Frauenzimmer* [A mulher alemã altamente instruída] (Leipzig: J.C. Stösseln, 1705).

41. Johann Caspar Eberti, *Eröffnetes Cabinet des gelehrten Frauen-Zimmers* (Frankfurt, 1706).

42. Londres: Richard Rayston, 1640.

43. George Ballard, *Memoirs of Several Ladies of Great Britain* (Oxford: impresso por W. Jackson para o autor, 1752). Ruth Perry (org.), "Introduction" à obra de George Ballard, *Memoirs of Several Ladies of Great Britain* (Detroit: Wayne State University Press, 1985) é a consideração educativa mais completa do trabalho de Ballard.

    Há inúmeros outros volumes de autoria de homens que apresentam catálogos de valores das mulheres e rascunhos biográficos curtos. Exemplos são: Charles Gerbier, *Elogium Heroinum: or, The Praise of Worthy Women* (1651) e John Shirley, *The Illustrious History of Women* (1686), que oferece uma pesquisa mais complexa. Theophilus Cibber, *An Account of the Lives of the Poets of Great Britain and Ireland*, 4 vols. (Londres: R. Griffiths, 1753), lista catorze mulheres. Uma compilação popular para o entretenimento "da Mulher em Geral" (*Fair Sex*) foi publicado por William Alexander, *The History of Women from the Earliest Antiquity...*, 2 vols. (Londres: W. Strahan & T. Cadell

1779). Para uma discussão do tratamento de mulheres inglesas em biografias literárias, ver Myra Reynolds, *The Learned Lady in England, 1650-1760* (Boston: Houghton Mifflin, 1920), pp. 421-25.

44. Perry (org.), "Introduction", para Ballard, *Memoirs*, p. 25.

45. Madeleine de Scudèry, *Les Femmes ilustres* (Paris: Antoine de Sommaville, 1642), conforme citado por Faith E. Beasley, em *Revising Memory: Women's Fiction and Memoirs in Seventeenth-Century France* (New Brunswick: Rutgers University Press, 1990), pp. 53-6. Beasley também se refere a outro compilador feminino, cujo catálogo de mulheres apareceu em 1668, Marguerite Buffet.

46. John Duncombe, *The Feminead, A Poem* (1754), The Augustan Reprint Society, 207 (Los Angeles: William Andrews Clark Memorial Library, 1981); Miss [Mary] Scott, *The Female Advocate; A Poem occasioned by reading Mr. Duncombe Feminead* (Londres: Jos. Johnson, 1774), Augustan Reprint Society, 224 (Los Angeles: William Andrews Clark Memorial Library, 1984).

47. Hays (Londres: Richard Phillips, 1803) e Roberts (Londres: Harbey & Derton, 1829).

48. Cf. Louisa Stuart Costello, *Memoirs of Eminent Englishwomen*, 4 vols. (Londres: Bentley, 1844); Jane Williams, *The Literary Women of England* (Londres, 1861); Julia Kavanagh, *English Women of Letters*, 2 vols. (Londres, 1863); Georgiana Hill, *Women in English Life*, 2 vols. (Londres: Bentley & Son, 1896); e Elizabeth Casey, *Illustrious Irishwomen*, 2 vols. (1887).

Para Alemanha: cf. [Christian August Wichmann], *Geschichte berühmter Frauenzimmer. Nach alphabetischer Ordnung aus alten und neuen in- und ausländischen Geschichtssammlungen und Wörterbuechern zusammen getragen*, 3 vols. (Leipzig, 1772-1775); Claire von Glümer, *Bibliothek für die deutsche Frauenwelt*, 6 vols. (Leipzig, 1856); Louise Otto, *Merkwürdige und geheimnisvolle Frauen* (Leipzig, 1868) e *Einflussreiche Frauen aus dem Volke* (Leipzig, 1869).

Para França: Marguerite V. F. Bernier Briquet, *Dictionnaire historique, littéraire and bibliographique des françaises et des étrangères naturalisées en France* (Paris, 1804).

49. Lydia Maria Child, *Brief History of the Condition of Women in Various Ages and Nations*, Ladies Family Library, vol. IV (Boston: John Allen & Co., 1835), 2 vols.

50. *Ibid.*, vol. 2, p. 211.

51. Stowe (Nova York: J. B. Ford & Co., 1874).

52. Hanaford (Augusta, Maine: True & Co., 1882).

53. Sarah Josepha Hale, *Woman's Record or Sketches of Distinguished Women from "the Beginning" till A. D. 1850* (Nova York: Harper and Bros., 1853); Sarah Knowles Bolton, *Famous Types of Womanhood* (Nova York: Thomas Y. Crowell, 1892).

54. Hale, *Woman's Record*, pp. viii-ix, v.

55. *Ibid.*, p. 35.

56. Frances E. Willard e Mary A. Livermore (orgs.), *A Woman of the Century: Fourteen Hundred-seventy Biographical Sketches accompanied by Portraits of Leading American Women in All Walks of Life* (Chicago: Charles Wells Moulton, 1893).

57. *Ibid.*

58. Para um exemplo representativo desse gênero, ver Elizabeth Ellet, *Pioneer Women of the West* (Nova York: C. Scribner, 1852) e Mary O. Douthit, *The Souvenir of Western Women* (Portland, Maine: Anderson and Duniway, 1905).

59. Sra. N. F. Mossell, *The Work of the Afro-American Woman* (Filadélfia: Geo.S. Ferguson Co., 1908). A sra. Mossell usava a inicial do nome do marido, Nathan Francis. O trabalho está disponível em uma edição reimpressa (Nova York: Oxford University Press, 1988).

60. Julia Ward Howe, *Margaret Fuller, Marchesa Ossoli* (Boston, 1883); Helen S. Campbell, *Anne Brastreet and Her Time* (Boston, 1891); Mary S. Porter, *Recollections of Louisa May Alcott...* (Boston, 1893); Annie A. Fields, *Life and Letters of Harriet Beecher Stowe* (Boston, 1897).

61. Andrea Hinding (org.), *Women's History Sources: A Guide to Archives and Manuscript Collections in the United States*, 2 vols. (Nova York: R. R. Bowker, 1979).

62. Jane Cunningham Croly é representante deste gênero, *History of the Woman's Club Movement in America* (Nova York: H. G. Allen and Co., 1898).

63. Elizabeth C. Stanton, Susan B. Anthony e Matilda J. Gage, *History of Woman Suffrage*, 6 vols. (Nova York: Fowler e Wells, 1881-1922); neste documento, referido como HWS.

64. Para uma crítica e reavaliação de HWS, ver Nancy Isenberg, *The Co-Equality of the Sexes: The Feminist and Religious Discourse of the Nineteenth-Century Woman's Right Movement: 1848-1860*. Dissertação, University of Wisconsin-Madison, 1990.

65. As autobiografias e edições de cartas são numerosas. Uma vez que muitas delas foram coletadas e publicadas apenas no século XX, apenas elas caem no escopo deste estudo. Para exemplos representativos, ver Catherine Birney, *The Grimké Sisters: Sarah and Angelina Grimké, the First American Women Advocates of Abolition and Women's Rights* (Boston: Lee and Shepard, 1885); Anna D. Hallowell (org.), *Life and Letters of James and Lucretia Mott* (Boston: Houghton Mifflin, 1884).

Exemplos de escritos autobiográficos são: Harriot K. Hunt, M. D., *Glances and Glimpses; or Fifty Years Social Inluding Twenty Years Professional Life* (Boston: John P. Jewett Co., 1856); Frances Willard, *Glimpses of Fifty Years: The Autobiography of an American Woman* (Chicago: H. J. Smith & Co., 1889); Elizabeth Cady Stanton, *Eighty Years and More: 1815-1897* (Londres: T. Fisher Unwin, 1898); Mary A. Livermore, *My Story of the War: A Woman's Narrative of Four Years' Personal Experience...* (Hartford, Conn.: A. D. Worthington and Co., 1889).

66. Os esforços mais recentes da história narrativa sobre mulheres e escrita por mulheres foram os trabalhos da literata Elizabeth Ellet e a antiquária e historiadora amadora Alice Earle. Ver Elizabeth Ellet, *The Women of the America Revolution*, 3 vols. (Nova York: Baker & Scribner, 1848-1850); e *Domestic History of the American Revolution* (Nova York: Baker & Scribner, 1850); Alice Earle, *Colonial Dames and Good Wives* (Boston: Houghton Mifflin, 1865) e *Child Life in Colonial Days* (Nova York: Macmillan, 1899).

   Para um histórico das atividades organizacionais das mulheres, ver Croly, *History of the Woman's Club Movement in America;* e Frances E. Willard, *Glimpses of Fifty Years;* Mary I. Wood, *History of the General Federation of Women's Clubs* (Nova York, 1912); e Mary Ritter Beard, *Woman's Work in Municipalities* (Nova York: D. Appleton, 1915). Para um histórico do trabalho sobre clubes de mulheres afro-americanas, ver Elizabeth Lindsay Davis, *Lifting as They Climb* (sem localização: National Association of Colored Women, 1933).

   Para um histórico interpretativo de mulheres, ver Matilda Joslyn Gage, *Woman, Church and State: A Historical Account of the Status of Woman Through the Christian Ages; With Reminiscences* (Nova York: The Truthseeker Co., 1893; ed. reimpressa Watertown, MA: Persephone Press, 1980).

67. Para uma discussão sobre a carreira de historiadoras de mulheres dos EUA mais recentes, ver Kathryn Kish Sklar, "American Female Historians in Contexto, 1770-1930", em *Feminist Studies*, 3, nº 1/2 (outono de 1975), pp. 171-84.

68. Kate C. Hurd-Mead, *A History of Women in Medicine... from the Earliest Times to the Beginning of the Nineteenth Century* (Haddam, Conn.: Haddam Press, 1938); e Helen L. Summer, *History of Women in Industry in the United States*, vols. 9 e 10, em *Report on Condition of Woman and Child Wage-Earners in the United States*, U. S. Senate Document 645 (Washington, D. C.: U.S. Government Printing Office, 1911).

69. Mary S. Benson, *Women in Eighteenth-Century America: A Study of Opinion and Social Usage*, 1935 (Nova York: AMS Press, 1976); Elizabeth Anthony Dexter, *Colonial Women of Affairs: A Study of Women in Business and the Professions in America Before 1776* (Boston: Houghton Mifflin, 1924); Julia Cherry Spruill, *Women's Life and Work in the Southern Colonies*, 1938 (Nova York: W. W. Norton, 1972); Willystine Goodsell, *The Education of Women: Its Social Background and Its Problems* (Nova York: Macmillan, 1923).

70. Cf. Eugenie Andrews Leonard, *The Dear-Bought Heritage* (Filadélfia: University of Pennsylvania Press, 1965); Eleanor Flexner, *Century of Struggle: The Woman's Rights Movement in the United States* (Cambridge: Harvard University Press, 1959).

   Os trabalhos biográficos de Alma Lutz e Katherine Anthony também caem nessa categoria.

71. Mary Ritter Beard, *Woman as Force in History: A Study in Traditions and Realities* (Nova York: Macmillan, 1946).

72. A citação é de Mary Beard, "The Direction of Women's Education", um trabalho enviado a Mount Holyoke College em 1937, reimpresso em *Mary Ritter Beard: A Sourcebook*, de Ann J. Lane (Nova York: Schocken Books, 1977), pp. 159-67; citação p. 167.

73. O texto e a citação foram retirados de um panfleto produzido pelo World Center para os Arquivos das Mulheres, na posse do autor. As mulheres que tomaram a dianteira do apoio a esse projeto foram Elizabeth Schlesinger, Miriam Holden, Eugenia Leonard e Mary Beard.

74. O terceiro e mais antigo arquivo, a coleção de Sophia Smith no Smith College, também foi fortalecido pelo grande esforço coletivo delas.

75. Mary R. Beard, *Women's Work in Municipalities; On Understanding Women* (Nova York: Grosset & Dunlap, 1931); *Women as Force in History; The Force of Women in Japanese History* (Washington, D.C.: Public Affairs Press, 1953). A obra editada em conjunto que mais claramente leva a impressão de seus conceitos é a de Charles A. Beard e Mary Ritter Beard, *The Rise of American Cvilization,* 2 vols. (Nova York: Macmillan, 1927). Ela também editou duas coleções de fontes: *America Through Women's Eyes* (Nova York: Macmillan, 1933) e (com Martha Bensley Bruere) *Laughing Their Way: Women's Humor in America* (Nova York: Macmillan, 1934).

Fontes úteis sobre Mary Beard são: Ann J. Lane (org.), *Mary Ritter Beard: A Sourcebook;* Barbara Turoff, *Mary Ritter Beard as Force in History* (Dayton, Ohio: Wright State University Monograph Series, nº 3, 1979); Bonnie G. Smith, "Seeing Mary Beard", em *Feminist Studies,* 10, nº 3 (outono de 1984), pp. 399-416. Eu tirei grande proveito do trabalho de Nancy Cott sobre Mary Beard, o qual ela compartilhou generosamente comigo em seu rascunho e palestras não publicadas e grandes propostas. Ver Nancy Cott (org.), *A Woman Making History: Mary Ritter Beard Through Her Letters* (New Haven: Yale University Press, 1991).

76. Anna Maria von Schurman para André Rivet, conforme citado por Elisabeth Gössman, em *Das Wohlgelahrte Frauenzimmer,* Archiv für Philosophie- und Theologiegeschichtliche Frauenforschung (Munique: Iudicium, 1984), vol. I, p. 44. Traduzido por Gerda Lerner.

77. Para uma discussão mais detalhada da luta das historiadoras profissionais por igualdade e reconhecimento da História da Mulher, ver meu artigo "A View from the Women's Side", em *The Journal of American History*, 76, nº 2 (set. 1989), pp. 446-56.

DOZE   Conclusão

1. Informações sobre a formação dos movimentos sufragistas na Inglaterra, na França e na Alemanha baseiam-se em *The Feminist: Women's Emancipation Movements in Europe, America and Australasia, 1840-1920,* de Richard J. Evans (Nova York: Barnes & Noble Books, 1977); Bonnie G. Smith, *Changing Lives: Women in European History Since 1700* (Lexington, MA: D. C. Heath, 1989); Bonnie S. Anderson e Judith P. Zinsser,

A History of Their Own: Women in Europe from Prehistory to the Present, 2 vols. (Nova York: Harper & Row, 1988), vol. II; Margrit Twellman, *Die deutsche Frauenbwegung im Spiegel repräsentativer Frauenzeitschriften; ihre Anfänge und erste Entwicklung, 1843-1889* (Meisenheim am Glau: Anton Hain, 1972).

2. Ver Darlene Gay Levy, Harriet Branson Applewhite, Mary Durham Johnson, *Women in Revolutionary Paris, 1789-1795* (Urbana: University of Illinois Press, 1979); Claire Goldberg Moses, *French Feminism in the 19th Century* (Albany, NY: SUNY Press, 1984).

3. *Frauen-Zeitung* 1 (1849), conforme citado por Karin Hausen (org.), em *Frauen suchen ihre Geschichte: Historische Studien zum 19. – und 20. Jahrhundert* (Munique: C. H. Beck, 1983), p. 200 (trad. Gerda Lerner).

4. Um artigo no jornal feminista afirmou: "Vocês falam em *fraternidade*, mas não hesitam em negar a suas *irmãs* o acesso a suas organizações. Mais do que isso, vocês delibera-damente as excluem do trabalho, negando a elas o meio de existência". *Frauen-Zeitung* 37 (1849), conforme citado por Hausen, em *Frauen suchen*, p. 208 (trad. Gerda Lerner).

5. Simone de Beauvoir, *The Second Sex* (1949), traduzido e organizado por H. M. Parsh-ley, 1952 (Nova York: Bantam, 1970), p. 19. Para uma discussão mais aprofundada desse ponto, ver Gerda Lerner, "Women and History", por Elaine Marks (org.), em *Critical Essays on Simone de Beauvoir* (Boston: G. K. Hall, 1987), pp. 154-67.

BIBLIOGRAFIA

I   História e Teoria da História das Mulheres, 407

1. Livros, 407 / 2. Artigos, 409

II   *Antologias, 411

1. Antologias de Fontes Primárias, 411 / 2. Coleções de Ensaios Interpretativos, 412

III   *Obras de Referência, 413

IV   Educação, 414

1. Fontes Primárias, 414 / 2. Antologias e Obras de Referência, 414 / 3. Fontes Secundárias (Livros e Artigos), 414

V   Idade Média, 418

1. Obras de Referência e Antologias, 418 / 2. Livros, 419 / 3. Artigos, 422 / 4. Cristina de Pisano, 424 / 5. Rosvita de Gandersheim, 425

---

* Antologias e Obras de Referência também são encontradas em outras seções, quando apropriado.

VI   Misticismo e Espiritualidade, 426

1. Fontes Primárias, 426 / 2. Livros, 427 / 3. Artigos, 427 / 4. Hadewijch, 428 / 5. Mechthild de Magdeburg, 429 / 6. Margery Kempe, 429 / 7. Julian de Norwich, 429 / 8. Hildegarda de Bingen, 429 / 9. Johanna Southcott, 431 / 10. Shakers, 431

VII   Renascimento e Reforma, 432

1. Fontes Primárias, 432 / 2. Fontes Secundárias, 432 / 3. Livros, 433 / 4. Artigos, 434 / 5. Margarida de Navarra, 435 / 6. Louise Labé, 436

VIII   Século XVII, 436

1. Fontes Primárias, 436 / 2. Obras de Referência e Antologias, 437 / 3. Livros, 437 / 4. Artigos, 438 / 5. Mary Astell, 439 / 6. Anne Bradstreet, 440 / 7. Margaret Cavendish, duquesa de Newscastle, 440 / 8. Mary Lee (*lady* Chudleigh), 441 / 9. Marie de Gournay, 441

IX   Século XVIII, 441

1. Fontes Primárias, 441 / 2. Obras de Referência e Antologias, 442 / 3. Livros, 442 / 4. Artigos, 443 / 5. Irmã Juana de la Cruz, 444 / 6. Elizabeth Elstob, 445 / 7. Anna Luisa Karsch, 445 / 8. Catharine Macaulay, 445 / 9. Judith Sargent Murray, 445 / 10. Mary Wollstonecraft, 446

X   Século XIX, 446

1. Fontes Primárias, 446 / 2. Obras de Referência e Antologias, 449 / 3. Fontes Secundárias, 449 / 4. Emily Dickinson, 452 / 5. Margaret Fuller, 453 / 6. Angelina e Sarah Grimké, 453 / 7. Elizabeth Cady Stanton, 454 / 8. Rahel Varnhagen von Ense, 454 / 9. Frances Willard, 455 / 10. Frances Wright, 455

XI   Século XX, 455

1. Fontes Primárias, 455 / 2. Fontes Secundárias, 456 / 3. Mary Ritter Beard, 456

XII   Mulheres Judias, 457

I HISTÓRIA E TEORIA DA HISTÓRIA DAS MULHERES

1. Livros

Anderson, Bonnie S. e Judith P. Zinsser. *A History of Their Own: Women in Europe from Prehistory to the Present.* 2 vols. Nova York: Harper & Row, 1988.

Ariès, Philippe. *Centuries of Childhood: A Social History of Family Life.* Nova York: Random House, 1962.

[Aristotle.] *The Works of Aristotle.* W. D. Ross (org.). Oxford: Oxford University Press, 1921.

Auerbach, Nina. *Communities of Women.* Cambridge: Harvard University Press, 1978.

Bachofen, Johann J. *Das Mutterrecht. Eine Untersuchung über die Gynaikokratie der alten Welt nach ihrer religiösen und rechtlichen Natur.* Stuttgart: Krais and Hoffman, 1861.

Beauvoir, Simone de. *The Second Sex* (1949). H. M. Parshley, trad. e org. Nova York: Knopf, 1953; Bantam, 1970.

Boulding, Elise. *The Underside of History: A View of Women Through Time.* Boulder, Colo.: Westview Press, 1976.

Briffault, Robert. *The Mothers: A Study of the Origins of Sentiments and Institutions.* 3 vols. Nova York: Macmillan, 1927.

Degler, Carl. *At Odds: Women and the family in America; 1776 to the Present.* Nova York: Oxford University Press, 1980.

DuBois, Ellen Carol *et al. Feminist Scholarship: Kindling in the Groves of Academe.* Urbana e Chicago: University of Illinois Press, 1985.

Elbogen, Ismar e Leonore Sterling. *Die Geschichte der Juden in Deutschland.* Frankfurt am Main: Athenaeum Verlag, 1988.

Engels, Friedrich. *Der Ursprung der Familie, des Privateigentums und des Staats* (1884). Reimpresso por Karl Marx e Friedrich Engels. *Werke,* vol. 21. Berlim: Dietz Verlag, 1962.

Ezell, Margaret J. M. *The Patriarch's Wife: Literary Evidence and the History of the Family.* Chapel Hill e Londres: University of North Carolina Press, 1987.

Faderman, Lillian. *Surpassing the Love of Men: Romantic Friendship and Love Between Women from the Renaissance to the Present.* Nova York: Morrow, 1981.

Flexner, Eleanor. *Century of Struggle: The Woman's Rights Movement in the United States* (1959). Cambridge: Belknap Press of Harvard University, 1975.

Fox-Genovese, Elizabeth. *Feminism Without Illusions: A Critique of Individualism.* Chapel Hill e Londres: University of North Carolina Press, 1991.

Gilbert, Sandra M. e Susan Gubar. *The Madwoman in the Attic: The Woman Writer and the Nineteenth-Century Literary Imagination.* New Haven: Yale University Press, 1979.

Heilbrun, Carolyn G. *Writing a Woman's Life*. Nova York: W.W. Norton, 1988.

_____. *Hamlet's Mother and Other Women*. Nova York: Ballantine Books, 1990.

Hurd-Mead, Kate C. *A History of Women in Medicine... From the Earliest of Times to the Beginning of the Nineteenth Century in 1938*. Haddam, Conn.: Haddam Press, 1938.

Janssen-Jurreit, Marie-Louise. *Sexismus*, Munique: Carl Hauser Verlag, 1976.

Jellinek, Estelle C. *Women's Autobiography*. Bloomington: Indiana University Press, 1980.

Kelly, Joan. *Women, History and Theory*. Chicago: University of Chicago Press, 1984.

Kleinbaum, Abby Wettan. *The War Against the Amazons*. Nova York: McGraw-Hill, 1983.

Köster, Helmut. *Einführung in das Neue Testament im Rahmen der Religionsgeschichte und Kulturgeschichte der hellenistischen und römischen Zeit*. Berlim: Walter de Gruyter, 1980.

Lerner, Robert E., Standish Meacham e Edward McNall Burns. *Western Civilizations: Their History and Their Culture*, 11ª ed. Nova York: The Crossing Press, 1984.

Merton, Robert K. *On the Shoulders of Giants: A Shandean Postcript*. San Diego: Harcourt Brace Jovanovich, 1985.

Meyers, Carol. *Discovering Eve: Ancient Israelite Women in Context*. Nova York: Oxford University Press, 1988.

Moers, Ellen. *Literary Women*. Garden City: Doubleday, 1976.

Pagels, Elaine. *Adam and Eve and the Serpent*. Nova York: Random House, 1988.

Pateman, Carole. *The Sexual Contract*. Stanford: Stanford University Press, 1988.

Phillips, John A. *Eve: The History of an Idea*. Nova York: Harper & Row, 1984.

Rabinowicz, Henry M. *The World of Judaism*. Londres: Vallentine; Mitchell, 1970.

Rendall, Ruth. *The Origins of Modern feminism: Women in Britain, France and the United States.* 1780-1860. Londres: Macmillan, 1985.

Rich, Adrienne. *Of Woman Born: Motherhood as Experience and Institution*. Nova York: W.W. Norton, 1976.

_____. *On Lies, Secrets, and Silence: Selected Prose, 1966-1978*. Nova York: W.W. Norton, 1979.

Rowbotham, Sheila. *Hidden from History. Rediscovering Women in History from the 17th Century to the Present*. Nova York: Random House, 1974.

Ruether, Rosemary Radford. *Sexism and god-Talk: Toward a Feminist Theology*. Boston: Beacon Press, 1983.

Sewell, Elizabeth. *The Human Metaphor*. University of Notre Dame Press, 1964.

Showalter, Elaine. *A Literature of Their Own*. Princeton: Princeton University Press, 1977.

Smith, Bonnie G. *Changing Lives: Women in European History since 1700.* Lexington, Mass.: D. C. Heath, 1989.

Spacks, Patricia Meyer. *The Female Imagination.* Nova York: Knopf, 1975.

Spander, Dale. *Women of Ideas and What Men Have Done to Them: From Aphra Behn to Adrienne Rich.* Londres: Routledge e Kegan Paul, 1982.

Stenton, Doris Mary. *The English Woman in History (1957).* Nova York: Schoken Books, 1977.

Stimpson, Catharine R. *Where the Meanings Are: Feminism and Cultural Spaces.* Nova York: Methuen, 1988.

Thorndike, Lynn. *A History of Magic and Experimental Science During the First Thirteen Centuries of Our Era.* 2 vols. Nova York: Columbia University Press, 1929.

Todd, Janet M. *Women's Friendship in Literature.* Nova York: Columbia University Press, 1980.

Walker, Alice. *In Search of Our Mother's Garden: Womanist Prose.* San Diego: Harcourt Brace Jovanovich, 1983.

Whitelock, Dorothy. *The Beginnings of English Society.* Edição em brochura. Londres: Penguin Books, 1984.

Wooley, C. Leonard. *The Sumerians.* Nova York: W.W. Norton, 1965.

Woolf, Virginia. *Three Guineas.* Londres: Hogarth Press, 1938.

_____. *A Room of One's Own.* Nova York: Harcourt Brace Jovanovich, 1929.

_____. Women and Writing. Michelle Barret (org.). Nova York: Harcourt Brace Jovanovich, 1979.

Wrigley, E. A. *Population and History.* Nova York: McGraw-Hill, 1973.

2. Artigos

Bird, Phyllis. "Images of Women in the Old Testament." *In* Ruether, *Sexism and God Talk.* pp. 41-88.

Davin, Anna. "Imperialism and Motherhood." *History Workshop,* nº 5 (1978), pp. 9-65.

Davis, Natalie Zemon. "Gender and Genre: Women as Historiacal Writers, 1400–1820." *In Beyond Their Sex: Learned Women of the European Past.* Patricia H. Labalme (org.). Nova York: New York University Press, 1984, pp. 153-82.

_____. "'Women's History' in Transition: The European Case." *Feminist Studies,* vol. 3, nᵒˢ 3-4 (1976), pp. 83-103.

Fox-Genovese, Elizabeth. "Culture and Consciousness in the Intellectual History of European Women." *SIGNS*, vol. 12, nº 3 (primavera de 1987), pp. 529-47.

Fritz, Angela McCourt. "The Novel Women: Origins of the Feminist Literary Tradition in England and France." *In New research on Women at the University of Michigan*. Dorothy McGuian (org.). Ann Arbor, Mich.: Center for Continuing Education of Women, 1974, pp. 20-46.

Horowitz, Maryanne Cline. "The Image of God in Man–Is Woman Included?" *Harvard Theological Review,* vol. 72, nᵒˢ 3-4 (jul.-out. 1979), pp. 175-206.

Hufton, Olwen. "Women in History: Early Modern Europe." *Past and Present,* vol. 101 (nov. 1983), pp. 125-41.

Kelly, Joan. "Early Feminist Theory and the *Querelle des Femmes.*" *In* Kelly, *Women, History and Theory*, pp. 65-109.

Kolodny, Annette. "Some Notes on Defining a Feminist Literary Criticism." *Critical Inquiry,* vol. 2 (outono de 1975), pp. 75-92.

Lerner, Gerda. "A View from the Women's Side." *The Journal of American History,* vol. 76, nº 2 (set. 1989), pp. 446-56.

_____. "Black Women in the United States." *In* Lerner, *Majority,* cap. 5.

_____. "Women in History." *In Critical Essays on Simone de Beauvoir.* Elaine Marks (org.). Boston: G. K. Hall, 1987, pp. 154-67.

Mason, Mary G. "The Other Voice: Autobiographies of Women Writers." *In Autobiographies: Essays Theoretical and Critical.* James Olney (org.). Princeton: Princeton University Press, 1980.

McLaughlin, Eleanor Commo. "Equality of Souls, Inequality of Sexes: Woman in Medieval Theology." *In* Ruether, *Religion and Sexism,* pp. 213-66.

Offen, Karen. "Toward an Historical Definition of Feminism: The Contribution of France." *Crow Working Papers,* nº 22, Center for Research on Women, Stanford University, 1985.

Prusak, Bernard P. "Woman: Seductive Siren and Source of Sin?" *In* Ruether, *Religion and Sexism,* pp. 89-116.

Richardson, Lula McDowel. "The Forerunners of Feminism in French Literature of the Renaissance from Christine of Pisa to Marie de Gournay. *The Johns Hopkins Studies in Romance Literatures and Languages,* vol. 12. Baltimore: Johns Hopkins University Press, 1929.

Robinson, Lilian S. "Treason Our Text: Feminist Challenges to the Literary Canon." *In Tulsa Studies in Women's Literature,* vol. 2, nº 1 (primavera de 1983), pp. 83-98.

Ruether, Rosemary Radford. "Misogynism and Virginal Feminism in the Fathers of the Church." *In* Ruether, *Religion and Sexism,* pp. 150-83.

Scott, Joan Wallach. "Women in History: The Modern Period." *Past and Present*, nº 101 (nov. 1983), pp. 141-57.

Stimpson, Catharine R. "ad/d Feminam: Women, Literature, and Society." *In* Stimpson, *Where the Meanings Are,* pp. 84-96.

Walker, Wm. O., Jr. "The 'Theology of Woman's Place' and the 'Paulinist' Tradition." *In Semeia: An Experimental Journal for Biblical Criticism,* vol. 28 (1983), pp.101-12.

II ANTOLOGIAS

1. Antologias de Fontes Primárias

[Anon.] *Poems by Eminent Ladies...* Londres: R. Balwin, 1755.

Barnstone, Alike e Willis Barnstone. *A Book of Women poets from Antiquity to Now.* Nova York: Schocken Books, 1980.

Blakwell, Jeannine e Susanne Zantop (orgs.). *Bitter Healing; German Women Writers, 1700-1830; An Anthology.* Cornelia Niekus Moore (trad.). Lincoln: University of Nebraska Press, 1990.

Brincker-Gabler, Gisela (org.). Deutsche Dichterinnen vom 16.ten Jahrhundert bis zur Gegenwart. Frankfurt am Main: Fischer Taschenbuch Verlag, 1978.

_____ Deutsche Literatur von Frauen; Erster Band: Vom Mittelalter bis zum Ende des 18.ten Jahrhunderts. Munique: C.H. Beck Verlag, 1988.

Cibber, Theophilus. *An Account of the Lives of the Poets of Great Britain and Ireland.* 4 vols. Londres: R. Griffiths, 1753.

Cosman, Carol, Joan Keefe e Kathleen Weaver (orgs.). *The Penguin Book of Women Poets.* Middlesex: Penguin Books, 1979.

Ferguson, Moira (org.). *First Feminists: British Women Writers, 1578-1799.* Bloomington: Indiana University Press, 1985.

Gilbert, Sandra M. e Susan Gubar. *The Norton Anthology of Literature by Women: The Tradition in English.* Nova York: W.W. Norton, 1985.

Gössman, Elisabeth. *Das Wohlgelahrte Frauenzimmer,* Archiv für Philosophiegeschichtliche Frauenforschung, Band 1. Munique: Iudicium, 1984.

_____. *Eva, Gottes Meisterwerk,* Archiv für Philosophie-geschitchtliche Frauenforschung, Band 2. Munique: Iudicium, 1985.

Hannay, Margaret Patterson (org.). *Silent But for the World. Tudor Women as Patrons, Translators and Writers of Religions Works.* Kent, Ohio: Kent State University Press, 1985.

Henderson, Katherine Usher e Barbara F. MacManus. *Half Humankind: Contexts and Texts of the Controversy About Women in England, 1540-1640.* Urbana: University of Illinois Press, 1985.

Lerner, Gerda (org.). *Black Women in White America: A Documentary History.* Nova York: Pantheon, 1972.

Rossi, Alice (org.). *The Feminist Papers from Adams to Beauvoir.* Nova York: Bantam Books, 1974.

2. Coleções de Ensaios Interpretativos

Becker-Cantarino, Barbara (org.). *Die Frau von der Reformation zur Romantik: Die Situation der Frau vorn dem Hintergrund der Literatur- und Sozialgeschichte.* Bonn: Bouvier, 1981.

Bridenthal, Renate e Claudia Koonz (org.). *Becoming Visible: Women in European History.* Boston: Houghton Mifflin, 1977.

Bridenthal, Renate, Claudia Koonz e Susan Stuard (orgs.). *Becoming Visible: Women in European History*, 2ª ed. Boston: Houghton Mifflin, 1987.

Brink, J. R. (org.). *Female Scholars: A Tradition of Learned Women Before 1800.* Montreal: Eden Press; Women's Publications, 1980.

Burkhard, Marianne (org.). *Gestalt und Gestaltend: Frauen in de deutschen Literatur,* Amsterdamer Beiträge zur Neuren Germanistik, Band 10. Amsterdam: Rodopi, 1980.

Collins, Adela Yarbro (org.). *Feminist Perspectives and Biblical Scholarship.* Society of Biblical Literature, Centennial Publications, nº 10. Chico, Calif.: Scholars Press, 1985.

Ecker, Gisela (org.). *Feminist Aethestics.* Londres: The Women's Press, 1985.

Hine, Darlene Clark (org.). *Black Women in United States History.* 4 vols. Brooklyn, NY: Carlson Publishing Co., 1990.

Labalme, Patricia H. (org.). *Beyond Their Sex: Learned Women of the European Past.* Nova York: New York University Press, 1984.

McGuidan, Dorothy (org.). *New Research on Women at the University of Michigan.* Ann Arbor: Center for Continuing Education, 1974.

Mahl, Mary R. e Helene Koon (orgs.). *The Female Spectator: English Women Writers Before 1800.* Bloomington; Old Westbury, NY: Indiana University Press; The Feminist Press, 1977.

Paulsen, Wolfgang (org.). *Die Frau als Heldin und Autorin: Neue kritische Ansäetze zur deutschen Literatur.* Berna: Francke Verlag, 1979.

Rose, Mary Beth (org.). *Women in the Middle Ages and the Renaissance: Literary and Historical Perspectives.* Syracuse: Syracuse University Press, 1986.

III OBRAS DE REFERÊNCIA

[The Catholic University.] *New Catholic Encyclopedia.* 15 vols. Nova York: McGraw-Hill, 1967.

Cavendish, Richard (org.). *Man, Myth and Magic. The Illustrated Encyclopedia of Mythology, Religion and the Unknown.* New York: Marshall Cavendish, 1985.

Cole, Helena, Jane Caplan e Hanna Schissler. *The History of Women in Germany from Medieval Times to the Present: Bibliography of English Language Publications.* Washington, D.C.: German Historical Institute, 1990.

Egan, Edward W., Constance B. Hintz e L. F. Wise (orgs.). *Kings, Rulers and Statesmen.* Nova York: Sterling, 1976.

Eliade, Mircea (org.). *The Encyclopedia of Religion.* 16 vols. Nova York: Macmillan, 1987.

Gillespie, Charles Coulston (org.). *Dictionary of Scientific Biography.* Nova York. Charles Scriber's Sons, 1972.

Hastings, James (org.). *The Encyclopedia of Religion and Ethics.* 13 vols. Nova York: Charles Scriber's Sons, 1955-1958.

Hinding, Andre (org.). *Women's History Sourcers: A Guide to Archives and Manuscript Collections in the United States.* 2 vols. Nova York: R. R. Bowker, 1979.

Holland, David T. (org.). *The Encyclopedia Americana.* Edição internacional, 30 vols. Danbury, Conn.: Grolier, 1990.

Jackson, Guida M. *Women Who Ruled.* Santa Barbara; Oxford: ABC-CLIO, 1990.

James, Edward T., Janet Wilson James e Paul Boyer (orgs.). *Notable American Women, 1607-1950: A Biographical Dictionary.* 3 vols. Cambridge: Harvard University Press, 1971.

Seligman, Edwin R. A. (org.). *Encyclopedia of the Social Sciences.* 15 vols. Nova York: Macmillan, 1930-1935.

Sicherman, Barbara e Carol Hurd Green (orgs.). *Notable American Women: The Modern Period.* Cambridge: Harvard University Press, 1980.

Sills, David L. (org.). *Encyclopedia of the Social Sciences,* 19 vols. Nova York: Macmillan, 1968-1991.

Singer, Isidore (org.). *The Jewish Encyclopedia.* 12 vols. Nova York: Funk & Wagnalls, 1901.

UNESCO Statistical Yearbook, 1986. Bélgica: UNESCO, 1986.

Wakefield, Gordon S. *The Westminster Dictionary of Spirituality.* Filadélfia: Westminster Press, 1983.

Ward, A. A. e A. R. Waller (orgs.). *Cambridge History of English Literature,* 15 vols. Nova York: G. P. Putnam & Sons, 1907-1933.

Wigoder, Geoffrey (org.). *The New Standard Jewish Encyclopedia.* Nova York: Doubleday, 1977.

IV EDUCAÇÃO

1. Fontes Primárias

[Anon.] *The Rise and Progress of the Young Ladies' Academy of Philadelphia*. Filadélfia: Stewart and Cochran, 1794.

Bucknell, Joanna Rooker e Martha Elizabeth Bucknell Papers, Elizabeth and Arthur Schlesinger Library, Radcliffe College, Cambridge, Mass.

Dwight, Timothy. *Travels in New England and New York*, 4 vols. Londres: William Boynes & Son, 1823.

Fuller, Margaret. *The Great Lawsuit: Woman in the Nineteenth Century.* Nova York: Jewett, Proctor and Worthingon, 1845.

U.S. Congress, House Special Subcommittee on Education. *Hearings on Discrimination Against Women*, 2 vols. Washington, D.C.: U.S. Government Printing Office, 1970.

Willard, Emma. *An Address to the Public; Particularly to the Members of the Legislature of New York, Proposing a Plan for Improving Female Education*. Middlebury, VT: S. W. Copeland, 1819.

2. Antologias e Obras de Referência

Abel, James F. e Norman Bond. *Illiteracy in the Several Countries of the World*. Washington, D.C.: Publicações do Governo dos Estados Unidos, 1929. Dept. do Interior, Secretaria da Educação, Boletim para 1929, nº 4.

Goody, Jack (org.). *Literacy in Traditional Societies:* Cambridge: Cambridge University Press, 1968.

Graff, Harvey J. (org.). *Literacy and Social Development.* Cambridge: Cambridge University Press, 1982.

Resnick, Daniel P. (org.). *Literacy in Historical Perspective:* Washington, D.C.: Library of Congress, 1983.

3. Fontes Secundárias

LIVROS

Bailyn, Bernard. *Education in the Forming of American Society.* Chapel Hill: University of North Carolina Press, 1970.

Cipolla, Carl M. *Literacy and development in the West.* Harmondsworth: Penguin Books, 1969.

Clanchy, M. T. (org.). *From Memory to Written Record: England, 1066-1307*. Cambridge: Harvard Press, 1979.

Cremin, Lawrence A. *American Education: The National Experience, 1738-1876*. Nova York: Harper & Row, 1980.

Cressy, David. *Literacy and the Social Order: Reading and Writing in Tudor and Stuart England*. Cambridge: Cambridge University Press, 1980.

Cross, Barbara. *The Educated Woman in America*. Nova York: Teachers College Press, 1965.

Goodsell, Willystine. *The Education of Women: Its Social Background and its Problems*. Nova York: Macmillan, 1923.

Hickson, Shirley Ann. *The Development of Higher Education for Women in the Antebellum South*. Tese de doutorado, University of South Carolina, 1985.

Hoffman, Nancy. *Women's True Profession*. Nova York: Feminist Press, 1981.

Houle, Cyril O. *Patterns of Learning*. San Francisco: Jossey-Bass, 1984.

Kaestle, Carl F. *Pillars of the Republic: Common Schools and American Society, 1780-1860*. Nova York: Hill & Wang, 1983.

Kuhn, Anne Louise. *The Mother's Role in Childhood Education: New England Concepts, 1830-1860*. New Haven: Yale University Press, 1947.

Lagemann, Ellen Condliffe. *A Generation of Women: Education in the Lives of Progressive Reformers*. Cambridge: Harvard University Press, 1979.

Lockridge, Kenneth A. *Literacy in Colonial New England: An Enquiry into the Social Context of Literacy in the Early Modern West*. Nova York: W.W. Norton, 1974.

Logan, Robert K. *The Alphabet Effect: The Impact of the Phonetic Alphabet on the Development of Western Civilization*. Nova York: William Morrow, 1986.

Marr, Harriet W. *The Old New England Academies*. Nova York: Comet Press Books, 1959.

Newcomer, Mabel. *A Century of Higher Education for American Women* (1959). Washington, D.C.: Zenger Pub., 1976.

Moorhouse, A. C. *The Triumph of the Alphabet*. Nova York: Henry Schuman, 1953.

Orme, Nicholas. *From Childhood of Chivalry: The Education of English Kings and Aristocracy, 1066-1530*. Nova York: Methuen, 1984.

Rudolph, Frederick. *The American College and University: A History*. Nova York: Knopf, 1962.

Solomon, Barbara Miller. *In the Company of Educated Women: A History of Women and Higher Education in American*. New Haven: Yale University Press, 1985.

Soltow, L. e Stevens. *The Rise of Literacy and the Common School in the United States: A Socioeconomic Analysis to 1870.* Chicago: University of Chicago Press, 1981.

Stock, Phyllis. *Better Than Rubies: A History of Women's Education.* Nova York: G.P. Putnam's Sons, 1978.

Thompson, Eleanor Wolf. *Education for ladies, 1830-1860.* Nova York: King's Crown Press, 1947.

Woodward, William Harrison. *Studies in Education During the Age of the Renaissance; 1400-1600.* Cambridge: Cambridge University Press, 1924.

Woody, Thomas. *History of Women's Education in the United States (1929),* 2 vols. Nova York: Octagon Books, 1966.

ARTIGOS

Adamson, J. W. "The Extent of Literacy in England in the Fifteenth and Sixteenth Century: Notes and Conjectures." *The Library,* 4th Series, vol. 10 (1929-1930), pp. 163-93.

Auwers, Linda. "Reading the Marks of the past: Exploring Female Literacy in Colonial Windsor, Connecticut." *Historical Methods,* vol. 13 (1980), pp. 204-14.

Bock, E. Wilbur. "'Farmer's Daughter Effect': The Case of the Negro Female Professionals." *Phylon,* vol. 30 (primavera de 1969), pp. 17-6.

Burtyn, Joan N. "Education and Sex: The Medical case Against Higher Education for Women in England, 1870-1900." *Proceedings of the American Philosophical Society,* vol. 117, nº 2 (abr. 1973), pp. 79-89.

_____. "Sources of Influence: Woman as Teachers of Girls." *Proceedings of the 1984 Annual Conference of the History of Education Society of Great Britain.* June Purvis (org.). Londres: History of Education Society, 1985, pp. 66-76.

Clanchy, M. T. "Literate and Illiterate." *In From Memory to Written Record, England 1066-1307.* Michael Clanchy (org.). Cambridge: Harvard University Press, 1979, pp. 175-201.

Conway, Jill Kerr. "Perspectives on the History of Women's Education in the United States." *In History of Education Quarterly,* vol. 14 (primavera de 1974), pp. 1-12.

Cressy, David. "The Environment for Literacy: Accomplishment and Context in 17th England and New England." *In* Resnick, *Literacy,* pp. 23-42.

_____. "Levels of Illiteracy in England, 1530-1730." *In The Historical Journal,* vol. 20, nº 1 (1977), pp. 1-24.

Dubois, Elfrieda T. "The Education of Women in Seventeenth-Century France." *In French Studies,* vol. 22, nº 1 (jan. 1978), pp. 1-19.

Ferrante, Joan M. "The Education of Women in the Middle Ages in Theory, Fact and Fantasy." *In* Labalme, *Beyond Their Sex,* pp. 9-42.

Gawthrop, Richard e Gerald Strauss. "Protestantism and Literacy in Early Modern Germany." *In Past and Present: A Journal of Historical Studies,* vol. 57, nº 4 (ago. 1984), pp. 31-55.

Golden, Hilda H. "Literacy." *In International Encyclopedia of the Social Sciences,* vol. 9, pp. 412-17.

Graham, Patricia Albjerg. "Expansion and Exclusion: A History of Women in American Higher Education." *SIGNS,* vol. 3, nº 4 (verão de 1978), pp. 759-72.

Green, Lowell. "The Education of Women in the Reformation." *History of Education Quarterly,* vol. 19 (primavera de 1979), pp. 93-116.

Houston, Rab. "Illiteracy in Scotland, 1630-1760." *In Past & Present,* vol. 55 (ago. 1982), pp. 81-102.

_____. "Literacy and Society in the West, 1500-1850." *Social History,* vol. 8, nº 3 (out. 1983), pp. 269-89.

Kaestle, Carl F. "The History of Literacy and the History of Readers." *In* Edmund W. Gordon. *Review of Research Association,* 1985, pp. 11-53.

_____. "Literacy and Mainstream Culture in American History." *Language Arts,* vol. 43, nº 2 (fev. 1981), pp. 207-18.

Liebertz-Grün, Ursula. "Höfische Autorinnen von der karolingischen Kulturreform bis zum Humanismus." *In* Brinkler-Glaber. *Deutsche Literatur von Frauen.* Ester Band..., pp. 39-64.

Keith Melder. "Mask of Opression: The Female Seminary Movement in the United States." *In New York History,* vol. 40 (jul. 1974), pp. 261-79.

E. Jennifer Monaghan. "Literacy Instruction and Gender in Colonial New England." *In American Quarterly,* vol. 40, nº 1 (mar. 1988), pp. 18-41.

Resnick, D. P. e L. B. Resnick. "The Nature of Literacy: An Historical Exploration." *In Harvard Education Review,* vol. 47, nº 3 (ago. 1977), pp. 370-85.

Schofield, R. S. "The Measurement of Literacy in Pre-industrial England," conforme citado por Goody, *in Literacy in Traditional Society.*

_____. "Dimensions of Illiteracy, 1750-1850." *Explorations in Economic History,* vol. 10, nº 4, 2ª série (verão de 1973), pp. 437-54.

Schwager, Sally. "Educating Women in America." *SIGNS,* vol. 12, nº 2 (inverno de 1987), pp. 333-72.

Shank, Michael H. "A Female University Student in Late Medieval Krakow." *SIGNS,* vol. 12, nº 2 (inverno de 1987), pp. 373-80.

Sicherman, Barbara. "Sense and Sensibility: A Case Study of Women's Reading in Late Victorian America." *In Reading in America: Literature and Social History.* Cathy N. Davidson (org.). Baltimore: Johns Hopkins University Press, 1989.

Smout, T. C. "Born Again at Cambuslang: New Evidence on Popular Religion and Literacy in 18th Century Scotland." *Past & Present,* vol. 55, nº 97 (nov. 1982), pp. 114-27.

Spufford, Margaret. "First Steps in Literacy: The Reading and Writing Experiences of the Humblest 17th Century Spiritual Autobiographers." *Journal of Social History*, vol. 4, nº 3 (out. 1979), pp. 407-54.

Stone, Lawrence. "Literacy and Education in England, 1640-1900." *Past & Present,* vol. 42 (fev. 1969), pp. 69-139.

Sullivan, Helen. "Literacy and Illiteracy." *Encyclopedia of the Social Sciences,* vol. 9, pp. 511-23

V   IDADE MÉDIA

1. Obras de Referência e Antologias

[Frau Ava.] *Die Dichtungen der Frau Ava.* Friedrich Maurer (org.). Tübingen: Max Niemyer Verlag, 1966.

Baker, Derek (org.). *Medieval Women,* Oxford: Blackwell, 1978.

Bury, J. B. (org.). *The Cambridge Medieval History*, 8 vols. Cambridge: Cambridge University Press, 1924-1936.

Dinzelbacher, Peter e Dieter R. Bauer. *Religiöse Frauenbewegung und mystiche Frömmigkeit im Mittelalter.* Colônia: Bölau Verlag, 1988.

Erickson, Carolly e Kathleen Casey. "Women in the Middle Ages: A Working Bibliography." *In Medieval Studies,* vol. 37 (1975), pp. 340-59.

Green, David e Frank O'Connor (orgs.). *A Golden Treasury Of Irish Poetry, 600-1200.* Londres: Macmillan, 1967.

Heer, Fredrich. *The Medieval World: Europe, 1100-1350.* George Weindenfeld e Nicolson, Ltd. (trads.). London Weindenfeld & Nicolson, 1962.

Kirshner, Julius e Suzanne F. Wemple (orgs.). *Women in Medieval World.* Oxford: Blackwell, 1985.

Mundy, John H., Richard W. Emery e Benjamin N. Nelson (orgs.). *Essays in Medieval Life and Thought.* Nova York: Columbia University Press, 1955.

Morewedge, Rosemarie Thee (org.). *The Role of Woman in the Middle Ages.* Albany: State University of New York Press, 1975.

Olson, Carl (org.). *The Book of the Goddess, Past and Present: An Introduction to Her Religion*. Nova York: Crossroad Publ., 1985.

Petroff, Elizabeth Avilda. *Medieval Women's Visionary Literature*. Nova York: Oxford University Press, 1986.

Radcliff-Umstead, Douglas (org.). *The Roles and Images of Women in the Middle Ages and Renaissance*. Pittsburg: Center for Medieval and Renaissance Studies, 1975.

Ruether, Rosemary Radford (org.). *Religion and Sexism: Images of Women in the Medieval Theology*. Nova York: Simon and Schuster, 1974.

Ruether, Rosemary Radford e Eleanor McLaughlin (orgs.). *Women of Spirit: Female Leadership in the Jewish and Christian Traditions*. Nova York: Simon and Schuster, 1979.

Stammler, Wolfgang *et al*. *Die deutsche Literatur des Mittelalters: Verfasserlexikon*, 7 vols. Berlim: Walter de Gruyter, 1978.

Strayer, Joseph (org.). *Dictionary of the Middle Ages*. Nova York: Charles Scribner & Sons, 1982.

Stuard, Susan Mosher (org.). *Women in Medieval Society*. Filadélfia: University of Pennsylvania Press, 1976.

Thiebaux, Marcelle (trad. e org.). *The Writings of Medieval Women*. Nova York: Garland, 1987.

Wilson, Katharina. *Medieval Woman Writers*. Athens: University of Georgia Press, 1984.

2. Livros

Ashe, Geoffrey. *The Virgin*. Londres: Routledge & Kegan Paul, 1976.

Atkinson, Clarissa W. *The Oldest Vocation: Christian Motherhood in the Middle Ages*.

Beissel, Stephan. *Geischichte der Verehrung Marias in Deutschland während des Mittelalters, Ein Beitrag zur Religion,* Wissenschaft und Kunstgeschichte. Freiburg im Breisgau: Herder, 1909.

Bennet, H. S. *Six Medieval Men and Women*. Nova York: Atheneum, 1968.

Berger, Pamela. *The Goddess Obscured: Transformation of the Grain Protectress from Goddess to Saint*. Boston: Beacon Press, 1985.

Bogin, Meg. *The Women Troubadours*. Scarborough: Paddington Press, 1976.

Bynum, Carolyn Walker. *Holy Feast and Holy Fast: The Religious Significance of Food to Medieval Women*. Berkeley: University of California Press, 1987.

_____. *Jesus as Mother: Studies in the Spirituality of the High Middle Ages*. Berkeley: University of California Press, 1982.

Chenu, Marc D. *Nature, Man and Society in the 12th Century*. Chicago: Chicago University Press, 1968.

Cohn, Norman. *Europe's Inner Demons: An Enquiry Inspired by the Great Witch-Hunt*. Nova York: New American Library, 1975.

_____. *The Pursuit of the Millennium: Revolutionary Millenarians and Mystical Anarchists of the Middle Ages*. Nova York: Oxford University Press, 1957.

Dronke, Peter. *Women Writers of the Middle Ages: A Critical Study of Texts from Perpetua (202) to Marguerite Porète (1310)*. Cambridge: Cambridge University Press, 1984.

Eckenstein, Lina. *Woman Under Monasticism: Chapters on Saint-Lore and Convent Life between A.D. 500 and A.D. 1500*. Cambridge: Cambridge University Press, 1896.

Gies, Frances e Joseph. *Women in the Middle Ages*. Nova York: Harper & Row, 1980.

Gold, Penny Schine. *The Lady and the Virgin: Image, Attitude and Experience in 12th Century France*. Chicago: Chicago University Press, 1985.

Harksen, Sibylle. *Women in the Middle Ages*. Marianne Herzfeld (trad.). Nova York: A. Schram, 1975.

Heinrich, Sr. Mary P. *The Canonesses and Education in the Early Middle Ages*. Tese de doutorado. Catholic University of America. Washington, D.C., 1924.

Herlihy, David. *Cities and Society in Medieval Italy*. Londres: Variorum Reprints, 1980.

Huizinga, J. *The Warning of the Middle Ages*. Garden City, NY: Doubleday, 1954.

[St. Jerome] *The Letters of St. Jerome*. Charles C. Mierow (trad.). Westminster, MD.: Newman Press, 1963.

Koch, Gottfried. *Frauenfrage und Ketzertum im Mittelalter: Die Frauenbewegung im Rahmen des Katharismus und des Waldensertums und ihre sozialen Wurzeln (12.-14. Jahrhundert)*. Akademie-Verlag, 1962.

[Kottanner, Helene.] *Die Denkwürdigkeiten der Helene Kottannerin, 1439-1440*. Karl Molloy (org.). Viena: Wiener Neudrucke, 1971.

Labarge, Margaret Wade. *A Small Sound of the Trumpet: Women in Medieval Life*. Boston: Beacon Press, 1979.

Ladurie, Emmanuel Leroy. *Montaillou, The Promised Land of Error*. Nova York: Vintage Books, 1979.

Le Goff, Jacques. *Time, Work, and Culture in the Middle Ages*. Arthur Gildhammer (trad.). Chicago: University of Chicago Press, 1980.

Lerner, Robert E. *The Heresy of the Free Spirit in the Later Middle Ages*. Berkeley: University of California Press, 1972.

Lewis, C. S. *The Allegory of Love: A Study in Medieval Tradition.* Londres: Oxford University Press, 1936.

Lucas, Angela M. *Women in the Middle Ages: Religion, Marriage, and Letters.* Brighton, Sussex: Harvester Press, 1983.

Marie de France. *Fables.* Harriet Spiegel (org. e trad.). Toronto: University of Toronto Press, 1987.

McDonnel, Ernest W. *The Beguines and Begherds in Medieval Culture, with Special Emphasis on the Belgian Scene.* New Brunswick: Rutgers University Press, 1954.

Meade, Marion. *Eleanor of Aquitaine: A Biography.* Nova York: Hawthorne Books, 1977.

Miles, Margaret R. *Carnal Knowledge: Female Nakedness and Religious Meaning in the Christian West.* Nova York: Vintage Books, 1991.

_____. *Image as Insight: Visual Understanding in Western Christianity and Secular Culture.* Boston: Beacon Press, 1985.

Muraro, Luisa. *Vilemina und Mayfreda. Die Geschichte einer Feministischen Häresie.* Freiburg im Breisgau: Kore; Verlag T. Hensch, 1987.

Otis, Leah L. *Prostitution in Medieval Society: The History of an Urban Institution in Languedoc.* Chicago: University of Illinois Press, 1986.

Petersen, Karen e J. J. Wilson. *Women Artists. Recognition and Reappraisal, From the Early Middle Ages to the Twentieth Century.* Nova York: Harper & Row, 1976.

Power, Eileen. *Medieval Women.* Cambridge: Cambridge University Press, 1975.

_____. *Medieval English Nunneries.* Cambridge: Cambridge University Press, 1922.

Shahar, Shulamith. *Die Frau Im Mittelalter.* Königstein: Athenaeum Verlag, 1981.

Southern, R. W. *The Making of the Middle Ages.* New Haven: Yale University Press, 1953.

Strayer, Joseph R. *Western Europe in the Middle Ages: A Short History.* Nova York: Appleton-Century-Crofts, 1955.

Warner, Marina. *Alone of All Her Sex: The Myth and the Cult of the Virgin Mary.* Nova York: Vintage Books, 1983.

_____. *Joan of Arc: The Image of Female Heroism.* Nova York: Knopf, 1981.

Weinstein, Donald e Rudolph Bell. *Saints and Society: The Two Worlds of Western Christendom, 1000-1700.* Chicago: University of Chicago Press, 1982.

Ward, Benedicta. *Miracles and the Medieval Mind: Theory, Record and Event: 1000-1215.* Filadélfia: University of Pennsylvania Press, 1982.

Wemple, Suzanne Fonay. *Women in Frankish Society: Marriage and the Cloister; 500-900.* Filadélfia: University of Pennsylvania Press, 1982.

3. Artigos

Abels, Richard e Ellen Harrison. "The Participation of Women in Languedocian Catharism." *Medieval Studies,* vol. 41 (1979), pp. 215-51.

Attreed, Lorraine C. "From Pearl Maiden to Tower Princes: Towards a New History of Medieval Childhood." *Journal of Medieval History,* vol. 9, nº 1 (mar. 1983), pp. 43-58.

Bandel, Betty. "English Chroniclers' Attitudes Toward Women." *Journal of the History Ideas,* vol. 16, nº 16 (1955), pp. 113-18.

Benedek, Thomas G. "The Roles of Medieval Women in the Healing Arts." *In* Radcliff-Umstead, *Roles and Images,* pp.145-59

Bell, Susan Groag. "Medieval Women Book Owners: Arbiters of Lay Piety and Ambassadors of Culture." *SIGNS,* vol. 7, nº 4 (verão de 1982), pp. 742-68.

Børresen, Kari Elisabeth. "God's Image, Man's Image? Female Metaphors Describing God in the Christian Tradition." *Temenos,* vol. 19 (1983), pp. 17-32.

Browne, Thea Lawrence. Irish Attitudes Toward Women's Education and Learning in the Early Middle Ages." *Studies in Medieval Culture,* vol. 10 (1977), pp. 27-32.

Bynum, Caroline. "… 'And Woman her Humanity': Female Image in the Religious Writings of the Laters Middle Ages." *In Gender and Religion: On the Complexity of Symbols,* Caroline Walker Bynum, Stevan Harrel e Paula Richman (orgs.). Boston: Beacon Press, 1986, pp. 250-79.

Cross, George. "Heresy." *In Encyclopedia of Religion and Ethics*, vol. 6, pp. 618-22.

Dygo, Marian. "The Political Role of the Virgin Mary in Teutonic Prussia in the 14th and 15th Centuries." *In Journal of Medieval History*, vol. 15, nº 1 (mar. 1989), pp. 63-81.

Fiorenza, Elizabeth Schuessler. "Word, Spirit and Power: Women in Early Christian Communities." *In Women of Spirit, Female Leadership in the Jewish and Christian Traditions.* Ruether e McLaughlin (orgs.), pp. 30-70.

Facinger, Marion F. "A Study of Medieval Queenship: Capetian France, 987-1237." *In Studies in Medieval and Renaissance History.* William M. Bowsky (org.). Vol. 5. Lincoln: University of Nebraska Press, 1968, pp. 3-48.

Farmer, Sharon. "Persuasive Voices: Clerical Images of Medieval Wives." *Speculum,* vol. 41, nº 3 (jul. 1986), pp. 517-43.

Fox, Charles. "Marie de France." *English Historical Review,* vol. 25 (1910), pp. 303-06.

Grundmann, Herbert. *"Litteratus – illitteratus.* Der Wandel einer Bildungsnorm vom Altertum zum Mittelalter." Archiv für Kulturgeschichte, vol. 40, nº 1, pp. 1-65.

Hajdu, Robert. "The Position of Noblewomen in the *Pays des Coutumes,* 110-1300." *Journal of Family History,* vol. 2 (verão de 1980), pp. 122-44.

Heid, Ulrich. "Studien zu Marguerite Porète und ihrem 'Miroir des simples Ames.'" *In* Dinzelbacher e Bauer, *Religiöse Frauenbewegung*, pp. 185-214.

Herlihy, David. "Life Expectancies for Women in Medieval Society." *In* Morewedge, *Role of Women*, pp. 1-22.

Klinck, Anne L. "Anglo-Saxon Women and the Law." *Journal of Medieval History,* vol. 8, nº 2 (jun. 1982), pp. 107-21.

Kristeller, Paul Oskar. "The School of Salerno." *The Bulletin of the History of Medicine,* vol. 17, nº 1 (jan. 1945), pp. 138-94.

Langmuir, Gavin I. "Medieval Anti-Semitism." *In The Holocaust: Ideology, Bureaucracy, and Genocide.* Henry Friedlander e Sybil Milton (orgs.). Millwood, NY: Kraus International, 1980, pp. 27-36.

Lehrman, Sara. "Education of Women in the Middle Ages." *In* Radcliff-Umstead, Douglas, *Roles and Images*, pp. 133-44.

McNamara, Joann e Suzanne Wemple. "Sanctity and Power: The Dual Pursuit of Medieval Women." *In* Briedenthal e Kooz, *Becoming Visible* (1977), pp. 90-118.

McLaughlin, Eleanor Commo. "Women, Power and Pursuit of Holiness in Medieval Chistianity." *In* Ruether e McLaughlin, *Women of Spirit,* pp. 100-30.

_____. "'Christ My Mother': Feminine Naming and Metaphor in Medieval Spirituality." *Nashota Review,* vol. 15, nº 3 (outono de 1975), pp. 228-48.

_____. "Equality of Souls, Inequality of Sexes: Women in Medieval Theology." *In* Ruether, *Religion and Sexism*, pp. 213-66.

Malverne, Marjorie M. "Marie de France's Ingenious Uses of the Authorial Voice and Her Singular Contribution to Western literature." *Tulsa Studies in Women's Literature,* vol. 2, nº 1 (primavera de 1983), pp. 21-42.

Matter, Ann. "Mary: A Goddess?" *In* Olson, *Book of the Goddess,* pp. 80-96.

May, William Harold. "The confession of Prous Boneta: Heretic and Heresiarch." *In Essays in Medieval Life and Thought.* John H. Mundy, Richard W. Emery e Benjamin N. Nelson (orgs.). Nova York: Columbia University Press, 1955, pp. 3-30.

Ross, Margaret C. "Concubinage in Anglo-Saxon England." *Past and Present,* nº 108 (ago. 1985), pp. 3-34.

Rothkrug, Lionel. "Religious Practices and Collective Perceptions: Hidden Homologies in the Renaissance and Reformation." *Historical and Reflections*, vol. 7, nº 1 (primavera de 1980), pp. 3-264.

Runciman, W. G. "Accelerating Social Mobility: The Case of Anglo-Saxon England." *Past and Present*, nº 104 (ago. 1984), pp. 3-30.

Salisbury, Joyce E. "Fruitful in Singleness." *Journal of Medieval History*, vol. 8, nº 2 (jun. 1982), pp. 97-106.

Schibanoff, Susan. "Medieval *Frauenlieder*: Anonymous Was a Man?" *Tulsa Studies in Women's Literature*, vol. 1, nº 2 (outono de 1982), pp. 189-200.

Schulenburg, Jane Tibbetts. "The Heroics of Virginity: Brides of Christ and Sacrificial Mutilation." *In* Rose, *Women in the Middle Ages*, pp. 29-72.

_____. "Women's Monastic Communities, 500-1100: Patterns of Expansion and Decline." *SIGNS*, vol. 14, nº 2 (inverno de 1989), pp. 261-92.

_____. "Sexism and the Celestial Gynaceum from 500 to 1200." *Journal of Medieval History*, vol. 4, nº 2 (jun. 1979), pp. 117-33.

Sheehan, Michael M., O.S.B. "The Influence of Canon Law on the Property Rights of Married Women in England." *Medieval Studies*, vol. 25 (1963), pp. 109-24

Wemple, Suzanne. "Sanctity and Power: The Dual Pursuit of Medieval Women." *In* Bidenthal *et al.*, *Becoming Visible*, pp. 131-51.

Wessley, Stephen E. "The Thirteenth-Century Guglielmites: Salvation Through Women." *In* Baker, *Medieval Women*, pp. 289-303.

Wilkins, David. "Woman as Artist and Patrons in the Middle Ages and the Renaissance." *In* Radcliff-Umstead, *Roles and Images*, pp. 107-31.

Wood, Charles T. "The Doctors' Dilemma: Sin, Salvation, and the Menstrual Cycle in Medieval Thought." *Speculum*, vol. 56, nº 4 (out. 1981), pp. 710-27.

Wilson, Katharina M. "*Figmenta vs. Veritas:* Dame Alice and the Medieval Literary Depiction of Women by Women." *Tulsa Studies in Women's Literature*, vol. 4, nº 1 (primavera de 1985), pp. 17-32.

4. Cristina de Pisano

OBRAS PRÓPRIAS

Christina de Pisano. *Le Livre des faits et bonnes moeurs du sage Roy Charles V.* Suzanne Solente (org.). 2 vols. Paris: Société de l'Histoire de France, 1936-1940.

_____. *Le Livre de la Mutacion de Fortune.* Suzanne Solente (org.), 4 vols. Paris: Société de l'Histoire de France, 1959-1966.

_____. *Le Livre des Trois Vertus de Christine de Pizan.* Mathilde Laigle (org.), Paris: Champion, 1912.

_____. *Oeuvres poètiques de Christine de Pizan.* M. Roy (org.). Paris: Soc. Anc. Textes, 33, 1886.

Christina de Pisano. *The Book of the City of the Ladies.* Earl Jeffrey Richards (trad.). Nova York: Persea Books, 1982.

LIVROS

Hindman, Sandra L. *Christine de Pizan's "Epistre Othea": Paintings and Politics at the Courts of Charles VI.* Toronto: Pontifical Institute of Medieval Studies, 1986.

Willard, Charity Cannon. *Christine de Pizan: Her Life and Works.* Nova York: Persea Books, 1984.

ARTIGOS

Bell, Susan Groag. "Christine de Pizan (1364-1430): Humanism and the Problem of a Studious Woman." *Feminist Studies,* vol. 3, nᵒˢ 3/4 (primavera/verão de 1976), pp. 173-84.

Gabriel, Astrik L. "The Education Ideas of Christine de Pizan." *Journal of History of Ideas,* vol. 13, nº 1 (jan. 1955), pp. 3-21.

Hindman, Sandra L. "With Ink and Mortar: Christine de Pizan's *Cité des Dames*, An Art Essay." *Feminist Studies,* vol. 10, nº 3 (outono de 1984), pp. 457-77.

Ignatius, Mary Ann. "A Look at the Feminism of Christine de Pizan's." *Proceedings of the Pacific Northwest Conference on Foreign Languages,* vol. 29, pt. 2 (1978), pp. 18-21.

Lynn, Therese Ballet. "*The Ditie de Jeanne d 'Arc:* Its Political, Feminist and Aesthetic Significance." *Fifteenth Century Studies,* vol. 1 (1978), pp. 149-57.

Reno, Christine M. "Feminist Aspects of Christine de Pizan's '*Epistre d'Othea à Hector*'." *Studi Francesi,* vol. 71 (1980), 271-76.

5. Rosvita de Gandersheim

Homeyer, Helena (org.). *Hrosvitha of Gandershein,* 1970.

LIVROS

Haight, Anne Lyon (org.). *Hrosvitha of Gandershein: Her Life, Times and Works, and a Comprehensive Bibliography.* Nova York: The Hrosvitha Club, 1965.

ARTIGOS

Case, Sue-Ellen. "Re-Viewing Hrosvit." *Theatre Journal,* vol. 35, nº 4 (dez. 1983), pp. 533-42.

Kuhn, Hugo. "Hrotsviths von Gandersheim Dichterisches Programm." *Deutsche Vierteljahrsschrift für Literaturwissenschaft und Geistesgeschichte,* vol. 24 (1950), pp. 181-96.

Wilson, Katharina M. "The Saxon Canoness: Hrotsviths von Gandersheim." *In* Wilson (org.), *Medieval Women Writers,* pp. 30-63.

_____. "The Old Hungarian Translation of Hrotsvit's Dulcitius: History and Analysis." *Tulsa Studies in Women's Literature*, vol. 1, nº 2 (outono de 1982), pp. 177-87.

VI MISTICISMO E ESPIRITUALIDADE

1. Fontes Primárias

[Sem autor] *Testimonies of Life, Character, Revelations and Doctrines of Mother Ann Lee and the Elders with her...* Albany, NY: Weed, Parsons & Co., 1888.

Foote, Mrs. Julia A. J. "A Brand Plucked from the Fire: An Autobiographical Sketch" (1879). *In Sisters of the Spirit: Three Black Women's Autobiographies of the Nineteenth Century.* William L. Andrews (org.). Bloomington: Indiana University Press, 1986.

Heiler, Anne Marie (org. e trad.). *Mystik Deutscher Frauen im Mittelalter.* Berlim: Hochweg--Verlag, 1929.

[Jackson, Rebecca.] *Gifts of Power: The Writings of Rebecca Jackson, Black Visionary Shaker Eldress.* Jean M. Humez (org.). Boston: University of Massachusetts Press, 1981.

Lee, Jarena. *Religious Experience and Journal of Mrs. Jarena Lee, A Coloured Lady, Giving an Account of her Call to Preach the Gospel* (1836). *In* William L. Andrews (org.), *Sisters of the Spirit,* pp. 25-45.

Mahrholz, Werner (org.). *Der Deutsche Pietsmus:* Berlim: Furche-Verlag, 1921.

Mechthild of Hackeborn. *The Book of Gostlye Grace.* T. A. Halligan (org.). Toronto, 1979.

[Maria W. Stewart.] *Maria W. Stewart, America's First Black Woman Political Writer: Essays and Speeches.* Marilyn Richardson (org.). Bloomington: Indiana University Press, 1987.

[Truth, Sojourner.] *Narrative of Sojourner Truth, a Northern Slave...* Boston: Impresso para o autor, 1850.

_____. Frances D. Gage. "Reminiscences; Sojourner Truth." *In* Elizabeth Cady Stanton, Susan B. Anthony e Matilda Joslyn Gage. *History of Woman Suffrage,* 6 vols. Nova York: Fowler & Wells, 1881-1922. I, pp. 115-17.

[Wilkinson, Jemina.] *Pioneer Prophetess: Jemima Wilkinson, the Publick Universal Friend.* Herbert A. Wisbey, Jr. (org.). Ithaca: Cornell University Press, 1964.

Windstösser, Maria David (org.). *Deutsche Mystiker.* Band V, *Frauenmystik im Mittelalter.* Kempten und München: Verlag Kösleschen Buchhandlung, 1919.

2. Livros

Benz, Ernst. *Die Vision: Erfahrungsformen und Bilderwelt*. Stuttgart: Ernst Klett, 1969.

Braude, Ann. *Radical Spirits: Spiritualism and Women's Rights in Nineteenth-Century America*. Boston: Beacon Press, 1989.

Bynum, Caroline Walker, Stevan Harrel e Paula Richman. *Gender and Religion: On The Complexity of Symbols*. Boston: Beacon Press, 1986.

Capps, Walter Holden e Wendy M. Wright. *Silent Fire: An Invitation to Western Mysticism*. Nova York: Harper & Row, 1878.

[Ebner, Christina.] *Ebner Christina, Der Nonne von Engelthal Büchlein von der Gnaden Überlast*. KarlSchröder (org.). Tübingen, 1871.

[_____.] *Leben und Gesicht de Christina Ebnerin, Klosterfrau zu Engelthal*. Georg Wolfgang Karl Lochner (org.). Nüenberg: Schmid, 1872.

Ebner, Margaretha. *Die Offenbarungen der Margaretha Ebner und der Adelheid Langmann*. Joseph Prestel (trad.). Weimar: Verlag H. Böhlaus Nachfolger, 1939.

[_____.] *Margaretha Ebner und Heinrich von Nördlingen; Ein Beitrag zur Geschichte der Deutschen Mystik*. Philipp Strauch (org.). Friburgo: Akademische Verlagsbuchhandlung von J.C.B. Mohr, 1882.

Kieckhefer, Richard. *Unquiet Souls: Fourteenth-Century Saints and Their Religious Milieu*. Chicago: University of Chicago Press, 1984.

Riehle, Wolfgang. *Studien zur englischen Mystik des Mittelalters unter besonderer Berücksichtigung ihrer Metaphorik*. Heidelberg: Carl Winter Universitätsverlag, 1977.

Scholem, Gershin M. *Major Trends in Jewish Mysticism* (1941). Nova York: Schoken Books, 1978.

3. Artigos

Adams, Rev. John Quincy. "Jemina Wilkinson, The Universal friend." *Journal of American History*, vol. 9, nº 2 (abr.-jul. 1915), pp. 249-63

Bynum, Caroline Walker. "Women Mystics and Eucharistic Devotion in the Thirteenth Century." *Women's Studies*, vol. 11, nos 1 e 2 (1984), pp. 179-214.

Chapman, John. "Mysticism (Christian, Roman, Catholic)." *In Encyclopedia of Religion and Ethics*. James Hastings (org.). Vol. 9, pp. 90-101.

Critchfield, Richard. "Prophetin, Führerin, Organisatorin: Zur Rolle der Frau im Pietismus." *In Die Frau von der Reformation zur Romantik*. Barbara Becker-Cantarino (org.). Bonn: Boveir Verlag Herbertr Grundmann, 1980, pp. 112-37.

Foster, K. "St. Catherine of Siena." *In New Catholic Encyclopedia.* [The Catholic University.] Nova York: McGraw-Hill, 1967, vol. 3, pp. 258-60.

Gilkes, Cheryl Townsend. "'Together and in Harness': Women's Traditions in the Sanctified Church." *In Black Women in United States History.* Darlene Clark Hine (org.), 4 vols. Brooklyn, NY: Carlson Publishing Co., 1990, vol. 2, pp. 377-98.

Hug, P. L. "St. Catherine of Genoa." *In New Catholic Encyclopedia.* [The Catholic University.] vol. 3, pp. 245-56.

Humez, Jean M. "'My Spirit Eyes': Some Functions of Spiritual and Visionary Experience in the Lives of Five Black Women Preachers, 1810-1880." *In Women and the Structure of Society.* Barbara J. Harris e JoAnn Mcnamara (orgs.). Durham: Duke University Press, 1984, pp. 129-43.

McKay, Nelie Y. "Nineteenth-Century Black Women's Spiritual Autobiographies: Religious Faithand Self-Empowerment." *In* Personal narratives Group, Joy Webster Barbre *et al. Interpreting Women's Lives: Feminist Theory and Personal Narratives.* Bloomington: Indiana University Press, 1989, pp. 139-54.

McLaughlin, Eleanor. "The Heresy of the Free Spirit and Late Medieval Mysticism." *In Medievalia et Humanisca Studies in Medieval and Renaissance Culture.* Paul Maurice Clogan (org.). Novas Série, nº 4. Denton: North Texas State University Press, 1973.

McLaughlin, Mary Martin. "Peter Abelard and the Dignity of Women: Twelfth Century Feminism in Theory and Practice." *In Pierre Abélard, Pierre le Vénérable: Les courants philosophiques, littéraires et artistiques en occident au milieu du XIIe siècle.* Paris: C.N.R.S., 1975, pp. 287-334.

Painter, Nell Irvin. "Sojourner Truth in Feminist Abolitionism: Difference, Slavery and Memory. *In An Untrodden Path: Antislavery and Women's political Culture.* Jean Fagan Yellin e John C. Horne (orgs.). Ithaca: Cornell University Press, 1992.

Rohrbad, Peter. "St. Teresa of Avila." *In The Encyclopedia of Religion.* Mircea Eliade (org.). vol. 14, pp. 405-06.

Stoeffler, F. Ernest. "Pietism." *In The Encyclopedia of Religion,* vol. 14, pp. 324-26.

Underhill, Evelyn. "Medieval Mysticism." *In Cambridge Medieval History.* Cambridge, 1964, vol. 7, pp. 777-812.

Wessley, Stephen E. "The Thirteenth-Century Guglielmites: Salvation Through Women." *In* Baker, *Medieval Women,* pp. 289-303.

4. Hadewijch

Plassman, J. O. (org. e trad.). *Die Werke der Hadewych.* Hannover: Orient-Buchhandlung Heinz Lafaire, 1923.

Hart, Columba, O.S.B. "Hadewijch of Brabant." *American Benedictine Review*, vol. 13, nº 1, pp. 124.

5. Mechthild de Magdeburg

Oehl, Dr. Wilhelm (trad.). *Mechtild von Magdeburg, Das fliessende Licht der Gottheit, Deutsche Mystiker*. Band 2. Kempten und München: verlag der Jos. Kösel'schen Buchhandlung, 1922.

Morel, Gall (org.). *Offenbarungen Der Schwester Mechthild Von Magdeburg oder Das fliessende Licht der Gottheit*. Darmstadt: Wissenschadtliche Buchgesellschaft, 1963.

Menzies, Lucy (trad.). *The Revelations of Mechthild of Magdeburg (1210-1297) or The Flowing Light of the Godhead*. Londres: Longmans, Green, 1953.

6. Margery Kempe

Butler-Bowdon, W. (org.). *The Book of Margery Kempe, 1436: A Modern Version*. Londres: Jonathan Cape, 1936

Meech, Sanford B. e Hope Emily Allen (orgs.). *The Book of Margery Kempe*. Londres: Oxford University Press, 1961.

Atkinson, Clarissa W. (org.). Mystic and Pilgrim: *The Book and the World of Margery Kempe*. Ithaca: Cornell University Press, 1983.

7. Juliana de Norwich

Colledge, Edmund e James Walsh (orgs.). *A Book of Showings to the Anchoress Julian of Norwich*. Toronto: Pontifical Institute of Medieval Studies, 1978.

Hudleston, Dom Roger (org.). *Revelations of Devine Love Sewed to a devout Ankress, by name Julian Norwich*. Londres: Burns Oates and Washbourne, 1927

Børresen, Kari Elisabeth. "Christ Notre Mère, la théologie de Julienne de Norwich." *Mitteilungen und Forschungs-beiträge der Cusanus-Gesellschaft*, vol. 13 (1978), pp. 320-29.

McIlwain, James. "The 'bodelye syejness' of Julian of Norwish." *In Journal of Medieval History*, vol. 10, nº 3 (set. 1984), pp. 167-80.

8. Hildegarda de Bingen

OBRAS PRÓPRIAS

Scivias. Cópia manuscrita iluminada do Códice de Rupertsberg, Abbey St. Hildegard, Einbingen, Germany.

Hildegarda de Bingen. *Briefweschsel*. Adelgundis Fürköter (trad.). Salzburg: Otto Müeller Verlag, 1965.

_____. *Wisse die Wege: Scivias*. Maura Böckeler (trad.). Salzburg: Otto Müeller Verlag, 1954.

_____. *Illuminations of Hildegard von Bingen*. Com comentário de Matthew Fox. Santa Fe, NM: Bear & Co., 1985.

_____. *Scivias by Hildegard of Bingen*. Bruce Hozski (trad.). Santa Fe, NM: Bear & Co., 1986.

_____. *Heilkunde*. Heinrich Schipperges (org.). Salzburg: Otto Müeller Verlag, 1957.

_____. *Hildegard von Bingen: Welt und Mensch, Das Buch De Apperatione Dei*. Salzburg: Otto Müeller Verlag, 1965.

_____. *Naturdunke: Das Buch von dem inneren Wesen der verschiedenen Naturen in Der Schöpfung*. Peter Riethe (trad.). Salzburg: Otto Müeller Verlag, 1959.

_____. *Hildegard von Bingen, Das Buch von den Steinen*. Salzburg: Otto Müeller Verlag, 1979.

Letter, Hildegard of Bingen to Guibert of Gembloux (1175), citado por Katharina Wilson. *In Medieval Women Writers*. Athens: University of Georgia Press, 1984.

LIVROS

Führkötter, Adelgundis. *Hildegard von Bingen*. Salzburg: Otto Müeller Verlag, 1972.

_____. *Das Leben der Hildegard von Bingen*. Düsseldorf: Patmos Verlag, 1968.

Lauter, Werner. *Hildegard-Bibliography: Wegweiser zur Hildegard-Literatur*. Alzey: Verlag der Rheinischen Druckwerkstätte, 1970.

Liebeschütz, Hans. *Das allegorische Weltbild der Heiligen Hildegard von Bingen*. Leipzig: Studien der Bibliotherk Warburg, 1930.

Newman, Barbara. *Sister of Wisdom: St. Hildegard's Theology of the Feminine*. Berkeley: University of California Press, 1987.

Schmelzeis, J. *Das Leben und Wirken der heiligen Hildegardis, nach den Quellen dargestellt... nebst einem Anhang Hildegardischer Lieder mit ihren Melodien*. Friburgo, 1879.

Schrader, Marianne. *Die Herkunft der heilegen Hildegard*. Neu bearbeitet von Adelgundis Führkötter. Mainz: Selbstverlag d. Gesellschaft für Mittelrheinische Kirchengeschichte, 1981.

Schrader, Marianne e A. Führkötter. *Die Echtcheit des Schrifttums der hl. Hildegard von Bingen*. Colônia, 1956.

Widmer, Bertha. *Heilsordnung und Zeitgeschechen in der Mystik Hildegards von Bingen.* Basler Beiträge zur Geschichtswissenschaft, Band 52, Basel: Helbing und Lichtenhahn, 1955.

ARTIGOS

Cadden, Joan. "It Takes All Kinds: Sexuality and Gender Differences in Hildegard of Bingen's 'Book of Compound Medicine.'" *Traditio,* vol. 40 (1984).

Pagel, Walter. "Hildegard von Bingen." *In Dictionary of Scientific Biography.* Charles Coulston Gillespie (org.). Nova York: Charles Scribner's Sons, 1972, vol. 6, pp. 396-98.

Scholz, Bernhard W. "Hildegard von Bingen on the nature of Woman." *American Benedicine Review,* vol. 31 (1980), 361-83.

9. Joanna Southcott

Seymour, Alice. *The Express: Life and Devine Writings of Joanna Southcott.* 2 vols. Londres: Simpkin, Marshal, Hamilton, Kent & Co., 1909.

Hopkins, James K. *A Woman to Deliver Her People: Joanna Southcott and English Millenarianism in an Era of Revolution.* Austin: University of Texas Press, 1982.

Whitley, W. T. "Southcottians." *In Encyclopedia of Religion and Ethics,* vol. 11, p. 756.

10. Shakers

FONTES PRIMÁRIAS

Green, Calvin e Seth Y. Wells (orgs.). *A Summary View of the Millennial Church, or United Society of Believers, Commonly Called Shakers...* Albany: C. Van Benthuysen, 1848.

[Lee, Ann.] *Testimonies of the Life, Character, Revelations of the Mother Ann Lee, and the Elders with Her... collected from living Witnesses, in Union with the Church* (1888). Nova York: AMS Press, 1975.

FONTES SECUNDÁRIAS

Andrews, Edward D. *The People Called Shakers. A Search for the Perfect Society.* Nova York: Oxford University Press, 1953.

Melcher, Marguerite Fellows. *The Shaker Adventure.* Princeton: Princeton University Press, 1941.

Robinson, Charles Edson. *The Shakers and Their Homes. A Concise History of the United Society of Believers Called Shakers* (1893). Somerworth, NH: New Hampshire Publishing, 1976.

VII   RENASCIMENTO E REFORMA

1. Fontes Primárias

[Agrippa] Nettesheim, Heinrich Agrippa Cornelius von. *The Glory of Women*. E. Fleetwood (trads). Londres: Impresso por Robert Ibbitson, 1652.

[Anon.] *Here begynneth a little boke named the Schole house of women: wherin every man may rede a goodly prays of the condicyons of women*. Sem localização: T. Peyt, 1541.

[Anger, Jane.] *Jane Anger, her protection for Women. To defend them against the Scandalous Reportes of a late Surfeiting Lover, and all other like Venerians that complaine so to bee over-cloyed with womens kindnesse*. Sem localização: R. Jones e T. Orwin, 1589. Reimpresso em Usher Henderson e Barbara F. McManus (orgs.). *Half humankind: Contexts and Texts of the Controversy About Women in England*, 1540-1640. Urbana: University of Illinois Press, 1985, pp. 172-88.

Billon, François de. *Le fort inexpugnable de l'hounneur du sexe feminism*. Paris: J. d'Allyer, 1555.

Foxe, John. *Acts and Monuments… of these latter and perilous days… [Foxe's book of Martyrs]*. Londres: John Day, 1563.

Knox, John. *The First Blast against the monstrous regiment of Women*. Geneva: J. Crespin, 1558.

Munda, Constantia. *The Worming of a Mad Dogge…* Londres: Lawrence Hayes, 1617.

Sowerman, Ester. *Ester hath hang'd Haman…* Londres: Nicholas Bourne, 1617. British Library.

Speght, Rachel. *A Mouzell for Melastomous, the Cynical Bayterof, and foule mouthed Barker against Evah's Sex…* Londres: N. Okes for T. Archer, 1617. British Library.

2. Fontes Secundárias

ANTOLOGIAS E OBRAS DE REFERÊNCIA

Boxer, Marilyn e Jean Quataer. *Connecting Spheres: Women in the Western World, 1500 to the Present*. Nova York: Oxford University Press, 1980.

Cocalis, Susan L. *The Defiant Muse: German Feminist Poems from the Middle Ages to the Present*. Nova York: Feminist Press, 1986.

Flores, Angel e Kate. *The Defiant Muse: Hispanic Feminist Poems from the Middle Ages to the Present*. Nova York: Feminist Press, 1986.

Hale J. R. *A Concise Encyclopedia of the Italian Renaissance*. Londres: Thames and Hudson, 1981.

King, Margaret L. e Albert Rabil Jr. *Her Immaculate Hand: Selected Works by and about the Women Humanists of Quattrocento Italy.* Binghampton, NY: Medieval and Renaissance Texts and Studies, 1983.

Prior, Mary (org.). *Women in English Society,1500–1800.* Londres: Methuen, 1985.

Riemer, Eleanor S. e John C. Fout. *European Women: A Documentary History, 1789-1945.* Nova York: Schocken Books, 1980.

3. Livros

Albstur, Maite e Daniel Armogathe. *Histoire du feminism français du moyen âge à nos jours.* Paris: Des Femmes, 1977.

Baiton, Roand H. *Women of the Reformation in German and Italy.* Minneapolis: Augsburg Publishing House, 1971.

_____. *Women of the Reformation in France and England.* Minneapolis: Augsburg Publishing House, 1973.

_____. *Women of the Reformation: From Spain to Scandinavia.* Minneapolis: Augsburg Publishing House, 1977.

_____. *The Age of the Reformation.* Nova York: Van Nostrand, 1956.

_____. *The Reformation of the Sixteenth Century.* Boston: Beacon Press, 1952.

Boccaccio, Giovanni. *Concerning Famous Women.* Guido A. Guarino (trad.). New Brunswick: Rutgers University Press, 1963.

Brown, Judith C. *Immodest Acts: The Life of a Lesbian Nun in Renaissance Italy.* Nova York: Oxford University Press, 1986.

Burckhardt, Jacob. *The Civilization of the Renaissance in Italy* (1860). Nova York: New American Library, 1960.

[Calvin, John.] *Letters of John Cabin.* Jules Bonnet (org.). Edimburgo: Thomas Constable, 1855.

Cannon, Mary Agnes. *The Education of Women During the Renaissance.* Washington, D.C.: National Capital Press, 1916.

Capellanus, Andreas. *The Art of Courtly Love.* Frederick W. Locke (org.). Nova York: Frederick Ungar, 1957.

Davis, Natalie Zemon. *Society and Culture in Early Modern France.* Stanford: Stanford University Press, 1965.

Ginzburg, Carlo. *The Cheese and the Worms: The Cosmos of a 16th Century Miller.* Londres: Henly, 1980.

[Helisenne de Crenne.] *A Renaissance Woman: Helisenne's Personal and Invective Letters.* Marianna M. Mustacchie e Paul J. Archambault (trads. e orgs.). Syracuse: Syracuse University Press, 1986.

Irwin, Joyce L. *Womanhood in Radical Protestantism, 1525-1675.* Nova York: Edwin Mellen Press, 1979.

Jordan, Constance. *Renaissance Feminism: Literary Texts and Political Models.* Ithaca: Cornell University Press, 1990.

Kelso, Ruth. *Doctrine for the Lady of the Renaissance.* Urbana: University of Illinois Press, 1956.

[Kramer, Heinrich e James Sprenger.] *The Malleus Maleficarum of Heinric Kramer and James Sprenger* (1487). Montague Sommers (org.). Nova York: Dover, 1971.

Kristeller, Paul Oskar. *Renaissance Thought: The Classic, Scholastic and Humanist Strains.* Nova York: Harper & Row, 1966.

Mattingly, Garret. *Catherine of Aragon* (1941). Nova York: Vintage Books, 1960.

Ozment, Stephen. *When Fathers Ruled: Family Life in Reformation Europe.* Cambridge: Harvard University Press, 1983.

Powicke, *sir* Maurice. *The Reformation in England.* Londres: Oxford University Press, 1941.

Putnam, Emily James. *The Lady.* Chicago: University of Chicago Press, 1970.

Richardson, Lula M. *The Forerunners of Feminism in French Literature of the Renaissance. Part I. From Christine of Pisan to Marie de Gournay.* Baltimore: Johns Hopkins University Press, 1929.

Shepherd, Simon (org.). *The Women's Sharp Revenge: Five Women's Pamphlets from the Renaissance.* Londres: Fourth Estate, 1985.

Smith, Preserved. *The Social Background of the Reformation.* Nova York: Collier Books, 1962

Stone, Lawrence. *The Family, Sex and Marriage in England, 1500-1800.* Nova York: Harper, 1977.

Woodward, William Harrison. *Studies in Education During the Age of the Renaissance: 1400-1600.* Cambridge: Cambridge University Press, 1924.

_____. *The Vittorino da Feltre and Other Humanist Educators.* Nova York: Teachers College Publications, 1963.

4. Artigos

Baiton, Roland H. "Learned Women in the Europe of the Sixteenth Century." *In* Labalme, *Beyond Their Sex*, pp. 117-20.

Beilin, Elaine V. "Anne Askew's Self-Portrait in *Examinations 77-91.*" *In* Margaret Paterson Hannay (org.). *Silent But for the World. Tudor Women as Patrons, Translators and Writers of Religions Works.* Kent, Ohio: Kent State University Press, 1985.

De Tolnay, Charles. "Sofonisba Anguissola and Her Relations with Michelangelo." *Journal of the Walters Art Gallery*, nº 4 (1941), pp. 115-19.

Green, Lowell C. "The Education of Women in the Reformation." *History of Education Quarterly*, vol. 19 (primavera de 1979), pp. 93-116.

Hess, Ursula. "Latin Dialogue and Learned Partnership: Women as Humanist Models in Germany 1500-1550." *In* Brinker-Gabler, *Deutsche Literatur von Frauen*, Erster Band, pp. 113-48.

Horowitz, Maryane Cline. "The Women Question in Renaissance Texts." *History of European Ideas*, vol. 8, nᵒˢ 4/5 (1987), pp. 587-95.

King, Margaret. "Book-lined Cells: Women and Humanism in the Early Italian Renaissance." *In* Labalme, *Beyond Their Sex*, pp. 72-3.

_____. "The Religious Retreat of Isotta Nogarola (1418-1466); Sexism and Its Consequences in the Fifteenth Century." *SIGNS*, vol. 3, nº 4 (verão de 1978), pp. 807-22, 820-22.

_____. "Thwarted Ambicions: *Six Learned Women of the Italian Renaissance.*" *Soundings: An Interdisciplinary Journal*, vol. 59 (1976), pp. 280-304.

Martines, Lauro. "A Way Looking at the Renaissance Florence." *Journal of Medieval and Renaissance Studies*, vol. 4, nº 1 (primavera), pp. 1529.

Norman, Sr. Marion, I.B.V.M. "A Woman for All Seasons: Mary Ward (1585-1645), Renaissance Pioneer of Women's Education." *Paedagogica Historica*, vol. 23, nº 1 (1983), pp. 125-43.

Potter, Mary. "Gender Equality and Gender Hierarchy in Calvin's Theology." *SIGNS*, vol. 11, nº 4 (verão de 1986), pp. 725-39.

Travitsky, Betty. "The Lady Doth Protest: Protest in the Popular Writings of Renaissance Englishwomen." *English Literary Renaissance*, vol. 14 (outono de 1984), pp. 255-83.

5. Margarida de Navarra

Margarida de Navarra. *Les Marguerites de la Marguerite des Princesses, Trésillustre Rayne de Navarre* (1547). Nova York: Johnson Reprint, 1970.

_____. *The Heptameron of Margaret, Queen of Navarre.* 5 vols. Walter F. Kelly (org. e trad.). Londres, sem data.

Sommers, Paula. "The Mirror and Its reflections: Marguerite de Navarre's Biblical Feminism." *Tulsa Studies in Women's Literature*, vol. 5, nº 1 (primavera de 1986).

Wade, Claire Lynch. "Marguerite de Navarre, 'Les Prisons'." Nova York: Peter Lang, 1989, pp. i-xiii.

6. Louise Labé

[Labé, Louise.] *Louise Labé: Oeuvres Complètes.* Enzo Giudici (org.). Geneva: Droz, 1981.

Guillot, Gerard. *Louise Labé.* Edition Seghers, 1962.

Feugère, M. Leon. *Les Femmes Poètes au XVIᵉ siècle...* Paris: Didier et Cie, 1860.

Larsen, Anne R. "Louise Labé's *Debat de Folie and d'Amour*: Feminism and the Defense of Learning." *Tulsa Studies in Women's Literature*, vol. 2, nº 1 (primavera de 1983), pp. 43-55.

VIII   SÉCULO XVII

1. Fontes Primárias

[Anon.] *Swetman: The Woman-hater...* Londres: R. Meighen, 1620. British Library.

[Anon.] *La Femme généreuse...* Paris: François Piot, 1643.

Arnold, Gottfried Arnold. *Unparteyische Kirchen- und Ketzerhistori, vom Anfang des Neuen Testaments biss auf das Jahr Christi 1688.* Frankfurt am Main: T. Fritschens Erben, 1729.

Ballard, George. *Memoirs of Several Ladies of Great Britain.* Oxford: W. Jackson, 1752. British Library

Behn, Aphra. *The Histories, and Novels of the Ingenious Mrs. Behn: In One Volume.* Londres: S. Briscoe, 1696.

Du Bosc, Jacques. *The Compleat Woman.* N.N. (trads.). Londres: T. Harper and R. Hodgkinson, 1639.

[Eugenia]. *The Female Advocate... Reflection on a late Rude and Disingenuous Discourse delivered by Mr. John Sprint in a Sermon of a Wedding May 11, at Sherburn in Dorsetshire, 1699.* Londres: Andrew Bell, 1700.

Fell, Margaret. *Women's Speaking Justified, Proved, and Allowed of by the Scriptures...* (1667). The Augustan Reprint Society, nº 194. Los Angeles: William Andrews Clark Memorial Library, University of California, 1979.

Heywood, Thomas. *The Exemplary Lives and Memorable Acts of Nine the Most Worthy Women in the World.* Londres: Richard Rayston, 1640.

Makin, Batshua. *An Essay to Revive the Ancient Education of Gentlewomen in Religion, Manners, Arts & Tongues...* (1673). Augustan Reprint Society, nº 202. Los Angeles: William Andrews Clark Memorial Library, 1980.

[Manley, Mary de La Riviere.] *Letters written by Mrs. Manley...* Londres: London and Westminster, 1696.

Masham, Damaris. *A Discourse Concerning the Love of God*. Londres: Awnsham and John Churchill, 1696.

Poulain de la Barre, François. *De l'égalité des deux sexes*. Paris, 1673.

Speght, Rachel. *Mortalities Memorandum with a Dreame Prefixed...* Londres: Edward Griffin, 1621. British Library.

_____. *A Mouzell for Melastomus, the Cynicall Bayter of, and foule mouthed Barker against Evah's Sex...* Londres: Thomas Archer, 1617. British Library.

Swetnam, Joseph. *The Arraignment of lewd, idle, froward, and unconstant women: Or the vanitie of them, choose you whether*. Londres: T. Archer, 1615. British Library.

Wolley, Hannah. *The Accomplished Lady's Delight* (1677).

2. Obras de Referência e Antologias

Mahl, Mary R. e Helene Koon (orgs.). *The Female Spectator: English Female Writers Before 1800*. Bloomington: Indiana University Press, 1977.

Marholz, Werner (org.). *Der Deutsche Pietismus: Eine Auswahl von Zeugnissen, Urkunden und Bekenntnissen aus dem 17. 18. und 19. Jahrhundert*. Berlim: Furche Verlag, 1921.

Spender, Dale e Janet Todd. *British Women Writers: An Anthology from the Fourteenth Century to the Present*. Nova York: Peter Bedrick, 1989.

Tattlewell, Mary e Joan Hit-him-home. *The Women's Sharp Revenge* (1640). *In* Henderson e McManus, *Half Humankind*, pp. 305-25.

Thomasius, Jacobus e Johannes Sauerbrei. *De foeminarum erudition* (1617-1676). *In Das Wohlgealahrte Frauemzimmer*. Gössman (org.). Archiv Für Philosophiegeschichtliche Frauenforschung, vol. 1. Munique: Iudicium, 1984, pp. 99-117.

Westerbrook, Arlen G. R. e Perry D. Westerbrook (orgs.). *The Writing of Women of New England, 1630-1900: An Anthology*. Metuchen, NJ: Scarecrow Press, 1982.

3. Livros

Becker-Cantarino, Barbara. *Der lange Weg zur Mündigkeit: Frau und Literatur in Deutschlan von 1500 bis 1800*. Munique: Deutscher Taschenbuch Verlag, 1989.

Behn, Aphra. *Works*. Montague Summers (org.), 6 vols. Londres: William Heinemann, 1915.

Frauenlob, Johan. *Die Lobwurdige Gesellschaft Der Gelehrten Weiber* (1631-1633). *In Eva, Gottes Meiesterwerk*. Gössman (org.). Archiv für Philosophiegeschichtliche Frauenforschung, vol. 2. Munique: Iudicium, 1985, pp. 52-83.

Fyge, Sarah Field Egerton. *The Female Advocate, or, An Answer to a Late Satyr Against the Pride, Lust and Inconstancy, Etc. of Woman* (1687). Conforme citado por Ferguson, *in First Feminists,* pp. 154-55.

[Glückel of Hameln.] *The Memoirs of Glückel of Hameln.* Marvin Lowenthal (trads.). Nova York: Schocken Books, 1977.

Hobby, Elaine. *Virtue of Necessity: English Women's Writing, 1649-1688.* Ann Arbor: University of Michigan, 1992.

[Hoyers, Anna Ovena.] *Anna Ovena Hoyers, Geistliche und Weltliche Poemata* (1650). Barbara Becker-Cantarino (org.). Tübingen: Niemeyer, 1986.

Lanyer, Aemilia. *Salve Deus Rex Judaeorum.* Conforme citado por Hannay, *in Silent But for...,* pp. 91-6; 102-5, 213.

Locke, John. *Two Treatises of Civil Government.* 2ª ed. Peter Laslett (org.). Cambridge: Cambridge University Press, 1967.

Lougee, Carolyn C. *Le Paradis des Femmes. Women, Salons, and Social Stratification in Seventeenth-Century France.* Princeton: Princeton University Press, 1976.

Maclean, Ian. *Woman Triumphant: Feminism in French literature: 1610-1652.* Oxford: Clarendon Press, 1977.

Reynolds, Myra. *The Learned Lady in England, 1650-1760.* Boston: Houghton Mifflin, 1920.

Richards, S. A., M.A. *Feminist Writers of the Seventeenth Century.* Londres: David Nutt, 1914.

Rousseau, Jean-Jacques. *Émile* (1763). Barbara Boxley (trad.). Londres: JM. Dent, 1974.

Smith, Hilda. *Reason's Disciples: Seventeenth-Century English Feminists.* Urbana: University of Illinois Press, 1982.

Wallas, Ada. *Before the Bluestockings.* Londres: Allen & Unwin, 1929.

4. Artigos

Becker-Cantarino, Barbara. "Women in the Religious Wars: Official Letters, Songs and Occasional Writings." *In* Brinker-Gabler. *Deutsche Literatur von Frauen; Erster Band.*

Blackwell, Jeannine. "Heartfelt Conversations with God: Confessions of German Pietist Woman in the 17th and 18th Centuries." *In* Brinker-Gabler, *ibid.,* pp. 264-89.

Brandes, Ute. "Studierstube, Dichterklub, Hofgesellschaft, Kreativität und kultureller Rahmen weiblicher Erzählkunst im Barock. *In* Brinker-Gabler, *ibid.,* pp. 222-64.

Brink, J. R. "Batshua Makin: Scholar and Educators of the Seventeenth Century." *International Journal of Women's Studies* (1978), pp. 717-26.

Crandall, Coryl. "The Cultural Implications of the Swetnam Anti-Feminist Controversy in the Seventeenth Century. *Journal of Popular Culture,* vol. 2, nº 1 (verão de 1968), pp. 136-48.

Gardiner, Judith Kegan. "Aphra Behn: Sexuality and Self-Respect." *Women's Studies,* vol. 7, nºˢ 1/2 (1980), pp. 67-78.

Hageman, Elizabeth H. e Josephine A. Roberts. "Recent Studies in Women Writers of Tudor England." *English Literary Renaissance,* vol. 14 (outono), pp. 409-39.

Huber, Elaine C. "'A Woman Must Not Speak': Quaker Women in the English Left Wing." *In* Ruether e McLaughlin, *Women of Spirit,* pp. 154-81

Irwin, Joyce. "Anna Maria von Schurman: From Feminism to Pietism." *Church History,* vol. 46 (1977), pp. 48-62.

Norman, Sr. Marion, I.B.V.M. "A Woman for All Seasons: Mary Ward (1585-1645), Renaissance Pioneer of Women's Education." *Paedagogica Historica,* vol. 23, nº 1 (1983), pp. 125-43.

Notestein, Wallace. "The English Woman, 1580-1650." *In Studies in Social History.* J. H. Plumb (org.). Londres: Longmans, Green, 1955.

Roodenburg, Herman W. "The Autobiography of Isabella De Moerloose: Sex, Childrearing and Popular Belief in Seventeenth Century Holland." *Journal of Social History,* vol. 18, nº 4 (verão de 1985), pp. 517-40.

Sanders, Ruth H. "A Little Detour: The Literary Creation of Luise Gottsched." *In* Barbara Becker-Cantarino, *Die Frau...,* pp. 170-94.

Seidel, Michael. "Poulain De La Barre's *The Woman as Good as the Man.*" *Journal of the History of Ideas*, vol. 35, nº 3 (jul.-set. 1974), pp. 499-508.

Shapiro, Susan C. "Feminists in Elizabethan England." *History Today,* vol. 27 (nov. 1977), pp. 703-11.

Thomas, Keith. "Women and the Civil War Secrets." *Past and Present,* vol. 13 (april 1958), pp. 42-62.

5. Mary Astell

OBRAS PRÓPRIAS

Astell, Mary. *Some Reflections upon Marriage.* Londres: Wm. Parker, 1730.

_____. *The Christian Religion, As Profess'd by a Daughter of the Church of England.* Londres: R. Wilkin, 1705.

_____. *A Serious Proposal to the Ladies.* Londres: R. Wilkin, 1694.

[_____.] *The Christian Religion...* Londres: R. Wilkin, 1705.

[Astell, Mary.] *An Essay in Defence of the Female Sex...* Londres: Roger and Wilkinson, 1696.

Astell, Mary e John Norris. *Letters Concerning the Love of God, Between the Author of the Proposal to the Ladies and Mr. John Norris.* Londres: John Norris, 1695.

LIVROS

Perry, Ruth. *The Celebrated Mary Astell: An Early English Feminist.* Chicago: University of Chicago Press, 1986.

6. Anne Bradstreet

Bradstreet, Anne. "To My Dear Children." In *The Works of Anne Bradstreet.* Jeanninne Hensley (org.). Mass.: Cambridge.: Belknap Press, 1967.

[_____.] *Correspondence from the Tenth Muse Lately Sprung up in America or Several Poems, compiled with great Variety of Wit... By a Gentlewoman in those parts...* Londres: Stephen Bowtell, 1650.

_____. *The Works of Anne Bradstreet in Prose Verse.* John Harvard Ellis (org.). Charlestown, Mass.: Abram E. Cutter, 1867.

_____. *The Poems of Mrs. Anne Bradstreet Together with her Prose Remains* (1897). Como citado em *The Writing Women of New England, 1630-1900: An Anthology.* Arlen G. R. Westerbrook e Perry D. Westerbrook (orgs.). Metuchen, NJ: Scarecrow Press, 1982.

Campbell, Helen S. *Anne Bradstreet and Her Time.* Boston, 1891.

7. Margaret Cavendish, duquesa de Newcastle

Cavendish, Margaret, Duchess of Newcastle. *A True Relation of My Birth, Breeding and Life.* Publicado originalmente em *Poems, and Fancies: Written by the Right Honourable, the Lady Margaret Countesse of Newcastle.* Londres: J. Martin, 1653.

_____. *A True Relation of the Birth, Breeding and Life of Margaret Cavendish written by herself with critical Preface by sir Egerton Brydges, M.P.* Kent: Johnson and Warwick, 1814.

_____. *Philisophical Letters...* Londres, 1664.

_____. *A Philosophical and Physical Opinions Written by Her Excellency, the Lady Marchioness of Newcastle.* Londres: F. Martin and F. Aldestrye, 1655. British Library.

_____. *The Life of William Cavendish...* (1667). C. H. Firth (org.). Londres: George Routledge and Sons, 1857.

Grant, Douglas. *Margaret the First: Biography of Margaret Cavendish, Duchess of Newcastle, 1623-1673.* Londres: Rupert Hart-Davis, 1957.

8. Mary Lee (*lady* Chudleigh)

[*Lady* Chudleigh.] *The Ladies Defence: Or, the Bride-woman's Counsellor Answered: a Poem. In a Dialogue Between sir John Brute, sir Wm Loveall, Melissa and a Parson.* Londres: Bernard Linnot, 1709.

_____. *Poems on Several Occasions...* Londres: Bernard Linnot, 1709.

9. Marie le Jars de Gournay

Gournay, Marie de. *Égalité des homes et des femmes: 1622.* Paris: Côte-femmes editions, 1989.

LIVROS

Ilsley, Marjorie Henry. *A Daughter of the Renaissance: Marie le Jars de Gournay; Her Life and Works.* Haia: Mouton, 1963.

Insdorf, Cecil. *Montaigne and Feminism.* Chapel Hill: Studies in the Romance Languages and Literatures, 1977.

Schiff, Mario. *La Fille d'alliance de Montaigne, Marie de Gournay.* Paris: Champion, 1910.

ARTIGOS

Michel, Pierre. "Un apôtre du feminism au XVIIe siécle: Mademoiselle de Gournay."*Bulletin de La Société des Amis de Montaigne,* quatrième serie, n$^{\underline{o}}$ 27 (out.-dez. 1971), pp. 55-8.

Morand, Jean. "Marie le Jars de Gourney: La fille d'alliance de Montaigne." *Bulletin de La Société des Amis de Montaigne,* quatrième serie, n$^{\underline{o}}$ 27 (out.-dez. 1971), pp. 45-54.

Horowitz, Maryanne Cline. "Marie le Jars de Gourney, Editor of the *Essais* of Michel de Montaigne: A Case-Study in Mentor-Protégée Friendship." *The Sixteenth Century Journal,* vol. 17, n$^{\underline{o}}$ 3 (outono de 1986), pp. 271-84.

IX   SÉCULO XVIII

1. Fontes Primárias

[Anon.] *The Rise and Progress of the Young Ladies' Academy of Philadelphia...* Filadélfia: Stewart and Cochran, 1794.

Duncombe, John. *The Feminead, A Poem.* Augustan Reprint Society, n$^{\underline{o}}$ 207. Los Angeles: William Andrews Clark Memorial Library, 1981.

More, Hannah. *Strictures on the Modern System of Female Education with a View to the Principles and Conduct Prevalent Among Women of Rank and Fortune.* Filadélfia: Thomas Dobson, 1800.

Scott, Mary. *The Female Advocate; A Poem a Poem Occasioned by Reading Mr. Duncombe's Feminead*. (1774). Augustan Reprint Society, nº 224. Los Angeles: William Andrews Clark Memorial Library, 1984.

[Sophia.] *Woman not Inferior...* Londres: Impresso por John Hawkins, 1739. British Library.

_____. *Woman's Superior Excellence Over Man or a Reply by Sophia. A Person of Quality*. Londres: J. Robinson, 1743. British Library.

2. Obras de Referência e Antologias

Jacobs, Eva *et al.* (orgs.). *Woman and Society in Eighteenth-Century France: Essays in Honor of John Stephenson Spink*. Londres: Athlone Press, 1979.

Lonsdale, Roger (ed.). *Eighteenth-Century Women Poets*. Oxford e Nova York: Oxford University Press.

[Wichmann, Christian August.] *Geschichte berühmter Frauenzimmer: Nach alphabetischer Ordnung aus alten und neuen in- und ausländischen Geschicht-Sammlungen und Wörterbüchern zusammengetragen*, 3. vols. Leipzig, 1772-1775.

3. Livros

Austen, Jane. *Selected Letters, 1796-1817*. R.W. Chapman (org.) e Marilyn Butler (intro.). Oxford: Oxford University Press, 1985.

Benson, Mary S. *Women in Eighteenth-Century America: A Study of Opinion and Social Usage* (1935). Nova York: AMS Press, 1976.

Brown, Alice. The *Eighteenth-Century America Feminist Mind*. Brighton, Sussex: Harvester Press, 1987.

Butterfiled, L. H. *et al.* (orgs.). *The Book of Abigail and John: Selected Letters of the Adams Family, 1762-1784*. Cambridge: Harvard University Press, 1975.

Collier, Mary. *Poems, on Several Occasions*. Winchester: Impresso para o autor, 1762.

Dexter, Elizabeth Anthony. *Colonial Women of Affairs*. Boston: Houghton Mifflin, 1924.

Earle, Alice. *Child Life in Colonial Days*. Nova York: Macmillan, 1899.

_____. *Colonial Dames and Good Wives*. Boston: Houghton Mifflin, 1985.

Ellet, Elizabeth. *Domestic History of American Revolution*. Nova York: Baker & Scribner, 1850.

_____. *The Women of the American Revolution*. 3. vols. Nova York: Baker & Scribner, 1848-50.

Halkett, Anne. *The Autobiography of Anne Lady Halkett.* John Gough Nichols (org.). Londres: Camden Society, 1985

[Hays, Mary.] *The Love-Letters of Mary Hays.* A. F. Wedd (org.). Londres: Methuen, 1925.

Kerber, Linda. *Women of the Republic: Intellect and Ideology in Revolutionary America.* Chapel Hill: University of North Carolina Press, 1980.

Levy, Darline Gay, Harret Branson Applewhite e Mary Durham Johnson. *Women in Revolutionary Paris, 1789-1795.* Urbana: University of Illinois Press, 1979.

Myers, Sylvia Harcstark. *The Bluestocking Circle: Women, Friendship, and the Life of the Mind in Eighteenth-Century England.* Oxford: Clarendon Press, 1990.

Norton, Mary Beth. *Liberty's Daughters: The Revolutionary Experience of American Women, 1750-1800.* Boston: Little, Brown, 1980.

Poovey, Mary. *The Proper Lady and the Woman Writer: Ideology as Style in the Works of Mary Wollstonecraft, Mary Shelley, and Jane Austen.* Chicago: Chicago University Press, 1984.

Rogers, Katherine M. *Feminism in Eighteenth-Century England.* Urbana: University of Illinois Press, 1982.

Spruill, Julia Cherry. *Women's Life and Work in the Southern Colonies* (1938). Nova York: W.W. Norton, 1972.

Ulrich, Laurel Thatcher. *Good Wives: Image and Reality in the Lives of Women in Northern New England 1650-1750.* Nova York: Oxford University Press, 1983.

4. Artigos

Brown, Irene Q. "Domesticity, Feminism, and Friendship: Female Aristocratic Culture and Marriage in England, 1660-1760." *Journal of Family History* (inverno de 1982), pp. 406-24.

Fox-Genovese, Elizabeth. "Women and the Enlightenment." *In* Bridenthal *et al., Becoming Visible*, pp. 251-77.

Goodman, Dena. "Enlightenment Salons: The Convergence of Female and Philosophic. Ambitions." *Eighteenth-Century Studies*, vol. 22, nº 3 (primavera de 1989), pp. 329–50.

Goodman, Dena. "Governing the Republic of Letters: The Politics of Culture in the French Enlightenment." *History of European Ideas*, vol. 13, nº 3 (1991), pp. 183-199.

Hertz, Deborah. "Salonières and Literary Women in Late Eighteenth-Century Berlin." *New German Critique*, nº 14 (primavera de 1978), pp. 97-108.

Keber, Linda "The Republican Mother: Women and the Enlightenment – an American Perspective." *American Quarterly*, vol. 28 (verão de 1976), pp. 187-205.

Myers, Mitzi. "Domesticating Minerva: Bathsua Makin's 'Curious' Argument for Women's Education." *In Studies in Eighteenth Century Culture.* American Society for Eighteenth Century Studies. Madison: University of Wisconsin Press, 1985, pp. 173-92.

Perry, Ruth. "Colonizing the Breast: Sexuality and Maternity in. Eighteenth Century England." *Journal of the History of Sexuality,* vol. 2, nº 2 (1991), pp. 204-34.

_____. "Radical Doubt and the Liberation of Women." *Eighteenth-Century Studies,* vol. 18, nº 4 (verão de 1985). pp. 472-93.

_____. "Introduction." *In* Ruth Perry (org.). George Ballard. *Memoirs of Several Ladies of Great Britain...* Detroit: Wayne State University Press, 1985.

_____. "George Ballard's Biographies of Learned Ladies." *In Biography in the Eighteenth Century.* J. D. Browning (org.). Nova York: Garland Publishing, 1980, pp. 85-111.

5. Irmã Juana de la Cruz

OBRAS PRÓPRIAS

[Sor Juana de La Cruz.] *A Sor Juana Anthology.* Alan Trueblood (trad.). Cambridge: Harvard University Press, 1988.

[_____.] *A Woman of Genius: The Intellectual Autobiography of Sor Juana de la Cruz.* Margaret Sayers Peden (org.). Salisbury, Conn.: Lime Rock Press, 1982.

[_____.] *In* Mary Hays. *Female Biography.* Londres, 1803, pp. 440-43.

LIVROS

Paz, Octavio. *Sor Juana: or the Traps of Faith.* Margaret Peden (trad.). Cambridge: Harvard University Press, 1988.

ARTIGOS

Flyn, Gerard. "Sor Juana Ines de la Cruz: Mexico's Tenth Muse." *In* Brink, *Female Scholars,* pp. 119-36.

Pallister, Jannis L. "A Note on Sor Juana de la Cruz." *Women and Literature,* vol. 7, nº 2 (primavera de 1979), pp. 426.

Scott, Nina M. "'If you are not pleased to favor me, put me out of your mind...': Gender and Authority in Sor Juana Ines de la Cruz." *Women's Studies International Forum,* vol. 2, nº 5 (1988), pp. 429-37.

Ward, Marilynn I. "The Feminist Crisis of Sor Juana de la Cruz." *International Women's Studies,* vol. 1 (1978), pp. 475–81.

6. Elizabeth Elstob

OBRAS PRÓPRIAS

Elstob, Elizabeth. *An English-Saxon Homily on The Birth-day of St. Gregory* (1709), Manuscrito de Landsdowne, British Library. Um edição impressa surgiu em 1839 (Leicester: Wm. Pickering).

_____. *The Rudiments of Grammar for the English-Saxon Tongue.* Londres: W. Bowyer and C. King, 1715.

ARTIGOS

Reynolds, Myra. "Elizabeth Elstob, the Saxon Nymph." *In* Brink, *Female Scholars,* pp. 137-60.

7. Anna Luisa Karsch

Karsch, Anna Luisa. *Auserlesene Gedichte* (1764). Stuttgart: J. B. Metzler, 1966.

Klenke, E. L. V., geb. Karchin (org.). *Gedichte von Anna Luisa Karsch(in), geb, Duerback.* Berlim: Friedrich Maurer, 1767.

8. Catharine Macaulay

Macaulay, Catharine. *Letters on Education, With Observations on Religious and Metaphysical Subjects* (1790). Gina Luria (org.). Nova York: Garland, 1974.

ARTIGOS

Donnelly, Lucy Martin. "The celebrated Mrs. Macaulay." *William and Mary Quarterly,* 3ª série, vol. 6, nº 2 (abr. 1949), pp. 174-207.

Hill, Bridget e Christopher. "Catharine Macaulay and the Seventeenth Century." *Welsh History Review,* nºˢ 3/4 (dez. 1967), pp. 381-402.

Withey, Lynne E. "Catharine Macaulay and the Uses of History: Ancient Rights, Perfectionism, and Propaganda." *Journal of British Studies,* vol. 16, nº 1 (outono de 1976), pp. 59-83.

9. Judith Sargent Murray

[Judith Sargent Murray.] Constantia. "Desultory Thoughts upon the Utility of encouraging a degree of Self-Complacency, especially in FEMALE BOSOMS." *The Gentleman and Lady's Town and Country Magazine* (out. 1784), pp. 251-53.

[Judith Sargent Murray.] *The Gleaner: A Miscellaneous Production in Three Volumes.* Boston: I. Thomas and E. T. Andrews, 1798.

_____. "On the Equality of the Sexes" (1790). Conforme citado em *The Feminist Papers from Adams to Beauvoir.* Alice S. Rossi (org.). Nova York: Bantam Books, 1974.

_____. *Some Deductions from the System Promulgated in the Page of Divine Revelation...* Portsmouth, 1782.

10. Mary Wollstonecraft

Wollstonecraft, Mary. *A Vindication of the Rights of Woman with Strictures on Political and Moral Subjects* (1792). Nova York: Garland, 1974.

_____. *Mary: A Fiction* (1788). Schocken Books, 1977.

LIVROS

Flexner, Eleanor, *Mary Wollstonecraft.* Nova York: Coward-McCann, 1972.

George, Margaret. *One Woman's Situation: A Study of Mary Wollstonecraft.* Urbana: University of Illinois Press, 1970.

Sapiro, Virginia. *A Vindication of Political Virtual: The Political Theory of Mary Wollstonecraft.* Chicago: University of Chicago Press, 1992.

X   SÉCULO XIX

1. Fontes Primárias

MANUSCRITOS E REGISTROS

Journal of Marian Louise Moore. Sociedade Histórica da Reserva Ocidental, Cleveland, Ohio. Programa da Convenção da União Liberal Nacional das Mulheres, 24-25 de fevereiro de 1890, Washington, D.C.

Resolutions, Convenção dos Direitos da Mulher de Ohio. Realizada nos dias 19 e 20 de abril de 1850.

LIVROS

[Alcott, Louisa May.] *Louisa May Alcott: Her Life, Letters, and Journals.* Ednah D. Cheney (org.). Boston: Roberts Brothers, 1889.

[_____.] *Recollections of Louisa May Alcott...* Mary S. Porter (org.). Boston, 1893.

Andrews, William L. (org.) *Sisters of the Spirit: Three Black Women's Autobiographies of the Nineteenth Century*. Bloomington: Indiana University Press, 1986.

[Anthony, Susan B.] Harper, Ida H. *The Life and Work of Susan B. Anthony*, 3 vols. Indianapolis: Hollenbeck Press, 1898-1908.

Arnim, Bettina von. *Werke uns Briefe*. Gustav Konrad (org.), 5 vols. Frechen/Colônia: Bartmann-Verlag, 1959-1961.

[_____.] *Bettina von Arnim: Eine Weibliche Sozialbiographie aus dem 19ten Jahrhundert kommentiert und zusammengestellt aus Briefromanen und Dokumenten*. Gisela Dischner (org.). Berlim: Verlag Klaus Wagenbach, 1977.

Bolton, Sarah Knowles. *Famous Types of Womanhood*. Nova York: Thomas Y. Crowell, 1892.

Bradford, Sarah. *Harriet Tubman, The Moses of Her People* (1869). Secaucus, NJ: Citadel Press, 1974.

[Brentano, Sophie Mereau]. *Briefwechsel Zwischen Clemens Brentano Und Sophie Mereau, de Brentano*. Heinz Amelung (org.). Leipzig: Insel, 1908.

Browning, Elizabeth Barret. *Aurora Leigh: A Poem* (1856). Chicago: Academy Chicago University Publishers, 1979.

Child, Lydia Maria. *Brief Story of the Condition of Women: In Various Ages and Nations*, Ladies Family Library. Boston: John Allen & Co., 1835.

[Cooper, Anna Julia]. *A Voice from the South by a Black Woman from the South*. Xenia, Ohio: The Aldine Printing House, 1892.

Coppin, Fannie Jackson. *Reminiscences of School Life*. Filafélfia: African Methodist Episcopal Book Concern, 1913.

Croly, Janer Cunningham. *History of the Women's Club Movement in America*. Nova York: H. G. Allen, 1898.

Ellet, Elizabeh. *Pioneer Women in the West*. Nova York: C. Scribner, 1852.

Fairbanks, Mrs. A. W. (org.). *Emma Willard and her pupils; or, Fifty years of Troy Female Seminary, 1822-1872*. Nova York: Mrs. Russel Sage, 1898.

Gage, Matilda Joslyn. *Woman, Church & State: The Original Exposé of Male Against the Female Sex* (1893). Sally Roesh Wagner (org.). Watertown, Mass.: Persephone Press, 1980.

Grimké, Charolte Forten. *The Journals of Charolte Forten Grimké*. Brenda Stevenson (org.). Schomburg Library of Nineteenth-Century Black Women Writers. Nova York: Oxford University Press, 1988.

[Günderrode, Karoline von.] *Karoline von Günderrode: Der Schatten eines Traumes; Gedichte, Prosa, Briefe, Zeugnisse von Zeitgenossen*. Christa Wolf (org.). Darmstadt: Luchterhand, 1981.

Hale, Sarah Josepha. *Woman's Record or Sketches of All Distinguished Women, from "the Beginning" Till A.D. 1850*. Nova York: Harper, 1853.

Hanaford, Phebe A. *Daughters of America, or Women of the Century*. Augusta Maine: True, 1882.

Hays, Mary. *Female Biography or Memoirs of Illustrious and Celebrated Women of All and Countries*. Londres: Richard Philips, 1803.

Hill, Georgiana. *Women in English Life*, 2 vols. Londres: Bentley & Son, 1896.

Hunt, Harriot K., M.D. *Glances and Glimpses; or Fifty Years Social, Including Twenty Years Professional Life*. Boston: John P. Jewett Co., 1856.

[Harriet A. Jacobs.] *Incidents in the Life of a Slave Girl Written by Herself* (1861). L. M. Child e Jean Fagan Yellin (orgs.). Cambridge: Harvard University Press, 1987.

Jaeckel, Günter (org.). *Das Volk Braucht Licht. Frauen zur Zeit des Aufbruchs von 1790-1848 in ihren Briefen*. Darmstadt: Agora, 1970.

Lyon, Mary. *The Power of Christian Benevolence: Illustrated in The Life and Labors of Mary Lyon*. Nova York: American Tract Society, 1858.

[_____.] *Recollections of Mary Lyon: With Selections From Her Instructions to the Pupils In Mt. Holyoke Female Seminary*. Fidela Fiske (org.). Boston: American Tract Society, 1866.

Livermore, Mary A. *My Story of the War: A Woman's Narrative of Four Years Personal...* Hartford, Conn.: A.D. Worthington, 1889.

[Mill, John Stuart.] *The Autobiography of John Stuart Mill*. John Jacob Coss (org.). Nova York: Columbia University Press, 1924.

[_____.] *Essays on Sex Equality: John Stuart Mill and Harriet Taylor Mill*. Alice Rossi (org.). Chicago: Chicago University Press, 1970.

[Mitchell, Maria.] *Maria Mitchell: Life and Letters and Journals*. Phebe M. Kenall (org.). Boston: Lee and Shepard, 1896.

[Mott, James e Lucretia.] *Life and Letters of James and Lucretia Mott*. Anna D. Hallowell (org.). Boston: Houghton Mifflin, 1884.

Norton, The Honorable Mrs. [Caroline Elizabeth]. *Lost and Saved*, 3 vols. Londres: Hurst and Blackett, 1863.

Otto, Louise. *Merkwüedige und geheimnisvolle Frauen*. Leipzig, 1868.

_____. *Einflussreiche Frauen aus dem Volke*. Leipzig, 1869.

Roberts, Mary. *Select Female Biography: Comprising Memoirs of Eminent British Ladies*. Londres: Harvey & Darton, 1829.

[Smith, Julia.] *The Holy Bible Containing the Old and New Testaments Translated Literally From the Original Tongues*. Hartford: American Publishing Co., 1876.

Stowe, Harriet Beecher. *Woman in Sacred History: A Series of Sketches Drawn from Scriptural, Historical, and Legendary Sources*. Nova York: J. B. Ford, 1874.

Stowe, Harriet Beecher. *et al. Our Famous Women...* Hartford, Conn.: A.D. Worthington, 1884.

[_____.]. *Life and Letters of Harriet Beecher Stowe*. Annie A. Fields (org.). Boston, 1897.

Thompson, William. *Appeal of One-Half of the Human Race, Women, against the Pretensions of the other Half, Men, to Retain them in Political and thence in Civil and Domestic Slavery: in reply to a paragraph of Mr. Mill's celebrated "Article on Government"* (1825).

Trial: Norton v. Viscount Melbourne, for CRIM.CON. Londres: William Marshal, 1836.

Williams, Jane. *The Literary Women of England*. Londres, 1861.

Harriet E. Wilson. *Our Nig; or, Sketches from the Life of a Free Black...* (1859). Nova York: Vintage Books, 1983.

PERIÓDICOS

"Address of the Anti-Slavery Women of Western New York." *National Anti-Slavery Standard* (20 de abril de 1848).

Barnby, Goodwyn. "Document on Marriage in the New Common World." *The Educational Circular and Communist Apostle,* nova série, nº 1 (nov. 1841).

Free Thought Magazine, vol. XVI, nº 6 (jun. 1898). Matilda Gage papers, Schlesinger Library, Radcliffe College, Cambridge, Mass.

La Roche, Sophie von. *Pomona für Teutschland Tochter.* Jurgen Vonderstemann (org.). 4 vols. Munique: K.G. Saur, 1987

Stanton, Elizabeth Cady para Matilda J. Cage. Carta reimpressa em *The Liberal Thinker,* Syracuse, 1890.

2. Obras de Referência e Antologias

Bell, Susan Groag e Karen M. Offen (orgs.). *Women, the Family, and Freedom: The Debate in Documents,* vol. 1: 1750-1880. Stanford: Stanford University Press, 1983.

Briquet, Marguerite V. F. Bernier. *Dictionnaire historique, littéraire et bibliographique des françaises et des étrangères naturalisées en France.* Paris, 1804.

Glümer, Claire von. *Bibliothek für die deutsche Frauenwel,* 6 vols. Leipzig, 1856.

Hausen, Karin (org.). *Frauen suchen ihre Geschichte: Historische Studien zum 19. und 20. Jahrhundert. Munique*: C.H. Beck, 1983.

Hellerstein, Erna Olafson. *Victorian Women Documentary Account of Women's Lives in Nineteenth-Century England, France, and the United States*. Stanford: Stanford University Press, 1981.

Twellmann, Margrit. *Die deutsche Frauenbewegung im Spiegel repräsentativer Frauen-zeitschriften: ihre Anfänge und erste Entwicklung 1843-1889*. Meisenheim am Glau: Anton Hain, 1972.

3. Fontes Secundárias

LIVROS

Boydston, Jeanne. *Home and Work: Housework, Wages, and the Ideology of Labor in the Early Republic*. Nova York: Oxford University Press, 1990.

Britain, Vera. *Lady into Woman: A History of Women from Victoria to Elizabeth II*. Londres: A. Decker, 1953.

Conrad, Earl. *Harriet Tubman: Negro Soldier and Abolitionist*. Nova York: International Publishers, 1942.

Conrad, Susan P. *Perish the Thought: Intellectual Women in Romantic America, 1830-1860*. Nova York: Oxford University Press, 1976.

Cott, Nancy. *The Bonds of Womanhood: "Woman's Sphere" in New England, 1780-1835*. New Haven: Yale University Press, 1977.

Discher, Gisela (org.). *Caroline und der Jenaer Kreis: Ein Leben zwischen bürgerlicher Vereinzelung und romantischer Geselligkeit*. Berlim: Klaus Wagenback, 1979.

Douglas, Ann. *The Feminization of American Culture*. Nova York: Knopf, 1977.

DuBois, Ellen Carol. *Feminism and Suffrage: The Emergence of an Independent Women's Movement in America, 1848-1869*. Ithaca: Cornell University Press, 1978.

Evans, Richard J. *The Feminists: Women's Emancipation Movements in Europe, America and Australasia 1840-1920*. Nova York: Barnes & Noble Books, 1977.

Gerin, Winifred. *Charlote Brontë: The Evolution of Genius*. Oxford: Clarendon Press, 1967.

Hardesty, Nancy. *Women Called to Witness: Evangelical Feminism in the Nineteenth Century*. Nashville: Abington, 1984.

Harverson, Mae E. *Catharine Beecher: Pioneer Educator*. Filadélfia: Science Press, 1932.

Herold, J. Christopher. *Mistress to an Age: A Life of Madame de Staël*. Nova York: Bobbs--Merrill, 1958.

Hersh, Blanche Glassman. *The Slavery of Sex: Feminist-abolitionists in America*. Urbana: University of Illinois Press, 1978.

Marshall, Helen F. *Dorothea Dix* (1937). Nova York: Russel and Russel, 1967.

Moses, Claire Goldberg. *French Feminism in the 19th Century*. Albany, NY: SUNY Press, 1984.

Perkins, A. J. G. e Theresa Wolfson. *Frances Wright: Free Enquirer*. Filadélfia: Porcupine Press, 1939.

Powell, David A. *George Sand*. Boston: Twayne, 1990.

Scott, Anne Firor. *Making the Invisible Woman Visible*. Urbana: University of Illinois Press, 1984.

Sklar, Katharyn Kish. *Catharine Beecher: A Study in American Domesticity*. New Haven: Yale University Press, 1973.

Susman, Margarete. *Frauen der Romatik*. Colônia: Joseph Melzer Verlag, 1960.

Taylor, Barbara. *Eve and the New Jerusalem: Socialism and Feminism in the Nineteenth Century*. Nova York: Pantheon Books, 1983.

Tiffany, Frances. *The Life of Dorothea Lynde Dix* (1918). Detroit: Gale, 1971.

Tyler, Alice Felt. *Freedom's Ferment: Phases of American Social History from the Colonial Period to the Outbreak of Civil War*. Nova York: Harper & Row, 1944.

ARTIGOS

Frederiksen, Elke. *Die Frau als Autorin zur Zeit der Romantik: Anfänge einer weiblichen literarischen Tradition*. In Burkhard, *Gestald und Gestaldend*, pp. 83-153.

Ginzberg, Lori. "'Moral Suasion Is Moral Balderdash': Women, Politics, and Social. Activism in the 1850s." *Journal of American History*, vol. 73, nº 3 (dez. 1986), pp. 601-22.

Hale, Addie Stancliffe. "The Five Amazing Smith Sisters." *Hartford Daily Courant*, 15 de maio de 1932.

Lawson, Ellen N. e Marlene Merrell. "Antebellum Black Coeds at Oberlin College." *In* Hine, *Black Women*, vol. 3, pp. 847-68.

Offen, Karen. "Depopulation, Nationalism, and Feminism in Fin-de-Siècle France." *American Historical Review*, vol. 89, nº 3, (jun. 1984), pp. 648-76.

Perkins, Linda M. "Heed Life's Demands: The Educational Philosophy of Fanny Jackson Coppin." *In* Hine, *Black Women*, vol. 3, pp. 1039-048.

_____. "The Black Female American Missionary Association Teacher in the South, 1861-1870." *In* Hine, *Black Women*, vol. 3, pp. 1039-048.

Scott, Anne Firor. "The Ever Widening Circle: The Diffusion of Feminist Values from the Troy Female Seminary, 1822–72." *In* Scott, *Making the Invisible Woman Visible*, pp. 64-88.

_____. "Almira Lincoln Phelps: The Self-Made Woman in the Nineteenth Century." *In* Scott, *ibid.*, pp. 89-106.

Speare, Elizabeth George. "Smith, Abby Hadassah and Julia Evelina." *In* James, *Notable American Women*, vol. 3, pp. 302-04.

MANUSCRITOS NÃO PUBLICADOS

Isenberg, Nancy Gale. *The Co-equality of the Sexes: The Feminist and Religious Discourse of the Nineteenth-Century Women's Rights Movement: 1848-1860*. Dissertação, University of Wisconsin-Madison, 1990.

4. Emily Dickinson

OBRAS PRÓPRIAS

[Emily Dickinson.] *The Poems of Emily Dickinson*. Thomas H. Johnson (org.). Cambridge: Harvard University Press, 1955.

[_____.] *Further poems of Emily Dickinson Withheld from Publication by Her Sister Lavinia*. Organizado por sua sobrinha Martha D. Bianchi e Alfred Leete Hampson.

[_____.] *The Letters of Emily Dickinson*. Thomas H. Johnson e Theodora Ward (orgs.). Cambridge: Harvard University Press, 1958.

LIVROS

Bennett, Paula. *Emily Dickinson: Woman Poet*. Iowa City: University of Iowa Press, 1990.

Cody, John. *After Great Pain: The Inner Life of Emily Dickinson*. Cambridge: Harvard University Press, 1971.

Juhasz, Suzanne (org.). *Feminist Critics Read Emily Dickinson*. Bloomington: Indiana University Press, 1983.

_____. *The Undiscovered Continent: Emily Dickinson's Poetry*. New Haven: Yale University Press, 1979.

Patterson, Rebecca. *Emily Dickinson's Imagery*. Margaret H. Freeman (org.). Amherst: University of Massachusetts Press, 1979.

Porter, David. *Dickinson: The Modern Idiom*. Cambridge: Harvard University Press, 1981.

Sewall, Richard B. *The Inner Life of Emily Dickinson*. Nova York: Farrar, Straus and Giroux, 1974, 1980.

Sewall, Richard B. (org.). *Emily Dickinson. A Collection of Critical Essays*. Eglewood Cliffs, NJ: Prentice-Hall, 1963.

Wolff, Cynthia Griffin. *Emily Dickinson*. Nova York: Knopf, 1987.

ARTIGOS

Bogan, Louise. "A Mystical Poet." *In* Sewall, *The Life of Emily Dickinson*, pp. 137-43.

Faderman, Lilian. "Emily Dickinson's Letters to Sue Gilbert." *The Massachusetts Review*, vol. 18 (verão de 1977), pp. 197-225.

Gilbert, Sandra M. "The Wayward Nun Beneath the Hill: Emily Dickinson and the Mysteries of Womanhood." *In* Juhasz, *Feminist Critics*.

5. Margaret Fuller

OBRAS PRÓPRIAS

Fuller, Margaret. *Woman in the Nineteenth Century* (1845). Nova York: Norton, 1971.

[_____.] *The Writings of Margaret Fuller*. Mason Wade (org.). Fairfield, NJ: A. Kelley, 1941.

LIVROS

Chevigny, Bell. *The Woman and The Myth: Margaret Fuller's Life and Writings Paperback*. Old Westbury, NY: Feminist Press, 1976.

Deiss, Joseph Jay. *The Roman Years of Margaret Fuller*. Nova York: Crowell, 1969.

Howe, Julia Ward. *Margaret Fuller, Marchesa Ossoli* (1883). Westport, Conn.: Greenwood Press, 1970.

6. Angelina e Sarah Grimké

OBRAS PRÓPRIAS

Grimké, Angelina. *Appeal to the Christian Women of the Southern States.*

_____. *An Appeal to the Christian Women of the Nominally Free States*. Nova York: W. S. Dorr, 1837.

_____. *Letters to Catharine Beecher...* Boston: Isaac Knapp, 1838.

Grimké, Sarah Moore. *An Epistle to the Clergy of the Southern States*. Nova York, 1836.

Grimké, Sarah Moore. *Letters on the Equality of the Sexes, and the Condition of Woman; Addressed to Mary S. Parker, President of the Boston Female Anti-Slavery Society.* Boston: Isaac Knapp, 1838.

_____. Cartas, cadernos e diários na Coleção de Theodore Dwight Weld, William L. Clemens Library, University of Michigan, Ann Arbor.

[Weld, Theodore Dwight.] *American Slavery As It Is: Testimony of a Thousand Witnesses.* Nova York: Sociedade Antiescravagista Americana (American Antislavery Society – AAS), 1839.

LIVROS

Birney, Catherine H. *The Grimké Sisters: Sarah and Angelina Grimké: the First American Women Advocates of Abolition and Woman's Rights.* Boston: Lee & Shepard, 1885.

Lerner, Gerda. *The Grimké Sisters from South Carolina: Pioneers for Women's Rights and Abolition.* Boston: Houghton Mifflin, 1967.

7. Elizabeth Cady Stanton

Cady, Stanton Elizabeth. *Eight Years and More: 1815-1897.* Londres: T. Fisher Unwin, 1898.

_____, Susan B. Anthony e Matilda J. Gage (orgs.). *A History of Woman Suffrage*, 6 vols. Nova York: Fowler & Wells, 1881-1922.

Cady, Stanton Elizabeth e Matilda J. Gage (orgs.). *The Woman's Bible.* Nova York: European Publishing Co., 1895.

8. Rahel Varnhagen von Ense

OBRAS PRÓPRIAS

[Varnhagen von Ense, Rahel.] *Rahel Varnhagen im Umgang mit ihren Freunden.* Friedrich Kemp (org.). Munique: Kösel Verlag, 1967.

Varnhagen von Ense, Karl. *Rahel: Ein Buch des Andenkens für ihre Freunde* (1834). Neudruck Bern: Herbert Lang, 1972.

LIVROS

Arendt, Hannah. *Rahel Varnhagen: Lebensgeschichte einer deutschen Jüdin aus der Romantik.* Frankfurt: Ullstein, 1975.

Goodman, Key. "The Impact of Rahel Varnhagen on Women in the 19th Century." *In* Burkhard, *Gestald und Gestaldend*, pp. 125-53.

— 454 —

Hertz, Deborah. "Hannah Arendt's Rahel Varnhagen." *In German Women in the Nineteenth Century.* John C. Fout (org.). Nova York: Holmes and Meier, 1984, pp. 72-87.

Joeres, Ruth-Ellen. "Self-Conscious Histories: Biographies of German Women in the Nineteenth Century." *In* Fout. *German Women*, pp. 172-96.

9. Frances Willard

OBRAS PRÓPRIAS

Willard, Frances. *Glimpses of Fifty Years: The Autobiography of an American Woman Frances Willard.* Chicago: H. J. Smith, 1889.

Willard, Frances. *An Address to the Public; Particularly to the Members of the Legislature of New York, Proposing a Plan for Improving Female Education.* Middlebury, VT: S. W. Copeland, 1819.

Willard, Frances e Mary A. Livermore (orgs.). *A Woman of the Century: Fourteen Hundred--seventy Biographical Sketches Accompanied by Portraits of Leading American Women in All Walks of Life.* Chicago: Charles Wells Moulton, 1893.

LIVROS

Lutz, Alma. *Emma Willard: Pioneer Educator of American Woman.* Boston: Beacon Press, 1964.

10. Frances Wright [D'Arusmont]

Wright, Frances [D'Arusmont]. *Course of Popular Lectures with 3 Addresses.* Londres: James Watson, 1834.

_____. *Biography, Notes, and Political Letters of Frances Wright D'Arusmont.* Nova York: J. Myles, 1844.

_____. *Views of Society and Manners in America... By an Englishwoman.* Nova York: J. Myles, 1821.

XI SÉCULO XX

1. Fontes Primárias

Davis, Elizabeth Lindsay. *Lifting as They Climb.* Associação Nacional de Mulheres Negras, 1933.

Douthit, Mary O. *The Souvenir of Western Women.* Portland, Maine: Anderson and Duniway, 1905.

Mossell, Mrs. N. F. *The Work of the Afro-American Woman*. Filadélfia: Geo. S. Ferguson, 1908.

Summer, Helen L. *History of Women in Industry in the United States, vols. 9 and 10 of Report on Condition of Woman and Child Wage-Earners in the United States*. U.S. Senate Document 645. Washington, D.C.: U.S. Government Printing Office, 1911.

2. Fontes Secundárias

Evans, Sara. *Personal Politics: The Roots of Women's Liberation in the Civil Rights Movement & the New Left*. Nova York: Knopf, 1979.

Vicinus, Martha. *Independent Women: Work and Community for Single Women, 1850-1920*. Chicago e Londres: University of Chicago Press, 1985.

Wood, Mary I. *The History of The General Federation of Women's Clubs*. Nova York, 1912.

Sklar, Kathryn Kish. "American Female Historians in Context, 1770-1930." *Feminist Studies*, vol. 3, n°s 1/2 (outono de 1975), pp. 171-84.

3. Mary Ritter Beard

OBRAS PRÓPRIAS

Beard, Mary Ritter. *Woman's in Municipalities*. Nova York: D. Appleton, 1915.

_____. *On Understanding Women*. Nova York: D. Appleton, 1931.

_____. *America Through Women's Eyes*. Nova York: Macmillan, 1933.

_____. *Woman as Force in History: A Study in Traditions and Realities*. Nova York: Macmillan, 1946.

_____. *The Force of Women in Japanese History*. Washington, D.C.: Public Affairs Press, 1953.

Beard, Mary Ritter com Martha Bensley Bruere. *Laughing Their Way Women's Humor in America*. Nova York: Macmillan, 1934.

Beard, Charles A. e Mary Ritter Beard. *The Rise of American Civilization*, 2 vols. Nova York: Macmillan, 1927.

Cott, Nancy (org.). *A Woman Making History: Mary Ritter Beard Through Her Letters*. New Haven: Yale University Press, 1991.

Lane, Ann. *Mary Ritter Beard: A Sourcebook*. Nova York: Schocken Books, 1977.

OUTROS LIVROS

Turoff, Barbara. *Mary Ritter Beard as a Force in History.* Dayton, Ohio: Wright State University Monograph Series, nº 3, 1979.

Smith, Bonnie G. "Seeing Mary Beard." *Feminist Studies,* vol. 10, nº 3 (outono de 1984), pp. 399-416.

XII   MULHERES JUDIAS

LIVROS

Baum, Charlotte, Paula Hyman e Sonya Michel. *The Jewish Woman in America.* Nova York: Dial Press, 1976.

Cantor, Aviva. *The Jewish Woman: 1900–1980. Bibliography.* Fresh Meadows, NY: Biblio Press, 1981.

Henry, Sondra e Emily Taitz. *Written Out of History: Our Jewish Foremothers.* Fresh Meadows, NY: Biblio Press, 1983.

Heschel, Susannah (org.). *On Being a Jewish Feminist.* Nova York: Schocken Books, 1983.

Marcus, Jacob R. *The American Jewish Woman: A Documentary History.* Nova York: Ktec, 1981.

Rabinowicz, Harry M. *Hasidism and the State of Israel.* Londres: Hartford House, 1970.

Spiegel, Marcia Cohn e Deborah Lipton Kremsdorf (orgs.). *Women Speak to God: The Prayers and Poems of Jewish Women.* San Diego: Woman's Institute for Continuing Jewish Education, 1987.

ARTIGOS

Kaplan, Marion. "Tradition and Transition: The Acculturation, Assimilation and Integration of Jews in Imperial Germany – a Gender Analysis." *Leo Bäck Institute Yearbook,* vol. 27 (1982), pp. 3-35.

Lerner, Elinor. "American Feminism and the Jewish Question, 1890-1940." *In Anti-Semitism in American History.* David A. Gerber (org.). Urbana: University of Illinois Press, 1986.

[Morpurgo, Rachel.] "Rachel Morpurgo." *In Encyclopedia Judaica.* Jerusalém: Keter, 1971, vol. 12, p. 349.

Rapoportt-Albert, Ada. "On Women in Hasidism: S. A. Horodecky and the Maid of Ludmir Tradition." *In Jewish History: Essay in Honour of Chimen Abramsky.* Rapoportt-Albert e Steven J. Zipperstein (orgs.). Londres: Halban, 1988.

Weissler, Chava "'For Women and for Men Who Are like Women': The Construction of Gender in Yiddish Devotional Literature." *Journal of Feminist Studies in Religion*, vol. 5, nº 2 (outono de 1989), pp. 7-24.

_____. "Images of the Matriarchs in Yiddish Supplicatory Prayers." *Bulletin of the Center for the Study of World Religions*, Harvard University, vol. 14, nº 1 (1988), pp. 44-51.

_____. "The Religion of Traditional Ashkenazic Women: Some Methodological Issues." *AJS Review*, vol. 7, nº 1 (primavera de 1987), pp. 73-94.

_____. "The Traditional Piety of Ashkenazic Women: Some Methodological Issues." *AJS Review*, vol. 7, nº 1 (primavera de 1987), pp. 73-94.

_____. "The Traditional Piety of Ashkenazic Women." *In A Jewish Spirituality from the Sixteenth-Century Revival to the Present*, Arthur Green (org.). Nova York: Crossroad, 1987.

_____. "Women in Paradise." *Tikkun*, vol. 2, nº 2 (abr.-maio 1987), pp. 43-6, 117-20.

ÍNDICE REMISSIVO

Abadessas, 47-8. *Ver também pessoa específica*
Abadia de Chelles, 47, 308
Abadia de Gandersheim, 48, 312
Abadia de Quedlinburgo, 48
Abadia de Santa Cruz, 48-9
Abadia de Whitby, 47
Abadia do Paracleto, 49
Abelardo e Heloisa, 49, 75
Abigail (Bíblia), 322
Abnegação, 57
Abortos, e maternidade, 156
Academias, 66-7, 266, 341
Adams, Abigail e John, 29-30, 265
Adão, como andrógino, 131, 198. *Ver também* Criação; Queda
Adriano IV (papa), 82
Afro-americanos, 68, 69, 99-100, 138-44, 225, 271-72, 327-28, 341, 342. *Ver também* Becraft, Coppin, Fannie Jackson; Foote, Julia; Harper, Frances; Jackson, Helen Hunt; Lee, Jarena; Maria; Cooper, Anna Julia; Mossell, Gertrude E. H.; Perot, Rebecca; Prince, Nancy; Smith, Amanda Berry; Truth, Sojourner
Agrippa von Nettesheim, Heinrich Cornelius, 266, 321, 323

Agrupamento, 41, 278-86, 303, 321, 337. *Ver também* Salões
Albigenses, 103, 105
Alcuíno, 51
Alexandre III (papa), 82
Alfabetização, 56, 62-8, 305
Allgemeiner Deutscher Frauenverein [Associação Geral de Mulheres Alemãs], 340
Amamentação, 172-73
Ambrósio (bispo de Milão), 180
An Anglo-Saxon Homily on the Birthday of St. Gregory [Homilia sobre o Nascimento de São Gregório] (Elfrico), 287
Ana da Áustria, 162
Ana da Bretanha, 284
Ana de Beaujeu, 284
Anabatistas, 126
Anastácio IV (papa), 82
Androginia:
de Adão, 131, 198
Opiniões de Schlegel, 291-92.
Ver também Divino como feminino/masculino
Anger, Jane, 191-92
Anthon, Kate, 235
Anthony, Susan B., 207, 329-30

Antiguidade:
educação em, 45, 62;
e mulheres famosas/virtuosas, 192, 243;
e racionalidade, 93
Apoio intelectual:
das mulheres, 282;
de homens, 76-7, 79-80, 277-82, 291-303;
desvantagens do sexo masculino, 278-80;
dos pais, 278-79;
e amantes, 280-81;
e autoria, 280-82, 294-95;
e maridos, 277, 279-80;
e misticismo, 283, 337;
e modelos de papéis, 283-84;
e mulheres como companheiras, 291-92;
e mulheres como historiadoras, 330-31.
e mulheres solteiras, 279;
e o movimento romântico, 288-303;
e protestantismo, 278-79;
e *quakers*, 279;
e tribunais, 281-82, 283-84;
e universidades, 277-78;
e vida religiosa, 282-83, 337-38;
importância de, 278-79 ;
Ver também Agrupamento, Espaço, Mentores, Salões
Appeal of One-Half the Human Race [Apelo à Metade da Raça Humana] (Thompson e Wheeler), 280
Aprender, direto a. *Ver* Educação
Arendt, Hannah, 302
Aristóteles, 26, 90, 243
Aristotelianismo, 193
Arnold, Gottfried, 130
Arquivos da Biblioteca Schlesinger (Radcliffe College), 332
Askew, Anne, 189-91
Asseburg, Rosamunde von, 129
Astell, Mary, 35, 174-75, 199-201, 204, 250, 253-58, 261, 263, 264, 267-68, 286, 288, 338, 342-43
Atividade reprodutiva, 24, 157-65, 288
Aurora Leigh (Browning), 225, 288
Austen, Jane, 225, 288
Autobiografias. *Ver* Biografia

Autoconhecimento, 297, 343
Autolegitimação:
e a inferioridade das mulheres, 241;
e criatividade, 40-1, 211, 226-28;
e definição de gênero, 74, 85-6;
e espaço livre, 85;
e experiências/conhecimento, 73, 74, 78-91;
e linguagem/símbolos, 72-3;
e maternidade, 335-36;
e misticismo, 72, 77, 79;
e mulheres como autoras de seus próprios trabalhos, 73-7
e o direito ao pensamento, 73, 77-8, 83-5, 91;
e o século XVIII, 76-7;
e obstáculos às vozes das mulheres, 73-8;
e patriarcado, 73, 78;
e público, 72-3;
e relações sexuais, 86-8, 91;
e apoio intelectual, 75-6, 79-80;
e *"topos* da humildade"*, 77-8;
Santo Agostinho como o primeiro a definir a, 72;
Autopercepção, 31, 39
Autoria:
como um constrangimento social, 225;
como um estágio na consciência feminista, 261;
e autolegitimação, 73-7;
e cidadania, 299-300;
e crítica bíblica, 4-1, 188, 192-93;
e educação, 309;
e História das Mulheres, 322
e mentores, 246;
e modelos de conduta, 287-88;
e parcerias intelectuais, 279-81, 293-94;
e patrocínio, 169-70;
e pseudônimos, 212;
na Renascença Carolíngia, 309;

Bacharach, Eva, 51
Ballard, George, 286, 324, 325
Batilda (rainha), 47-8
Baudovinia (freira), 308
Beard, Mary, 36, 330, 331-32
Beauvoir, Simone de, 343
Becraft, Maria, 271

Beecher, Catharine, 67, 269, 338

Behn, Aphra, 35, 219, 226, 288

Berkeley, George, 286

Bernardo de Claraval, 81, 82, 86, 95, 102, 107, 160-61

Bertila (abadessa), 308

Bíblia:

e biografias, 325-27;

e definição de gênero, 26-7, 100, 131, 247;

e o direito da mulher de pregar, 100;

e o significado do discurso religioso, 133-34;

lei que proíbe as mulheres de ler o, 52;

mulheres instruídas na, 58-9

Ver também Crítica bíblica

Billon, François de, 321

Biografia/autobiografia, 37, 282, 308-15, 324-30, 333

Birch, reverendo Thomas, 286

Bluestockings, 174-75, 261, 286-87, 291

Boccaccio, Giovanni, 315-17, 318-19, 322, 323, 325

Böhme, Jacob, 122, 198

Boneta, Prous, 123-24, 129

Bórgia, Lucrécia, 283

Bourges, Clemence de, 245

Bourignon, Antoinette, 130, 198

Bradstreet, Anne, 216-18

Brentano von Arnim, Bettina, 296-300, 302, 303

Brentano, Clemens, 294-96, 298, 299

Brentano, Gunda, 295-96

Brentano, Sophie. *Ver* Mereau Brentano, Sophie

Brígida da Suécia, 108

Browning, Elizabeth Barrett, 225, 288

Burney, Fanny, 287

Bynum, Caroline, 98-9, 119-20, 121

Cabalismo, 146-48

Caldiera, Caterina, 51

Callimachus [Calímaco] (Rosvita de Gandersheim), 310-11

Caritas (arquétipo da figura materna), 121

Carlos IV (rei da França), 124

Carlos V (rei da França), 183, 317

Carlos VII (rei da França), 283

Caroline (rainha da Inglaterra), 61, 286

Carter, Elizabeth, 286-87

Carteret, Lady, 169

Casamento:

como escravidão, 259;

e a inferioridade das mulheres, 267;

e criatividade, 221-22, 224, 225-26, 228;

e crítica bíblica, 179, 192-93, 204;

e definição de gênero, 221-22, 244-45, 253, 254-59;

e educação, 32, 53-6, 244, 245-46, 253-58;

e judeus, 300;

e maternidade, 154;

e misticismo, 107-09, 112-14, 140-43;

e mulheres camponesas, 155;

e mulheres instruídas, 52-5;

o ataque de Wollstonecraft sobre o, 173.

Ver também Mulheres solteiras

Cátaros, 103-06

Causae et Curae ou Liber Cornpositae Medicinae [Livro de Medicina Avançada ou Aplicada] (Hildegarda de Bingen), 81

Cavendish, Margaret, 76, 218-19, 227-28, 252, 278, 279

Celibato, 102, 134, 160-61, 253, 254-57. *Ver também* Mulheres solteiras

Celtis, Conrad, 313

Ceres, 158, 243, 316

Cereta, Laura, 51, 76, 187-88, 277, 321-22

Chapone, Hester, 286

Chapone, Sarah, 61-2, 286

Charpentier, Julie von, 291

Chassidismo, 147-48

Child, Lydia Maria, 325

Christian Religion, The [A Religião Cristã] (Astell), 264

Chudleigh, Mary, 174-75, 256, 258-59, 286

Cidadania, 173-74, 175, 299-300, 338

Ciência, substitui religião, 262

Circe, 316

Classe:

e alfabetização, 62-4;

e definição de gênero, 25;

e educação, 37-8, 44-5, 46, 49-50, 51-5, 56, 249-50, 261-62, 263

461

e maternidade, 156-58;

e misticismo, 126, 144;

e mulheres famosas, 37;

e ordens religiosas, 46-7, 52-3;

e patriarcado, 106-07;

e seitas hereges, 105-06;

e universidades, 49

Ver também mulheres nobres

Cláudia da França, 284

Claustro de Ulm, 314

Clotilde, 48

Códice de Rupertsberg, 86

Collier, Mary, 222, 224

Colonna, Vittoria, 283

Comuna de Paris (1871), 339

Comunidades de mulheres, 252-53, 257, 307, 312-13, 314-15, 337

Concepção e o amor entre homens e mulheres, 87

Concílio de Clermont, 161

Confissões (Santo Agostinho), 72

Congresso de Berkshire sobre a História das Mulheres, 331

Conhecimento. *Ver* Experiências/conhecimento

Conrado III (imperador), 82

Constituição, EUA, 27-9, 344

Contrarreforma, 101

Contrato social, 262-63

Convenção de Seneca Falls (1848), 271

Convent of Pleasure, The [O Convento do Prazer] (Cavendish), 252

Convento de Adelshausen, 314-15

Convento de Heidenheim, 308

Convento de Helfta, 98-9, 109, 282

Convento de Nivelles, 47

Convento de Santa Clara (Nurnberg), 315

Convento de Unterlinden, 314

Conventos:

como espaço livre, 85-6;

como fonte de apoio intelectual, 282;

e biografias, 308-15;

e classe, 52-3;

e educação, 46-50;

e História das Mulheres, 308-15;

e mulheres instruídas, 53-5;

histórias de, 308, 313, 314-15.

Ver também Vida religiosa; *convento específico*

Cooper, Anna Julia, 272-73, 343

Coordinating Committee of Women in the Historical Profession [Comissão Coordenadora das Mulheres na Profissão Histórica], 333

Coppin, Fannie Jackson, 272

Crenne, Hélisenne de, 321

Creuzer, Friedrich, 296, 298

Criação, 87-8, 179, 182-84, 191, 194, 198, 203

Criatividade:

como um dom de Deus, 217;

como um estágio na consciência feminista, 261;

desencorajamento da, 217, 221-39;

e a Reforma Protestante, 220;

e a vida religiosa, 220-22, 226-27;

e as sociedades literárias, 220;

e autolegitimação, 40-1, 72, 77-8, 83-4, 91, 211, 226-27;

e casamento, 220-21, 224, 225, 228;

e ciúme, 221;

e classe, 221-24;

e cultura judaica, 221-22;

e cultura, 225-26, 227-28;

e definição de gênero, 211, 212, 225, 226, 228-29, 238-39;

e desvio, 226-39;

e doença, 233-37;

e educação, 220, 224-25, 226-27;

e espaço social, 227-28;

e experiências/conhecimentos, 212-25;

e heroínas, 225;

e História das Mulheres, 225-26;

e imortalidade, 218;

e linguagem, 237-38;

e maternidade, 226, 227;

e misticismo, 226-27, 238-39;

e motivações para escrever, 217-20, 227-28;

e o processo histórico, 212;

e patriarcado, 211, 212, 226, 237-38, 336;

e público, 224;

e romances femininos, 225

e uma rede de apoio, 223-24;

e urbanização, 224;

e vidas sexuais, 221-22, 226;
visão geral da, 227-28, 336-37
Cristina (rainha da Suécia), 285
Cristina de Markyate, 107-08
Cristo:
mulheres como a noiva/amante de, 120-21;
o nascimento de, 124-25, 128;
Paixão de, 195, 196;
Segunda vinda de, 124, 128, 129, 133-35, 136,
137-38, 197
Crítica bíblica:
e a inferioridade das mulheres, 177, 179, 180-81,
192, 194, 195, 198-99, 204;
e a memória coletiva das mulheres, 178, 187,
207-08;
e a Paixão de Cristo, 195, 196;
e a profecia, 199, 203-04;
e a Queda, 179, 180, 181-82, 184, 186-87;
e a *querelle des femmes*, 185;
e a religião como opressora ou mulheres, 205-06;
e a visão de mundo feminista, 205-06;
e autoria, 39;
e bruxas, 189;
e casamento, 179, 193, 205;
e causa final, 193;
e crítica histórica, 201-09;
e definição de gênero, 177, 205;
e desculpas, 177-78;
e direitos naturais, 187;
e educação, 39-40, 196-97, 200, 204-05;
e ensino/pregação, 189-90, 204-05;
e esferas separadas, 205;
e relações sexuais, 182;
e heresia, 189-90;
e heroínas/mulheres virtuosas, 185, 191-92, 194;
e maternidade, 168;
e misoginia, 180-81, 185-86, 191, 194;
e misticismo, 188-89, 198, 201;
e mulheres solteiras, 199;
e o argumento da "tradução falha", 200-01;
e o debate do panfleto, 191-94;
e o Divino como feminino/masculino, 181-82,
192-93;
e o movimento pelos direitos da mulher, 202-09;

e o papel das mulheres como ajudantes, 193, 194;
e o quakerismo, 202;
e os pais da Igreja, 187;
e patriarcado, 177, 199-200, 201, 204, 336-37;
e pecado original, 181, 186-87;
e pietismo, 197;
e racionalidade, 139, 185-86, 188, 190-91,
201, 337;
e redenção, 189, 198-99;
e submissão/silêncio das mulheres, 177, 178,
179-80, 198-99;
exemplos pré-renascentistas da, 179-81;
no século XV, 154;
razões para fazer, 177-78;
visão geral de, 201-02, 336-37
Ver também Criação; Queda; Gênese; São Paulo
Crítica histórica e crítica bíblica, 177-209
Cuidado parental, literatura sobre, 173
Cultura:
confronto com a, 289-90;
e agrupamento, 278-79;
e criatividade, 225-26, 227;
e espaço, 289-90,
e maternidade, 166, 169;
e o processo histórico, 212;
e patriarcado, 33, 337

Das Armenbuch [O Livro dos Pobres] (Bettina
Brentano), 300
Das Athenaeum (jornal), 291
Daughters of America, or Women of the Century
[Filhas da América, ou Mulheres do Século]
(Hanaford), 326
De claris mulieribus [Mulheres Famosas]
(Boccaccio), 316-17
De la Cruz, Juana Ines, 56-60, 70, 218
De l'Égalité des Deux Sexes [Da Igualdade Entre os
Sexos] (Poulain de la Barre), 260-61
De Operatione Dei [A Operação de Deus]
(Hildegarda de Bingen), 91
Debate em panfletos, 191-94, 258-61, 322-24. *Ver
também Querelle des femmes*
Débora (profetisa), 322

Declaração de Independência, 27, 29

Dedicatórias, 51, 194-95, 245, 287, 299

Deffand, Mme. du, 290

Definição de gênero:

  conluio de mulheres em, 25-6

  e a inferioridade das mulheres, 258-61;

  e a Queda, 31;

  e autolegitimação, 73-4, 85-7;

  e casamento, 221-22, 244-45, 253, 254-59;

  e classe, 25-6;

  e criatividade, 211, 212, 225, 226-27, 228-29, 238-39;

  e crítica bíblica, 177, 205;

  e desvio, 23-6, 53-62;

  e direitos naturais, 263-64;

  e educação, 25-6, 31-3, 40, 43-70, 241-50, 257, 258-61, 266, 273, 337-38;

  e emoções, 101;

  e escravidão, 30;

  e feminilidade independente, 174-75;

  e funções reprodutivas, 24;

  e heroínas, 316;

  e Hildegarda de Bingen, 85-6, 91;

  e história, 30, 307;

  e maternidade, 265-66;

  e misticismo, 39-40;

  e mulheres instruídas, 69-70;

  e mulheres solteiras, 253;

  e o processo histórico, 33, 212, 342-43;

  e o Renascimento, 316;

  e o século XV, 154;

  e patriarcado, 23-4, 33-4, 178-79, 226, 343-44;

  e política, 24,27-8, 29-32, 338-40;

  e potência, 25-6;

  e professores, 266;

  e razão, 24, 241-44, 247-48;

  e redenção, 31;

  e religião, 31, 58-9, 254, 257;

  e republicanismo, 30, 265-70, 272;

  e universidades, 70

Defoe, Daniel, 256

Dei Mansi, Paula, 51

Delaney, Mary Pendarves, 286

Deméter, 158

Descartes, René, 263

Desculpas e autopercepção das mulheres, 60, 97-100, 177-78

Desvio:

  e biografias, 327;

  custo do, 53-62;

  e criatividade, 226-39;

  e eficácia, 270-71;

  e feminismo, 226;

  e definição de gênero, 23-6, 53-62;

  e mulheres instruídas, 52-62;

  e patriarcado, 226;

  e História das Mulheres, 327-28 .

  Ver também Movimento Romântico

Deus. *Ver* Divino como feminino/masculino

Deusa-Mãe, 89, 158-65

Dewes, Anne, 286

Dhuoda, 152-54

Dia, condessa de, 213-14

Diálogo, entre mulheres e homens, 276-77

Dickinson, Emily, 40, 227-39, 288

Die Günderode [A Günderode] (Bettina Brentano), 298. *Ver também* Giinderrode, Karoline von

Dies Buch Gehört dem Köning [Este Livro Pertence ao Rei] (Bettina Brentano), 299-300

Diógenes Laércio, 322

Direito a aprender. *Ver* Educação

Direito à educação. *Ver* Educação,

Direito ao pensamento. *Ver* Criatividade; Autolegitimação

Direitos civis, 69, 270-73, 339-40

Discurso religioso, forma/significado de, 125-38. *Ver também* Afro-americano; Judeus

Discursos (Norris), 253-54

Divino como feminino/masculino:

  e crítica bíblica, 181-82, 192-93, 336;

  e Hildegarda de Bingen, 88-9;

  e maternidade, 121-22;

  e misticismo, 39, 119, 121-23, 135, 146-47, 148, 161, 163, 165;

Doença:

  e criatividade, 233-37;

  e misticismo, 79, 80-1, 84, 85, 99, 124, 134, 142

Dominicanos, 103, 314

Doroteia de Montau, 96, 108-09, 142, 314

Dotes, 49, 52, 155

Drake, Judith, 255-56

Droste-Huelshoff, Annette von, 225

Duck, Stephen, 222

Dulcitius [Dulcídio](Rosvita de Gandersheim), 311

Duncombe, John, 325

Dyer, Mary, 112, 132

Eadburga (abadessa), 47

Eberti, Johann, 324

Ebner, Christina, 101, 107, 124-25, 228

Ebner, Margaretha, 107

Ecclesia (arquétipo da figura materna), 121

Educação:

assuntos para mulheres, 44-5, 49, 56, 67, 251-52, 266, 268-69;

baseado no lar/família, 44-5, 55-6;

benefícios da, 250-52, 257-58;

como um direito, 40-1, 166-67;

e "longa história", 36-7;

e a Igreja Católica, 248-49;

e a inferioridade das mulheres, 31-2, 33, 241-45, 250-52, 258-62;

e a Reforma Protestante, 50-1, 55-6, 125-26, 166-68, 219-20, 248-50;

e a teoria dos direitos naturais, 263-64, 271;

e afro-americanos, 68, 69, 271-73;

e apoio intelectual, 277-79, 338-39;

e audiência, 278;

e autoconhecimento/percepção, 31, 39, 297;

e autoria, 309;

e casamento, 32, 243-45, 246, 253, 254-59;

e classe, 37-8, 44-6, 49, 50, 51-5, 56, 249-50, 261-62, 263;

e criatividade, 220, 224, 226-27;

e crítica bíblica, 196-97, 200, 204-05;

e definição de gênero, 25-6, 31-3, 43-70, 241-49, 257, 258-62, 266, 273, 337-39;

e direitos civis, 69, 270-73;

e escolas de freiras, 249; custo de privação da, 39-41, 62-9;

e escolas modelo, 268-69;

e esferas separadas, 67-8;

e experiências/conhecimento, 154;

e feminilidade independente, 174;

e feminismo, 261-73, 288-89;

e História das Mulheres, 31, 307-08, 323-24.

e história, 307;

e judeus, 300;

e maternidade, 32, 66-7, 165-68, 173-74, 248, 249, 250-51, 260, 265, 266-70, 272;

e modelos de conduta, 246;

e mulheres como educadoras, 167, 168-69;

e mulheres instruídas/famosas, 37, 51-62, 70, 242-45, 323;

e mulheres solteiras, 44, 52-5, 245, 253, 254-56, 267-68;

e o Iluminismo, 262-64;

e patriarcado, 32, 275;

e política, 31-3, 248, 266-67;

e racionalismo/razão, 93, 248, 250-51, 255, 269-71;

e redenção, 245-46, 248;

e reforma social, 67-8;

e religião, 131-33, 254;

e republicanismo, 265-69, 272;

e salões, 261;

e uma guerra de panfletos, 258-59;

e urbanização, 49, 52;

e vida religiosa, 45-50, 54-5, 102-03, 249-50;

institucionalização da, 45;

na Antiguidade, 45-6;

na Idade Média, 46-50;

no Renascimento carolíngio, 309;

no Renascimento, 45;

no século XV, 154;

objetivo da, 44-45, 65-6, 67-8, 244-45, 248, 250-52, 262, 263-64;

profissional, 68-9;

visão geral da, 337-38;

Ver também Mulheres instruídas; Professores; Ensino/pregação

Égalité des Hommes et des Femmes [Igualdade entre Homens e Mulheres] (Gournay), 247

Eliot, George, 225, 288

Elizabeth I (rainha da Inglaterra), 51-2, 323

Elizabeth von Kirchberg, 314

Elstob, Elizabeth, 59-60, 70, 255-56, 278, 285, 286, 287, 324

Émile (Rousseau), 263

Emoções, 101, 131-32

Enclausuramento. *Ver* Vida religiosa

Engelthaler Schwesternbuch [Livro de Enfermagem de Engelthal] (Christina Ebner), 125

Ensaios (Montaigne), 246-47

Ensinar, direito a como um estágio na consciência feminista, 261-62. *Ver também* Educação; Ensino/pregação; Professores

Ensino/pregação: e afro-americanos, 140, 271-72; e a forma/significado do discurso religioso, 135; e crítica bíblica, 189-90, 204-05; e emoção, 131; e heresia, 189-90; e misticismo, 100; e pietismo, 197-98; fontes de autoridade para, 99-100, 132-33 *Ver também* Educação

Erotismo, 120-21

Escola para Moças da Philadelphia, 266, 267

Escolas de freiras, 249-50

Escolas dominicais, 56, 262

Escravidão, 23, 25, 26, 27-8, 30

Esferas separadas, 32, 67, 205-06, 266

Espaço livre, 85-6, 140, 144, 253

Espaço social. *Ver* Espaço

Espaço:
características do social, 289-90; e a inferioridade das mulheres, 289; e a *querelle des femmes*, 290-91; e criatividade, 228; e cultura, 289-90; e ideologia, 288-89; e modelos de papéis, 288, 289; e o desenvolvimento da consciência feminista, 288-304, 340-42; e rede, 289-304; e salões, 289-304. importância de, 289, 303-04; *Ver também* Espaço livre

Espiritualidade cristã oriental, 95

Espiritualismo, 101, 202-03

Esposa de um comerciante irlandês, 76-7

Essay to Revive the Ancient Education of Gentlewomen [Ensaio para Reviver a Educação Antiquada das Damas] (Makin), 250-51

Este, Isabel d', 283

Estudos das Mulheres, 333-34

Estupro, 117

Etaples, Lefevre d', 188

Eugênio III (papa), 81, 82

Eva, 160, 179-82, 184. *Ver também* Criação; Queda

Exemplary Lives and Memorable Acts of the Most Worthy Women of the World, The [Vidas Exemplares e Atos Memoráveis das Mulheres Mais Dignas do Mundo] (Heywood), 324

Expectativa de vida, 157

Experiências/conhecimento:
e autolegitimação, 72, 73, 78-91; e criatividade, 212-25; e crítica bíblica, 187; e definição de gênero, 31-3; e educação, 154; e História das Mulheres, 321; sobrevivência, 33

Família:
como base para a educação, 44-6, 55-6; e agrupamento, 284-85; e misoginia, 71

Fátima, 161

Fedele, Cassandra, 51, 322

Fell, Margaret, 132-34, 198-99, 202, 276, 342

Feltre, Vittorino da, 51

Female Advocate, The (A Defensora) (Fyge), 194

Feminilidade independente, 174-75, 337. *Ver também* Mulheres solteiras

Feminismo:
condições para o surgimento do, 40-1, 288-90, 303-04; definição do, 35-6; e biografias, 326-28; e desvio, 226; e educação, 268-69; e feminilidade independente, 174-75; e História das Mulheres, 326-28, 329-30.

e igrejas, 329-30;
e movimentos sociais, 289-90;
e treinamento de professoras, 268-69;
estágios de desenvolvimento do, 35-9, 261-62;
visão geral do desenvolvimento do, 35-9, 335-45;
Ver também fator ou estágio específico
Fénelon, François de Salignac, 262
Figuras maternas, arquetípicas, 121
Filipe (rei da França), 112
Foix, Esclarmonde de, 105
Foix, Phillipa de, 105
Fontevrault, ordem de, 102
Foote, Julia, 99-100, 140
Foote, Lucinda, 70
Foscarini, Ludovico, 54, 186-87
Fox, George, 132-33, 198
Frank, Eva, 147
Frau Ava, 152, 153
Frauenlob, Johann, 323
Frederico Barbarossa, 81, 82, 85, 224
Freiras, como mulheres eruditas, 52. *Ver também*
    Conventos; *pessoas ou conventos específicos*;
    Vida religiosa
Friedländer, Rebecca, 301, 302-03
Fuller, Margaret, 51, 225, 270, 288, 327
Füssen, Konrad von, 124
Fyge, Sarah (Field Egerton), 174-75, 194

Gage, Matilda Joslyn, 205, 206, 208-09, 329
Galileu, 112, 345
Gambacorti, Chiara, 109
Gaudairenca, 53
Gebersweiler, Katherine von, 314
Gênese, 179, 306. *Ver também* Criação; Queda
Geoffrey (abade de St. Albans), 107
Geoffrin, Mme. de, 290
Gerberga (abadessa), 282, 311-12, 313
Gerberga II (abadessa), 49
Gertrude de Hackeborn, 99
Gertrude de Helfta, 164
Gesta Ottonis (Rosvita de Gandersheim),
    311-13
Gisela (filha de Carlos Magno), 51
Glückel von Hameln, 168-69

Godey's Lady's Book [Livro de Godey para
    Mulheres], 326
Goldman, Emma, 343
Gonzaga, Cecilia, 51, 54-5, 283
Gottsched, Johann Christoph, 279-80
Gottsched, Louise Adelgunde Victorie, 279-80
Gould, Robert, 194
Gournay, Marie le Jars de, 174-75, 246-48, 263,
    285, 287
Grief des Dames (Gournay), 247-48
Grimke Weld, Angelina, 43, 202-03, 207, 270, 281
Grimke, Sarah Moore, 43-4, 201-05, 207, 270, 281
Grundler, Andreas, 277
Grupos de afinidade, 282-83, 285-87
Guarino de Verona, 53-4
Guglielmites, 122-23
Guiberto de Gembloux, 80
Guilhermina da Boêmia, 122-23, 129
Günderrode, Karoline von, 295-99
Guyon, Mme., 101

Hadewijch de Brabant, 94-9, 101, 109, 120
Hale, Sarah J., 326-27
Hanaford, Phebe A., 326
Harper, Frances, 225
Hastings, Elizabeth, 286
Hays, Mary, 325
Helie, 179
Heloisa e Abelardo, 49, 75
Henrique II (rei da Inglaterra), 82
Her Protection for Women... [Sua Proteção para as
    Mulheres...] (Anger), 191
Herbert, Mary (condessa de Pembroke), 291
Heresia, 109-10, 116, 117, 142-43, 189-90
Herz, Henriette, 291
Heywood, Thomas, 324
Hilda (abadessa), 47
Hildegarda de Bingen, 75-8, 91;
    antecedentes familiares de, 78, 85-6;
    como mentor/modelo, 81-2, 85-6;
    como um místico, 94, 97, 101, 113;
    como uma mulher instruída, 52;
    e a inferioridade das mulheres, 184-85;
    e as imagens da Deusa-Mãe, 161;

467

e autolegitimação, 72, 75, 77, 78-91;

e autoria, 39;

e criatividade, 228-29;

e definição de gênero, 85-6, 91;

e desvio, 228;

e deusas pré-cristãs, 88-9;

e espaço livre, 85-6;

e experiências/conhecimento, 78-91;

e História das Mulheres, 314;

e judeus, 86;

e Mariologia, 164;

e o direito ao pensamento, 83-5, 91;

e patriarcado, 86-7;

e Sabedoria (Sofia), 88-90;

e Sapientia, 88-90;

educação de, 78, 80-1;

escritos científicos/médicos de, 82, 90-1, 182;

escritos/cartas de, 80, 81, 83-4, 86-7, 91;

falta de conhecimento sobre a escrita de, 187;

funda conventos, 81-2;

ideias sobre concepção, 86-8, 90-1, 182;

ilustrações de, 79-80, 81-2, 83-5;

influência(s) de/em, 78, 83-4, 85, 90, 187, 321-22;

interdição contra, 82-3, 85-6;

mentores de, 78, 86, 107;

teologia de, 83, 86-90, 111, 121-22, 164, 182;

vida política/pública de, 81-2;

visões de, 79, 80-1, 82, 83-4, 88-90, 91

História:

características de, 24-5;

definição de, 25, 305;

e "listas de reis", 305-06;

e alfabetização, 305;

e definição de gênero, 30, 307;

e educação, 307-08;

e linguagem/simbolismo, 307;

listas em, 58, 243, 244-45, 251, 260-61, 264-66, 305-06;

literatura sobre mulheres em, 31-3;

omissão de mulheres em, 331-33;

primeiros documentos de, 305-07;

relação das mulheres com, 25-6, 331-32.

Ver também História das Mulheres; Processo histórico

História das Mulheres:

arquivos sobre a, 331-32;

como disciplina, 331-32;

e "história científica", 307;

e "livros de irmãs", 314, 329;

e a inferioridade das mulheres, 320;

e a superioridade das mulheres, 321, 322;

e academia, 330-34;

e agrupamentos, 321-22;

e autoria, 322;

e biografia, 282-83, 307-15, 324-30, 333;

e coleta/preservação de registros, 307-08, 328-30;

e criatividade, 225;

e desvio, 327-28;

e educação, 31, 307, 323-24;

e experiências, 320-21;

e feministas, 326-27, 328-30;

e histórias da comunidade, 307, 313, 314-15;

e igualdade intelectual, 243;

e listas de notáveis/heroínas, 40-1, 307-08, 315-24, 328-29;

e memória coletiva das mulheres, 303-04, 307, 320-21, 327-29, 331-33;

e misoginia, 319, 320;

e modelos de conduta, 40-1, 314, 315-21;

e o desenvolvimento da consciência feminista, 304;

e o movimento das mulheres, 40-1, 333, 334;

e patriarcado, 318-19, 320, 332-33, 334;

e periodização, 34;

e ponto de vista, 307;

e universidades, 329-30, 333;

e vida religiosa, 314-15;

na década de 1960, 333-34;

negação da existência da, 31, 33;

Obras do século XX produzidas por volta de, 331-34;

visão geral da, 40-1

Historiadores, mulheres como, 330-31, 333

History of Women [História das Mulheres] (Criança), 325

History of Women Suffrage (*HWS*) [História do Sufrágio da Mulher] (Stanton, Anthony e Gage), 329-30

— 468 —

Homens: diálogo entre mulheres e, 276-77, 342-43; e apoio intelectual, 76-7, 79, 276-82, 289-303; e misticismo, 107-08, 124; e santidade, 107; como conselheiros espirituais, 107-08, 124-25

Horowitz, Leah, 145-46

Hoyers, Anna Ovena, 167-68, 220

Hugeburc (abadessa de Heidenheim), 77-8, 308

Hugo de São Vitor, 97, 184

Hurd-Mead, Kate, 331

Hutchinson, Anne, 130

Idade Média:
alfabetização no, 62-3;
na educação, 44-5, 46-50, 51-2, 62-3;
mulheres instruídas na, 51-2;

Ideologia doméstica, 170-72, 336

Igreja Católica, 89-90, 160, 161, 248-49, 339. *Ver também* Conventos; Ordens religiosas; *pessoa específica*

Igreja Metodista Episcopal, 140

Iluminismo, 262-64, 290

Inferioridade das mulheres:
Bíblia como fonte de, 26-7;
e autolegitimação, 241;
e casamento, 267;
e direitos naturais, 263-64;
e educação, 30-2, 33, 241-45, 250-52, 258-61;
e escravidão, 25, 26 5, 6; e o contrato social, 263-64;
e feminilidade independente, 174;
e Hildegarda de Bingen, 85-6;
e História das Mulheres, 320.
e listas de mulheres famosas, 320;
e maternidade, 260;
e misticismo, 97-100;
e patriarcado, 23-4;
e razão, 241-45;
e religião, 26-7, 267;
na crítica bíblica feminista, 177, 179, 180-81, 191-92, 194, 195, 198-200, 204-05;
no Renascimento, 316;
Ver também Criação, Misoginia, Queda

Inocêncio III (papa), 103

Inquisição, 105, 106, 109-11, 112, 123-24

Irineu, 160

Irmandade, 40, 156, 174-75, 336, 337, 342

Irmãs Brontë, 225

Irmãs de Caridade, 250

Irmãs de Notre Dame da Visitação, 250

Irmegard-Vita" (Kirchberg), 314

Isabel da Boêmia, 285

Isabel de Schönau, 101, 160, 164, 322

Isis, 243, 316

Jackson, Helen Hunt, 225, 237

Jackson, Rebecca, 140-44

Jael (Bíblia), 322

Jeanne d'Arc. *Ver* Joana d'Arc Joana de Navarra, 284-85

Jerônimo, 160

Jewett, Sarah Orne, 288

Joana d'Arc, 112, 283

João XXII (papa), 123

John de Marienwerder, 109

Johnson, Samuel, 286

Judeus:
conversões dos, 300, 302, 314;
e alienação do Judaísmo, 301-02;
e as matriarcas judias, 145-46;
e casamento, 300-01;
e criatividade, 221-22;
e Hildegarda de Bingen, 85-6;
e maternidade, 168-69;
e misticismo, 144-48;
e o culto da Virgem Maria, 163-64;
e patriarcado, 144-48;
e salões, 300;
educação entre, 50-1, 300-01;
mulheres instruídas entre os, 50-1;
Opiniões de Bettina Brentano sobre os, 300;
perseguição aos, 163, 314;
Ver também Bacharach, Eva; Chassidismo; Dei Mansi, Paula; Frank, Eva; Glückel de Hameln; Horowitz, Leah; Luria, Miriam; Morpurgo, Rachel; Rose, Ernestine; Tiktiner, Rebecca; Twersky, Hannah Havah; Werbemacher, Hannah Rachel

Judite (Bíblia), 322

Judith (rainha da França), 51

Juliana de Norwich, 77, 95, 97, 117, 121, 228

Jutta von Sponheim, 78-9, 86

Karsch, Anna Louisa, 223-24

Kemble, Frances, 327

Kempe, Margery, 96, 113-18, 142, 168, 190, 314

Key, Ellen, 301

King, Margaret, 52

"Kirchberger Schwesternbuch" [Livro de Enfermagem de Kirchberger] (Kirchberg), 314

Kuntsch, Margaretha Susanna von, 171-72, 220

Labadie, Jean de, 197

Labé, Louise, 214-15, 245

Lais (Marie de France), 218

Lanier, Emilia, 194-96

Latim e educação, 45, 48, 49, 62-3, 249, 251

Le Livre de la Cite des Dames [A Cidade das Damas] (Pisano), 183, 185, 242-43, 317-21, 322-23, 326-27

Le Livre de Trois Vertus [O Espelho de Cristina, ou O Livro das Três Virtudes] (Pisano), 243

Le Miroir des Simples Ames [O Espelho das Almas Simples] (Porete), 109-10

Lee, Ann, 122, 134-35

Lee, Jarena, 140

Leonor da Aquitânia, 51, 82

Leporin, Dorothea Christiane, 285

Les Femmes Ilustres [Mulheres Ilustres] (Scudèry), 324-25

Lespinasse, Julie de, 290

Letters on the Equality of the Sexes [Cartas sobre a Igualdade dos Sexos] (Grimké), 202, 208

Levin, Rahel. Ver Varnhagen von Ense

Lewald, Fanny, 225, 301

Liber Divinorum Operum [Livro das Obras Divinas] (Hildegarda de Bingen), 81

Liber Vitae meritorum [Livro dos Méritos da Vida] (Hildegarda de Bingen), 81

Linguagem/simbolismo, 49-50, 73, 96, 119-22, 141, 142-44, 237-38, 307-08

Lioba (freira), 47

Listas de reis", 305-06

Listas. Ver Mulheres famosas; Listas de reis; Mulheres instruídas

Literatura:

assuntos da, 171-72, 211-25, 237-38;

e romances das mulheres, 225-26.

e uma literatura separada para mulheres, 211-12;

sobre mulheres na história, 31-3;

Ver também Criatividade

Livermore, Mary A., 279, 327

Livre-arbítrio, 192-93

Livro de Exeter, 213

Livros de irmãs", 282, 314, 329

Locke, John, 253, 263-64

Loreto, santuário de, 161

Louise de Savoie, 284

Lourdes, santuário de, 161

Luria, Miriam, 51

Lutero, Martinho, 125, 126

Lyon, Mary, 67, 269, 338

Macaulay, Catharine, 225

Mãe lactante, 119, 121-22

Maintenon, Mme. de, 262

Makin, Bathsua Pell, 35, 173, 174-75, 250-51, 261, 285, 287, 338, 342

Malatesta, Battista de Montefeltro, 283

Margarida da França, 284-85

Margarida de Navarra, 51, 188-89, 284-85, 325

Maria:

catedrais/igrejas construídas em homenagem a, 161;

como mediadora, 159;

como protetora de mulheres grávidas, 161-62;

como Rainha do Céu, 161, 162, 164;

como um arquétipo da figura materna, 121;

culto a Virgem, 40, 159-65;

e a Imaculada Conceição, 163;

e a Trindade, 159, 336;

e as Deusas-Mães, 161-62;

e Eva, 160, 182, 184;

e judeus, 163-64;

e maternidade, 159-65;

e misticismo, 89;

— 470 —

e o desenvolvimento da linguagem/simbolismo feminino de Deus, 120;

e o elemento feminino no Divino, 163, 164;

e patriarcado, 164;

e redenção, 189;

e reforma da igreja, 160;

e *Sapientia*, 88-90;

e Sofia (Sabedoria), 88-90, 161;

santuários para o, 161

Maria d'Oignies, 101, 108

"Maria" (Rosvita de Gandersheim), 309-10

Maria (Wollstonescraft), 173

Maridos e apoio intelectual, 276-77, 278-81

Marie de France, 40, 75, 218

Marie Eleonore (rainha sueca), 167

Marinella, Lucretia, 285, 322

Martin, Emma, 343

Martírio e poder feminino, 310-11

Mary (Wollstonecraft), 173

Masham, Damaris, 263

Mason, Priscilla, 267

Maternidade Republicana, 66-7, 173, 265-69, 272, 338

Maternidade:

aspectos físicos da, 151;

como emocional, 172-73;

como gênero literário, 173;

como instituição, 151;

como o único caminho das mulheres para o Divino, 181;

como uma força unificadora, 156-57, 175;

culto a, 151-52, 171-73, 336;

e a criação da vida, 158-65;

e a inferioridade das mulheres, 260;

e a Reforma Protestante, 40, 125-26, 166-68;

e a Virgem Maria, 159-65;

e abortos espontâneos, 156-57;

e autolegitimação, 335-36;

e casamento, 152, 153, 154;

e cidadania, 173-74, 175, 338;

e classe, 156-58;

e criatividade, 225, 226;

e cultura, 169;

e definição de gênero, 265-66;

e direitos naturais, 264-65;

e educação, 32, 66-7, 166-68, 173-74, 248, 249, 250-51, 260, 265, 266-70, 272;

e ensino, 167, 168-69;

e feminilidade independente, 174-75;

e identidade de grupo, 175;

e ideologia doméstica, 169-71, 336;

e irmandade, 40, 156, 220-21;

e judeus, 168-69;

e ligação feminina, 164-66;

e mortalidade infantil, 171-73;

e o Divino como feminino e masculino, 121;

e redes de apoio, 156-57;

e religiões da Deusa-Mãe, 158-64;

e segurança econômica, 155, 156-57;

e superioridade da mulher, 175;

e superioridade moral, 175;

e taxas de natalidade, 157-58;

e vida religiosa, 153;

e vínculo mãe e filha, 169;

herói-guerreiro com *status* igual a, 172;

Republicana, 67, 173, 265-69, 272, 338;

significados da, 151-52;

visão geral sobre a, 40;

Ver também Mãe lactante

Matrimônio da mulher, 154-57

Mechthild de Hackeborn, 188

Mechthild de Magdeburg, 52, 77, 94-6, 99, 101, 109, 111, 164, 228

Medeia, 316, 319

Mediação entre Deus e os humanos, 24, 98-9, 121, 126, 139, 159

Médici, Catarina de, 284

Medusa, 316

Memoirs of Several Ladies of Great Britan [Memórias de Diversas Damas da Grã-Bretanha (Elstob), 286

Memória coletiva:

e a História das Mulheres, 307-08, 320, 327-29, 332-33;

e crítica bíblica, 178, 187, 207-09;

e o desenvolvimento da consciência feminista, 288-89, 336-37;

e o espaço social, 288-304;

e o processo histórico, 208-09;
importância da, 288-90
Mentores, 107-08, 246, 276-80, 313
Mereau Brentano, Sophie, 291, 292, 294-95
Merici, Angela, 249
Meun, Jean de, 183
Mical (Bíblia), 322
Mill, Harriet Taylor, 281
Mill, John Stuart, 281
Minerva, 243
Miroir de l'âme Pécheresse [O Espelho da Alma
    Pecadora] (Margarida de Angolema), 188-89
Misoginia:
    como prejudicial às mulheres, 71-2;
    e a família, 71;
    e a inferioridade das mulheres, 26
    e a *querelle des femmes*, 185;
    e bruxaria, 71;
    e crítica bíblica, 179-80, 185-86, 190-92, 194;
    e discurso religioso, 132, 133;
    e História das Mulheres, 318-18, 320-21
    e misticismo, 72;
    e mulheres solteiras, 71;
    e o diálogo entre mulheres e homens, 276-77;
    e o período carolíngio, 71;
    e racionalidade/razão, 93, 185-86;
    no século XVII, 72
Missionários, 46, 56
Misticismo, 94, 96-7, 107-08, 135;
    benefícios/contribuições do, 112-13, 335;
    como um modo alternativo de pensamento,
      39-40;
    conforme aprendido, 100-02;
    e a Contrarreforma, 101;
    e a crítica bíblica, 188-90, 197-99, 201;
    e a forma/significado do discurso religioso, 119,
      126-38;
    e a inferioridade das mulheres, 97-100;
    e a Reforma Protestante, 101;
    e a transmissão de aprendizagem, 96-7;
    e as mulheres como a noiva/amante de Cristo,
      120-22.
    e as Reformas da Igreja, 102;
    e autobiografias, 313-14;

e autolegitimação, 72, 77, 79;
e bruxas, 101, 107, 109-10, 124;
e casamento/relações conjugais, 108-09, 113-14,
    140-43, 146;
e classe, 126, 144;
e condições sociais, 102-03;
e criatividade, 227, 238-39;
e definição de gênero, 39-40;
e descrições da presença de Deus, 95-6;
e doença, 99, 125, 134, 142;
e espaço livre, 144;
e estágios no caminho para Deus, 95;
e heresia, 103-07, 109-10, 116, 117, 123-24, 132,
    142;
e homens conselheiros espirituais, 107-08,
    124-25;
e homens místicos, 96-7;
e imagens, 97;
e indignidade, 97-100;
e linguagem/símbolos do Deus feminino, 49-50,
    96-7, 119-22, 141, 142-45;
e má conduta sexual, 117;
e mariologia, 89, 164;
e mediação, 99, 126, 139;
e medievalismo, 95, 131-32;
e misoginia, 72;
e movimentos sectários protestantes, 101;
e mudança social, 276;
e mulheres não enclausuradas, 108-18;
e o alcance das visões/arrebatamentos, 95;
e o clero, 96-8;
e o divino como feminino/masculino, 39, 119,
    121-23, 134-35, 146, 148, 161, 163, 165;
e o nascimento de Cristo, 124-25;
e os afro-americanos, 138-44;
e os místicos protestantes, 96;
e patriarcado, 112-13;
e racionalidade, 93-4;
e rede de apoio, 144;
e redenção, 40;
e saber/perceber, 97-100;
e santidade, 100-01;
e apoio intelectual, 284, 338;
e vida pública, 97, 131-32;

e vida religiosa, 97, 99, 101-07, 131;

fontes de, 95;

hostilidade/perseguição ao, 100, 108-18, 129-30, 134-35;

Judeu, 144-48;

objetivo do misticismo cristão, 95;

universalidade da experiência do, 99-100;

Ver também pessoas específicas

Modelos de conduta:

e agrupamento, 285-86;

e apoio intelectual, 284-85;

e educação, 245-46;

e espaço, 288-89, 290;

e História das Mulheres, 41, 314, 315-21;

e o movimento pelos direitos da mulher, 288-89;

e vida religiosa, 282-83;

importância dos, 289;

para mulheres escritoras, 287-88

professores como, 268-69

Monastério de Laon, 47

Montagu, Elizabeth, 225, 286

Montagu, Mary Wortley, 256, 286

Montaigne, Michel de, 246-47

Moore, Marian Louise, 148-49

Morata, Olimpia, 51, 277-78

More, Hannah, 148, 261-62, 287

Morpurgo, Rachel, 221-22

Mortality's Memorandum [Memorando da Mortalidade] (Speght), 192

Mossell, Gertrude E. H., 328

Mosteiros, duplos, 47, 50, 102-03, 308. *Ver também* Vida religiosa

Movimento das beguinas, 106-07, 109, 110

Movimento do amor livre, 292, 303, 343

Movimento do clube de mulheres, 328

Movimento romântico, 41, 291-304

Movimento social e consciência feminista, 289

Movimentos pelos direitos das mulheres, 35, 40-1, 202-09, 270-71, 273, 288, 330, 333, 334, 338-39

Movimentos revolucionários, 339-41

Movimentos sectários protestantes, 101

Mulheres camponesas, 155-58

Mulheres como ajudantes, 193, 194, 248, 250-51, 291-92

Mulheres como educadoras. *Ver* Educação; Professores; Ensino/pregação

Mulheres famosas, 37-8, 50-5, 58-9, 185-86, 192, 194, 226-27, 242-45, 251, 260-61, 265-66, 307-08, 315-24, 329-30, 344-45

Mulheres geniais", 38 17. *Ver também* Mulheres famosas

Mulheres instruídas, 51-62, 70, 337-38. *Ver também* Mulheres famosas

Mulheres nobres, 155, 157, 214, 222-24, 280. *Ver também* Classe; *pessoas específicas*

Mulheres solteiras:

e crítica bíblica, 199;

e definição de gênero, 253;

e educação, 44, 52-5, 245, 253, 254-56, 267-68;

e misoginia, 71

e mulheres instruídas, 52-5;

e o desenvolvimento da consciência feminista, 288, 337-38;

e segurança econômica, 155-56;

e apoio intelectual, 279

Mulheres: e poder, 319-20 260; como proprietárias, 155

Munda, Constantia, 165-66

Munzinger, Anna von, 314-15

Murray, Judith Sargent, 200-01, 267-68

Musas, 316

Nascimento e redenção, 128-29

Necker, Mme., 290

Networking. Ver Apoio intelectual; Rede de apoio

Newcastle, duquesa de. *Ver* Cavendish, Margaret

Newton, Isaac, 208

Nicostrata, 243

Nightingale, Florence, 225

Nogarola, Ginevra, 51, 53

Nogarola, Isotta, 51, 53-4, 70, 186-87, 188, 228, 277, 322

Nordlingen, Heinrich von, 107, 124

Norris, John, 253-54

Nunez, Antonio, 57

"On the Equality of the Sexes" ["Sobre a Igualdade dos Sexos"] (Murray), 200-01

Ordem Brígida, 108-09

Ordem Cisterciense, 95, 102

Ordem da Visitação, 315

Ordem das Ursulinas, 249, 262, 315

Ordem Premonstratense, 102

Ordo vitutum (Hildegarda de Bingen), 81

Organização e o desenvolvimento da consciência feminista, 304

Orígenes, 181

Otão I (imperador), 312

Otto, Louise, 340

Pais:

apoio intelectual dos, 278-79;

como professores, 51, 55-6

Pais da Igreja, 26-7, 102, 187, 193

Paixão de Cristo, 196

Papado, das mulheres, 123

Patriarcado:

dominância do, 23, 30;

e a Constituição dos EUA, 29;

e a História das Mulheres, 318, 320-21, 331-33, 334.

e a Reforma Protestante, 125-26, 133;

e a Virgem Maria, 163-65;

e autolegitimação, 72-3, 78;

e classe, 106-07;

e criatividade, 211, 212, 226-27, 238-39, 336;

e crítica bíblica, 177, 199, 200-01, 204, 336-37;

e cultura, 33, 337;

e definição de gênero, 23-4, 33, 178, 226-27, 343-45;

e desvio, 226-27;

e educação, 32, 275;

e escravidão, 25;

e esferas separadas, 32;

e espaço livre, 85;

e esposa, 154-55;

e história/processo histórico, 208-09, 307-08;

e misticismo, 112-13;

e o contato social, 262-64;

e política, 29;

e relações hierárquicas, 23-4;

e republicanismo, 265-67;

falácia básica do, 334;

judeu, 144-48;

suposições sobre gênero no, 23-4;

visão geral do, 23-5, 335-45;

Ver também Inferioridade das mulheres; Misoginia

Patrocínio e autoria, 169-71

Paullini, Christian Franz, 324

Pecado original, 163, 164-65, 181, 186-87

Pensamento gnóstico, 146

Pepys, Samuel, 286

Perfeccionistas, 143

Perot, Rebecca, 143

Perseguição, 103-06, 129-30, 134-35. *Ver também* Heresia; Inquisição

Pesquisa de Fontes de História das Mulheres, 329

Petersen, Johanna Eleonora, 131-32, 197, 276, 279

Peutinger, Margarete e Konrad, 276-77, 279

Philosophes, 262

Physica ou Liber Simplicis Medicinae [Física ou Livro de Medicina Simples (Hildegarda de Bingen), 81

Pietismo, 126-31, 144, 197

Pirckheimer, Caritas, 315

Pirovana, Manfreda da, 123

Pisano, Cristina de, 75, 182-86, 242-45;

e a *querelle des femmes*, 183, 185, 244;

e autolegitimação, 75-6;

e biografias, 325, 327;

e crítica bíblica, 182-86, 192, 193;

e História das Mulheres, 307, 317-21, 323, 325, 327, 331;

e listas de mulheres famosas, 317-21, 323;

e maternidade, 154;

e o desenvolvimento da consciência feminista, 35;

educação de, 51, 182-83;

escritos de, 182-83, 185-86, 215-16

infância de, 183;

na educação, 241-45;

reputação de, 182-83

Platão, 95

Pobres Claras (Clarissas), 101, 103, 109, 249

Poder, 25, 320

Política (Aristóteles), 26-7

— 474 —

Política:

e definição de gênero, 24, 27-8, 29-33, 339-40;

e educação, 31-3, 248, 266-67;

e escravidão, 30-1

e Maternidade Republicana, 265-66;

e movimentos revolucionários, 339-41;

e patriarcado, 28-9

Poliziano, Angelo, 323

Porete, Marguerite, 109-12, 189

Portland, duquesa de, 61, 286

Poulain de la Barre, François, 260-61, 266, 323

Pregando. *Ver* Ensinando/pregando deusas
pré-cristãs, 88-9

Primordia Coenobii Gandeshemensis [As Origens da
Abadia de Gandersheim] (Rosvita de
Gandersheim), 312-13

Prince, Nancy, 140

Princípios de Economia Política (Mill e Mill), 281-82

Processo histórico:

e alfabetização, 305;

e criatividade, 212;

e cultura, 212;

e definição de gênero, 33, 212, 341-43;

e memória coletiva das mulheres, 208-09;

e vozes silenciadas, 37-8;

relação das mulheres com o, 25, 41, 332.

Ver também História; História das Mulheres

Profecia e crítica bíblica, 199-200, 203-04

Professores:

como modelos de conduta, 268-69;

e definição de gênero, 266;

e educação, 58-9, 265-66;

e feminismo, 268-69;

pais como, 50-1, 54-5;

treinamento inicial para, 67, 268-69;

tutores como, 52, 55

Proprietárias, mulheres como, 155

Prostituição, 156

Protestantismo:

e apoio intelectual, 278-79;

e discurso religioso, 125-38.

e misticismo, 96;

Ver também Reforma Protestante

Pseudo-Dionísio, 95

Público:

e agrupamento, 303-04, 337;

e autolegitimação, 72-3

e bibliotecas/revistas, 287, 288;

e criatividade, 224;

e dedicatórias, 194-95, 287;

e educação, 278-79;

importância do, 276, 278, 279

Quakers, 126, 132-34, 197-98, 202, 279, 343

Queda:

e a doutrina cátara, 104;

e crítica bíblica, 179-86, 191, 192, 193, 195, 198,
200, 203-04, 207;

e culpa nas mulheres, 27, 134-35, 137;

e definição de gênero, 27-8, 31-2;

e Hildegarda de Bingen, 86-8

Querelle des femmes, 183, 185, 244, 276, 290-92,
315, 322, 328

Racionalidade:

e a inferioridade das mulheres, 241-44;

e crítica bíblica, 178-79, 184-86, 188, 190-91,
200-01, 337-38;

e definição de gênero, 24, 241-44, 247-48;

e educação, 93-4, 248, 250-51, 255, 269-71;

e misoginia, 93, 185-86;

e misticismo, 94

na Antiguidade, 93

Racismo, 69

Radcliffe College, 332

Radegunda, 48

Raimondo de Cápua, 107

Rambouillet, Mme. de, 290

Rashi (estudioso do hebraico), 51

Rede de apoio, 41, 144, 157, 223-24, 291-304, 337,
338.

Ver também Agrupamento; Mentores; Apoio
intelectual

Redenção:

androginia, 121-22;

e a forma/significado do discurso religioso, 128,
129, 137;

e crítica bíblica, 189, 198-99, 336;

e definição de gênero, 31;

e educação, 245-46, 248;

e martírio, 310, 311;

e misticismo, 39-40;

e nascimento, 128-29;

o papel de Maria em, 189;

papel das mulheres em, 119, 122-23, 128-29, 137, 148

Reflections Upon Marriage [Reflexões sobre o Casamento] (Astell), 256-57

Reforma Protestante:

e alfabetização, 63-4;

e criatividade, 219-20;

e discurso religioso, 125-38;

e educação, 49-51, 55-6, 63-4, 125-26, 166-68, 219-20, 248-50;

e maternidade, 40, 125-26, 166-68;

e mediação, 126;

e misticismo, 101;

e mulheres instruídas, 51-2, 337-38;

e patriarcado, 125-26, 133;

e santidade, 101

e vida religiosa, 126

Reforma social, 67-8, 276, 337

Reforma. *Ver* Reforma Protestante

Reivindicação dos Direitos da Mulher (Wollstonecraft), 264

Relações conjugais:

e criatividade, 221-22;

e maternidade, 152, 153-54;

e misticismo, 112-14, 140-43, 146.

Ver também Casamento

Relações sexuais:

conforme expresso na literatura, 219-20;

e a crítica bíblica, 182-83;

e autolegitimação, 86-8, 90-1

e criatividade, 220-22, 225;

e misticismo, 117 86; e mulheres camponesas, 156-57;

Opiniões de Hildegarda de Bingen sobre as, 86-8, 90-1, 182;

Religião:

a ciência substitui, 262.

como opressora das mulheres, 205-06, 342;

como uma força libertadora, 325-26;

e a inferioridade de mulheres, 26-7;

e alfabetização, 64-5;

e definição de gênero, 31-2, 58-9, 254, 257-58;

e direitos naturais, 264-65;

e educação, 253-54;

e o Iluminismo, 262, 263-64;

e Romantismo, 300-01;

Ver também Crítica bíblica; Igreja Católica; Reforma Protestante; Vida religiosa

Relíquias, 102, 160, 161, 162

Renascença carolíngia, 71, 309

Renascença:

e definição de gênero, 316;

e educação, 45, 50-2, 53-60, 244;

mulheres instruídas no, 51-2, 53-60, 244

Renée da França, 285

Republicanismo, 27-8, 29-30, 265-73, 338-39

Revistas para mulheres, 287, 288

Revolução Americana, 29-30, 265

Rich, Adrienne, 217

Richardson, Samuel, 286

Roberto d'Arbrissel, 102

Roberts, Mary, 325

Roche, Sophie de la, 298

Roger (eremita), 107

Romance da Rosa, O (Meun), 183, 317

Rose, Ernestine, 327

Rosvita de Gandersheim, 48-9, 73-4, 159, 227, 282, 309-13, 322

Rousseau, Jean Jacques, 263-64

Rowson, Susannah, 224-25

Rudiments of Grammar, The [Os Rudimentos da Gramática] (Elstob), 61

Runckel, Dorothea von, 280

Rush, Benjamin, 266

Ruysbroeck, Jan van (místico), 112

Sabedoria. *Ver* Sofia (Sabedoria) Bruxaria, 71, 101, 106-07, 109-10, 124, 189-90

Safo, 220, 243, 324

Salões, 261, 286, 290-304, 341

Salvação. *Ver* Redenção

Sand, George, 225, 288

Santa Batilda, 308

Santa Catarina da Suécia, 108-09

Santa Catarina de Sena, 82, 97, 107, 109, 314

Santa Clara, 103, 107

Santa Gertrudes de Nivelles, 47

Santa Maria di Chiaravalle, 122-23

Santa Salaberga, 47

Santa Teresa de Ávila, 82, 97, 101, 314

Santidade, 100-01, 107, 314

Santo Agostinho, 72, 180, 181, 184, 193

Sanuti de Bolonha, Nicolosa, 322

São Francisco de Assis, 103, 107

São Norberto, 102

São Paulo:

    como uma fonte em defesa do direito da mulher de pregar, 100

    e casamento, 179;

    e crítica bíblica, 179, 190, 193, 198, 201, 205;

    e discurso religioso, 127, 132

Sapientia (Rosvita de Gandersheim), 310, 311

Sapientia, 88-90

Sauerbrei, Johannes, 323

Savigny, Friedrich Carl von, 295, 296, 300

Scala, Alessandra, 51

Schlegel, August Wilhelm, 281, 291-92, 293-94

Schlegel, Dorothea Veit, 292, 293, 301

Schlegel, Friedrich, 292, 293, 301

Schlegel-Schelling, Caroline, 281, 292, 293-94

Schopenhauer, Johanna, 291

Schurman, Anna Maria von, 196-97, 220, 227, 245, 246-47, 285, 332

Schwarz, Adelheid Sibylla, 129, 220

Scientia Dei (conhecimento de Deus), 88-9

Scivias (Hildegarda de Bingen), 81

Scott, Marry, 325

Scrovegni, Maddalena, 54-5

Scudery, Madeleine de, 60, 290-91, 324

"Se o estudo das cartas é apropriado a uma mulher cristã" (Schurman), 196-97

Segunda Vinda de Cristo, 128, 129, 134, 136, 137, 197

Segurança econômica, 155-57, 337

Seitas hereges, 102-06, 122-23, 132, 282.

    Ver também seitas específicas Heroínas.

    Ver Mulheres famosas

Select Female Biography: Comprising Memoirs of Eminent British Ladies [Seleta Biografia de Mulheres: Memórias Abrangentes de Mulheres Britânicas Notáveis, (Roberts), 325

Semprônia, 316, 319

Servidão, 155

Sforza, Hipólita, 51

Shakers, 101, 134-35, 143

Shaw, Anna Howard, 207

Sigourney, Lydia, 148

Smith, Amanda Berry, 140

Smith, Charlotte, 224

Smith, Julia, 200

Sobre a Liberdade (Mill e Mill), 281-82

Sociedades literárias (alemãs), 220

Société du Suffrage des Femmes [Sociedade do Sufrágio Feminino, 340

Sofia (Sabedoria), 88-90, 135, 143-44, 161

"Sophia, uma pessoa de qualidade", 259-61

Sorel, Agnes, 284

Southcott, Joanna, 135-38

Sowernam, Ester (pseud.), 193-94, 322

Speght, Rachel, 192-93, 198, 201, 323

Sprint, John, 258

Sra. Barber (mulher irlandesa), 169-71

St.-Cyr, 262

Stade, Richardis von, 82, 85

Stael, Mme. de, 288

Stanton, Elizabeth Cady, 205-06, 207-08, 269, 329-30

Stone, Lucy, 330

Stowe, Harriet Beecher, 74, 288, 326

Sturm, Beate, 130, 132

Submissão das mulheres, 177, 178, 179-80, 198-99

Sumner, Helen, 331

Susana (Bíblia), 322

Swetnam, Joseph (pseud.), 192, 193-94

Swift, Jonathan, 76, 169

Talbot, Catherine, 286

Taxas de natalidade, 157-58

Tencin, Mme. de, 290

Teologia. *Ver* Crítica bíblica

Teoria dos direitos naturais, 187, 263-64, 267, 270-71

Tertuliano, 180

"The Feminead" [O Caráter Feminino] (Duncombe), 325

The Learned Maid or, Whether a Maid May Be Scholar [A Criada Instruída, ou Se uma Criada Pode ser Acadêmica] (Schurman), 245-46

Thomasius, Jacob, 323

Thompson, William, 280-81

Thrale, Hester, 287

Tieck, Amalie, 291

Tiktiner, Rebecca, 51

Todd, Mabel Loomis, 237

Tomás de Aquino, 181

"Topos da humildade", 77-8, 312

Townley, Jane, 136

Tribunais, como centros intelectuais, 50, 282, 283-84, 321-22

Trindade, 121-22, 124, 159, 336

Troubatrixes, 75, 213-14

Trovadoras de Languedoc, 213-14

Troy Female Seminary [Seminário Feminino de Troy, hoje Emma Willard School], 67, 268

Truth, Sojourner, 138-39

Tutores, 51, 55

Twersky, Hannah Havah, 147

União feminina, 164-66

Universidade de Princeton, 332

Universidade de Yale, 70

Universidades:
    ascensão das, 45, 49-50;
    como espaço, 289;
    e alfabetização, 68-9;
    e apoio intelectual, 277-78;
    e classe, 49-50;
    e criatividade, 226-27;
    e definição de gênero, 70, 226-27;
    e História das Mulheres, 329-31, 333
    e treinamento de professores, 67-8;
    taxas de matrícula na América, 68-9

Urbanização, 49, 52, 224

Urbano II (papa), 161

Valdenses, 103, 104-05

Valdes, Peter, 103

Varano, Costanza, 283

Varnhagen von Ense, Carl, 292, 301, 302-03

Varnhagen von Ense, Rahel Levin, 291, 292, 299, 301-02, 303

Vetter, Anna, 97, 126-29, 132, 137, 197

Vida de Santa Radegunda (Baudovinia), 308

Vida pública e misticismo, 97-8, 131-32

Vida religiosa:
    e a Reforma Protestante, 125-26;
    e apoio intelectual, 281-82, 337-38;
    e biografia, 308-15;
    e classe, 46, 52;
    e criatividade, 220-22, 226-27;
    e educação, 45-50, 55, 56, 102-03, 249-51;
    e espaço livre, 252-53;
    e grupos leigos, 103;
    e História da Mulher, 314-15.
    e maternidade, 153-54;
    e misticismo, 96-7, 99, 101-07, 131-32;
    e modelos de papel, 282-83;
    e mulheres instruídas, 52-5, 56;
    Ver também Conventos; "Livros de irmãs"; *ordens específicas*

Vínculo mãe e filha, 166, 169

Virgem Maria. *Ver* Maria

Visão de Cristina (Cristina de Pisano), 75-6

Visão de mundo feminista, 205, 269-70, 341

Visões: e doença, 79, 83; e o culto a Virgem Maria, 161. *Ver também* Misticismo

Vítimas, estereótipo das mulheres, 117

Viúvas, 156. *Ver também* Mulheres solteiras

Walker, Alice, 217

Ward, Mary, 249, 261

Warren, Mercy Otis, 265

Weld, Theodore, 43, 281

Werbemacher, Hannah Rachel, 147-48

Wheatley, Phillis, 325

Wheeler, Anna, 280-81, 343

Wiesel, Pauline, 302

Wilkinson, Jemima, 135

Willard, Emma, 67, 268-69, 338

Willard, Frances E., 327

Wollstonecraft, Mary, 173, 225, 226, 264, 279, 288, 325, 326, 338, 342

Woman as Force in History [A Mulher como Força na História]

Woman´s Bible, The [A Bíblia da Mulher](Gage e Stanton), 206-09

Women's Speaking Justified, Proved and Allowed by the Scriptures... [A Fala das Mulheres Justificada, Comprovada e Permitida pelas Escrituras... (Fell), 198-99

Woolf, Virginia, 51, 70

Woolley, Hannah, 250, 251

Wright, Frances, 226, 269-70, 325, 326, 327

Zaunemann, Sidonia Hedwig, 221, 291

Ziegler, Christiana Mariana von, 220-21, 280, 291

Zinzendorf, Erdmuth, 131

Zinzendorf, Nikolaus, 131, 279

Impresso por :

gráfica e editora

Tel.:11 2769-9056